실전 독해 500제

Completion

저자 | (주)이앤미래(대표 이동기)

공무원 영어의 시작과 끝
이동기 영어

2026
이동기 영어
실전 독해 500제

이 책에 앞서 PREFACE

인사혁신처에서 발표한 출제 기조 전환에 따라 2025년 시험부터 공무원 영어 시험의 출제 유형이 달라졌습니다. 독해 문제의 경우 그동안 설명문, 논설문과 같은 학문적 글들로 모든 독해 지문이 구성되었다면 2025년 시험부터 이러한 학문적 글 외에도 이메일, 공지문, 웹 정보글 등 업무에 필요한 실용적인 글들이 출제되고 있습니다. 인사혁신처는 이미 두 차례 예시 문제를 공개하여 출제 기조의 전환을 분명히 밝혔고, 2025년 국가직, 지방직 9급 시험은 그러한 출제 기조가 반영된 첫 시험이었습니다. 따라서 수험생들은 기존의 지문 유형에 대한 대비뿐만 아니라 독해 문제의 절반을 차지하는 새로운 지문 유형인 실용적 글들을 빠르고 정확하게 읽어 문제가 원하는 정답을 골라내는 방법에 대한 학습과 연습이 반드시 필요하게 되었습니다.

이동기 영어교육연구소는 인사혁신처의 출제 기조 전환에 대한 공지문과 두 차례 예시 문제, 2025년 기출문제의 분석뿐 아니라 이를 기반으로 유사성이 보이는 공무원 기출문제, 토익 문제, 수능 문제 등 다양한 시험들을 모두 분석하여 출제 가능한 유형들을 정리하여 공무원 영어 기본서인 [이동기 영어 신경향 ALL IN ONE]에 수록했습니다. 또한 이런 유형분석을 기반으로 인사혁신처에서 발표한 예시 문제와 가장 유사한 문제들, 그리고 출제 가능한 문제들을 직접 출제하고 여러 차례 감수를 거쳐 이번 [이동기 영어 실전 독해 500제]를 출간하게 되었습니다.

[이동기 영어 실전 독해 500제] 이 한 권으로 새롭게 바뀌는 시험에 완벽히 대비할 수 있다고 자신합니다.

2025년 8월 연구실에서

이동기 드림

구성과 특징 GUIDE

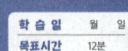

공무원 시험 유형의 독해 지문과 문제가 제시됩니다. 하루 정해진 분량(5~10개 지문)의 문제를 시간을 재며 먼저 풀어보세요. 권장하는 시간은 다음과 같습니다.

	초급자	중급자 이상
문제당 시간	2분 30초~3분 30초	2분~2분 30초

각 독해 지문에 나오는 문장 하나를 선정하여 정확한 문장 분석과 해석 방법을 제시해 줌으로써 바르고 정확한 독해를 할 수 있도록 도와줍니다.

이동기 영어 실전 독해 500제 Completion에는
공무원 시험에 최적화된
실전 문제 300개를 수록하였습니다.

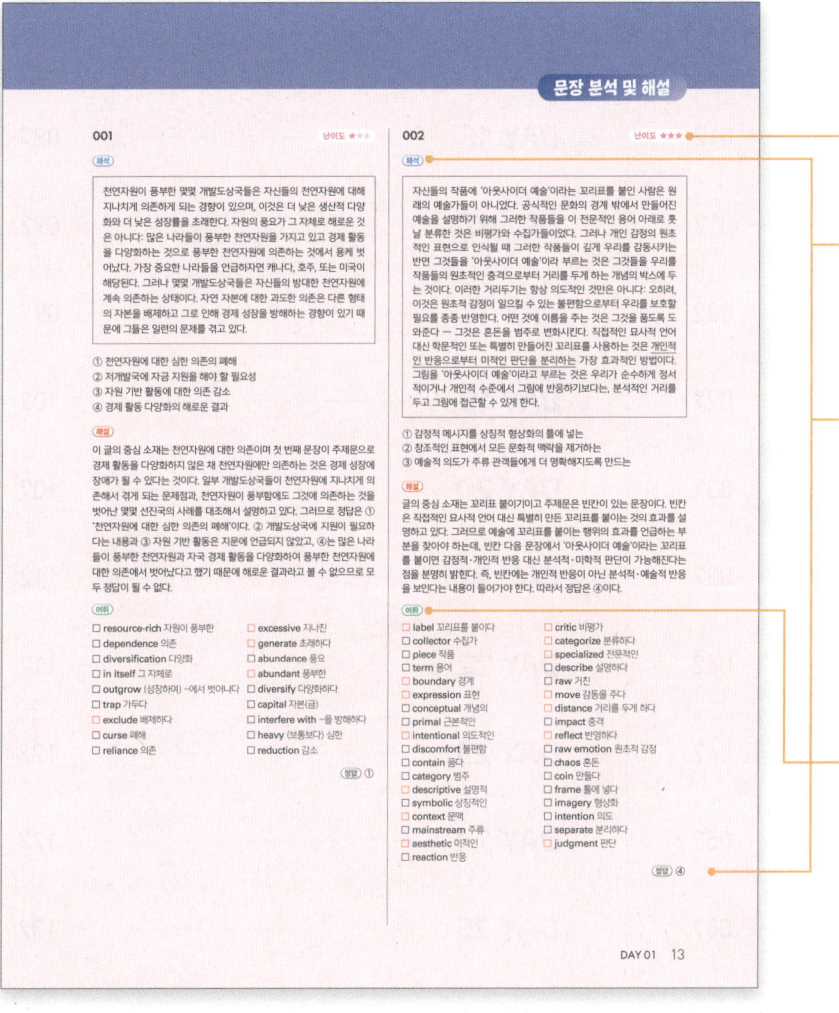

각 독해 문항의 난이도를 표시합니다.

각 문제의 오른쪽 페이지에 수록된 상세한 해석과 해설, 어휘를 통해 혼자서도 꼼꼼히 학습할 수 있습니다.

300문제를 모두 푼 후, 전체 문제들 중 틀린 문제나 중요하다고 표시해 둔 문제들만 다시 꼼꼼하게 분석하는 것이 좋습니다. 내가 고른 선택지가 왜 오답인지, 그리고 정답인 선택지에 대한 근거를 정확히 찾는 등 확실한 분석이 가능하도록 도와줍니다.

독해 지문과 문제에서 학습해 둘 필요가 있는 어휘 목록이 제공됩니다. 독해 활용도가 높은 단어는 특별히 빨간색으로 표시하였습니다.

차례 CONTENTS

BOOK 2

DAY 01 — 012	DAY 16 — 087
DAY 02 — 017	DAY 17 — 092
DAY 03 — 022	DAY 18 — 097
DAY 04 — 027	DAY 19 — 102
DAY 05 — 032	DAY 20 — 107
DAY 06 — 037	DAY 21 — 112
DAY 07 — 042	DAY 22 — 117
DAY 08 — 047	DAY 23 — 122
DAY 09 — 052	DAY 24 — 127
DAY 10 — 057	DAY 25 — 132
DAY 11 — 062	DAY 26 — 137
DAY 12 — 067	DAY 27 — 142
DAY 13 — 072	DAY 28 — 147
DAY 14 — 077	DAY 29 — 152
DAY 15 — 082	DAY 30 — 157

DAY 31	162
DAY 32	167
DAY 33	172
DAY 34	177
DAY 35	182
DAY 36	187
DAY 37	192
DAY 38	197
DAY 39	202
DAY 40	207
DAY 41	212
DAY 42	217
DAY 43	222
DAY 44	227
DAY 45	232
DAY 46	237
DAY 47	242
DAY 48	247
DAY 49	252
DAY 50	257
DAY 51	262
DAY 52	267
DAY 53	272
DAY 54	277
DAY 55	282
DAY 56	287
DAY 57	292
DAY 58	297
DAY 59	302
DAY 60	307

학습플랜 STUDY PLAN

BOOK 2

1일 완료 ☐	2일 완료 ☐	3일 완료 ☐	4일 완료 ☐	5일 완료 ☐
DAY 01	DAY 02	DAY 03	DAY 04	DAY 05

6일 완료 ☐	7일 완료 ☐	8일 완료 ☐	9일 완료 ☐	10일 완료 ☐
DAY 06	DAY 07	DAY 08	DAY 09	DAY 10

11일 완료 ☐	12일 완료 ☐	13일 완료 ☐	14일 완료 ☐	15일 완료 ☐
DAY 11	DAY 12	DAY 13	DAY 14	DAY 15

16일 완료 ☐	17일 완료 ☐	18일 완료 ☐	19일 완료 ☐	20일 완료 ☐
DAY 16	DAY 17	DAY 18	DAY 19	DAY 20

21일 완료 ☐	22일 완료 ☐	23일 완료 ☐	24일 완료 ☐	25일 완료 ☐
DAY 21	DAY 22	DAY 23	DAY 24	DAY 25

26일 완료 ☐	27일 완료 ☐	28일 완료 ☐	29일 완료 ☐	30일 완료 ☐
DAY 26	DAY 27	DAY 28	DAY 29	DAY 30

60일 완성 학습 플랜
매일 5문제씩 60일을 완성합니다.

31일 완료 ☐	32일 완료 ☐	33일 완료 ☐	34일 완료 ☐	35일 완료 ☐
DAY 31	DAY 32	DAY 33	DAY 34	DAY 35

36일 완료 ☐	37일 완료 ☐	38일 완료 ☐	39일 완료 ☐	40일 완료 ☐
DAY 36	DAY 37	DAY 38	DAY 39	DAY 40

41일 완료 ☐	42일 완료 ☐	43일 완료 ☐	44일 완료 ☐	45일 완료 ☐
DAY 41	DAY 42	DAY 43	DAY 44	DAY 45

46일 완료 ☐	47일 완료 ☐	48일 완료 ☐	49일 완료 ☐	50일 완료 ☐
DAY 46	DAY 47	DAY 48	DAY 49	DAY 50

51일 완료 ☐	52일 완료 ☐	53일 완료 ☐	54일 완료 ☐	55일 완료 ☐
DAY 51	DAY 52	DAY 53	DAY 54	DAY 55

56일 완료 ☐	57일 완료 ☐	58일 완료 ☐	59일 완료 ☐	60일 완료 ☐
DAY 56	DAY 57	DAY 58	DAY 59	DAY 60

독해 고득점을 위한
엄선된 지문과
상세한 해설

2026 이동기 영어

실전 독해

500제

Completion

001 다음 글의 제목으로 가장 적절한 것은?

Some natural resource-rich developing countries tend to create an excessive dependence on their natural resources, which generates a lower productive diversification and a lower rate of growth. Resource abundance in itself need not do any harm: many countries have abundant natural resources and have managed to outgrow their dependence on them by diversifying their economic activity. That is the case of Canada, Australia, or the US, to name the most important ones. But some developing countries are trapped in their dependence on their large natural resources. They suffer from a series of problems since a heavy dependence on natural capital tends to exclude other types of capital and thereby interfere with economic growth.

① The Curse of Heavy Reliance on Natural Resources
② The Necessity of Financial Aid to Less Developed Countries
③ The Reduction in Dependency on Resource Based Activities
④ The Harmful Effect of Diversifying Economic Activities

주요 구문 분석

Some natural resource-rich developing countries / tend to create an excessive dependence (on their natural resources), / which generates a lower productive diversification / and a lower rate of growth.
(분석) dependence on은 '~에 대한 의존'으로 해석되며, 계속적 용법의 관계대명사 which는 앞 절 전체(자원이 풍부한 몇몇 개발도상국들이 천연자원에 지나치게 의존하게 되는 경향)를 가리키며 '그리고 이는 ~하다'로 해석한다.

002 밑줄 친 부분에 들어갈 말로 가장 적절한 것은?

It was not the original artists who labeled their work "outsider art." It was critics and collectors who later categorized such pieces under this specialized term to describe art made beyond the boundaries of official culture. But while such works, when seen as raw expressions of individual emotion, deeply move us, calling them "outsider art" places them in a conceptual box that distances us from their primal impact. This distancing is not always intentional; rather, it often reflects a need to protect ourselves from the discomfort that raw emotion can cause. Giving something a name helps contain it — it turns chaos into category. Using academic or specially coined labels in place of direct descriptive language is one of the most effective ways _____ _____. Referring to a painting as "outsider art" allows us to approach it with analytical distance, rather than to respond to it on a purely emotional or personal level.

① to frame the emotional message in symbolic imagery
② to remove all cultural context from creative expression
③ to make artistic intention clearer to mainstream audiences
④ to separate aesthetic judgment from personal reaction

주요 구문 분석

But while such works, / when seen as raw expressions of individual emotion, / deeply move us, // calling them "outsider art" places them / in a conceptual box (that distances us from their primal impact).
(분석) while이 이끄는 부사절에는 when이 이끄는 분사구문이 삽입되어 있는데, 분사구문은 의미상 주어가 such works이므로 '개인의 감정을 날것 그대로 표현한 것으로 인식될 때'라고 해석되어야 한다. 또한, 주절은 주어가 동명사 calling이고 동사는 places이며, that이 이끄는 관계대명사절이 전치사의 목적어 a conceptual box를 수식하는 구조이다. 이때 주절의 primal impact는 바로 이 날것의 감정이 미치는 영향으로 이해하면 된다.

001 난이도 ★★★

해석

> 천연자원이 풍부한 몇몇 개발도상국들은 자신들의 천연자원에 대해 지나치게 의존하게 되는 경향이 있으며, 이것은 더 낮은 생산적 다양화와 더 낮은 성장률을 초래한다. 자원의 풍요가 그 자체로 해로운 것은 아니다: 많은 나라들이 풍부한 천연자원을 가지고 있고 경제 활동을 다양화하는 것으로 풍부한 천연자원에 의존하는 것에서 용케 벗어났다. 가장 중요한 나라들을 언급하자면 캐나다, 호주, 또는 미국이 해당된다. 그러나 몇몇 개발도상국들은 자신들의 방대한 천연자원에 계속 의존하는 상태이다. 자연 자본에 대한 과도한 의존은 다른 형태의 자본을 배제하고 그로 인해 경제 성장을 방해하는 경향이 있기 때문에 그들은 일련의 문제를 겪고 있다.

① 천연자원에 대한 심한 의존의 폐해
② 저개발국에 자금 지원을 해야 할 필요성
③ 자원 기반 활동에 대한 의존 감소
④ 경제 활동 다양화의 해로운 결과

해설

이 글의 중심 소재는 천연자원에 대한 의존이며 첫 번째 문장이 주제문으로 경제 활동을 다양화하지 않은 채 천연자원에만 의존하는 것은 경제 성장에 장애가 될 수 있다는 것이다. 일부 개발도상국들이 천연자원에 지나치게 의존해서 겪게 되는 문제점과, 천연자원이 풍부함에도 그것에 의존하는 것을 벗어난 몇몇 선진국의 사례를 대조해서 설명하고 있다. 그러므로 정답은 ① '천연자원에 대한 심한 의존의 폐해'이다. ② 개발도상국에 지원이 필요하다는 내용과 ③ 자원 기반 활동은 지문에 언급되지 않았고, ④는 많은 나라들이 풍부한 천연자원과 자국 경제 활동을 다양화하여 풍부한 천연자원에 대한 의존에서 벗어났다고 했기 때문에 해로운 결과라고 볼 수 없으므로 모두 정답이 될 수 없다.

어휘

- resource-rich 자원이 풍부한
- dependence 의존
- diversification 다양화
- in itself 그 자체로
- outgrow (성장하여) ~에서 벗어나다
- trap 가두다
- exclude 배제하다
- curse 폐해
- reliance 의존
- excessive 지나친
- generate 초래하다
- abundance 풍요
- abundant 풍부한
- diversify 다양화하다
- capital 자본(금)
- interfere with ~을 방해하다
- heavy (보통보다) 심한
- reduction 감소

정답 ①

002 난이도 ★★★

해석

> 자신들의 작품에 '아웃사이더 예술'이라는 꼬리표를 붙인 사람은 원래의 예술가들이 아니었다. 공식적인 문화의 경계 밖에서 만들어진 예술을 설명하기 위해 그러한 작품들을 이 전문적인 용어 아래로 훗날 분류한 것은 비평가와 수집가들이었다. 그러나 개인 감정의 원초적인 표현으로 인식될 때 그러한 작품들이 깊게 우리를 감동시키는 반면 그것들을 '아웃사이더 예술'이라 부르는 것은 그것들을 우리를 작품들의 원초적인 충격으로부터 거리를 두게 하는 개념의 박스에 두는 것이다. 이러한 거리두기는 항상 의도적인 것만은 아니다: 오히려, 이것은 원초적 감정이 일으킬 수 있는 불편함으로부터 우리를 보호할 필요를 종종 반영한다. 어떤 것에 이름을 주는 것은 그것을 품도록 도와준다 — 그것은 혼돈을 범주로 변화시킨다. 직접적인 묘사적 언어 대신 학문적인 또는 특별히 만들어진 꼬리표를 사용하는 것은 개인적인 반응으로부터 미적인 판단을 분리하는 가장 효과적인 방법이다. 그림을 '아웃사이더 예술'이라고 부르는 것은 우리가 순수하게 정서적이거나 개인적 수준에서 그림에 반응하기보다는, 분석적인 거리를 두고 그림에 접근할 수 있게 한다.

① 감정적 메시지를 상징적 형상화의 틀에 넣는
② 창조적인 표현에서 모든 문화적 맥락을 제거하는
③ 예술적 의도가 주류 관객들에게 더 명확해지도록 만드는

해설

글의 중심 소재는 꼬리표 붙이기이고 주제문은 빈칸이 있는 문장이다. 빈칸은 직접적인 묘사적 언어 대신 특별히 만든 꼬리표를 붙이는 것의 효과를 설명하고 있다. 그러므로 예술에 꼬리표를 붙이는 행위의 효과를 언급하는 부분을 찾아야 하는데, 빈칸 다음 문장에서 '아웃사이더 예술'이라는 꼬리표를 붙이면 감정적·개인적 반응 대신 분석적·미학적 판단이 가능해진다는 점을 분명히 밝힌다. 즉, 빈칸에는 개인적 반응이 아닌 분석적·예술적 반응을 보인다는 내용이 들어가야 한다. 따라서 정답은 ④이다.

어휘

- label 꼬리표를 붙이다
- collector 수집가
- piece 작품
- term 용어
- boundary 경계
- expression 표현
- conceptual 개념의
- primal 근본적인
- intentional 의도적인
- discomfort 불편함
- contain 품다
- category 범주
- descriptive 설명적
- symbolic 상징적인
- context 문맥
- mainstream 주류
- aesthetic 미적인
- reaction 반응
- critic 비평가
- categorize 분류하다
- specialized 전문적인
- describe 설명하다
- raw 거친
- move 감동을 주다
- distance 거리를 두게 하다
- impact 충격
- reflect 반영하다
- raw emotion 원초적 감정
- chaos 혼돈
- coin 만들다
- frame 틀에 넣다
- imagery 형상화
- intention 의도
- separate 분리하다
- judgment 판단

정답 ④

003 다음 주어진 문장이 들어갈 위치로 가장 적절한 것은?

Like most other human scientific feats, however, it threatens social and industrial relations.

(①) The decoding of the human genome is a phenomenal development. (②) It is a transcendental discovery in humanity's effort to improve miserable health conditions caused by pollution, wars and poverty. (③) It has the potential to throw people out of work and shake up families. (④) Effective laws must be passed to guard against converting this scientific feat into a tool of racism.

004 다음 글의 요지로 가장 적절한 것은?

You can almost certainly recall instances when being around a calm person leaves you feeling more at peace, or when your previously sunny mood was spoiled by contact with a grouch. Researchers have demonstrated that this process occurs quickly and doesn't require much, if any, verbal communication. In one study, two volunteers completed a survey that identified their moods. Then they sat quietly, facing each other for a two-minute period, waiting for the researcher to return to the room. At the end of that time, they completed another emotional survey. Time after time, the brief exposure resulted in the less expressive partner's moods coming to resemble the moods of the more expressive one. It's easy to understand how emotions can be even more infectious with prolonged contact. In just a few months, the emotional responses of both dating couples and college roommates become dramatically more similar.

* grouch: 불평이 많은 사람

① You are likely to get depressed when a complaining person is around you.
② Emotions as infectious diseases among dating couples ruin their relationship.
③ Our emotions are influenced by the feelings of those around us.
④ People with no verbal communication affect each other's emotions.

주요 구문분석

Like most other human scientific feats, / however, / it threatens social and industrial relations.

분석 however가 문장 중간에 들어가 있을 경우 제일 먼저 '하지만'이라고 해석하고 나머지 부분을 해석하면 된다. 「like+명사」의 전치사구는 '~처럼'을 뜻한다.

주요 구문분석

It's easy to understand // how emotions can be even more infectious / with prolonged contact.

분석 가주어 It은 해석되지 않으므로 진주어 to understand 이하를 해석한 후에 동사와 보어를 해석해준다. to understand의 목적어로 how 명사절이 이어지고 있다. how는 '어떻게 ~ 한지를' 또는 '~하는 방식을'이라고 해석한다.

003

난이도 ★★★

해석

(①) 인간 게놈의 해독은 경이적인 발전이다. (②) 그것은 오염, 전쟁, 그리고 빈곤에 의해 야기된 비참한 건강 상태를 개선하려는 인간의 노력에 있어 매우 탁월한 발견이다. (③) 하지만 인간이 이루어낸 다른 대부분의 과학 업적과 마찬가지로, 그것은 사회 관계와 산업 관계를 위협한다. 그것은 사람들을 직장에서 내몰고, 가족을 대대적으로 개편할 수 있는 잠재성을 가지고 있다. (④) 이 과학적 업적이 인종 차별의 도구로 전환되지 않도록 지키기 위해 효과적인 법이 통과되어야 한다.

해설

주어진 문장에 역접의 접속사 however와 위협한다는 내용이 있는 것으로 보아 주어진 문장의 앞에서 '그것'의 장점이 언급되고, 뒤에는 위협에 대한 구체적인 예시가 나와야 함을 유추할 수 있다. ①, ②의 내용은 게놈 해독의 장점이고, ③, ④의 내용은 게놈 해독의 단점이므로 주어진 문장은 ③의 자리에 들어가는 것이 가장 적절하다.

어휘

- feat 업적
- decode 해독하다
- phenomenal 경이적인
- miserable 비참한
- shake up 크게 개편하다
- threaten 위협하다
- genome 게놈
- transcendental 탁월한
- potential 잠재력
- convert A into B A를 B로 전환하다

정답 ③

004

난이도 ★★★

해석

편안한 사람의 주변에 있는 것이 당신을 더 평화롭게 느끼게 둘 때나, 당신의 이전에 좋은 기분이 불평이 많은 사람과의 접촉에 의해 망쳐졌을 때의 경우를 당신은 거의 확실히 떠올릴 수 있다. 연구자들은 이 과정이 빠르게 발생하고, 구두 소통은, 만약 있더라도, 많이 요구하지 않는다는 것을 증명했다. 한 연구에서, 두 자원자들은 그들의 기분을 확인하는 설문을 완료했다. 그러고 나서 그들은 조용히 앉아서, 서로를 2분 동안 마주보며, 연구자가 방에 돌아오기를 기다렸다. 그 시간이 끝나고, 그들은 감정에 관한 또 다른 설문을 완성했다. 매번, 짧은 노출의 결과 감정을 덜 드러내는 파트너의 기분이 감정을 더 잘 드러내는 파트너의 기분을 닮아가게 되었다. 어떻게 감정이 장기적인 접촉으로 훨씬 더 전염성이 있을 수 있는지 이해하는 것은 쉽다. 단지 몇 달 안에, 데이트하는 커플과 대학 룸메이트의 감정적 반응은 매우 비슷해졌다.

① 불평하는 사람이 주변에 있을 때 우울해지기 쉽다.
② 데이트하는 커플 사이에서 전염병처럼 감정은 그들의 관계를 망친다.
③ 우리의 감정은 주변 사람들의 감정에 영향을 받는다.
④ 구두 소통이 전혀 없는 사람들이 서로의 감정에 영향을 미친다.

해설

글의 중심 소재는 감정이다. 첫 문장에서 우리가 주변 사람에 의해 영향을 받을 수 있다고 진술한 뒤, 연구를 통해 이를 입증한다. 아주 짧은 시간 동안 접촉한 사람들조차 상대방의 감정에 영향을 받을 수 있다는 실험 결과 즉 글의 주제를 설명한 뒤, 장기적인 접촉을 통해 감정 전염이 더 잘 일어난다는 것도 쉽게 이해할 수 있다고 부연한다. 따라서 글의 요지로 가장 적절한 것은 ③ '우리의 감정은 주변 사람들의 감정에 영향을 받는다'이다. ①은 부정적인 감정 전이만을 설명하는 지엽적인 내용이고, ④는 많은 구두 소통이 있지 않아도 감정 전이가 가능하다고 했을 뿐 구두 소통이 전혀 없는 사람들 간의 감정 전이만을 말하지 않았으므로 모두 답으로 적절하지 않다.

어휘

- recall 회상하다
- calm 편안한
- mood 기분
- contact 접촉
- if any 만약 있다 하더라도
- identify 확인하다
- expressive 감정을 잘 드러내는
- infectious 전염되는
- be likely to ~하기 쉽다
- instance 경우
- previously 이전에
- spoil 망치다
- demonstrate 증명하다
- verbal 구두의
- time after time 매번
- resemble 닮다
- prolonged 장기적인
- ruin 망치다

정답 ③

005 주어진 문장 다음에 이어질 글의 순서로 가장 적절한 것은?

Much of socialization takes place during human interaction, without the deliberate intent to impart knowledge or values.

(A) It is very likely that the message Sally received from the morning's interactions was that it is not OK for children to interrupt adults, but it is OK for adults to interrupt children. The example shows that unintentional socialization may be the product of involvement in human interaction or observation of interaction.

(B) Later that morning Sally and her friend Tanya are busily playing with Legos. Sally is explaining and demonstrating to Tanya how to fit the pieces together. Miss Jones comes over to the block corner and interrupts with, "Girls, please stop what you're doing and come and see what Rene has brought to school."

(C) For example, a four-year-old approaches two teachers conversing and excitedly says, "Miss Jones, Miss Jones, look!" One teacher says, "Sally, don't interrupt; we're talking."

① (B) – (A) – (C) ② (B) – (C) – (A)
③ (C) – (A) – (B) ④ (C) – (B) – (A)

주요 구문 분석

It is very likely // that the message (Sally received from the morning's interactions) was // that it is not OK for children to interrupt adults, // but it is OK for adults to interrupt children.

분석 It은 가주어이므로 진주어인 that절부터 해석하면 된다. 즉 「It is very likely that S+V」는 '~가 …할 가능성이 매우 크다'를 의미한다. 진주어 that절의 주어가 the message이고 보어가 that 명사절이다. 보어인 that절은 다시 가주어 it과 진주어(to부정사) 구문으로 이루어져 있으므로 진주어부터 해석해서 '~하는 것은 괜찮지만, …하는 것은 괜찮지 않다'로 해석한다.

문장 분석 및 해설

005 난이도 ★★★

해석

사회화의 상당 부분은 지식이나 가치관을 전해 주려는 의도된 목적 없이 사람들이 상호 작용을 하는 동안 일어난다. (C) 예를 들어, 네 살짜리 아이가 대화하고 있는 두 선생님에게 다가와 신이 나서 말한다. "Jones 선생님, Jones 선생님, 이것 좀 보세요!" 한 선생님이 말한다. "Sally, 방해하지 말거라. 얘기 중이잖니." (B) 오전이 조금 지난 후 Sally와 친구 Tanya는 레고를 가지고 분주히 놀고 있다. Sally는 Tanya에게 레고 조각들을 맞추는 방법을 보여 주며 설명하고 있다. Jones 선생님이 블록들이 있는 곳으로 오더니 중단시킨다. "얘들아, 하고 있는 것을 멈추고 Rene가 학교에 가져온 것을 보러 오너라." (A) Sally가 오전에 상호 작용으로부터 얻은 메시지는, 아이들이 어른들을 방해하는 것은 안 되지만, 어른들이 아이들을 방해하는 것은 괜찮다는 것이었을 가능성이 매우 크다. 그 사례는 의도치 않은 사회화가 사람들 사이의 상호 작용에의 참여 또는 상호 작용의 관찰의 산물일 수도 있음을 보여 준다.

해설

주어진 글에서 사회화의 상당 부분이 의도된 목적이 없는 상호 작용 중에 일어난다고 하였으므로 상호 작용에 관한 내용들이 뒤따르도록 배열해야 한다. (B), (C)는 상호 작용에 관한 두 가지 사례이므로 For example이 있는 (C)가 (B)보다 먼저 와야 한다. 그리고 (A)에서 the morning's interactions는 아침에 Sally가 겪은 두 가지 상호 작용, 즉 (C)와 (B)의 사례를 의미한다. 따라서 주어진 글에 이어질 글의 순서로는 ④ (C)-(B)-(A)가 가장 적절하다.

어휘

- socialization 사회화
- interaction 상호 작용
- intent 목적
- interrupt 방해하다
- involvement 참여
- converse 대화하다
- take place 일어나다
- deliberate 의도적인
- impart 전하다
- unintentional 본의가 아닌
- demonstrate 보여 주다

정답 ④

학습일 월 일
목표시간 12분

문장 분석 및 해설

006 글의 흐름상 가장 어색한 것은?

Space exploration has led to remarkable discoveries about our universe and inspired generations of scientists and engineers. Satellites orbiting Earth provide critical data for weather forecasting, global communication, and navigation systems. ① Many experts believe that continued investment in space research will lead to new technologies that benefit life on our planet. ② It is believed that the surface of Mars was covered in vast oceans and dense forests that supported a wide variety of life forms. ③ Some critics argue that resources spent on space missions would be better used if they were used to address urgent problems here on Earth, such as poverty and climate change. ④ The development of reusable rockets has made launching spacecraft more affordable and efficient. As we look to the future, it is important to balance the pursuit of knowledge with responsibility to our own planet.

006 난이도 ★★★

(해석)

우주 탐사는 우리 우주에 대한 놀라울 만한 발견들을 이끌었고 수 세대의 과학자와 기술자들에게 영감을 불어넣었다. 지구의 궤도를 도는 위성들은 기상 예보, 전 세계적인 통신, 그리고 운행 유도 시스템을 위한 중요한 자료를 제공한다. ① 많은 전문가들은 우주 연구에 대한 지속적인 투자가 우리 행성 위의 생명체들에게 유익한 새로운 기술로 이어질 것이라고 믿는다. ② 화성의 표면은 매우 다양한 생명체를 지원했던 광대한 바다와 빽빽한 숲으로 덮여 있었다고 믿어진다. ③ 일부 비평가들은 우주 임무에 사용된 자원들이 이곳 지구의 빈곤이나 기후 변화와 같은 긴급한 문제들을 해결하는 데 쓰였다면 더 나았을 것이라고 주장한다. ④ 재사용 가능한 로켓의 발달은 우주선 발사를 더 감당할 수 있고 효율적이게 했다. 우리가 미래를 내다볼 때 지식의 추구와 우리의 지구에 대한 책임 사이의 균형을 맞추는 것은 중요하다.

(해설)

글의 중심 소재는 우주 탐사이다. 특별한 주제문 없이 우주 탐사에 대한 기대, 현실적인 문제, 기술의 발달 등을 이야기하고 마지막에 우주 임무가 균형 있게 발전해야 한다고 주장하며 마무리 짓는다. 그러나 ②는 화성의 표면에 대한 내용을 담고 있어 글의 주제에서 다소 벗어나 있다.

(어휘)

- space 우주
- exploration 탐사
- remarkable 놀라울 만한
- discovery 발견
- inspire 영감을 주다
- engineer 기술자
- satellite 위성
- orbit 궤도를 돌다
- critical 중요한
- communication 통신
- navigation system 운행 유도 시스템
- expert 전문가
- investment 투자
- planet 행성
- surface 표면
- vast 광대한
- ocean 바다
- dense 빽빽한
- forest 숲
- critic 비평가
- resource 자원
- mission 임무
- address 해결하다
- urgent 급한
- poverty 빈곤
- development 발전
- reusable 재사용 가능한
- launch 발사하다
- spacecraft 우주선
- affordable 감당할 수 있는
- efficient 효율적인
- look to ~을 내다보다
- balance 균형을 맞추다
- pursuit 추구
- responsibility 책임감

(정답) ②

주요 구문 분석

Some critics argue // that resources (spent on space missions) would be better used // if they were used / to address urgent problems here on Earth, / such as poverty and climate change.

(분석) 본동사 argue의 목적어로 that절이 사용되었고, 그 that절 안에 가정법 과거가 쓰였다. if로 시작하는 조건절(if they were used to address ~)에는 동사의 과거형(were used)이, 주절(would be better used)에는 조동사의 과거형(would)이 있으므로, 이는 현재 사실과 반대되는 상황을 가정하는 구조이다. 따라서 '그 자원들이 실제로는 지구의 긴급한 문제들을 해결하는 데 쓰이지 않았지만, 만약 쓰였다면 더 낫게 쓰였을 것이다'라고 해석하면 된다.

007 주어진 문장이 들어갈 위치로 가장 적절한 것은?

> Mazur doesn't give them the answer; instead, he asks the students to break off into small groups and discuss the problem among themselves.

The last two decades of research on the science of learning have shown conclusively that we remember things better, and longer, if we discover them ourselves rather than being told them. (①) This is the teaching method practiced by physics professor Eric Mazur. (②) He doesn't lecture in his classes at Harvard. (③) Instead, he asks students difficult questions, based on their homework reading, that require them to pull together sources of information to solve a problem. (④) Eventually, nearly everyone in the class gets the answer right, and the concepts stick with them because they had to find their own way to the answer.

008 다음 빈칸 (A), (B)에 들어갈 말로 가장 적절한 것은?

Some contemporary technologies seem to open new and deeply troubling ethical issues, issues of a kind that humankind has never had to address before. __(A)__, the emerging technology of genetic engineering creates the prospect of our designing our own children and turning humanity itself into a kind of artifact. Some scholars seem to welcome this prospect, but others believe that we are at a crossroads that requires that we relinquish the opportunity to acquire the knowledge that would enable us to create such a brave new world. Others believe that we can place reasonable limits on how biotechnology and genetic engineering will be employed on human beings that will allow some uses but prohibit others. Genetic engineering of plants and some animal species is already in widespread use, and it may already be impossible to put this particular genie back in the bottle. __(B)__, technologies such as these that give us the capability to alter nature in fundamental ways should be approached with a sense of "long-range responsibility" and, above all, a sense of humility.

	(A)	(B)
①	However	In addition
②	For instance	Therefore
③	Thus	In particular
④	Likewise	So

주요 구문 분석

Mazur doesn't give them the answer; // instead, / he asks the students / to break off into small groups / and discuss the problem / among themselves.

【분석】 두 개의 독립된 문장을 논리적 흐름을 강조하기 위해 세미콜론(;)으로 연결하고 있다. 해석은 독립된 문장처럼 각각 해준다. ask의 목적격보어로 두 개의 to부정사 to break ~ groups와 discuss ~ themselves가 연결되어 있는데 「ask + 목 + to부정사」는 '~에게 ...하도록 요청하다'라고 해석한다.

주요 구문 분석

For instance, / the emerging technology (of genetic engineering) / creates the prospect (of our designing our own children / and turning humanity itself into a kind of artifact).

【분석】 the prospect와 「of + 동명사구1 and 동명사구2」의 구조로 of의 목적어로 두 개의 동명사구가 and로 병렬되어 있다. 이때 of는 동격의 of로서 prospect와 of 이하가 동격이므로 '~이라는 전망'이라고 해석한다.

007

해석

학습 과학에 관한 지난 20년간의 연구는 만약 우리가 무언가에 대해서 듣기보다 스스로 발견한다면 우리는 그것들을 더 잘 기억하고, 더 오래 기억한다는 것을 결론적으로 보여주었다. (①) 이것은 물리학 교수 Eric Mazur에 의해 실행되는 교수법이다. (②) 그는 하버드 수업에서 강의하지 않는다. (③) 대신에, 그는 그들의 독서 활동 과제에 기반하여 학생들에게 문제를 해결하기 위해 정보자료를 모으는 일이 필요한 어려운 질문을 한다. (④) Mazur는 그들에게 답을 주지 않는다, 대신에, 그는 학생들에게 소그룹으로 갈라져 그들 스스로 문제를 토론할 것을 요청한다. 결국, 수업을 듣는 거의 모두가 정확하게 정답을 골랐고, 그들이 정답으로 가는 길을 스스로 찾았기 때문에 이러한 개념들은 그들에게 오래 남는다.

해설

주어진 문장에서 Mazur는 답을 주지 않는다고 했으므로, 주어진 문장 앞에는 질문에 대한 이야기가 언급될 것을 유추할 수 있다. 또한 학생들이 소그룹으로 나뉘어 문제에 대해 스스로 토론한다고 했으므로, 주어진 문장 뒤에는 스스로 진행한 토론의 결과가 언급되어야 함을 유추할 수 있다. 그러므로 주어진 문장이 들어갈 위치는 ④가 가장 적절하다.

어휘

- break off into ~로 갈라지다
- conclusively 결론적으로
- practice 실행하다
- lecture 강의하다
- pull together 모으다
- stick with ~에게 오래 남다

정답 ④

008

해석

현대의 몇몇 기술들은 인간이 이전에는 한 번도 다루지 않았던 문제들인, 새롭고 심히 우려스러운 윤리적인 문제들을 공개한 것처럼 보인다. (A) 예를 들면 유전 공학의 최근에 생겨난 기술은 우리가 우리의 자녀들을 디자인하고 인류 그 자체를 인공물로 바꾼다는 전망을 만들어낸다. 몇몇 학자들은 이 전망을 환영하는 것처럼 보이지만, 다른 학자들은 우리가 그렇게 용감한 새로운 세상을 만드는 것을 가능하게 하는 지식을 얻을 기회를 포기할 것을 요구하는 갈림길에 있다고 믿는다. 다른 학자들은 우리가 생명 공학과 유전 공학이 몇몇 용도로는 허락하지만 다른 용도로는 금지하는 인간에게 어떻게 사용될 것인가에 대한 합리적인 한계를 둘 수 있다고 믿는다. 식물과 몇몇 동물의 유전 공학은 이미 널리 사용되고 있어서, 이 특별한 요정을 다시 병에 넣어 놓는 것은 이미 불가능할 것이다(유전자 공학이 존재하던 세상 이전으로 돌아가기는 불가능할 것이다). (B) 그러므로 우리에게 근본적인 방식으로 자연을 바꾸는 능력을 부여하는 이러한 기술들은 '장기적인 책임감'으로, 그리고 무엇보다도 겸손함으로 접근되어야 한다.

	(A)	(B)
①	하지만	게다가
③	따라서	특히
④	마찬가지로	그래서

해설

(A) 앞에서 일부 현대 기술이 심각한 윤리적 문제를 만들어낸다고 했고, (A) 뒤에서 유전 공학의 신기술의 문제가 언급되어 예시임을 알 수 있으므로 예시의 연결어 For instance가 적절하다.
(B) 앞에서 다른 학자들은 기술이 인간에게 사용되는 방법에 타당한 제한을 두어야 한다고 했고 유전 공학은 이미 광범위하게 사용되어 처음으로 되돌릴 수 없다고 했고, (B) 뒤에서 인간의 본성을 근본적으로 바꾸는 능력을 주는 기술들은 책임감과 겸손한 마음으로 접근해야 한다고 했으므로 결과의 연결어 Therefore와 So가 적절하다.
따라서 두 가지를 모두 충족하는 ②가 정답이다.

어휘

- contemporary 현대의
- troubling 우려스러운
- ethical 윤리적인
- address 다루다
- emerging 최근에 생겨난
- genetic engineering 유전 공학
- prospect 전망
- humanity 인류
- artifact 인공물
- crossroad 갈림길
- relinquish 포기하다
- prohibit 금지하다
- capability 능력
- alter 바꾸다
- fundamental 근본적인
- long-range 장기적인
- humility 겸손

정답 ②

009 다음 글의 주제로 가장 적절한 것은?

You're buying a used car, moving into a new apartment, or determining which doctor should treat your cancer. These are times when you need to get directly to the core of an issue. "Asking general questions gets you little valuable information, and may even yield misleading responses," says Julia Minson, as scholar at the University of Pennsylvania. The best way is to ask probing questions that suppose there are problems. Let's say someone is selling a used music player. An example of a general question is "What can you tell me about it?" A positive-assumption question is "There aren't any problems with it, right?" But a negative-assumption question such as "What problems have you had with it?" will get the most honest response.

① the best way to draw meaningful information
② how to answer the negative-assumption questions
③ misleading responses to make problems worse
④ strategies to produce positive responses

010 밑줄 친 부분에 들어갈 말로 가장 알맞은 것은?

People often believe that multitasking is an efficient way to get more done in less time. Many claim they can answer emails, participate in online meetings, and work on reports simultaneously without sacrificing quality. However, research consistently shows that the human brain is not designed to handle several complex tasks at once. Attempting to manage multiple activities, we end up compromising our focus and diminishing the overall quality of our work. _____. For example, someone who checks their phone while studying may think they are saving time, but they are actually likely to take longer to complete assignments and make more mistakes. Despite this, the belief in the benefits of multitasking remains widespread, perhaps because the feeling of constant activity can be mistaken for real productivity.

① This is why people often feel more energized when multitasking
② As a result, multitasking usually leads to reduced efficiency
③ Therefore, people should always try to do several things at once
④ In contrast, focusing on one task makes people more distracted

---

주요 구문 분석

But a negative-assumption question (such as "What problems have you had with it?") / will get the most honest response.

(분석) such as는 '예를 들어 ~와 같은'의 뜻으로 앞에 나온 명사에 대한 예를 들거나 예시를 나열할 때 사용된다. question에 대한 예시로 "What problems have you had with it?"을 들었으므로 '예를 들어 "What problems have you had with it?"과 같은 질문'이라고 해석하면 된다.

주요 구문 분석

Attempting to manage multiple activities, // we end up compromising our focus / and diminishing the overall quality of our work.

(분석) 분사구문은 생략된 접속사의 의미를 파악해서 해석해야 하는데, 문맥상 '많은 일을 처리하려고 하면, 많은 일을 처리하려고 할 때'라는 조건이나 시간의 의미가 가장 자연스러우므로 접속사 when이나 if를 넣어 해석하는 것이 적절하다.

009 난이도 ★★☆

해석

당신은 중고차를 사려고 하는 중이거나, 새로운 아파트로 이사를 하려는 중이거나, 아니면 어느 의사가 당신의 암을 치료할지를 결정하려는 중이다. 이런 것들은 당신이 문제의 핵심으로 바로 다가갈 필요가 있는 때이다. "포괄적인 질문을 하는 것은 당신에게 가치 있는 정보를 거의 주지 못하며, 심지어 허위의 답변을 산출할 수 있다"라고 펜실베니아 대학교의 학자인 Julia Minson은 말한다. 최고의 방법은 문제가 있다고 가정하고 진실을 캐묻는 질문을 하는 것이다. 어떤 사람이 중고 음악 기기를 팔고 있다고 가정해 보자. 포괄적인 질문의 한 가지 예는 "그것에 대해 당신이 말해 주실 것이 무엇인가요?"이다. 긍정 답변을 가정하는 질문으로는 "이 기기에 어떤 문제점은 없겠죠, 그렇죠?"가 있다. 하지만 "이 기기에 어떤 문제가 있죠?"와 같은 부정을 가정하는 질문이 가장 정직한 답변을 얻게 해 줄 것이다.

① 의미 있는 정보를 이끌어 내는 가장 좋은 방법
② 부정을 가정하는 질문에 대답하는 방법
③ 문제를 더 어렵게 만드는 잘못된 답변
④ 긍정적인 답변을 이끌어 내는 전략

해설

글의 전반부를 통해 문제의 핵심에 바로 접근해야 하는 상황이 있다고 글의 주제를 제시하고 있다. 지문의 중간에 위치한 "The best way is to ask probing questions that suppose there are problems."가 주제문이며, 문제의 핵심에 바로 접근하는 최고의 방법으로 '문제가 있다고 가정하며 진실을 캐묻는 질문을 하는 것'을 저자는 추천하고 있다. 따라서 이 글은 문제의 핵심에 접근하기 위해 사용할 수 있는 질문 방법에 관한 글이므로 ① '의미 있는 정보를 이끌어 내는 가장 좋은 방법'이 주제로 가장 적절하다.

어휘

- treat 치료하다
- yield 산출하다
- probing 진실을 캐묻는
- assumption 가정
- draw 이끌어내다
- core 핵심
- misleading 허위의
- suppose 가정하다
- determine 결정하다
- strategy 전략

정답 ①

010 난이도 ★★☆

해석

사람들은 다중 작업이 더 적은 시간에 더 많은 것을 끝내는 효과적인 방법이라고 종종 믿는다. 많은 사람들은 자신들이 질적인 부분을 희생하지 않고 이메일 답장, 온라인 회의 참석, 보고서 작업을 동시에 할 수 있다고 주장한다. 그러나, 연구자들은 인간의 뇌가 한 번에 몇 가지 작업을 다루도록 설계되지 않았다는 것을 계속해서 보여준다. 많은 일을 처리하려고 노력하면, 결국 우리는 집중력을 손상하고 우리 일의 전반적인 질을 떨어뜨리게 된다. <u>그 결과, 다중 작업은 대개 감소된 효율성으로 이어진다.</u> 예를 들어 공부하는 동안 자신의 전화를 확인하는 사람은 그들이 시간을 절약한다고 생각할 수 있으나, 그들은 실제로는 과제를 완성하는 데 더 오래 걸릴 수 있고 더 많은 실수를 할 수 있다. 이럼에도 불구하고 다중 작업의 이점에 대한 믿음은 널리 퍼져 있는데 아마도 끊임없는 활동의 느낌이 실제 생산성에 대해 오해하게 할 수 있기 때문일 것이다.

① 이것이 사람들이 종종 다중 작업을 할 때 더 활기차다고 느끼는 이유이다
③ 그러므로 사람들은 항상 한 번에 여러 일을 하도록 노력해야 한다
④ 대조적으로 한 가지 업무에 집중하는 것은 사람들을 더 산만하게 만든다

해설

중심 소재는 다중 작업으로 처음에는 다중 작업에 대한 일반적인 믿음을 말한 이후 그에 반하는 진실을 이야기하는 구조의 글이다. 많은 사람들이 다중 작업을 잘 수행한다고 말하고 있지만 사실 인간의 뇌는 다중 작업에 맞지 않고 다중 작업을 하게 되면 주의력이 나뉘어 일의 품질이 저하된다고 말한다. 그리고 빈칸 이후에는 빈칸의 예시가 나오는데 다중 작업을 하면 시간이 더 걸리고 실수가 많다고 한다. 빈칸 앞의 내용과 예시를 보고 판단하면 빈칸에는 ② '그 결과, 다중 작업은 대개 감소된 효율성으로 이어진다'가 들어가야 한다.

어휘

- multitasking 다중 작업
- participate 참석하다
- sacrifice 희생하다
- multiple 많은
- compromise 손상하다
- overall 전반적인
- complete 완료하다
- belief 믿음
- constant 끊임없는
- energize 활기를 북돋우다
- efficiency 효율성
- efficient 효과적인
- simultaneously 동시에
- complex 복잡한
- end up 결국 ~하게 되다
- diminish 떨어뜨리다
- check 확인하다
- assignment 과제
- widespread 널리 퍼진
- productivity 생산성
- reduced 감소된
- distracted 산만해진

정답 ②

011 주어진 글 다음에 이어질 글의 순서로 가장 적절한 것은?

Web browsers first appeared on computers in the early 1990s. Since then, the Internet has greatly changed the way people communicate. But some teachers think the changes are not all for the better.

(A) For example, a student says "preclude" instead of "precede" when talking about one event coming before another. It sounds like precede but it means prevent.

(B) Eleanor Johnson is an English professor at Columbia University in New York. She says her students over the past several years have increasingly used less formal English in their writing.

(C) She says words and phrases like "guy" and "you know" now appear in research papers. And she now has to talk about another problem in class, she says — incorrect word use.

① (A) – (B) – (C)   ② (A) – (C) – (B)
③ (B) – (A) – (C)   ④ (B) – (C) – (A)

012 주어진 문장이 들어갈 위치로 가장 적절한 것은?

Most scientists believe, for example, that all matter is composed of curious particles called quarks.

Despite the prevailing conception that science is concerned only with facts, science seems to be full of opinions and interpretations. (①) Moreover, the development of scientific theories is seldom a process of first observing a lot of facts and then making straightforward generalizations from these observations. (②) Richard Feynman, a Nobel Prize winner in physics, emphasized the importance of imagination and guessing in science. (③) The existence of quarks was first hypothesized in 1963. But no scientist has ever seen a quark. So why do they believe that quarks exist? (④) They believe it because some ingenious scientists invented quarks, noticing that if quarks did exist, they could explain some other puzzling things.

주요 구문 분석

She says // her students over the past several years / have increasingly used less formal English / in their writing.
(분석) says의 목적어로 that절이 사용되었고, that은 생략되었다. '그녀는 ~하다고 말한다'와 같이 해석한다. that절에는 over the past several years라는 계속을 의미하는 시간의 부사구가 있으므로 현재완료 시제가 쓰였다. '지난 몇 년간에 걸쳐 사용해왔다'라고 계속의 용법으로 해석한다.

주요 구문 분석

Moreover, / the development (of scientific theories) / is seldom a process (of first observing a lot of facts / and then making straightforward generalizations / from these observations).
(분석) 부정부사 seldom은 '좀처럼 ~가 아니다'로 동사와 함께 해석한다. 또한 is의 보어인 a process를 「전치사 of+동명사구1 and then+동명사구2」가 수식하고 있다. '~하고 나서 ...하는 과정'으로 해석한다.

011 난이도 ★★★

해석

웹 브라우저는 1990년대 초에 컴퓨터상에 처음 등장했다. 그 이후로 인터넷은 사람들이 의사소통하는 방식을 크게 변화시켜 왔다. 하지만 어떤 선생님들은 그 변화가 항상 더 좋은 것만은 아니라고 생각한다. (B) Eleanor Johnson은 뉴욕에 있는 콜럼비아 대학교의 영어 교수이다. 그녀는 그녀의 학생들이 지난 몇 년간 그들의 작문에서 점점 격식을 덜 갖춘 영어를 사용해 왔다고 말한다. (C) 그녀는 이제 'guy'나 'you know'와 같은 단어와 구들이 연구 논문에 나타난다고 말한다. 그리고 그녀는 이제 수업할 때도 또 다른 문제 — 부정확한 단어 사용 — 에 대해 말해야 한다. (A) 예를 들어, 어떤 학생은 다른 사건에 앞서는 한 사건에 대해 얘기할 때 'precede(선행하다)' 대신에 'preclude(못하게 하다)'라고 말한다. 그것은 precede처럼 들리지만 의미는 prevent(막다)이다.

해설

주어진 글의 마지막 문장에서 '어떤 선생님들'이 등장하므로 이에 대한 구체적 설명으로 Eleanor Johnson이라는 교수가 처음 소개되는 (B)가 연결된다. 그리고 그녀가 설명하는 인터넷이 언어에 끼치는 부정적인 영향에 대한 설명이 (C)에 이어지고 (C)의 마지막에 언급된 부정확한 단어 사용의 예인 (A)가 연결된다. 따라서 ④ (B)-(C)-(A)의 순서가 가장 적절하다.

어휘

- appear 등장하다
- communicate 의사소통하다
- preclude 못하게 하다
- precede 선행하다
- prevent 막다
- increasingly 점점 더
- formal 격식을 차린
- phrase 어구
- research paper 연구 논문
- incorrect 부정확한

정답 ④

012 난이도 ★★★

해석

과학이 오직 사실과만 관련이 있다는 지배적인 개념에도 불구하고, 과학은 의견과 해석으로 가득 차 있는 것 같다. (①) 게다가 과학 이론의 발전은 먼저 많은 사실을 관찰하고 그 다음 이런 관찰로부터 직접적인 일반화를 만들어내는 과정이 거의 아니다. (②) 노벨 물리학상 수상자인 리처드 파인만은 과학에서의 상상력과 추측의 중요성을 강조했다. (③) 예를 들어, 대부분의 과학자들은 모든 물질이 쿼크라고 불리는 기묘한 입자로 구성되어 있다고 믿는다. 쿼크의 존재는 1963년 처음 가설화되었다. 그러나 어떤 과학자도 쿼크를 보지 못했다. 그런데 왜 그들은 쿼크가 존재한다는 것을 믿는가? (④) 그들은 만일 쿼크가 정말 존재한다면 다른 헷갈리는 것을 설명할 수 있다는 것을 알아차리고서 일부 기발한 과학자들이 쿼크를 고안했기 때문에 그것을 믿는다.

해설

주어진 문장은 모든 물질이 쿼크로 구성되어 있다는 내용이며, for example로 과학자들의 가설, 추측, 혹은 의견의 예시임을 알 수 있다. 이 앞에는 과학적 가설이나 추측에 대한 일반적인 설명이 제시되고, 이 뒤에는 쿼크에 대한 부연 설명이 이어질 것으로 추측할 수 있다. 지문에서 ③의 앞까지는 과학에서 의견과 해석, 상상력과 추측이 얼마나 중요한가에 대해 설명하고 있으며 ③ 이후로는 쿼크에 대한 부연 설명이 이어진다. 따라서 주어진 문장은 ③에 들어가는 것이 가장 적절하다.

어휘

- be composed of ~로 구성되다
- curious 기묘한
- particle 입자
- prevailing 지배적인
- conception 개념
- interpretation 해석
- straightforward 직접적인
- generalization 일반화
- hypothesize 가설을 세우다
- ingenious 기발한
- puzzling 헷갈리게 하는

정답 ③

013 필자가 주장하는 바로 가장 적절한 것은?

Almost every college student has experienced prefinals terror. Few escape those final-exam jitters because everyone knows just how much is riding on that one exam, often more than half of the course grade. Yet therein lies the crux of the problem. Infrequent high-stakes exams don't encourage students to do their best work. More frequent tests — given, say, every two or three weeks — would be a much more effective method of discovering how well students are or are not mastering course concepts. With more frequent testing, students would be less anxious when they take exams; thus anxiety would no longer interfere with exam performance. More frequent testing also encourages students to review on a regular basis, something that a one-shot final exam does not do. Lots of tests also mean lots of feedback, and students would know early on in the course which terms or concepts required additional explanation and review.

① High-stakes exams offer a desirable way of testing.
② More frequent tests are better than one or two high-stakes exams.
③ Every college student has to prepare for final exams in advance.
④ A one-shot final exam gives students a chance to review on a regular basis.

주요 구문 분석

More frequent tests — given, say, every two or three weeks — / would be a much more effective method (of discovering // how well students are or are not mastering course concepts).

분석 대시(—)로 구분된 삽입 구문이 주어를 부연 설명하고 있다. say는 '가령, 예를 들면'으로 해석하여 '가령 2, 3주마다 주어지는 시험'으로 해석한다. method 뒤의 「of+동명사」는 '~하는 방법'을 뜻한다. 동명사 discovering의 목적어로 「how well(의문사)+주어+동사」로 이루어진 간접의문문이 쓰였다.

014 밑줄 친 부분에 들어갈 말로 가장 적절한 것은?

Human beings like _____. This liking stems from our ancient ancestors who needed to survive alongside saber-toothed tigers and poisonous berries. Our brains evolved to help us attend to threats, keep away from them, and remain alive afterward. In fact, we learned that the more sure we were of something, the better chance we had of making the right choice. Does this berry have the same shape and size as last time? If I know for sure it is, my brain will direct me to eat it. And if I'm doubtful, my brain will send out a danger alert. The dependence on certainty ensured our survival to the present day, and the danger alert system continues to protect us. This is achieved by our brains labeling new or unpredictable everyday events and experiences as uncertain. Our brains then generate sensations, thoughts, and action plans to keep us safe from the uncertain element, and we live to see another day.

① tradition ② certainty
③ prediction ④ independence

주요 구문 분석

In fact, / we learned // that the more sure we were of something, // the better chance we had of making the right choice.

분석 learned의 목적어로 that 명사절이 쓰였고, that절 내에 「the 비교급+S′+V′, the 비교급+S+V」 구문이 쓰였다. 「the 비교급, the 비교급」은 '~할수록 더 …하다'로 해석한다.

013 난이도 ★★★

해석

거의 모든 대학생들은 기말시험을 앞두고 공포를 경험한다. 그런 기말시험의 공포감에서 벗어난 학생들은 거의 없는데 그 이유는 모든 사람이 그 하나의 시험에 얼마나 많은 것이 달려 있는지, 종종 그 강좌 점수의 절반 이상을 좌우한다는 것을 알고 있기 때문이다. 그러나 그 안에 문제의 핵심이 있다. 가끔 치러지는 고위험 시험들은 자신들의 최고 성과를 내도록 학생들을 고무시키지는 못한다. 좀 더 잦은 — 예를 들면 2, 3주마다 치러지는 — 시험들은 학생들이 강좌의 개념을 얼마나 잘 숙달하고 있는지 또는 못하고 있는지를 발견하는 훨씬 더 효과적인 방법일 것이다. 시험을 좀 더 자주 보면 학생들은 그들이 시험을 치를 때 덜 긴장하게 될 것이다; 그래서 더 이상 불안감이 그들의 시험 성적에 지장을 주지 않을 것이다. 좀 더 자주 시험을 보는 것은 또한 정기적으로 복습하도록 학생들을 부추기는데, 이는 일회성인 기말시험은 하지 못하는 것이다. 많은 시험은 또한 많은 피드백을 의미하며, 학생들은 그 강좌에서 어떤 용어나 개념들이 추가적인 설명과 복습을 요하는지를 일찍 알게 될 것이다.

① 고위험 시험은 시험의 바람직한 방향을 제시한다.
② 더 잦은 시험이 한두 번의 고위험 시험보다 낫다.
③ 모든 대학생들은 기말시험을 미리 준비해야 한다.
④ 한번으로 끝나는 기말시험은 학생들에게 정기적으로 복습할 기회를 준다.

해설

중심 소재는 시험이고 저자의 주장은 네 번째 문장에서 시작된다. 저자는 전반부에서 기말시험 같은 고위험 시험은 비중이 너무 커서 학생들에게 공포감을 느끼게 할 뿐 학습 의욕을 북돋아 주지 못한다고 설명한다. 후반부에서는 이와 대조적으로 자주 치르는 시험은 학생들의 긴장감을 덜어주어 효과적으로 학습 의욕을 고취할 수 있다고 주장한다. 또한 자주 시험을 보면 학생들이 정기적으로 복습하게 되고, 많은 피드백을 받아 추가적인 설명도 들을 수 있다고 말한다. 따라서, 저자의 주장으로 가장 적절한 것은 ② '더 잦은 시험이 한두 번의 고위험 시험보다 낫다'이다.

어휘

- jitter 공포감
- therein 그 속에
- infrequent 드문
- encourage 고무시키다
- interfere with ~에 지장을 주다
- ride on ~에 달려 있다
- crux 핵심
- high-stakes 고(高)위험(의)
- anxiety 불안감
- one-shot 한 번의

정답 ②

014 난이도 ★★★

해석

인간은 확실성을 좋아한다. 이 선호는 검치호와 독이 있는 딸기류 열매 곁에서 살아남아야 했던 고대의 우리 조상들로부터 유래한다. 우리의 뇌는 우리가 위협에 주의하고 그것들에서 벗어나 그 후에 살아남을 수 있게 진화했다. 사실, 우리는 우리 자신이 무언가에 대해 더 확신할수록 옳은 선택을 할 가능성이 더 크다는 것을 학습했다. 이 딸기류 열매는 지난번과 모양과 크기가 같은가? 그것이 그렇다는 것을 내가 확실히 안다면, 나의 뇌는 내가 그것을 먹도록 안내한다. 그리고 만약 내가 확실하지 않다면, 나의 뇌는 위험 신호를 보낼 것이다. 그 확실성에 대한 의존은 현재까지 우리의 생존을 보장했고, 그 위험을 알리는 시스템은 계속해서 우리를 지키고 있다. 이것은 우리의 뇌가 새롭거나 예측할 수 없는 매일의 사건과 경험을 불확실한 것으로 명명함으로써 이루어진다. 그런 후 우리의 뇌는 그 불확실한 요소로부터 우리를 안전하게 지키기 위해 감각, 사고, 그리고 행동 계획을 만들어내고, 우리는 살아서 또 다른 날을 보게 된다.

① 전통
③ 예측
④ 독립성

해설

중심 소재는 확실성이고, 주제문을 완성하는 유형의 문제이다. 첫 문장에서 주제문을 제시한 뒤 이를 부연 설명하는 구조이므로 뒤 내용을 잘 읽고 주제어 혹은 핵심어가 될 만한 말로 빈칸을 채우면 된다. 글에 따르면, 위험을 피해 생존해야 했던 조상들로부터 우리 인간의 뇌는 무언가에 대해 확신할수록 옳은 선택을 할 가능성이 크다는 것을 학습하여 이를 근거로 우리에게 위험을 알려 살아남을 수 있도록 진화했다고 한다. 이러한 확실성에 대한 의존이 우리를 불확실한 요소로부터 지켜주고 오늘날까지 살아남을 수 있게 해 주었다는 것이다. 따라서 빈칸에 들어갈 적절한 말은 ② '확실성'이다.

어휘

- stem from ~에서 유래하다
- ancestor 조상
- alongside 곁에
- saber-toothed tiger 검치호: 검 모양의 송곳니를 가진 호랑이
- poisonous 독이 있는
- attend to ~에 주의하다
- alert 신호
- ensure 보장하다
- label 명명하다
- sensation 감각
- prediction 예언
- ancient 고대의
- survive 생존하다
- evolve 진화하다
- direct 안내하다
- dependence 의존
- protect 보호하다
- unpredictable 예측할 수 없는
- certainty 확실성
- independence 독립성

정답 ②

015 주어진 문장이 들어갈 위치로 가장 적절한 것은?

Theoretically, this means that the subject will listen to the instructions and perform the tasks asked of him or her to the best of his or her ability and as truthfully as possible.

Any human experiment involves an interaction between an experimenter and a subject. Each role has specific behavioral requirements and mutual expectations, which are held by each role member. These expectations should define the behavior that is appropriate for each member. (①) When a person agrees to take part in an experiment he or she is making an implicit contract to play the role of the subject. (②) In reality, such an idealistic situation does not always exist because the subject has certain perceptions of the experiment which may alter behaviour. (③) The subject may want to comply and participate in the experiment but, because of certain perceptions and motives, may respond in several different ways. (④) That is to say, there is an interaction between the way a person responds in an experiment and his or her motives and perception of the experiment.

주요 구문 분석

Theoretically, / this means // that the subject will listen to the instructions / and perform the tasks (asked of him or her) / to the best of his or her ability / and as truthfully as possible.

분석) means의 목적어로 that 명사절이 쓰였고, that절 안에 동사 will listen ~ and (will) perform ~으로 미래 시제로 병렬되었다. '피험자가 ~을 듣고 ...을 수행할 것임을 의미한다'로 해석된다. to the best of one's ability는 '최대한 능력껏' 그리고 「as 부사 as possible」는 '가능하면 ~하게'의 뜻으로 perform을 수식하도록 해석한다.

015 난이도 ★★★

해석)

어떤 인간 실험도 실험자와 피험자 사이의 상호작용을 포함한다. 각 역할은 특정한 행동적 요구와 상호 기대를 가지고 있는데, 그것들은 각 역할 담당자에 의해 보유된다. 이러한 기대는 각각의 담당자에게 적절한 행동을 규정해야 한다. (①) 한 사람이 실험에 참여하기로 동의할 때, 그 혹은 그녀는 피험자의 역할을 하겠다는 묵시적 계약을 맺고 있는 것이다. (②) 이론적으로 이것은 피험자가 지시를 듣고 그 혹은 그녀에게 요구된 과제를 최선을 다해 가능한 한 진실하게 수행할 것이라는 것을 의미한다. 실제로는 그러한 이상적인 상황이 항상 존재하는 것이 아닌데, 행동을 변경시킬 수 있는 실험에 대한 특정한 인식을 피험자가 가지고 있기 때문이다. (③) 피험자는 따르고 실험에 참여하기를 원할지도 모르지만, 특정한 인식과 동기 때문에 여러 다른 방식으로 반응할 수도 있다. (④) 즉, 한 사람이 실험에서 반응하는 방식과 그 실험에 대한 그 또는 그녀의 동기 및 인식 사이에 상호작용이 있다.

해설)

주어진 문장에서 '이론적으로 이것은(this) 피험자가 지시사항을 잘 듣고 요구된 과제를 잘 수행해야 한다는 뜻'이라고 설명하므로, 주어진 문장의 앞에는 피험자의 역할에 대한 설명이 나오고 뒤에는 이론과 대비되어 실제로는 어떻게 다른지에 대한 설명이 나올 것으로 예측할 수 있다. ② 앞에서 피험자의 역할에 대한 언급이 나오고 ② 뒤에서 이론적 상황을 such an idealistic situation이라는 표현으로 받아서 실제 상황과 대조하고 있으므로 주어진 문장은 ②에 들어가는 것이 가장 적절하다.

어휘)

□ theoretically 이론적으로　□ subject 피험자
□ involve 포함하다　□ behavioral 행동의
□ requirement 요구　□ mutual 상호의
□ expectation 기대　□ define 규정하다
□ appropriate 적절한　□ take part in ~에 참여하다
□ implicit 묵시적인　□ contract 계약
□ idealistic 이상적인　□ perception 인식
□ alter 변경하다　□ comply 따르다

정답) ②

016 주어진 글 다음에 이어질 글의 순서로 가장 적절한 것은?

Experts on writing say, "Get rid of as many words as possible." Each word must do something important. If it doesn't, get rid of it.

(A) If they miss the crucial sentence, they may never catch up. This makes it necessary for speakers to talk longer about their points, using more words on them than would be used to express the same idea in writing.

(B) Well, this doesn't work for speaking. It takes more words to introduce, express, and adequately elaborate an idea in speech than it takes in writing.

(C) Why is this so? While the reader can reread, the listener cannot rehear. Speakers do not come equipped with a replay button. Because listeners are easily distracted, they will miss many pieces of what a speaker says.

① (A) – (B) – (C) ② (A) – (C) – (B)
③ (B) – (A) – (C) ④ (B) – (C) – (A)

016 난이도 ★★☆

해석

글쓰기 전문가들은 "가능한 한 많은 단어를 삭제하라"고 말한다. 각 단어는 무언가 중요한 일을 해야 한다. 만약 그렇지 않다면 그것을 삭제하라. (B) 자, 이것은 말하기에는 작용하지 않는다. 말로 아이디어를 소개하고, 표현하며, 적절하게 자세히 설명하는 데에는 글쓰기에서 필요한 것보다 더 많은 단어가 필요하다. (C) 이것은 왜 그러한가? 독자는 글을 다시 읽을 수 있지만 청자는 다시 들을 수가 없다. 화자는 반복 재생 버튼을 갖추고 있지 않다. 청자들은 쉽게 산만해지기 때문에 화자가 말하는 것 중 많은 부분을 놓칠 것이다. (A) 만약 그들이 중요한 문장을 놓친다면, 절대로 따라잡을 수 없을 것이다. 이것은 글쓰기에서 같은 아이디어를 표현하기 위해 사용될 단어보다 그것들(요점)에 대해 더 많은 단어를 사용하여 화자들이 자신들의 요점에 대해 더 길게 말할 필요가 있게 한다.

해설

주어진 문장에서 글쓰기에 있어서는 가능한 한 단어를 많이 제거하라고 나오는데 이에 대한 대조로 (B)에서 이것이 말하기에서는 작용하지 않는다고 설명한다. 글쓰기에서보다 말하기에서 더 많은 단어들을 필요로 한다고 말하는데 그 이유를 (C)에서 Why is this so?를 시작으로 설명하고 있다. 그 이유는 바로 청자는 더 쉽게 집중이 흐트러지고, 많은 것을 놓칠 수 있기 때문이다. 마지막으로 (C)의 listeners를 (A)에서 they로 받아 말하기에서는 중요한 문장을 놓치면 다시 그것을 들을 수 없다고 설명하고, 이것이 바로 말하기에 있어서 더 많은 단어들이 필수적인 것을 나타낸다. 따라서 글의 순서로 가장 적절한 것은 ④ (B)-(C)-(A)이다.

어휘

- expert 전문가
- get rid of 삭제하다
- crucial 중요한
- catch up 따라잡다
- adequately 적절하게
- elaborate 자세히 설명하다
- equipped with ~을 갖춘
- distracted 산만해진

정답 ④

주요 구문 분석

It takes more words to introduce, express, and adequately elaborate an idea in speech // than it takes in writing.

분석 가주어 It이 쓰였고 진주어는 to부정사구이다. 「It takes + 목 + to부정사」는 '~하는 데는 …이 필요하다'라고 해석된다. 그리고 비교급으로 in speech와 in writing을 비교하고 있다.

017 다음 글의 제목으로 가장 적절한 것은?

Experts have found that reading classical literature benefits the brain. When readers engage with the original, more challenging versions of texts, their brain activity increases. Researchers observed this by scanning the brains of volunteers as they read both original and simplified versions. The original texts triggered more electrical activity, especially when readers encountered complex words or structures. This increased brain activity lasts long enough to encourage deeper focus and more reading. Poetry, in particular, stimulated the right side of the brain, which is linked to self-reflection. Therefore, researchers concluded that classical texts may be more helpful than self-help books.

① How to Get the Most Out of Literature
② How Simplified Books Improve Reading Speed
③ Poetry vs. Self-Help: Which Benefits Us?
④ How Classic Texts Spark Brain Activity

주요 구문 분석

This increased brain activity lasts / long enough (to encourage deeper focus and more reading).
(분석) '오래'라는 뜻의 부사 long을 enough to부정사가 뒤에서 수식하는 구조이므로 '더 깊은 집중과 더 많은 독서를 촉진할 만큼 오래'라고 해석하면 된다.

018 글의 흐름상 가장 어색한 것은?

Health food gained popularity when people began to think more seriously about physical well-being. The very term health food is ironic because it implies that there is also "unhealthy" food. Health food is fresh, natural, unprocessed food. ① It does not contain preservatives to make it last longer or chemicals to make it taste or look better. ② Most health food enthusiasts are vegetarians. ③ They usually have a short lunch break or they just do not want to waste their time eating. ④ They eat no meat; they prefer to get their essential proteins from other sources, such as beans, cheeses, and eggs.

주요 구문 분석

It does not contain preservatives / to make it last longer / or chemicals / to make it taste or look better.
(분석) contain의 두 개의 목적어가 or로 병렬되어 있다. 즉 preservatives와 chemicals를 목적어로 취하고 있고 각각 목적의 to부정사를 동반하고 있다. 각각 방부제나 화학물질을 넣는 목적을 설명하므로 '~하기 위해, ~하기 위한'으로 해석한다.

017
난이도 ★★☆

해석

전문가들은 고전 문학을 읽는 것이 뇌에 도움을 준다는 사실을 밝혀냈다. 독자들이 원문의 더 어렵고 도전적인 텍스트에 몰입할 때, 뇌 활동이 증가한다. 연구자들은 자원자들이 원문과 단순화된 버전을 각각 읽는 동안 뇌를 스캔함으로써 이 현상을 관찰했다. 원문은 특히 독자들이 복잡한 단어나 구문을 만날 때 더 많은 전기적 활동을 촉발했다. 이 증가한 뇌 활동은 더 깊은 집중과 더 많은 독서를 촉진할 만큼 오래 지속된다. 특히 시는 뇌의 오른쪽 부분을 활성화하는데, 이 부위는 자기 성찰과 관련이 있다. 따라서 연구자들은 고전 문학이 자기계발서보다 더 도움이 될 수 있다고 결론지었다.

① 문학을 최대한 활용하는 방법
② 단순화된 책이 독서 속도를 높이는 방식
③ 시와 자기계발서: 어느 쪽이 우리에게 도움이 되는가?
④ 고전 문학이 어떻게 뇌를 자극하는가

해설

글의 중심 소재는 고전 문학이고, 주제는 첫 문장이다. 고전 문학이 뇌에 도움이 되는 이유를 설명하고 있다. 뇌 활동 증가, 전기적 활동 촉발, 더 깊은 집중과 추가 독서로 유도되고, 자기 성찰 면에서도 유리하다고 설명한다. 따라서 글의 제목으로 가장 적절한 것은 ④ '고전 문학이 어떻게 뇌를 자극하는가'이다.

어휘

- classical 고전의
- benefit 도움을 주다
- original 원문의
- observe 관찰하다
- simplified 단순화된
- electrical 전기의
- complex 복잡한
- last 지속되다
- focus 집중
- in particular 특히
- self-reflection 자기 성찰
- self-help book 자기개발서
- get the most out of ~을 최대한 활용하다
- spark 자극하다
- literature 문학
- engage with ~에 몰두하다
- challenging 어려운
- volunteer 자원자
- trigger 촉발하다
- encounter 만나다
- structure 구문
- encourage 촉진하다
- poetry 시
- stimulate 자극하다
- conclude 결론짓다

정답 ④

018
난이도 ★☆☆

해석

건강식품은 사람들이 신체적 웰빙에 대하여 더 진지하게 생각하기 시작하면서 인기를 끌게 되었다. 건강식품이라는 바로 그 용어는 아이러니한데 왜냐하면 '건강에 좋지 않은' 식품도 있다는 것을 암시하기 때문이다. 건강식품은 신선하고, 자연산이고, 가공되지 않은 식품이다. ① 그것은 보존 기간을 늘려주기 위한 방부제나 맛과 모양을 더 좋게 만들기 위한 화학 첨가제를 포함하고 있지 않다. ② 대부분의 건강식품 애호가들은 채식주의자들이다. ③ 그들은 보통 짧은 점심시간을 갖거나 식사하는 데 시간을 낭비하고 싶어하지 않는다. ④ 그들은 고기를 먹지 않는다; 그들은 콩, 치즈, 그리고 계란 같은 다른 식품들로부터 필수 단백질을 섭취하기를 선호한다.

해설

이 글의 중심 소재는 건강식품이며, 건강식품이 인기를 끌게 되었다고 말하면서 ① 건강식품이 어떤 식품인지에 대해 설명하고 있다. ② 이후부터는 건강식품의 애호가들이 어떤 식습관을 가지고 있는지에 대해서 설명하기 시작한다. 그런데 ③은 건강식품과 관련 없는 짧은 점심시간 등 식사 시간에 대해 언급하기 때문에 주제와 관련되어 있다고 보기 어렵다. 따라서 ③은 글의 흐름과 일치하지 않는다.

어휘

- health food 건강식품
- seriously 진지하게
- unprocessed 가공되지 않은
- last 지속되다
- vegetarian 채식주의자
- essential protein 필수 단백질
- gain popularity 인기를 얻다
- imply 암시하다
- preservative 방부제
- enthusiast 애호가
- waste 낭비하다

정답 ③

019 다음 글의 제목으로 가장 적절한 것은?

In a study, researchers asked college students how many days they thought they would need to finish their senior theses. They gave three predictions: their most realistic, their most optimistic, and their most pessimistic guesses. For the realistic ones, students said they would need about thirty-four days. But in reality, they took about fifty-six days. Only a few finished as fast as their most optimistic guesses, and less than half finished within even their most pessimistic predictions, that is, the number of days they thought they would need if everything went wrong. This shows that we often expect things to go better than they do. We believe good outcomes are more likely, and bad ones are less likely than they really are. Because of this thinking, people often make plans that sound good but don't work well when real problems come up.

① How Long We Really Take to Finish a Big Task
② Why Our Plans Often Fail in the Real World
③ Pessimism Always Leads to Failure and Stress
④ Good Luck Always Comes to Positive Thinkers

020 밑줄 친 부분에 들어갈 말로 가장 적절한 것은?

News reporters are taught to start their stories with _____. The first sentence, called the lead, contains the most essential elements of the story. A good lead can convey a lot of information. After the lead, information is presented in decreasing order of significance. Journalists call this the "inverted pyramid" structure — the most significant news (the widest part of the pyramid) is at the top. The inverted pyramid is great for readers. No matter what the reader's attention span is — whether she reads only the lead or the entire story — the inverted pyramid maximizes the information she gets. Think of the alternative: If news stories were written like mysteries with a dramatic payoff at the end, then readers who broke off in mid-story would miss the point. Imagine waiting until the last sentence of a story to find out who won the presidential election or the Super Bowl.

① the plain and unarguable facts
② the most important information
③ today's weather information
④ the most polished flowery words

주요 구문 분석

Only a few finished as fast / as their most optimistic guesses, // and less than half finished / within even their most pessimistic predictions, / that is, the number of days (they thought // they would need // if everything went wrong).

분석 the number ~ wrong은 even their most pessimistic predictions의 동격어구이므로 해석할 때는 전치사의 목적어와 동격어구의 의미를 먼저 써준 다음 전치사 within의 의미를 덧붙여서 '그 일수 안에'가 되어야 자연스럽다.

주요 구문 분석

Journalists call this the "inverted pyramid" structure / — the most significant news (the widest part of the pyramid) / is at the top.

분석 call A(목적어) B(목적격보어)는 'A를 B로 부르다'라고 해석한다. 대시(—)는 앞 문장을 보충 설명하는 역할을 한다. 즉 the "inverted pyramid" structure를 알기 쉽게 시각화해서 설명해주고 있다.

019 난이도 ★★★

해석

한 연구에서, 연구자들은 대학생들에게 졸업 논문을 끝내는 데 얼마나 걸릴 것으로 생각하는지 물었다. 학생들은 세 가지 예측을 제시했다: 가장 현실적인 예측, 가장 낙관적인 예측, 그리고 가장 비관적인 예측이다. 현실적인 예측에서, 학생들은 약 34일이 걸릴 것이라고 말했다. 하지만 실제로는 약 56일이 걸렸다. 겨우 소수의 학생들만이 가장 낙관적인 예측만큼 빠르게 끝냈고, 절반도 안 되는 학생들은 가장 비관적인 예측, 즉 모든 것이 잘못될 경우 그들이 필요할 것이라고 생각한 그 일수 안에 끝냈다. 이것은 우리가 실제보다 일이 더 잘될 것이라고 종종 기대한다는 사실을 보여준다. 우리는 좋은 결과가 일어날 가능성은 실제보다 더 크다고 믿고, 나쁜 결과가 일어날 가능성은 실제보다 더 작다고 믿는다. 이러한 사고방식 때문에, 사람들은 듣기에 좋아 보이지만 진짜 문제가 생기면 잘 작동하지 않는 계획을 세우는 경우가 많다.

① 우리가 큰 과제를 끝내는 데 실제로 얼마나 시간이 걸리는가
② 왜 우리의 계획은 현실에서 자주 실패하는가
③ 비관주의는 항상 실패와 스트레스로 이어진다
④ 행운은 항상 긍정적인 사람들에게 온다

해설

글의 중심 소재는 낙관적 예측으로 인한 계획 오류이고 다섯 번째 문장이 주제문이다. 먼저 졸업 논문을 끝내는 데 얼마나 걸릴지 세 가지(현실적 예측, 낙관적 예측, 비관적 예측)로 나누어 예측하는 실험을 제시한 후 가장 비관적 예측 그룹도 제시간에 끝낸 비율이 절반도 되지 않았다는 실험 결과를 보여준다. 이어 우리가 실제보다 일이 잘될 것으로 낙관하는 심리가 있어서 우리가 지나치게 낙관적인 계획을 세우기 때문에 실제로는 잘 지켜지지 않는다고 설명한다. 따라서 글의 주제로 가장 적절한 것은 ② '왜 우리의 계획은 현실에서 자주 실패하는가'이다.

어휘

- senior thesis 졸업 논문
- prediction 예측
- realistic 현실적인
- optimistic 낙관적인
- pessimistic 비관적인
- in reality 실제로는
- outcome 결과
- likely 가능성 있는
- pessimism 비관주의
- failure 실패

정답 ②

020 난이도 ★★★

해석

뉴스 기자들은 그들의 이야기를 가장 중요한 정보로 시작하도록 배운다. 도입부라고 불리는, 첫 번째 문장은 이야기의 가장 본질적인 요소들을 포함한다. 훌륭한 도입부는 많은 정보를 전달할 수 있다. 도입부 이후에, 정보는 중요도가 줄어드는 순서로 제시된다. 언론인들은 이것을 "역 피라미드" 구조라고 부른다 — 가장 중요한 정보(피라미드의 가장 넓은 부분)가 가장 위에 있다. 역 피라미드는 독자에게 매우 좋다. 독자의 주의력 지속 시간이 어떻든 간에 — 그녀가 도입부만 읽든 전체 이야기를 읽든 — 역 피라미드는 그녀가 얻는 정보를 극대화한다. 다른 방식을 생각해 보라: 만약 보도 기사가 마지막에 극적인 결말을 제시하는 미스터리처럼 쓰인다면, 이야기 중반부에서 중단한 독자들은 요점을 놓칠 것이다. 누가 대통령 선거 혹은 슈퍼볼에서 이겼는지 알아내기 위해 기사의 마지막 문장까지 기다린다고 상상해 보라.

① 분명하고 논박할 수 없는 사실
③ 오늘의 기상 정보
④ 가장 세련된 미사여구

해설

빈칸이 글의 앞부분에 있으므로 주제문을 완성하는 유형의 문제이다. 빈칸 이후에서, 가장 중요한 정보를 담는 첫 번째 문장을 도입부라고 부르며 도입부 다음에는 정보의 중요도가 점점 줄어드는 순서, 즉 역 피라미드 순으로 글이 진행된다고 설명한다. 그리고 역 피라미드 순으로 글을 쓰는 이유에 관해 대통령 선거와 슈퍼볼을 예시로 들어 설명한다. 그 이유는 독자가 글을 중간에서 그만 읽더라도 중요한 정보를 놓치지 않도록 하기 위해서라는 것이다. 따라서 빈칸에 들어갈 가장 적절한 말은 ② '가장 중요한 정보'이다.

어휘

- lead 도입부
- essential 본질적인
- convey 전달하다
- decreasing 줄어드는
- inverted 역의
- attention span 주의 지속 시간
- maximize 극대화하다
- alternative 대안
- payoff 결말
- break off ~을 중단하다
- plain 분명한
- unarguable 논박할 수 없는
- polished 세련된
- flowery words 미사여구

정답 ②

021 밑줄 친 부분에 들어갈 말로 가장 적절한 것은?

What appears to be _____ to outsiders knits insiders together and puts them in an appropriate frame of mind to do their work successfully. Physicians scrub for seven minutes before doing a surgical procedure. While the necessity of the prolonged scrub is open to question with the advent of modern germ-killing substances, its traditional role in preparing the surgical team for a delicate procedure is undeniable. In the airline business, the first officer gets off the aircraft and conducts a walk-around inspection before takeoff. Very seldom do they discover something wrong. But symbolically it prepares the commander and the first officer for their awesome responsibility of getting all the souls aboard safely to their destinations.

① an important procedure
② a superficial set of actions
③ a series of atypical processes
④ a chain of positive reaction

022 글의 흐름상 가장 어색한 것은? 2016 법원직 9급

For the New World as a whole, the Indian population decline in the century or two following Columbus's arrival is estimated to have been as large as 95 percent. The main killers were Old World germs to which Indians had never been exposed, and against which they therefore had neither immune nor genetic resistance. ① Smallpox, measles, influenza and typhus competed for the top rank among the killers. ② For example, in 1837, the Mandan Indian tribe, with one of the most elaborate cultures in our Great Plains, contracted smallpox from a steamboat traveling up the Missouri River from St. Louis. ③ The Mandan survived mainly by hunting, farming and gathering wild plants, though some food came from trade. ④ The population of one Mandan village plummeted from 2,000 to fewer than 40 within a few weeks.

주요 구문 분석

Very seldom / do they discover something wrong.
분석 seldom은 '~하는 것은 거의 없다'는 의미로 부정어이므로 문두에 오면 도치되어야 하고, 부사이므로 동사를 수식하여 함께 해석한다. 따라서 Very seldom do they discover는 '그들이 발견하는 것은 정말이지 거의 없다'로 해석한다.

주요 구문 분석

The main killers were Old World germs (to which Indians had never been exposed, / and against which they therefore had neither immune nor genetic resistance).
분석 선행사는 Old World germs이고 두 개의 관계절이 and에 의해 병렬된 구조다. 관계절 두 개를 차례로 해석한 후 선행사인 Old World germs를 수식하는 방식으로 해석한다. had neither immune nor genetic resistance에서 「neither A nor B」는 'A도 B도 아닌'으로 해석하며, 두 개의 형용사가 하나의 명사(resistance)를 수식하는 구조이므로 '면역적 저항력도 유전적 저항력도 없었다'로 해석된다.

문장 분석 및 해설

021 난이도 ★★☆

해석

외부인에게는 무의미한 일련의 행동처럼 보이는 것이 내부의 사람들을 서로 결합하여 그들이 자신의 일을 성공적으로 수행하도록 적절한 마음(의) 자세를 가지게 한다. 의사들은 수술을 하기 전에 7분 동안 손을 문질러 씻는다. 현대 살균제의 등장으로 인해 오랫동안 문질러 씻는 것의 필요성에 의문의 여지가 있기는 하지만, 신중을 요하는 수술을 위해 수술 팀을 준비시키는 그것의 전통적인 역할은 부인할 수 없다. 항공업계에서는 이륙하기 전에 부기장이 비행기에서 내려서 순회 점검을 실시한다. 그들이 잘못된 것을 발견하는 경우는 정말이지 거의 없다. 그러나 상징적으로 그것은 기장과 부기장에게 탑승한 모든 사람을 안전하게 그들의 목적지로 데려다주는 자신들의 엄청난 책무에 대한 마음의 준비를 시킨다.

① 중요한 절차
③ 일련의 이례적인 과정
④ 일련의 긍정적인 반응

해설

첫 번째 문장이 주제문이고 빈칸은 중심 소재에 해당한다. 의사가 수술 전 오랜 시간 손을 씻거나, 부기장이 이륙 전 비행기에서 내려 순회 점검을 하는 등의 행동을 구체적인 예시로 들어 주제문을 뒷받침하고 있다. 살균제가 등장하여 의사가 수술 전에 오래 씻는 행동과 잘못된 것을 거의 발견 못하는 부기장의 순회 점검은 일반인이 보기에는 의미없는 행동이라는 것이다. 그러나 이런 무의미한 행동이 수술 팀을 준비시키고 기장과 부기장에게 마음의 책무를 준비시킨다고 한다. 그러므로 빈칸에는 ② '무의미한 일련의 행동'이 들어가는 것이 가장 적절하다. ①은 전체 주제와 반대되는 내용이고, ③ 이례적인 과정이 아니라 늘 하는 행동이고, ④ 긍정적인 반응에 대한 언급은 없으므로 정답이 될 수 없다.

어휘

- knit (밀접하게) 결합시키다
- scrub 문질러 씻다
- surgical 수술의
- prolonged 오래 끄는
- open to question 의문의 여지가 있는
- advent 등장
- delicate 신중을 요하는
- undeniable 부인할 수 없는
- first officer (비행기의) 부기장
- destination 목적지
- superficial 무의미한

정답 ②

022 난이도 ★☆☆

해석

전체적으로 신세계에서는, 콜럼버스가 도착한 후 그 세기 또는 2세기 안에 인디언의 인구의 감소가 최대 95퍼센트에 달했다고 추정된다. 주요 사망 원인은 인디언들이 전혀 노출된 적이 없었고, 따라서 그것에 대항하는 면역적 저항력도 유전적 저항력도 없었던 구세계의 병원균이었다. ① 천연두, 홍역, 독감, 발진티푸스는 사망 원인의 최고 자리를 놓고 경쟁했다. ② 예를 들어 1837년 우리의 대초원 지역에서 가장 정교한 문화들 중 하나를 가지고 있던 맨던 인디언 부족은 세인트루이스로부터 미주리 강을 거슬러 올라가는 증기선으로부터 천연두에 감염되었다. ③ 맨던 족은 비록 일부 식량은 교역으로 얻었지만, 주로 사냥, 농사, 야생 식물 채집으로 생존하였다. ④ 한 맨던 족 마을의 인구는 몇 주 만에 2,000명에서 40명 아래로 곤두박질쳤다.

해설

이 글은 신세계, 즉 아메리카 대륙의 인디언 인구 감소의 원인과 결과를 이야기 하고 있다. 첫 번째 문장에서 화제를 제시하고, 그 다음 문장에서는 그 원인을 구체적으로 구세계 병원균에 대한 노출이라고 설명하고 있는데, 이 두 번째 문장이 글 전체의 내용을 포괄하는 주제문이 될 수 있다. 그 이후에는 맨던 부족의 예를 들어 병원균으로 인한 인구 감소 현상을 설명하고 있다. 그러한 가운데 인구 감소와 관련없는 부족의 생활 방식을 언급하고 있는 ③의 경우는 글의 흐름과 어울리지 않는다.

어휘

- decline 감소
- immune 면역성이 있는
- resistance 저항
- smallpox 천연두
- measles 홍역
- influenza 독감
- typhus 발진티푸스
- elaborate 정교한
- Great Plains 미국 대초원
- contract 병에 걸리다
- survive 생존하다
- plummet 곤두박질치다

정답 ③

023 다음 글의 요지로 가장 적절한 것은?

A certain behavior can become strengthened by getting a person out of unpleasant situations, or by removing the threat of one. Again, it is more likely to occur in the future. For example, suppose a young child asks his/her mother for candy while at the grocery store. The mother tells the child that it almost is time for dinner. The child begins to cry and scream. This causes everyone in the store to look at them, which makes the mother very uncomfortable. So, the mother gives in to the child and buys the candy. This causes the temper to stop, and everyone stops looking at them. The mother's action of giving in to escape from the unwanted attention has just been strengthened, and it will be more likely to occur again in similar situations.

① Parental scolding makes childish behavior more likely to occur.
② The same behavior can take place for a variety of reasons.
③ Avoiding damaging situations prevents similar situations from recurring.
④ An action is reinforced by the removal of a stimulus you want to avoid.

024 밑줄 친 부분에 들어갈 말로 가장 적절한 것은?

Our view of the world is not given to us from the outside in a pure, objective form; it is shaped by our mental abilities, our shared cultural perspectives, and our unique values and beliefs. This is not to say that there is no reality outside our minds or that the world is just an illusion. It is to say that our version of reality is precisely that: *our* version, not *the* version. There is no single, universal or authoritative version that makes sense, other than as a theoretical construct. We can see the world only as it appears to us, not "as it truly is," because there is no "as it truly is" without a perspective to give it form. Philosopher Thomas Nagel argued that there is no "_____," since we cannot see the world except from a particular perspective, and that perspective influences what we see. We can experience the world only through the human lenses that make it intelligible to us.

① particular view adopted by very few people
② unbiased and objective view of the world
③ valuable perspective most people have in mind
④ perception of reality affected by subjective views

주요 구문 분석

A certain behavior can become strengthened / by getting a person out of unpleasant situations, / or by removing the threat of one.
분석) 어떤 행동이 강화될 수 있는 방법 두 개가 by -ing, by -ing 형태로 병렬되어 있다. '~함으로써 또는 ~함으로써'라고 해석된다.

주요 구문 분석

Our view of the world is not given to us / from the outside / in a pure, objective form; // it is shaped by our mental abilities, / our shared cultural perspectives, / and our unique values and beliefs.
분석) in a pure, objective form처럼 형용사 두 개가 and 없이 콤마로만 연결되는 경우는 두 형용사가 대등하여 순서를 바꾸어도 상관없을 때이다. 해석할 때는 and가 있는 것처럼 한다. 세 가지를 연결할 때 「A, B, and C」의 형태로 한다. C에 해당하는 our unique values and beliefs 안에 세부적으로 또 and가 사용되었으므로 각 A, B, C에 해당하는 것들과 혼동하지 말아야 한다.

023 난이도 ★★☆

해석

어떤 행동은 사람을 불쾌한 상황에서 벗어나게해 줌으로써, 또는 그런 불쾌한 상황의 위협을 제거해 줌으로써 강화될 수 있다. 다시 말해, 그것이 미래에 발생할 가능성이 크다. 예를 들어, 어린아이가 식료품점에 있는 동안 엄마에게 사탕을 달라고 한다고 가정해 보자. 엄마는 아이에게 저녁 먹일 시간이 다 되었다고 말한다. 아이는 울며 소리지르기 시작한다. 이는 가게 안의 모든 사람들이 그들을 쳐다보게 만들고, 이는 엄마를 매우 불편하게 만든다. 그래서, 엄마는 아이에게 항복하고 사탕을 사준다. 이것은 짜증이 멈추게 만들고 모든 사람들도 그들을 쳐다보는 것을 멈춘다. 원치 않는 주목에서 벗어나기 위해 엄마가 항복하는 행동이 방금 강화되었고, 이것은 유사한 상황에서 다시 발생할 가능성이 크다.

① 부모의 잔소리가 유치한 행동이 일어날 가능성을 높인다.
② 동일한 행동이 다양한 이유로 발생할 수 있다.
③ 피해를 주는 상황을 피하는 것은 비슷한 상황들의 재발을 예방한다.
④ 피하고 싶은 자극을 제거함으로써 행동은 강화된다.

해설

글의 중심 소재는 행동 강화이고, 주제문은 첫 번째 문장이다. 즉, 불쾌한 상황에서 벗어나려고 그 불쾌한 상황을 만드는 것을 제거하면, 그 행동이 강화되고 유사한 상황이 미래에 재발할 가능성이 커진다고 설명한 뒤, 식료품점에서 사탕을 사달라고 조르는 아이와 불편한 상황을 모면하기 위해 사탕을 사주는 엄마의 사례를 제시한다. 아이가 사탕을 사달라고 조르며 우는 것이 만드는 불쾌한 상황을 모면하기 위해 사탕을 사주면(자극을 제거하면) 그 행동이 강화되어 다시 나타날 수 있다는 것이다. 따라서 글의 요지로 가장 적절한 것은 ④ '피하고 싶은 자극을 제거함으로써 행동은 강화된다'이다. ①, ②는 글에서 언급되지 않았고, ③은 글의 내용과 반대되므로 정답이 될 수 없다.

어휘

- unpleasant 불쾌한
- threat 위협
- grocery store 식료품점
- give in 항복하다
- unwanted 원치 않는
- childish 유치한
- reinforce 강화하다
- remove 제거하다
- strengthen 강화하다
- uncomfortable 불편한
- temper 짜증
- scolding 잔소리
- take place 발생하다
- stimulus 자극

정답 ④

024 난이도 ★★☆

해석

우리의 세계관은 순수하고 객관적인 형식으로 외부로부터 우리에게 주어지는 것이 아니다; 그것은 우리의 정신 능력, 우리가 공유하고 있는 문화적 관점들, 그리고 우리의 독특한 가치관과 믿음에 의해 형성된다. 이것은 우리의 마음 바깥에는 실체가 없다거나 또는 세계란 단지 환영일 뿐이라고 말하는 것이 아니다. 그것은 우리의 실체에 대한 버전이 정확히 말하면 '우리'의 버전일 뿐 (유일한) '그' 버전은 아니라고 말하는 것이다. 이론적인 구성물로서가 아닌 이치에 맞는 단 하나의, 보편적인, 혹은 권위를 가진 버전은 없다. 세계에 형태를 부여하는 관점 없이 '있는 그대로'란 없기 때문에 우리는 세상을 '있는 그대로'가 아니라, 그것이 우리에게 보이는 대로만 볼 수 있다. 철학자 Thomas Nagel은 '편견이 없는 객관적인 세계관'은 없다고 주장했는데, 왜냐하면 우리는 특정 관점을 제외하고 세계를 볼 수 없으며, 그 관점이 우리가 보는 것에 영향을 주기 때문이다. 세계를 우리에게 이해될 수 있게 만드는(우리가 세계를 이해할 수 있게 만드는) 인간의 렌즈를 통해서만 우리는 세계를 경험할 수 있다.

① 극소수의 사람들에 의해 채택되는 특정 견해
③ 대부분의 사람들이 품고 있는 가치 있는 관점
④ 주관적인 견해에 의해 영향을 받는 실체에 대한 인식

해설

중심 소재는 우리의 세계관이고. 첫 두 문장이 주제문으로 우리의 세계관은 순수하고 객관적인 형태가 아니라, 우리의 독특한 가치관과 신념에 의해, 즉 우리에게 보이는 대로의 주관적인 관점에 의해 형성된다는 내용의 글이다. 빈칸은 철학자 Thomas Nagel의 말을 인용하여 주제를 강조하고 있고 뒤의 내용으로 파악할 수 있다. 뒤에서 특정 관점을 제외하고 세계를 볼 수 없고, 인간의 렌즈를 통해서만 우리는 세계를 경험한다고 말한다. 따라서 빈칸에는 ② '편견이 없는 객관적인 세계관'이 적절하다. 빈칸 앞에 no가 있으므로 주제문인 첫 문장의 a pure, objective form과 일맥상통하는 내용이 빈칸에 와야 한다는 사실 역시 근거가 될 수 있다.

어휘

- view of the world 세계관
- shape 형성하다
- unique 독특한
- illusion 환영
- universal 보편적인
- make sense 이치에 맞다
- construct 구성물
- intelligible to ~에게 이해될 수 있는
- unbiased 편견이 없는
- subjective 주관적인
- objective 객관적인
- perspective 관점
- reality 실체
- precisely 정확하게
- authoritative 권위 있는
- theoretical 이론적인
- particular 특정한
- adopt 채택하다
- perception 인식

정답 ②

025 주어진 글 다음에 이어질 글의 순서로 가장 적절한 것은?

In the United States, it is important to be on time for an appointment, a class, etc. However, this may not be true in all countries. An American professor decided to study this difference in a Brazilian university.

(A) The explanation for these differences is complicated. In Brazil, the students believe that a person who arrives late is more successful than a person who is on time. In fact, Brazilians expect a person with status to arrive late, while in the United States lateness is considered to be disrespectful and unacceptable.

(B) The professor talked to American and Brazilian students about lateness in both an informal and a formal situation. He gave them an example and asked them how they would react. If they had a lunch appointment with a friend, the average American student defined lateness as 9 minutes after the agreed time.

(C) On the other hand, the average Brazilian student felt the friend was late after 33 minutes. Classes begin and end at the scheduled time in the United States. In the Brazilian class, however, few students left the class at noon and many students remained past 12:30 p.m. to discuss the class and ask more questions.

① (A) – (B) – (C) ② (A) – (C) – (B)
③ (B) – (A) – (C) ④ (B) – (C) – (A)

025

난이도 ★★★

해석

미국에서는 약속, 수업 등에 시간을 지키는 것은 중요하다. 그러나 이것이 모든 나라에 다 해당하는 것은 아니다. 한 미국인 교수는 브라질의 한 대학에서 이 차이를 연구하기로 했다. (B) 교수는 비공식적 상황과 공식적인 상황 모두에서 지각하는 것에 대해 미국 학생과 브라질 학생에게 말했다. 그는 학생들에게 한 예를 주고 그들이 어떻게 반응할지 그들에게 물었다. 친구와 점심 약속이 있다면 일반적인 미국 학생은 지각을 동의된 시간보다 9분 늦는 것으로 정의했다. (C) 반면에 일반적인 브라질 학생은 33분 후가 되어야 친구가 늦게 온 것이라 느꼈다. 미국에서 수업은 예정된 시간에 시작하고 끝난다. 하지만 브라질 수업에서는 학생들은 정오에 거의 교실을 떠나지 않았고, 많은 학생들이 12시 30분이 지나도 수업에 대해 토론하고 더 많은 질문을 하기 위해 남았다. (A) 이러한 차이에 대한 설명은 복잡하다. 브라질에서 학생들은 늦게 도착하는 사람이 제시간에 오는 사람보다 더 성공한 사람이라고 믿는다. 사실 브라질 사람들은 지위를 가진 사람이 더 늦게 도착할 것으로 기대하는 반면, 미국에서 지각은 무례하고, 받아들일 수 없는 것으로 여겨진다.

해설

주어진 글에서는 시간을 지키는 개념이 나라마다 다를 수 있다는 것을 언급한 뒤, 한 미국 교수가 실험을 시작한다. (B)의 'The professor'가 가리키는 대상이 주어진 글의 'An American professor'로 나오고, 미국, 브라질 학생들 대상으로 실험을 한다는 내용이 나오므로 주어진 글은 (B)로 이어져야 자연스럽다. (B)의 맨 마지막 문장에서 미국 학생이 생각하는 지각 시간의 정의가 나오고 그 이후에 (C)에서 브라질 학생이 생각하는 지각 시간의 정의가 대조되어 나오므로 (B) 다음으로 (C)가 오는 것이 적절하다. (A)는 (B)와 (C)에 나왔던 실험 결과에 대한 분석이 나오고 있으므로 마지막에 오는 것이 자연스럽다. 따라서 글의 순서는 ④ (B)-(C)-(A)가 가장 적절하다.

어휘

- on time 정각의
- complicated 복잡한
- status 지위
- lateness 지각
- disrespectful 무례한
- unacceptable 받아들일 수 없는
- agreed 동의된

정답 ④

주요 구문 분석

In fact, / Brazilians expect a person (with status) / to arrive late, // while in the United States / lateness is considered / to be disrespectful and unacceptable.

분석 「expect+목+to부정사」는 '목적어가 ~하길 기대하다'로 해석하며 while은 대조의 접속사로 '~하는 반면에'라고 해석한다. 「consider+목(A)+to be 형(B)」은 '목적어를 ~한 것으로 간주하다'이고, 수동태로 전환된 A is considered to be B는 'A는 B한 것으로 간주되다'로 해석된다.

026 주어진 문장 다음에 이어질 글의 순서로 가장 적절한 것은?

Medicine has a long history of introducing new treatments and other interventions before they have been properly evaluated and proved beneficial.

(A) When a proper evaluation was finally conducted, it found that subsequent surgery for ulcers, bleeding from the stomach or hospitalization for severe pain occurred in 51 percent of the patients randomly allocated to stomach freezing — compared with 44 percent of patients randomly allocated to a sham treatment (placebo).

(B) Needless to say, the stomach freezing procedure was rapidly abandoned, but only after tens of thousands of people with ulcers received the wrong treatment because of insufficient evidence.

(C) In the late 1950s, American surgeons began introducing a new treatment for people with stomach ulcers that involved freezing the stomach. The first few patients so treated showed a dramatic improvement in ulcer symptoms, and the technique was enthusiastically adopted and used on tens of thousands of ulcer patients.

① (B) – (A) – (C) ② (B) – (C) – (A)
③ (C) – (A) – (B) ④ (C) – (B) – (A)

026

해석

의학은 그것들이 적절하게 평가되고 유익한 것으로 증명되기 이전에 새로운 치료법과 다른 개입들을 도입한 오랜 역사를 가지고 있다. (C) 1950년대 말, 미국의 외과의들은 위궤양을 가진 사람들을 위한, 위를 냉동시키는 것을 포함했던 새로운 치료법을 도입하기 시작했다. 그렇게 치료를 받은 처음 몇 명의 환자들은 궤양 증상에서 극적인 개선을 보여주었고, 그 기술은 열광적으로 채택되어 수만 명의 궤양 환자들에게 사용되었다. (A) 마침내 적절한 평가가 이루어졌을 때, 그것은 허위 치료(위약)에 무작위로 할당된 환자의 44%와 비교하여, 위궤양의 후속 수술, 위출혈, 또는 심한 통증에 대한 입원이 위 냉동에 무작위로 할당된 환자의 51%에서 나타난 것을 발견했다. (B) 말할 필요도 없이, 위 냉동 시술은 급속하게 폐지되었지만, 궤양을 가진 수만 명의 사람들이 불충분한 증거로 인해 잘못된 치료를 받은 후일뿐이었다.

해설

주어진 문장은 의학에는 치료법이 유익한 것으로 평가받기 이전에 그것을 도입한 역사가 있다고 말한다. (C)는 이러한 주제문에 대한 예시로 In the late 1950s라는 시간적 단서를 제공하고 위궤양의 새로운 치료법으로 위 냉동법을 제시하고 있다. 그다음에는 그것이 열광적으로 채택되어 많은 위궤양 환자들에게 그 기술이 사용되었다는 내용이 나온다. 이후 적절한 평가가 이루어졌을 때 부작용이 일어났다는 내용의 (A)가 와야 한다. 마지막으로 Needless to say로 위 냉동 시술이 급속하게 폐지되었다는 내용의 (B)가 오는 것이 가장 자연스러운 글의 순서이다. 따라서 정답은 ③ (C)-(A)-(B)이다.

어휘

- intervention 개입
- subsequent 후속의
- hospitalization 입원
- allocated to ~에 할당된
- placebo 위약
- procedure 시술
- dramatic 급격한
- enthusiastically 열정적으로
- beneficial 유익한
- ulcer 궤양
- randomly 무작위로
- sham 허위의
- needless to say 말할 것도 없이
- abandon 폐지하다
- symptom 증상
- adopt 채택하다

정답 ③

주요 구문 분석

Medicine has a long history (of introducing new treatments and other interventions) // before they have been properly evaluated / and proved beneficial.

분석 has a long history of -ing는 '~하는 오랜 역사가 있다'로 해석한다. before 부사절이 동명사 introducing을 수식하는 구조이므로 before 절을 먼저 해석하고 introducing을 해석하면 된다.

027 다음 글의 제목으로 가장 적절한 것은?

The advancement of civilization has always required a certain level of order and predictability. Rules — whether formal laws or social norms — create the structure that allows individuals to live together peacefully and productively. Without agreed-upon rules, individuals would struggle to predict others' behavior or resolve conflicts fairly. For example, they provide a shared framework that helps people anticipate consequences and coordinate actions. Without such rules, large-scale cooperation and stability would be nearly impossible to sustain. While some may view rules as limitations, they are in fact essential for protecting freedoms and coordinating shared goals. In this sense, discipline is not the enemy of civilization, but the foundation upon which it stands.

① Why Modern Societies Reject Strict Discipline
② What Happens When We Predict Norms
③ How Rules Make Civilization Possible
④ When Laws Interfere with Personal Freedom

028 밑줄 친 부분에 들어갈 말로 가장 적절한 것은?

Why should we be concerned about the fate of literature as we move from a book culture to a screen culture in the digital age? Not primarily because we are losing our sense of story, but because we are losing our sense of the central importance of linguistic narrative. There is a difference. The technologies creating the digital revolution devalue language and increasingly do away with boundaries, celebrating instead speed and boundless exhilaration. The visual trumps the linguistic, while the image and the screen trump the word and the book. As a result, we no longer seem to engage deeply with others or ourselves. We are beginning to move, in other words, from "a reading brain" to "a digital brain", from a brain capable of deep reading and deep thinking to a brain increasingly addled by spectacle and surface sensation. We are _____.

* addle: 혼란스럽게 만들다

① reading more amount of literature
② resisting the temptation to seek speed
③ losing our standing as linguistic beings
④ talking about differences between humans

주요 구문 분석

In this sense, / discipline is not the enemy of civilization, / but the foundation (upon which it stands).

분석 not A but B의 구문은 'A가 아니라 B'라는 뜻을 나타낸다. but 이후의 the foundation을 수식하는 관계대명사절에서 it은 civilization을 지칭하므로 '문명의 적이 아니라 문명이 서 있는 기반'이라고 해석하면 된다.

주요 구문 분석

Not primarily because we are losing our sense of story, // but because we are losing our sense of the central importance (of linguistic narrative).

분석 주절은 생략되고 because 원인절만 있는 문장으로 두 개의 because 절이 등위상관접속사 「not A but B」로 연결되었으므로 'A가 아니라 B이다'로 해석해야 한다. Not primarily A, but B는 '주로 A 때문이 아니라 B 때문이다' 또는 '주된 원인은 A가 아니라 B이다'와 같이 해석한다.

027

난이도 ★★☆

해석

문명의 발전은 일정 수준의 질서와 예측 가능성을 언제나 필요로 해 왔다. 규칙은 — 공식적인 법이든 사회적 규범이든 간에 — 사람들이 평화롭고 생산적으로 함께 살아갈 수 있게 하는 구조를 만들어낸다. 합의된 규칙이 없다면, 사람들은 타인의 행동을 예측하거나 갈등을 공정하게 해결하기 어려울 것이다. 예를 들어, 규칙은 사람들이 결과를 예측하고 행동을 조율하는 데 도움이 되는 공동의 틀을 제공한다. 이러한 규칙이 없다면, 대규모 협력과 안정은 거의 유지될 수 없을 것이다. 어떤 사람들은 규칙을 제약으로 볼지도 모르지만, 규칙은 자유를 보호하고 공동의 목표를 조율하는 데 사실상 필수적이다. 이런 의미에서, 규율은 문명의 적이 아니라, 문명이 서 있는 기반이다.

① 현대 사회가 엄격한 규율을 거부하는 이유
② 우리가 규범을 예측할 때 일어나는 일
③ 규칙이 문명을 가능하게 하는 방식
④ 법이 개인의 자유를 침해할 때

해설

글의 중심 소재는 문명의 발전과 규칙의 역할이며, 주제문은 첫 번째 문장으로 문명의 진보에는 일정 수준의 질서와 예측 가능성이 필수적이라고 주장한다. 이후, 규칙이 사회 구성원 간의 평화롭고 생산적인 삶을 가능하게 하는 구조를 제공한다는 점, 규칙 없는 타인의 행동을 예측하거나 갈등을 공정하게 해결하기 어렵다는 점, 그리고 규칙이 대규모 협력과 안정성을 유지하는 데 필수적이라는 점을 구체적으로 설명한다. 마지막 문장에서는 규율이 문명의 적이 아니라 기초라는 주장으로 글의 논지를 다시 강조한다. 따라서 정답은 ③ '규칙이 문명을 가능하게 하는 방식'이다.

어휘

- advancement 발전
- civilization 문명
- predictability 예측 가능성
- norm 규범
- structure 구조
- productively 생산적으로
- agreed-upon 합의된
- predict 예측하다
- resolve 해결하다
- conflict 갈등
- fairly 공정하게
- framework 틀
- anticipate 예측하다
- consequence 결과
- coordinate 조율하다
- stability 안정
- sustain 유지하다
- discipline 규율
- enemy 적
- foundation 기반
- reject 거부하다
- interfere 침해하다

정답 ③

028

난이도 ★★☆

해석

디지털 시대에서 책 문화로부터 스크린 문화로 옮겨가면서 우리는 왜 문학의 운명에 대해 걱정해야 하는가? 주된 이유는 우리가 이야기에 대한 감각을 잃고 있기 때문이 아니라, 언어적 서사의 중추적 중요성에 대한 감각을 잃고 있기 때문이다. 차이가 있다. 디지털 혁명을 만들어내는 기술들은 언어를 평가절하하고 점점 더 경계를 없애고 대신 속도와 무한한 흥분을 찬양한다. 시각적인 것이 언어적인 것을 능가하는 동시에, 이미지와 스크린은 단어와 책을 능가한다. 그 결과, 우리는 더 이상 다른 사람이나 우리 자신과 깊게 관계를 맺지 않는 것 같다. 다시 말하면, 우리는 '읽는 두뇌'에서 '디지털 두뇌'로, 깊이 있는 읽기와 깊이 있는 사고를 할 수 있는 두뇌에서 점점 더 시각과 피상적 감각으로 혼란스럽게 만들어지는 두뇌로 옮겨지고 있다. 우리는 언어적 존재로서의 지위를 잃고 있다.

① 문학의 더 많은 양을 읽고
② 속도를 추구하려는 유혹에 저항하고
④ 인간들 사이의 차이에 관해 말하고

해설

이 글의 중심 소재는 문학의 운명이며, 책 문화에서 디지털 문화로 옮겨가면서 문학이 가치를 잃어 간다는 것이 글의 주제이다. 디지털 문화의 빠른 속도와 시각적인 효과 때문에, 우리는 언어적 서술에 대한 감각을 잃어가고, 사람들의 뇌는 점점 깊이 있는 독서와 깊이 있는 사고를 할 수 없게 된다. 그 결과 사람들은 자신은 물론이고 다른 사람들과의 깊은 관계도 맺지 못하는 것 같다고 주장한다. 따라서 이 글의 마지막에 들어갈 빈칸은 주제의 내용을 담고 있는 ③ '언어적 존재로서의 지위를 잃고 있다'이다.

어휘

- be concerned about ~을 걱정하다
- fate 운명
- primarily 주로
- narrative 서사
- devalue 평가절하하다
- do away with ~을 제거하다
- boundary 경계
- celebrate 찬양하다
- boundless 끝없는
- exhilaration 흥분
- trump 능가하다
- capable of ~을 할 수 있는
- standing 지위

정답 ③

029 주어진 문장이 들어갈 위치로 가장 적절한 것은?

> Such praises lead to negative consequences when the children grow up and realize they cannot live up to the false high expectations, he added.

A U.S. psychologist Stephen Grosz, who teaches psychoanalytic theory at University College London, alleged that parents may be putting their children's confidence at risk by bombarding them with "empty" compliments, such as "You really are an artist," or "You're so clever." (①) "Empty praise is as bad as thoughtless criticism — it expresses indifference to the child's feelings and thoughts," said he. (②) To back his theory, Grosz cited a study of Columbia University psychologists which suggested children who were highly praised performed worse academically. (③) The researchers asked 128 children aged 10 and 11 to solve math problems. Then the participants were divided into two groups: the first group was told that they were clever, and the second group was praised upon their efforts. (④) Researchers found out when given more difficult problems, the second group performed better than the first.

030 다음 글의 주제로 가장 적절한 것은?

> Kinship ties continue to be important today. In modern societies such as the United States people frequently have family get-togethers, they telephone their relatives regularly, and they provide their kin with a wide variety of services. Eugene Litwak has referred to this pattern of behaviour as the 'modified extended family'. It is an extended family structure because multigenerational ties are maintained, but it is modified because it does not usually rest on co-residence between the generations and most extended families do not act as corporate groups. Although modified extended family members often live close by, the modified extended family does not require geographical proximity and ties are maintained even when kin are separated by considerable distances. In contrast to the traditional extended family where kin always live in close proximity, the members of modified extended families may freely move away from kin to seek opportunities for occupational advancement.

① the way modern people contact their families
② the conception and characteristics of modified extended families
③ the importance of traditional family values
④ the reason why kinship is maintained in the modern societies

---

주요 구문 분석

Such praises lead to negative consequences // when the children grow up and realize // they cannot live up to the false high expectations, // he added.

분석 콤마 뒤의 he added는 '(간접인용문)을 덧붙였다'라고 해석하면 된다. 따라서 인용문 전체를 먼저 해석한 후에 제일 끝에 '~라고 덧붙였다'라고 해석한다. when절의 동사가 grow up과 realize가 and에 의해 병렬되고, realize의 목적어로 that이 생략된 명사절이 왔다.

주요 구문 분석

Eugene Litwak has referred to this pattern of behaviour / as the 'modified extended family'

분석 refer to A as B는 'A를 B라고 부르다'로 해석한다. modified extended family에서 extended family는 확대가족이고 이것을 다시 과거분사 modified(수정된)가 수식하는 형태이다.

029 난이도 ★★☆

해석

런던 대학교에서 정신 분석 이론을 가르치고 있는 미국 심리학자 Stephen Grosz는 부모들이 아이들에게 "너 정말 예술가구나." 혹은 "너 정말 똑똑하다."처럼 '진정성이 결여된' 칭찬을 마구 함으로써 아이들의 자신감을 위험에 빠뜨리고 있을 수도 있다고 주장했다. (①) "진정성이 결여된 칭찬은 생각 없이 비난하는 것만큼이나 안 좋습니다. 그것은 아이의 감정이나 생각에 대한 무관심을 나타내는 것이지요."라고 그가 말했다. (②) <u>그러한 칭찬은 아이들이 자라서 자신들이 잘못된 높은 기대에 부응할 수 없음을 깨달을 때 부정적 결과로 이어진다고 그는 덧붙였다.</u> 자신의 이론을 지지하기 위해 Grosz는 칭찬을 많이 받은 아이들이 학업 성적이 더 안 좋음을 말해 주는 컬럼비아 대학교 심리학자들의 한 연구를 인용했다. (③) 연구가들은 10세와 11세인 128명의 아이들에게 수학 문제를 풀도록 했다. 그런 다음 참가자들은 두 집단으로 나뉘었다. 첫 번째 집단에게는 그들이 똑똑하다고 말해 주었고, 두 번째 집단에게는 그들이 쏟은 노력에 대해 칭찬했다. (④) 연구가들은 더 어려운 문제가 주어졌을 때 두 번째 집단이 첫 번째 집단보다 더 잘 푼다는 사실을 알게 되었다.

해설

주어진 문장에서 Such praises라는 단서를 통해 이 문장의 앞에 위치할 칭찬에 대해 예측할 수 있는데 아이들에게 부정적 결과를 초래할 수 있는 부모의 칭찬이 그것임을 알 수 있다. 또한 이 뒤에는 부정적 결과에 대한 부연 설명이 와야 함을 알 수 있다. ②의 앞에서는 진정성이 결여된 칭찬에 대해 말해주고 such praises가 언급되고 뒤에서는 칭찬을 많이 받은 아이들의 성적이 나쁘다는 부정적 결과에 대해 언급하고 있으므로 주어진 문장에서 ②로 이어지는 것이 문맥상 자연스럽다.

어휘

- consequence 결과
- psychoanalytic 정신 분석의
- bombard 퍼붓다
- quote 인용하다
- academically 학업적으로
- live up to ~에 부응하다
- allege 주장하다
- compliment 칭찬
- back 지지하다
- participant 참가자

정답 ②

030 난이도 ★☆☆

해석

친족 관계는 오늘날에도 계속 중요하다. 미국과 같은 현대사회에서 사람들은 종종 가족 만남을 가지고, 주기적으로 친척들에게 전화를 하고, 친족에게 다양한 도움을 제공한다. 유진 리트왁은 이러한 행동 양식을 '수정확대가족'이라고 불렀다. 그것은 다세대 관계가 유지되기 때문에 확장된 가족 구조이지만, 보통 세대 간의 공동 거주에 의존하지 않고 대부분의 확대가족이 공동의 집단으로 활동하지 않기 때문에 수정된다. 수정확대가족의 구성원들이 보통 가까이에 살고 있음에도 불구하고, 수정확대가족은 지리적 근접을 요구하지 않으며 친족이 상당한 거리에 떨어져 있을 때조차 관계가 유지된다. 친족이 항상 가까운 거리에 사는 전통적인 대가족과 반대로, 수정확대가족의 구성원들은 직업에서 출세할 기회를 찾기 위해 친족으로부터 자유롭게 이사할지도 모른다.

① 현대 사람들이 가족과 연락하는 방법
② 수정확대가족의 개념과 특징
③ 전통적인 가족 가치의 중요성
④ 친족이 현대사회에서 유지되는 이유

해설

세 번째 문장에서 오늘날의 가족 형태를 수정확대가족이라고 부른다고 하며 중심 소재를 언급하고 네 번째 문장이 주제문으로 가족관계는 유지되지만 공동으로 거주하지 않기 때문에 수정확대가족이라고 부른다고 말한다. 그리고 뒤에서는 수정확대가족의 특징에 대해 설명하고 있다. 즉 지리적 근접이 필요치 않으면서도 친족 관계는 유지되는 '수정확대가족'의 개념과 성격을 설명한다. 따라서 이 글의 주제로 가장 적절한 것은 ② '수정확대가족의 개념과 특징'이다.

어휘

- kinship 친족
- service 도움
- modified 수정된
- structure 구조
- corporate 공동의
- proximity 가까움
- considerable 상당한
- advancement 출세
- telephone 전화를 하다
- refer to A as B A를 B라고 부르다
- extended 확장된
- rest on ~에 의지하다
- geographical 지리적인
- kin (pl.) 친족
- occupational 직업의
- conception 개념

정답 ②

031 다음 글의 제목으로 가장 적절한 것은?

The first major crisis erupted in July 1997, when Thailand's baht declined by nearly 40 percent. The so-called contagion effect quickly spread across Asia and around the globe to the United States, as the currencies of the Philippines, Indonesia, and Malaysia suffered similar collapses, precipitating a plunge in Hong Kong's dollar and setting the stage for a 500-point fall on the New York Stock Exchange on October 19. Now, Korean won is in the midst of a 30 percent-plus fall, and the contagion effect is battering an already weakened Japanese yen. The declining values of the Asian currencies are in turn threatening the U.S. export boom, continued prosperity on Wall Street, and the jobs of millions of workers who could be laid off if cheap foreign imports flood the U.S. market place. The Asian currency crisis is also raising the prospect that American tax payers will be asked to support additional financial bailouts by the International Monetary Fund (IMF).

① Causes of Asian Currency Crisis
② Contagious Currency Crisis
③ Bailout by the IMF
④ Global Financial Reform

032 밑줄 친 부분에 들어갈 말로 가장 적절한 것은?

When making decisions, groups are often assumed to produce better outcomes than individuals. The combination of diverse opinions and collaborative thinking is expected to result in more balanced and well-informed conclusions. However, this is not always the case. In some situations, the desire for consensus can override critical evaluation of alternatives. Members may suppress dissenting views to maintain harmony, which can lead to poor judgment or oversight. This phenomenon, known as groupthink, can be especially dangerous in high-stakes settings such as government or corporate leadership. As a result, decisions made under groupthink conditions are often _____ than those made by individuals who think independently.

① more innovative and flexible
② less risky and more strategic
③ less objective and more flawed
④ more inclusive and democratic

주요 구문 분석

The Asian currency crisis is also raising the prospect [that American tax payers will be asked / to support additional financial bailouts / by the International Monetary Fund (IMF)].

(분석) raise the prospect는 '전망을 높이다'라는 말인데 the prospect와 that 명사절은 서로 동격이다. 즉 구체적인 전망의 내용을 that절이 설명하고 있다. '~하게 될 전망'이라고 해석한다.

주요 구문 분석

As a result, / decisions (made under groupthink conditions) / are often less objective and more flawed // than those (made by individuals (who think independently)).

(분석) 비교 구문에서 주어의 비교 대상인 those made by individuals who think independently의 those는 decisions를 지칭하고 있으므로 '독립적으로 사고하는 개인이 내린 결정'이라고 해석하면 된다.

031 난이도 ★★★

해석

첫 번째 큰 위기는 태국 바트화가 40퍼센트 가까이 하락했을 때인 1997년 7월에 터졌다. 소위 연쇄 파급 효과가 아시아를 거쳐 전 세계로 퍼져 미국에까지 확산되었는데, 필리핀, 인도네시아와 말레이시아에서도 통화가 유사한 하락세를 겪었으며, 이는 홍콩 달러의 폭락을 부추기면서, 10월 19일 뉴욕 증권 거래소 주가의 500포인트 하락의 밑거름을 마련했다. 현재, 한국 원화는 30퍼센트 이상 폭락하는 중이며, 파급 효과는 이미 약세였던 일본 엔화에 타격을 입히고 있다. 아시아 국가들 통화의 가치 하락은 결과적으로 미국의 수출 호황과 월가의 지속적인 호경기 및 외국으로부터 값싼 수입품들이 미국 시장에 쏟아져 들어올 경우 정리해고 당할 수 있는 수백만 명의 일자리를 위협하고 있다. 아시아 통화 위기는 미국의 납세자들이 국제통화기금(IMF)으로부터 추가적인 재정 구제 조치를 지원해 달라고 요청받을 것이라는 전망도 높이고 있다.

① 아시아 통화 위기의 원인들
② 파급되는 통화 위기
③ IMF에 의한 긴급 구제
④ 세계 금융 개혁

해설

이 글의 중심 소재는 아시아의 통화위기이며, 주제문은 두 번째 문장이다. 주제문에서 통화위기의 연쇄 파급 효과가 아시아를 넘어 전 세계로 퍼져나간다고 말하고 있으며, 그 파급효과의 영향으로써 통화 가치 하락세가 일어난다고 말하고 있다. 주제문 이후부터는 통화위기가 나라별로 어떤 파급효과를 미쳤는지 보다 구체적으로 부연하고 있다. 따라서 주제문의 내용에 가장 근접한 제목은 ② '파급되는 통화 위기'이다. ①은 아시아 통화 위기의 원인은 언급되지 않아 적절하지 않다. IMF의 재정지원은 지켜봐야 한다고 나왔으므로 ③ 또한 적절하지 않다. ④는 글의 내용과 관련 없는 개혁이 나오므로 적절하지 않다.

어휘

- erupt 터지다
- decline 하락하다
- contagion effect 연쇄 파급 효과
- precipitate 부추기다
- plunge 폭락
- set the stage for ~의 밑거름이 되다
- in the midst of ~ 중인
- batter 강타하다
- prosperity 호황
- lay off 정리해고하다
- flood 쏟아져 들어오다
- bailout 구제 조치

정답 ②

032 난이도 ★★★

해석

의사 결정을 할 때, 집단이 개인보다 더 나은 결과를 낼 것이라고 종종 생각된다. 다양한 의견과 협력적 사고의 결합이 더 균형 잡히고 충분한 정보에 근거한 결론을 이끌어 낼 것으로 기대되기 때문이다. 그러나 항상 그런 것은 아니다. 어떤 상황에서는 의견 일치에 대한 욕구가 대안에 대한 비판적 평가를 압도할 수 있다. 구성원들은 조화를 유지하기 위해 반대 의견을 억누를 수 있으며, 이는 잘못된 판단이나 간과로 이어질 수 있다. 집단사고로 알려진 이 현상은 정부나 기업의 리더십처럼 위험성이 큰 상황에서 특히 위험할 수 있다. 결과적으로 집단사고 상황에서 내려진 결정은 독립적으로 사고하는 개인이 내린 것보다 종종 <u>덜 객관적이고 더 결함이 많다</u>.

① 더 혁신적이고 유연하다
② 덜 위험하고 더 전략적이다
④ 더 포괄적이고 민주적이다

해설

글의 중심 소재는 집단사고가 의사 결정에 미치는 영향이고, 주제문은 첫 번째 문장과 네 번째 문장으로 집단의 의사 결정이 개인의 의사 결정보다 낫지 않다는 것이다. 도입부에서 집단의 의사 결정이 개인보다 나을 것으로 생각한다는 일반론을 제시했고, 세 번째 문장에서 However로 내용을 전환시켰다. 오히려 의견을 일치시키고 조화를 유지하기 위해 비판적 평가를 하지 않고, 반대 의견도 억눌러지기 때문에 잘못된 판단이나 간과로 이어질 수 있다고 했다. 빈칸이 있는 마지막 문장은 주제를 재진술하고 있고, 집단사고 상황의 결정과 개인의 결정을 비교하고 있으므로 빈칸에는 집단의 결정이 낫지 않다는 내용이 들어가면 된다. 따라서 빈칸에 들어갈 말로 가장 적절한 것은 ③ '덜 객관적이고 더 결함이 많다'이다.

어휘

- assume 생각하다
- outcome 결과
- individual 개인
- diverse 다양한
- collaborative 협력적인
- well-informed 충분한 정보에 근거한
- consensus 의견 일치
- override 억누르다
- critical 비판적인
- evaluation 평가
- alternative 대안
- suppress 억누르다
- dissent 반대하다
- maintain 유지하다
- judgment 판단
- oversight 간과
- phenomenon 현상
- high-stakes 위험성이 큰
- corporate 기업의
- innovative 혁신적인
- flexible 유연한
- strategic 전략적인
- inclusive 포괄적인
- democratic 민주적인

정답 ③

033 주어진 문장 다음에 이어질 글의 순서로 가장 적절한 것은?

It's obvious that people become violent when they are trying to protect someone or something.

(A) When a situation is threatening, not only gang members but also average people can act violently.
(B) Even people who have never shown any violent tendencies might also commit a violent crime if a loved one is in danger.
(C) An obvious example of this is when gang members want to protect their neighborhoods from the "invasion" of members of other gangs.

① (A) – (B) – (C) ② (A) – (C) – (B)
③ (C) – (A) – (B) ④ (C) – (B) – (A)

034 밑줄 친 부분에 들어갈 말로 가장 적절한 것은?

Every employee should know how he or she fits into the big picture. The organization chart displays the corporation's employees in the organization structure. It should be made visible to all employees. You may be surprised at how few or how many levels there are between you and the CEO. This can give you motivation to climb the corporate ladder but, at a minimum, shows how you fit in. I have read recent books indicating the death of the organization chart, so that people respond to the question "whom do you work for?" with a response like "that doesn't mean much around here." If I came across a company like that, I would immediately sell all my stock. An unorganized company produces self-appointed experts; that is, all employees think they are their own bosses and can do whatever they like. Don't fall into that trap. _____ is and will always be a necessary condition for successful organizations.

① An evenly distributed load of work
② A clearly defined chain of command
③ A relatively flexible change of structure
④ A highly qualified team of experts

주요 구문 분석

Even people (who have never shown any violent tendencies) / might also commit a violent crime // if a loved one is in danger.

분석 Even의 수식을 받는 people이 문장의 주어이면서 동시에 선행사로 쓰였으므로 관계대명사절의 수식을 받아서 '한번도 ~해본 적 없던 사람들도'라고 해석한다. if는 조건의 부사절 접속사로 '~ 한다면'이라고 해석한다.

주요 구문 분석

You may be surprised / at how few or how many levels there are / between you and the CEO.

분석 간접의문문인 「의문사(how few or how many levels)+there+are」가 감정의 원인을 나타내는 전치사 at의 목적어로 쓰였다. 「how few / how many+복수명사」로 '얼마나 적은 ~ / 얼마나 많은 ~'이라고 해석한다.

033 난이도 ★★☆

해석

사람들이 누군가를 아니면 무언가를 보호하고자 할 때 폭력적이게 된다는 것은 명백하다. (C) 이에 대한 명백한 사례는 갱단 조직원들이 다른 갱단의 조직원들의 '침범'으로부터 자신들의 구역을 지키고 싶어 할 때이다. (A) 상황이 위협적일 때는 갱단 조직원들뿐만 아니라 보통 사람들도 폭력적으로 행동할 수 있다. (B) 어떠한 폭력적 성향을 보인 적이 없는 사람들조차도 가장 사랑하는 사람이 위험에 처한다면 또한 폭력 범죄를 저지를 수도 있다.

해설

주어진 문장은 사람이 무언과 또는 누군가를 보호하고자 할 때 폭력적이게 된다는 내용이다. (C)의 An obvious example of this에서 this는 주어진 문장의 내용을 가리키므로 (C)는 주어진 문장의 다음에 이어진다. 그 예로 갱단이 다른 갱단으로부터 자신의 구역을 지킬 때를 들고 있다. (A)는 (C)에서 설명했던 갱단 조직원뿐 아니라 일반인 조차도 폭력적으로 행동할 수 있다는 내용이며 (B)는 (A)에 대한 구체적인 설명으로 사랑하는 사람이 위험에 처하면 일반인도 폭력 범죄를 저지를 수도 있다는 내용이므로 (A) 다음에 (B)가 이어지는 것이 자연스럽다. 따라서 ③ (C)-(A)-(B)의 순서가 가장 적절하다.

어휘

- obvious 명백한
- protect 보호하다
- gang 갱단
- tendency 성향
- loved one 가장 사랑하는 사람
- example 사례
- invasion 침입
- violent 폭력적인
- threatening 위협적인
- average 보통의
- commit (그릇된 일·범죄를) 저지르다
- in danger 위험에 처하여
- neighborhood 구역

정답 ③

034 난이도 ★★☆

해석

모든 직원들은 자신이 큰 그림에 어떻게 들어맞는지를 알아야 한다. 조직도는 그 기업의 직원들을 조직 구조 속에서 보여 준다. 그것은 모든 직원들에게 보이도록 만들어져야 한다. 여러분은 여러분과 최고 경영자 사이에 얼마나 적은 또는 얼마나 많은 단계가 있는지에 깜짝 놀랄지도 모른다. 이것은 여러분에게 승진하려는 동기를 줄 수 있지만, 최소한으로는, 여러분이 어떻게 자리 잡고 있는지를 보여준다. 나는 조직도의 죽음을 시사하는 최근의 책들을 읽었는데, 그래서 사람들은 "당신은 누구를 위해 일하나요?"라는 질문에 "그것은 이곳에서 큰 의미가 없습니다."와 같은 대답으로 응답한다. 만약 내가 그와 같은 회사를 발견하게 되면, 즉시 나의 모든 주식을 팔 것이다. 조직화되지 않은 회사는 자칭 전문가들을 양산한다. 다시 말해, 모든 직원들은 그들이 그들 자신의 상사이고 그들이 원하는 것은 무엇이든 할 수 있다고 생각한다. 그 함정에 빠지지 마라. 명확하게 규정된 지휘상의 서열은 성공적인 조직을 위한 필요조건이고 앞으로도 항상 그럴 것이다.

① 고르게 분배된 업무량
③ 상대적으로 융통성 있는 구조 변화
④ 매우 수준 높은 전문가 팀

해설

필자는 각 직원이 조직에서 자신의 위치를 파악하도록 해주는 기업의 조직도를 중요하게 여기지 않는 회사들을 비판인 시각으로 바라보며, 그런 회사들은 결코 성공을 거둘 수 없다는 주장을 하고 있다. 필자는 조직도를 무시하는 기업, 즉 직원들이 상사의 지시를 받지 않고 자기가 하고 싶은 대로 하는 조직화되지 않은 기업을 비판하고 있으므로 필자가 중요하다고 생각하는 성공적인 조직을 위한 필요조건은 조직화된 체계, 즉 명확하게 정의된 지휘상의 서열일 것이다. 이와 더불어 빈칸 앞에서 그런 함정에 빠지지 말라고 하며 조직화되지 않은 조직을 비판하므로 빈칸에 들어갈 말로 가장 적절한 것은 ② '명확하게 규정된 지휘상의 서열'이다.

어휘

- fit into ~에 들어맞다
- visible (눈에) 보이는
- climb the corporate ladder 승진하다
- at a minimum 최소한도로
- come across 우연히 발견하다
- self-appointed 자칭의
- necessary condition 필요조건
- distribute 분배하다
- chain of command 지휘상의 서열
- flexible 융통성 있는
- corporation 기업
- organization chart 조직도
- unorganized 조직화되지 않은
- fall into a trap 함정에 빠지다
- evenly 고르게
- qualified 자격이 있는

정답 ②

035 다음 글의 제목으로 가장 적절한 것은?

Science gives us power which can be used either constructively or destructively. It provides us with means which may facilitate our pursuit of bad ends as well as good. Science itself is not only morally neutral, that is, indifferent to the value of the ends for which the means are used; it is also totally unable to give any moral direction. Science, therefore, must be supplemented by philosophy if the means that science gives us are to be used for worthwhile ends. Many people today think that philosophy is useless as compared with science, because it cannot be applied in the production of things. But philosophical knowledge is useful in a quite different way.

① The Uselessness of Philosophy in Modern Times
② The Relation Between Means and Ends
③ The Neutral Value of Science
④ The Role of Philosophy in an Age of Science

주요 구문 분석

Science itself is not only morally neutral, / that is, indifferent to the value of the ends (for which the means are used); // it is also totally unable to give any moral direction.

분석 「not only A but also B」는 'A뿐만 아니라 B도'라는 뜻인데 but을 생략하고 대신 세미콜론이 쓰인 「not only A; it is also B」 구조를 취하고 있다. that is는 '즉, 다시 말해서'라는 뜻으로 앞에 나온 말을 다른 말로 다시 설명하거나, 쉽게 풀어쓸 때 사용한다. which의 선행사는 the ends이고 관계절이 선행사를 수식하므로 '수단이 사용되는 목적'으로 해석한다.

035 난이도 ★★☆

해석

과학은 우리에게 건설적으로 또는 파괴적으로 쓰일 수 있는 힘을 준다. 그것은 우리에게 좋은 목적뿐 아니라 나쁜 목적에 대한 우리의 추구를 가능하게 할지도 모르는 수단을 제공한다. 과학 자체는 도덕적으로 중립적일 뿐만 아니라, 다시 말해, 그 수단이 사용되는 목적의 가치에 무관심할 뿐만 아니라; 그것은 어떠한 도덕적인 방향을 제시해 줄 수도 없다. 따라서 만일 과학이 우리에게 주는 수단이 가치 있는 목적을 위해 사용되려면 과학은 철학에 의해 보완되어야 한다. 오늘날 많은 사람들이 철학은 그것이 물질의 생산에 적용될 수 없기 때문에 과학과 비교했을 때 쓸모가 없다고 생각한다. 하지만 철학적 지식은 꽤 다른 방식으로 유용하다.

① 현대 시대에 철학의 무용성
② 수단과 목적의 관계
③ 과학의 중립적 가치
④ 과학의 시대에서 철학의 역할

해설

중심 소재는 과학과 철학이며, 주제문은 네 번째 문장으로 과학은 철학에 의해 보완되어야 한다고 말한다. 글의 전반부에서 과학의 중립적인 특성이 설명되고 있다. 과학은 수단만 제공할 뿐 사용 목적에 무관심하고, 도덕적 방향을 제시하지 않기 때문에 좋은 목적으로 쓰든, 나쁜 목적으로 쓰든 상관하지 않는다고 말한다. 이후 결론으로 이런 과학의 특성 때문에 철학의 보완을 받아야 한다고 말한다. 따라서 ④ '과학의 시대에서 철학의 역할'이 글의 제목으로 가장 적절하다.

어휘

- constructively 건설적으로
- destructively 파괴적으로
- provide A with B A에게 B를 제공하다
- means 수단
- facilitate 가능하게 하다
- pursuit 추구
- morally 도덕적으로
- neutral 중립적인
- indifferent 무관심한
- end 목적
- supplement 보완하다
- philosophy 철학
- worthwhile 가치 있는
- compared with ~에 비하면
- uselessness 무용성

정답 ④

036 글의 흐름상 가장 어색한 것은?

Is the customer always right? When customers return a broken product to a famous company, which makes kitchen and bathroom fixtures, the company nearly always offers a replacement to maintain good customer relations. ① Still, "there are times you've got to say 'no,'" explains the warranty expert of the company, such as when a product is undamaged or has been abused. ② Complaints related to missing elements or damage hidden at the delivery time should be reported to the manufacturer within 5 days after the acceptance date. ③ Entrepreneur Lauren Thorp, who owns an ecommerce company, says, "While the customer is 'always' right, sometimes you just have to fire a customer." ④ When Thorp has tried everything to resolve a complaint and realizes that the customer will be dissatisfied no matter what, she returns her attention to the rest of her customers, who she says are "the reason for my success."

036 난이도 ★★☆

해석

고객은 항상 옳은가? 고객이 깨진 물건을 한 주방 및 욕실 붙박이 제품을 만드는 유명한 회사에 반품할 때, 이 회사는 좋은 고객관계를 유지하기 위해 거의 항상 교체를 해주겠다고 한다. ① 하지만, 그 회사의 품질보증 전문가는 "'아니다'라고 말해야 할 때가 있다"고 설명하는데, 가령 상품이 파손되지 않았거나 오남용 되었거나 할 때이다. ② 배송 시 빠진 구성 요소나 감추어진 파손과 관련된 불만은 수령일 후 5일 이내에 제조업자에게 보고되어야 한다. ③ 기업가 Lauren Thorp는 전자상거래 회사를 소유하고 있는데, "고객이 '항상' 옳지만, 가끔은 고객을 해고해야 한다."고 말한다. ④ Thorp는 불만을 해결하기 위해 모든 시도를 했지만 그 고객은 무엇을 하든 불만족할 것이라는 걸 깨닫게 될 때 그녀는 자신의 관심을 그녀의 나머지 고객들에게 돌리는데, 그녀는 그들이 "내 성공의 이유"라고 말한다.

해설

고객의 부당한 요구를 거절하라는 요지의 글이다. ①에서 고객에게 '아니다'라고 말해야 할 때가 있다고 했으며, ③에서도 고객을 해고해야 할 때가 있다고 말하며, ④에서는 고객이 무엇을 해도 불만족하면 나머지 고객들에게 관심을 쏟아야 된다고 말하고 있다. 하지만 ②는 배송 받은 물건에 대한 불편 신고 정책을 안내하는 문장이므로 글의 흐름상 어색하다.

어휘

- customer 고객
- return 반품하다
- fixture (변기, 욕조 등) 붙박이 세간
- replacement 교체(물)
- maintain 유지하다
- warranty 품질보증
- expert 전문가
- undamaged 파손되지 않은
- abused 남용[오용]된
- complaint 불만
- manufacturer 제조업자
- acceptance date 수령일
- entrepreneur 기업가
- dissatisfied 불만족한
- no matter what 어떻게 하든

정답 ②

주요 구문 분석

When Thorp has tried everything to resolve a complaint // and realizes // that the customer will be dissatisfied no matter what, // she returns her attention to the rest of her customers, (who (she says) are "the reason for my success)."

분석 시간의 When 부사절에 has tried ~와 realizes라는 두 개의 동사가 and로 연결되어 있고 realizes의 목적어로 that 명사절이 이어진다. her customers를 부연 설명하기 위해 계속적 용법의 관계대명사 who가 쓰였고 she says는 삽입절로 '그녀가 말하길' 또는 '그녀는 ~라고 말한다'와 같이 해석한다.

037 밑줄 친 부분에 들어갈 말로 가장 적절한 것은?

The Oxford evolutionary psychologist Robin Dunbar argued that language functions as a form of social grooming. Although we tend to think of grooming as a concept related to maintaining hygiene (especially when we see chimpanzees poking lice off one another), grooming is equally important in nonhuman primates for bolstering social bonds. For example, in small groups of nonhuman primates, we see evidence of the physical grooming of allies; larger groups are not amenable to such grooming, regardless of the hygienic or social behaviour it might contribute to. Our earliest ancestors probably lived in small groups, but if social bonding relied on physical grooming, individuals would have spent almost half their time grooming one another even in a group as small as 150 individuals — which would have been almost impossible given other demands. Language, Dunbar argued, evolved _____.

① to fulfill the ability to use abstract symbols
② to facilitate a social cohesion among groups
③ to preserve essential information for survival
④ to promote positive interactions between strangers

038 주어진 문장이 들어갈 위치로 가장 적절한 것은?

On motorcycles, this is even more critical.

In Dutch bicycle culture, it is common to have a passenger on the backseat. So as to follow the rider's movements, the person on the backseat needs to hold on tightly. (①) Bicycles turn not just by steering but also by leaning, so the passenger needs to lean the same way as the rider. (②) A passenger who would keep sitting up straight would literally be a pain in the behind. (③) Their higher speed than that of bicycles requires more leaning on turns, and lack of coordination can be disastrous. (④) The passenger is a true partner in the ride, expected to mirror the rider's every move.

037 난이도 ★★☆

해석

옥스퍼드 대학교 진화 심리학자인 Robin Dunbar는 언어가 사회적 털 손질의 한 형태로 기능한다고 주장했다. 우리가 털 손질을 (특히 우리가 침팬지들이 서로 이를 잡아주고 있는 것을 볼 때) 위생 유지와 관련한 개념으로 여기는 경향이 있기는 하지만, 털 손질은 인간이 아닌 영장류에게 사회적 유대를 강화하는 데 마찬가지로 중요하다. 예를 들어 인간이 아닌 영장류의 소집단에서, 우리는 같은 편끼리의 신체적 털 손질에 관한 증거를 보게 된다; 더 큰 집단은 그런 털 손질이 기여할 수 있을 위생적 또는 사회적 행동과 관계없이 그것을 쉽게 받아들일 수 없다. 우리의 최초 조상들은 아마도 소집단에서 살았을 테지만, 사회적 유대가 신체적 털 손질에 의존했다면 사람들은 150명밖에 안 되는 작은 집단에서조차도 개인들은 거의 자신의 시간 절반을 서로 털 손질을 해주며 보냈을 것이다 — 그것은 다른 필요를 고려하면 거의 불가능하였을 것이다. Dunbar가 주장하기를 언어는 <u>집단에서의 사회적 결속을 촉진하기 위해</u> 진화했다.

① 추상적 상징을 사용하는 능력을 이행하기 위해
③ 생존을 위한 필수적인 정보를 보존하기 위해
④ 낯선 이들 사이에서 긍정적인 상호작용을 도모하기 위해

해설

첫 문장에 언어와 사회적 털 손질이라는 두 핵심 소재를 제시하고 뒷받침 진술을 한 후 마지막 문장에서 결론을 도출하는 구조의 글이다. 털 손질은 영장류 집단에서 구성원 사이의 사회적 유대를 강화하는 수단이 되는데, 인간 사회는 규모가 훨씬 크기 때문에 털 손질을 통한 유대 강화에는 한계가 있고 따라서 이를 대체하기 위해 언어가 진화하게 되었다는 내용이다. 따라서 빈칸에는 언어가 진화한 이유를 나타내도록 ② '집단에서의 사회적 결속을 촉진하기 위해'가 가장 적절하다. ④는 strangers 대신에 group members 정도가 되어야 알맞으므로 정답으로 적절하지 않다.

어휘

- grooming 털 손질
- hygiene 위생
- poke off (콕콕 집어) 잡다
- louse 이(pl. lice)
- primate 영장류
- bolster 강화하다
- bond 유대
- ally 같은 편
- amenable to ~을 쉽게 받아들일 수 있는
- hygienic 위생의
- fulfill 이행하다
- facilitate 촉진하다
- cohesion 결속

정답 ②

038 난이도 ★☆☆

해석

네덜란드의 자전거 문화에서, 뒷좌석에 동승자를 앉히는 것은 흔하다. 자전거 운전자의 움직임을 따르기 위해서, 뒷좌석에 있는 사람은 단단히 잡을 필요가 있다. (①) 자전거는 핸들을 조종하는 것뿐만 아니라 (몸을) 기울이는 것으로 방향을 바꾸기 때문에 동승자는 자전거 운전자와 같은 방향으로 (몸을) 기울일 필요가 있다. (②) 뒷좌석에서 계속해서 꼿꼿이 앉아 있는 동승자는 말 그대로 뒷좌석의 골칫거리일 것이다. (③) <u>오토바이를 탈 때는, 이것은 훨씬 더 중요하다.</u> 자전거의 속도보다 더 높은 그것들의 속도는 방향을 바꿀 때 더 많이 (몸을) 기울일 것을 요구하고, 협응의 부족은 재앙이 될 수 있다. (④) 동승자는 운전자의 모든 움직임을 따라 하도록 기대되기 때문에 주행 시 진정한 동반자이다.

해설

중심 소재는 자전거와 오토바이의 동승자이다. 주어진 문장은 오토바이에 관한 내용으로 오토바이에서는 이것이 더 중요하다고 말한다. 즉 자전거와 오토바이에서의 동일한 행동이 요구되므로 앞에는 자전거에서의 행동이, 뒤에는 오토바이에서의 행동이 나올 것임을 알 수 있다. ③ 앞에서는 자전거의 뒷좌석에 동승자를 앉힐 때, 동승자가 운전자와 같은 방향으로 몸을 기울일 필요가 있다고 언급하며, ③ 뒤에서는 자전거의 속도보다 더 높은 그것들의 속도는 동승자가 함께 더 많이 몸을 기울일 것을 요구한다고 했으므로 이는 오토바이에 대한 설명임을 알 수 있다. 따라서 주어진 문장이 들어갈 위치는 ③이 가장 적절하다.

어휘

- steer 핸들을 조종하다
- lean (몸을) 기울이다
- pain 골칫거리
- coordination 협응: 신체의 신경 기관, 운동 기관, 근육 등이 서로 호응하며 조화롭게 움직이는 것
- disastrous 재앙을 일으키는
- mirror 따라하다

정답 ③

039 다음 글의 요지로 가장 적절한 것은?

There is no adult who can be half as curious as any child between the ages of four months and four years. Adults sometimes mistake this curiosity about everything as a lack of ability to concentrate. The truth is that children begin to learn at birth, and by the time they begin formal schooling, at the age of five or six, they have already absorbed a fantastic amount of information, perhaps more than they will learn for the rest of their lives. Some people believe that the way formal learning dumps information on the child kills curiosity in children. Others believe that fear of disapproval from adults is a leading reason why it gets eradicated. If curiosity is not encouraged, it can definitely end up in children not being curious and not wanting to learn. However, if they appreciate this curiosity while simultaneously encouraging the children to learn, adults can multiply by many times the knowledge children absorb.

① The first few years of school are the most important for most children.
② Young children of certain ages have a much greater curiosity than adults.
③ Cramming in school is considered to reduce curiosity in children.
④ Adults can use children's intense curiosity to help them learn more.

주요 구문 분석

However, / if they appreciate this curiosity / while simultaneously encouraging the children to learn, // adults can multiply / (by many times) the knowledge (children absorb).
분석 while은 '~하면서'라는 시간의 부사절에서 they are가 생략된 형태이다. multiply의 목적어는 the knowledge이고 관계대명사절인 children absorb의 수식을 받는다. 이때 관계대명사 that이나 which는 생략되었다. '아이들이 흡수하는 지식'으로 해석한다.

040 주어진 글 다음에 이어질 글의 순서로 가장 적절한 것은?

Variations in population size require some explanation. Generally speaking, the balance of four processes determines whether a population size increases, decreases or remains constant. These processes are: birth, death, immigration into the population and emigration from the population.

(A) Usually, the rise and fall of population is not predictable because of the varied interactions among death, emigration, birth, and immigration.
(B) Death and emigration reduce population size, whereas birth and immigration increase population size.
(C) Therefore, populations are difficult to measure at any point in time and their change over time even more difficult to forecast.

① (A) – (B) – (C)   ② (A) – (C) – (B)
③ (B) – (A) – (C)   ④ (B) – (C) – (A)

주요 구문 분석

Therefore, / populations are difficult to measure / at any point in time // and their change over time / even more difficult to forecast.
분석 measure의 의미상의 목적어는 populations이다. their change over time에서 their는 앞에 나온 populations를 의미하고 over time은 명사 change를 수식하므로 '시간에 따른 인구의 변화'로 해석하면 된다. even more 앞에는 is가 생략된 형태이다.

039 난이도 ★★★

해석

4개월에서 4세 사이 어린이의 절반만큼이라도 호기심이 많은 어른은 없다. 어른들은 모든 것에 대한 이런 호기심을 집중력의 부족으로 가끔씩 착각한다. 사실은 아이들이 태어나서 배우기 시작하고, 5~6세가 되어 정규 학교 교육을 시작할 무렵이면, 그들은 엄청난 양의 정보를, 어쩌면 그들이 남은 인생 동안 배우게 될 것보다 더 많은 정보를 이미 습득한 상태다. 어떤 사람들은 정규 교육이 아이들에게 정보를 퍼붓는 방식이 아이들의 호기심을 죽인다고 믿는다. 다른 사람들은 어른들의 반대에 대한 두려움이 호기심이 뿌리 뽑히는 주된 이유라고 믿는다. 만약 호기심이 권장되지 않으면 분명히 결국은 호기심이 없고 배우기를 원하지 않는 어린이가 될 수 있다. 하지만, 만약 이러한 호기심을 인정하는 동시에 아이들에게 배우라고 격려한다면, 어른들은 아이들이 습득하는 지식을 몇 배로 증가시킬 수 있다.

① 학교에서 첫 몇 년이 대부분의 아이들에게 가장 중요하다.
② 특정한 나이의 어린 아이들은 성인들보다 훨씬 더 많은 호기심을 가지고 있다.
③ 학교의 주입식 교육은 아이들의 호기심을 줄인다고 간주된다.
④ 성인들은 아이들의 강한 호기심을 이용하여 더 많은 것을 배우도록 도울 수 있다.

해설

글의 중심 소재는 호기심이고 주제문은 마지막 문장이다. 아이들은 호기심이 많으며 5~6세가 되어 정규 학교 교육을 받을 때가 되면 남은 인생에서 배우게 될 것보다 많이 배운다고 말한다. 이후 잘못된 교육 방식이나 어른들의 반대를 두려워하는 마음 때문에 아이들의 호기심이 사라질 수 있다는 우려를 제기한다. 그런 다음, 호기심을 인정하고 배움을 독려하면 아이들이 더 많은 지식을 얻을 수 있다고 주장한다. 따라서 글의 요지는 ④ '성인들은 아이들의 강한 호기심을 이용하여 더 많은 것을 배우도록 도울 수 있다'가 가장 적절하다. ①은 글에 언급되지 않았고 ②, ③은 지엽적인 내용에 불과하므로 요지로 적합하지 않다.

어휘

- curious 호기심이 많은
- curiosity 호기심
- schooling 학교 교육
- fantastic 엄청난
- disapproval 반대
- end up in 결국 ~로 끝나다
- multiply 증가시키다
- intense 강한
- mistake A as B A를 B라고 착각하다
- concentrate 집중하다
- absorb 흡수하다
- dump 퍼붓다
- eradicate 뿌리를 뽑다
- simultaneously 동시에
- cramming 주입식 교육

정답 ④

040 난이도 ★★★

해석

인구수가 변하는 데는 설명이 좀 필요하다. 일반적으로 말하면, 네 가지 과정의 균형이 인구수가 증가할지, 감소할지, 혹은 그대로 유지될지를 결정한다. 이러한 과정들은 출생, 사망, 인구로 들어오는 이민, 그리고 인구에서 유출되는 이민이다. (B) 사망과 타국으로의 이민은 인구수를 감소시키는 반면, 출생과 타국으로부터의 이민은 인구수를 증가시킨다. (A) 대개 인구의 증감은 사망, 타국으로의 이민, 출생, 그리고 타국으로부터의 이민 사이의 다양한 상호 작용 때문에 예측이 불가능하다. (C) 그러므로 그 어떤 시점에서도 인구는 측정하기가 어려우며, 시간에 따른 인구 변동은 예상하기가 훨씬 더 어렵다.

해설

글의 중심 소재는 인구수의 변화이다. 주어진 글에서 인구수가 변하는 이유로 네 가지 과정(출생, 사망, 유입이민, 유출이민)을 제시하고 있다. 그리고 나서 (B) 각 과정의 역할, (A) 각 과정들의 상호 작용으로 인한 인구 증감의 예측 불가, (C) 그러므로(Therefore) 인구수와 인구 변동 예상의 어려움으로 마무리하는 것이 가장 자연스럽다. 따라서 정답은 ③ (B)-(A)-(C)이다.

어휘

- variation 변화
- generally speaking 일반적으로 말하면
- process 과정
- constant 불변의
- immigration 타국으로부터의 이민
- emigration 타국으로의 이민
- predictable 예측할 수 있는
- interaction 상호작용
- measure 측정하다
- forecast 예상하다

정답 ③

041 다음 글의 제목으로 가장 적절한 것은?

Conceived in 2005, the Orion capsule is now set to make its first test flight, which is scheduled for December. The cone-shaped vehicle, designed to carry humans farther into space than ever before, is reminiscent of the Apollo capsules that flew astronauts to the moon, but it is a third larger. These roomier dimensions can house between two and six crew members for missions of 21 days — longer than any previous vehicle except space stations. The upcoming four-hour flight, when the capsule will launch from Cape Canaveral, Florida, and enter low-Earth orbit, will carry no human cargo. Rather the trial run will ensure that the spacecraft's rocket encasings are safely jettisoned when they are supposed to, that its parachutes deploy correctly and that its heat shield can withstand the 4,000-degree Fahrenheit flames of reentry. The test should pave the way for a crewed flight in 2021 to visit a nearby asteroid. The ultimate goal is a journey to Mars, when Orion would dock with another traveling habitat for extra living space. Eventually Orion will fly atop NASA's Space Launch System, a rocket still in development that will be the most powerful ever built.

① Similarities Between Orion and Apollo
② Innovative Technologies for Spacecraft
③ Preparatory Stage for Mars Exploration
④ NASA to Launch New Spacecraft

주요 구문 분석

Eventually / Orion will fly atop NASA's Space Launch System, [a rocket still in development (that will be the most powerful ever built)].

분석 NASA's Space Launch System을 동격의 명사구인 a rocket still in development로 부연 설명하였고 a rocket은 다시 that 관계대명사절이 수식하는 구조이다. the most powerful 뒤에는 rocket이 생략되었다. 최상급 뒤에는 명사가 생략될 수 있다. 이 rocket과 built의 관계가 수동이므로 과거분사 built가 바르게 수식하고 있다. '지금까지 만들어진 것 중 가장 강력한 로켓'으로 해석된다.

042 밑줄 친 부분에 들어갈 말로 가장 적절한 것은?

On one occasion I was trying to explain the concept of buffers to my children. We were in the car together at the time and I tried to explain the idea using a game. "Imagine", I said, "that we had to get to our destination three miles away without stopping." We couldn't predict what was going to happen in front of us and around us. We didn't know how long the light would stay on green or if the car in front would suddenly put on its brakes. The only way to keep from crashing was to put extra space between our car and the car in front of us. This space acts as a buffer zone. It gives us time to respond and adapt to any sudden moves by other cars. Similarly, we can reduce the difficulty of doing the essential in our work and lives simply by _____.

① teaching our children valuable life lessons
② always working on our defensive driving skills
③ being properly ready for unanticipated events
④ learning about various parts of an automobile

주요 구문 분석

Similarly, / we can reduce the difficulty (of doing the essential in our work and lives) / simply by being properly ready for unanticipated events.

분석 simply by -ing는 '단순히 ~함으로써'의 의미로 동사 reduce를 수식하고 있다.

041 난이도 ★★☆

해석

2005년에 고안된, 오리온 캡슐은 이제 최초의 시험 비행을 할 예정인데, 이는 12월로 일정이 잡혀있다. 인간을 그 어느 때보다도 더 먼 우주로 데려가도록 고안된, 이 원뿔 모양의 운송 수단은 우주 비행사들을 달로 실어 나른 아폴로 캡슐을 연상시키지만, 이것은 1/3배 더 크다. 이 더 널찍한 크기는 21일간의 임무를 위해 2~6명 사이의 승무원들을 수용할 수 있다 — 우주 정거장들을 제외한 이전의 어떤 운송 수단보다 더 긴 기간이다. 우주선이 플로리다 주의 케이프 커내버럴에서 발사되어 저지구 궤도로 진입할 때, 예정된 4시간의 비행은 사람은 타지 않을 것이다. 오히려 이 시험 비행은 반드시 우주선의 로켓 부스터가 예정된 때에 안전하게 투하되고, 낙하산들이 정확하게 작동하며 열 차단막이 재진입할 때의 화씨 4,000도의 불꽃을 견딜 수 있도록 할 것이다. 이 시험은 가까운 소행성을 방문할 2021년의 유인 비행을 위한 기반을 닦아줄 것이다. 오리온이 추가 거주 공간을 확보하기 위해 또 하나의 이동 거주구와 결합하게 되면, 궁극적인 목표는 화성 여행이다. 결국 역사상 가장 강력하게 지어질 여전히 개발되고 있는 로켓인 오리온은 미항공우주국 우주선 발사 시스템 위에서 날 것이다.

① 오리온과 아폴로의 유사성
② 우주선을 위한 혁신적인 기술
③ 화성 탐사를 위한 준비 단계
④ 새로운 우주선을 발사하는 미항공우주국(NASA)

해설

중심 소재는 미항공우주국(NASA)의 새로운 우주선 캡슐인 오리온이고, 주제문 없이 오리온의 시험 비행 일정, 모양, 크기, 발사 과정, 향후 목표 등을 상세히 설명하는 글이다. 따라서 이 글의 제목으로 가장 알맞은 것은 ④ '새로운 우주선을 발사하는 미항공우주국(NASA)'이다. ①은 오리온의 외형을 설명할 때 잠시 언급되었고, ②는 혁신적인 기술에 대한 소개는 없었으며, ③ 화성 탐사가 최종 목표라고 했지만 글의 주된 내용은 아니므로 모두 답이 될 수 없다.

어휘

- conceive 고안하다
- be set to ~할 예정이다
- be reminiscent of ~을 연상시키다
- dimension 크기
- upcoming 예정된
- cargo 화물
- rocket encasing 로켓 부스터
- parachute 낙하산
- heat shield 열차폐
- pave the way for ~의 기반을 닦다
- asteroid 소행성
- habitat 거주구
- fly atop ~ 위에 실려 비행하다
- capsule (우주선의) 캡슐
- roomy 널찍한
- house 수용하다
- low-Earth orbit 저지구 궤도
- ensure 반드시 ~하게 하다
- jettison 투하하다
- deploy 작동하다
- reentry 재진입
- crewed 유인(有人)의
- dock (우주선을) 결합하다
- eventually 결국

정답 ④

042 난이도 ★☆☆

해석

한 번은 내가 아이들에게 완충 장치의 개념을 설명하려고 했다. 우리는 그때 차에 함께 있었고 나는 게임을 이용하여 그 개념을 설명하려고 했다. 나는 "멈추지 않고 3마일 떨어진 목적지까지 우리가 도착해야 했다고 상상해 보자"라고 말했다. 우리는 우리 앞과 주위에서 무슨 일이 일어날지 예측할 수 없었을 것이다. 우리는 신호등이 얼마나 오랫동안 녹색으로 켜있을지, 앞차가 갑자기 브레이크를 밟을지도 몰랐다. 추돌을 막는 유일한 방법은 우리 차와 우리 앞에 있는 차 사이에 여분의 공간을 두는 것이었다. 이 공간은 완충 지대로 작용한다. 그것은 우리에게 다른 차들의 갑작스러운 움직임에 반응하고 적응할 시간을 준다. 마찬가지로, 우리는 단지 예상치 못한 사건에 적절히 대비함으로써 우리의 일과 삶에서 필수적인 일을 할 때의 어려움을 줄일 수 있다.

① 아이들에게 귀중한 인생의 교훈을 가르침
② 우리의 방어 운전 기술을 언제나 갈고 닦음
④ 자동차의 다양한 부품에 대해 공부함

해설

중심 소재는 완충 장치이고, 완충 지대에 대한 개념을 설명하는 글이다. 자동차 추돌을 예로 들어 이것을 막는 방법은 앞차와의 거리를 두는 것이며 앞차와의 거리, 즉 이 공간이 완충 지대로 작용한다고 설명한다. 완충 지대는 다른 차들의 갑작스러운 움직임에 반응하고 적응할 시간을 준다고 말하고 나서 빈칸 문장이 Similarly로 이어지므로 앞의 내용과 유사한 내용이 이어지는 것을 유추할 수 있다. 우리의 일과 삶에서도 마찬가지로 빈칸의 내용을 실행함으로써 어려움을 줄일 수 있다고 했으므로 빈칸에는 ③ '예상치 못한 사건에 적절히 대비함'이 들어가는 것이 적절하다. ①의 인생의 교훈이나 ④의 자동차 부품에 대한 내용은 지문에 언급되지 않았고, ②의 방어 운전 기술에 대한 것은 사례로 제시한 자동차 추돌에 대한 지엽적인 내용이므로 답이 될 수 없다.

어휘

- on one occasion 한 번은
- destination 목적지
- put on the brake 브레이크를 밟다
- adapt 적응하다
- valuable 귀중한
- properly 적절히
- buffer 완충 장치
- predict 예측하다
- crash 추돌하다
- essential 필수적인
- defensive 방어적인
- unanticipated 예상치 못한

정답 ③

043 주어진 글 다음에 이어질 글의 순서로 가장 적절한 것은?

> The United Nations asks that all companies remove their satellites from orbit within 25 years after the end of their mission. This is tricky to enforce, though, because satellites can (and often do) fail.

(A) Methods by which we could do this include using a harpoon to grab a satellite, catching it in a huge net, using magnets to grab it, or even firing lasers to heat up the satellite.

(B) To tackle this problem, several companies around the world have come up with novel solutions. These include removing dead satellites from orbit and dragging them back into the atmosphere, where they will burn up.

(C) However, these methods are only useful for large satellites orbiting Earth. There isn't really a way for us to pick up smaller pieces of debris such as bits of paint and metal. We just have to wait for them to naturally re-enter Earth's atmosphere.

* harpoon: 작살

① (A) – (B) – (C) ② (A) – (C) – (B)
③ (B) – (A) – (C) ④ (B) – (C) – (A)

044 다음 글의 주제로 가장 적절한 것은?

> The creative team exhibits paradoxical characteristics. It shows tendencies of thought and action that we'd assume to be mutually exclusive or contradictory. For example, to do its best work, a team needs deep knowledge of subjects relevant to the problem it's trying to solve, and a mastery of the processes involved. But at the same time, the team needs fresh perspectives that are unencumbered by the prevailing wisdom or established ways of doing things. Often called a "beginner's mind," this is the newcomers' perspective: people who are curious, even playful, and willing to ask anything — no matter how naive the question may seem — because they don't know what they don't know. Thus, bringing together contradictory characteristics can accelerate the process of new ideas.
>
> * unencumbered: 방해 없는

① how to solve the contradictory problems
② the need of beginners' fresh perspective
③ the way of accelerating the process of mastery
④ the contradictory combination for creativity

주요 구문 분석

Methods (by which we could do this) / include using a harpoon to grab a satellite, / catching it in a huge net, / using magnets to grab it, / or even firing lasers to heat up the satellite.

분석 주어이자 선행사인 Methods를 by which 관계대명사절이 수식하고 있다. by가 방법, 수단의 전치사이고 선행사가 방법(Methods)이므로 '우리가 이것을 할 수 있는 방법'으로 해석한다. include는 동명사를 목적어로 취하는데 등위접속사 or에 의해 4개의 동명사가 병렬되었다. 마지막에 even은 뭔가 놀랄 만한 것을 제시한다는 느낌을 준다.

주요 구문 분석

Often called a "beginner's mind," / this is the newcomers' perspective: // people (who are curious, even playful, and willing to ask anything / — no matter how naive the question may seem / — because they don't know what they don't know).

분석 주어 앞에 나온 분사구문은 주어를 수식하게 해석해준다. 콜론은 '즉, 다시 말하면'에 해당하여 앞에 나온 newcomers(신참)에 대해 설명한다. 「no matter how 형+주+동」은 '아무리 ~할지라도'로 해석되며 부사로서 ask를 수식한다.

043

난이도 ★★☆

해석

국제연합은 모든 기업들이 인공위성의 임무 종료 후 25년 안에 위성을 궤도에서 제거해줄 것을 요구하고 있다. 하지만 인공위성이 작동하지 않을 수 있기(그리고 종종 정말로 작동하지 않기) 때문에 이것은 시행하기 어렵다. (B) 이 문제를 해결하기 위해 전 세계의 몇몇 회사들이 새로운 해결방안을 내놓았다. 이것은 수명이 끝난 인공위성을 궤도에서 제거하고, 대기권으로 다시 끌어들이는 것을 포함하는데, 거기에서 그것들은 다 타 버리게 될 것이다. (A) 우리가 이것을 시행할 수 있는 방법은 작살을 이용해서 위성을 잡거나, 거대한 그물로 그것을 잡거나, 자석을 이용하여 위성을 잡거나, 심지어는 레이저를 발사하여 위성을 가열하는 것을 포함한다. (C) 하지만, 이러한 방법은 지구 궤도를 도는 큰 위성에만 유용하다. 우리는 페인트나 금속 조각 같은 작은 잔해물을 집어들 수 있는 방법은 정말로 없다. 우리는 그것들이 자연적으로 지구의 대기로 다시 들어오기를 기다려야 할 뿐이다.

해설

인공위성의 임무 종료 후 제거에 대해 이야기하는 글이다. 주어진 글에서 국제연합(UN)이 모든 기업들에게 인공위성의 임무 종료 후 그것을 궤도에서 제거해줄 것을 요구하고 있으나 이것은 시행하기 어렵다고 언급한다. 이후 주어진 글에서 시행하기 어렵다고 언급한 것을 (B)에서 this problem으로 받아, 이 문제를 해결하기 위해 몇몇 회사들이 새로운 해결책을 내놓았다고 언급하며, 그 해결책이 수명이 다한 인공위성을 궤도에서 제거하고, 대기권으로 다시 끌어들이는 것이라고 설명한다. (A)에서 we could do this를 통해 앞에서 제시한 구체적인 방안(this)을 실행할 수 있는 방법(Methods)에 대해 몇 가지 예시를 통해 설명한다. (C)에서는 역접의 연결어인 However를 통해 앞에서 언급한 these methods(이러한 방법)가 지구 궤도를 도는 큰 위성들에만 유용하다고 언급한다. 그러므로 글의 순서로 가장 적절한 것은 ③ (B)-(A)-(C)이다.

어휘

- satellite 위성
- tricky 다루기 어려운
- tackle 해결하다
- novel 새로운
- orbit 궤도
- enforce 시행하다
- come up with 내놓다
- debris 잔해(물)

정답 ③

044

난이도 ★★☆

해석

창의적인 팀은 역설적인 특징을 보인다. 그것은 우리가 상호 배타적이거나 모순된다고 가정하는 생각과 행동의 경향을 보여준다. 예를 들어, 최고의 작업을 수행하기 위해서는 팀이 해결하려는 문제와 관련된 주제에 대한 깊은 지식과 수반되는 과정의 숙달이 필요하다. 그러나 동시에, 팀은 널리 퍼져있는 지혜나 일을 하는 입증된 방법에 구애받지 않는 신선한 관점이 필요하다. 종종 '초심자의 생각'이라고 불리는 이것은 신참의 관점이다: 즉, 이런 사람들은 호기심 많고, 심지어 장난기 넘치고, ─ 질문이 아무리 순진해 보이더라도 ─ 무엇이든 기꺼이 물어보는데, 이것은 자신이 모르는 것이 무엇인지도 모르기 때문이다. 따라서 모순되는 특징들을 한데 모으는 것이 새로운 아이디어의 과정을 촉진시킬 수 있다.

① 모순되는 문제를 해결하는 방법
② 초심자의 새로운 시각의 필요성
③ 숙달 과정을 가속화하는 방법
④ 창의성을 위한 모순되는 결합

해설

첫 번째 문장에서 창의적인 팀은 역설적인 특징을 보인다고 설명한 후, 구체적으로 최고의 작업을 수행하기 위해서는 과정의 숙달과 초심자의 관점이 모두 필요하다고 예를 들어 설명한다. 그리고 마지막 문장에서 이러한 모순되는 특징들을 한데 모으는 것이 새로운 아이디어의 과정을 촉진시킬 수 있다고 말한다. 그러므로 모순되는 특징을 한데 모으는 것을 의미하는 ④ '창의성을 위한 모순되는 결합'이 주제로 가장 적절하다. ②의 경우는 초심자의 관점이라는 한쪽 면만을 다루고 있어 지엽적이므로 답이 될 수 없다.

어휘

- exhibit 보이다
- tendency 경향
- mutually 상호 간의
- contradictory 모순되는
- mastery 숙달
- wisdom 지혜
- curious 호기심 많은
- accelerate 촉진시키다
- paradoxical 역설적인
- assume 가정하다
- exclusive 배타적인
- relevant to ~와 연관된
- prevailing 널리 퍼진
- newcomer 신참
- naive 순진한
- combination 결합

정답 ④

045 주어진 문장이 들어갈 위치로 가장 적절한 것은?

> Some members of the senior leadership team favored layoffs and some favored salary reductions.

While leaders often face enormous pressures to make decisions quickly, premature decisions are the leading cause of decision failure. This is primarily because leaders respond to the superficial issue of a decision rather than taking the time to explore the underlying issues. (①) Bob Carlson is a good example of a leader exercising patience in the face of diverse issues. (②) In the economic downturn of early 2001, Reell Precision Manufacturing faced a 30 percent drop in revenues. (③) While it would have been easy to push for a decision or call for a vote in order to ease the tension of the economic pressures, as co-CEO, Bob Carlson helped the team work together and examine all of the issues. (④) The team finally agreed on salary reductions, knowing that, to the best of their ability, they had thoroughly examined the implications of both possible decisions.

046 밑줄 친 부분에 들어갈 말로 가장 적절한 것은?

The development of moral character in athletes requires deliberate and structured guidance from coaches. Without such guidance, the pursuit of victory may lead to ethical compromise, including dishonesty and rule violations. This tendency becomes more pronounced as competition intensifies, with some athletes prioritizing success over fairness and respect for rules. Whether that development moves in a positive or negative direction depends largely on the values emphasized in training. On the other hand, when integrity is consistently reinforced, athletes are more likely to develop enduring values that extend beyond athletic performance. However, these values are unlikely to emerge unless coaches make character education _____.

① an initial suggestion
② a clear priority
③ ethical compromise
④ strong competition

주요 구문 분석

This tendency becomes more pronounced // as competition intensifies, / with some athletes prioritizing success / over fairness and respect (for rules).

분석 부사절 접속사 as는 시간/상황의 변화에 따라 '점차 ~하면서, ~함에 따라'를 의미하고, 「with+목적어+목적격보어」는 부대 상황을 나타내는 분사구문으로 '~가 …하는 가운데'를 의미한다. prioritize A over B는 'B보다 A를 우선시하다'를 뜻한다.

046 난이도 ★★★

해석

운동선수의 도덕적 성품 발달은 코치의 의도적이고 조직적인 지도를 필요로 한다. 그러한 지도가 없다면, 승리에 대한 추구는 부정직함과 규칙 위반을 포함한 윤리적 타협으로 이어질 수 있다. 이러한 경향은 경쟁이 심화됨에 따라 더 뚜렷해지며, 일부 선수는 공정성과 규칙 존중보다 성공을 우선시한다. 그 (성품) 발달이 긍정적인 방향으로 나아갈지 부정적인 방향으로 나아갈지는 훈련에서 강조되는 가치에 크게 달려 있다. 반면에, 정직함이 일관되게 강화될 때, 운동선수는 운동 성과를 넘어서는 지속되는 가치를 발달시킬 가능성이 더 크다. 그러나, 코치가 성품 교육을 <u>명확한 우선순위</u>로 삼지 않는 한, 이러한 가치들은 생겨날 가능성이 작다.

① 초기 제안
③ 윤리적 타협
④ 강한 경쟁

해설

글의 중심 소재는 운동선수의 도덕적 성품 발달이며, 주제문은 첫 문장으로 운동선수의 성품을 기르기 위해서는 코치의 의도적이고 체계적인 지도가 필요하다는 내용이다. 빈칸이 있는 문장은 코치가 성품 교육을 무엇으로 삼지 않으면 그러한 가치가 생기기 어렵다는 점을 강조하고 있다. 앞 문장에서 정직성과 같은 가치가 꾸준히 강조될 때, 운동선수는 경기력을 넘어서는 지속적인 가치를 갖게 된다고 말한 뒤, 이러한 가치가 저절로 형성되지는 않는다는 점을 지적한다. 따라서 빈칸에는 '코치가 성품 교육을 명확한 우선순위로 삼지 않으면 안 된다'라는 의미가 들어가야 하므로, 정답은 ② '명확한 우선순위'이다.

어휘

- moral 도덕적
- deliberate 의도적인
- pursuit 추구
- compromise 타협
- violation 위반
- intensify 심화되다
- fairness 공정성
- integrity 정직함
- reinforce 강화하다
- emerge 생겨나다
- suggestion 제안
- athlete 운동선수
- structure 조직화하다
- ethical 윤리적
- dishonesty 부정직함
- tendency 경향
- prioritize 우선시하다
- emphasize 강조하다
- consistently 일관되게
- enduring 지속되는
- initial 초기의
- priority 우선순위

정답 ②

047 다음 글의 주제로 가장 적절한 것은?

The invention of writing fundamentally changed the nature of thought and communication. In oral societies, knowledge was preserved through collective memory, shared rituals, and social repetition. Writing put memory into physical form, allowing people to store and access ideas without relying on others. Without written records, people relied heavily on public dialogue and group participation to maintain cultural continuity. The arrival of writing allowed individuals to record, revisit, and refine their thoughts without immediate social interaction. This development fostered private reflection, abstract reasoning, and a sense of authorship independent of the group. Over time, writing contributed to the emergence of inner life, personal identity, and intellectual autonomy.

① written language and the growth of individual thinking
② the absence of privacy in literate societies
③ group rituals and values in oral communities
④ the rejection of memory in modern writing culture

048 밑줄 친 부분에 들어갈 말로 가장 적절한 것은?

Habits create the foundation for mastery. In chess, it is only after the basic movements of the pieces have become automatic that a player can focus on the next level of the game. Each chunk of information that is memorized opens up the mental space for more effortful thinking. This is true for anything you attempt. When you know the simple movements so well that you can perform them without thinking, you are free to pay attention to more advanced details. In this way, habits are the backbone of any pursuit of excellence. However, the benefits of habits come at a cost. At first, each repetition develops fluency, speed, and skill. But then, as a habit becomes automatic, you become less sensitive to feedback. You fall into mindless repetition. It becomes easier to let mistakes slide. When you can do it well enough automatically, you stop thinking about _____.

① how to act without thinking
② how to pay the price
③ how to do it better
④ how to give proper feedback

주요 구문 분석

Writing put memory into physical form, / allowing people to store and access ideas / without relying on others.
분석 allowing 이하는 분사구문으로, 원래는 and this allowed people to ~의 형태에서 접속사 and와 주어 this가 생략된 구조이다. 즉, '문자가 기억을 물리적인 형태로 옮겼고, 그 결과 사람들이 생각을 저장하고 접근할 수 있게 되었다'라는 인과관계로 해석하면 문맥상 자연스럽다.

주요 구문 분석

When you can do it well enough automatically, // you stop thinking / about how to do it better.
분석 When절의 동사를 두 개의 부사(well enough와 automatically)가 수식하고 있다. stop은 동명사를 목적어로 취하는 동사이므로 stop -ing는 '~하는 것을 멈추다'로 해석한다.

047

난이도 ★★☆

해석

문자의 발명은 사고와 의사소통의 본질을 근본적으로 바꾸어 놓았다. 구술 문화 사회에서, 지식은 집단 기억, 공동 의식, 사회적 반복을 통해 보존되었다. 문자는 기억을 물리적 형태로 옮겨서, 사람들로 하여금 다른 사람에게 의존하지 않고 생각을 저장하고 접근할 수 있게 해주었다. 기록된 문서가 없을 때, 사람들은 문화적 연속성을 유지하기 위해 공적 대화와 집단 참여에 크게 의존했다. 문자의 등장은 개인이 즉각적인 사회적 상호작용 없이 자신의 생각을 기록하고, 다시 살펴보고, 다듬을 수 있게 했다. 이러한 발전은 개인적 성찰, 추상적 사고, 그리고 집단과 무관한 저작 의식을 촉진했다. 시간이 흐르며, 문자는 내면의 삶, 개인 정체성, 그리고 지적 자율성의 형성에 기여하게 되었다.

① 문자 언어와 개인적 사고의 성장
② 문자 사회에서의 사생활 부재
③ 구술 공동체의 집단의식과 가치
④ 현대 문자 문화에서의 기억의 거부

해설

글의 중심 소재는 문자이고 주제문은 첫 번째 문장으로 문자의 발명이 사고와 의사소통 방식을 완전히 바꿨다고 한다. 문자가 생기기 전에는 지식이 집단 기억, 공동 의식, 사회적 반복을 통해 보존되었기 때문에 사람들이 다른 사람에게 의존하여 생각할 수 밖에 없었다. 하지만 지식을 문자로 기록하게 되면서 사회적 상호작용 없이도 지적 사고가 가능해졌고 이것은 개인적 성찰, 추상적 사고, 집단과 무관한 저작 의식을 촉진시켰다고 한다. 따라서 글의 주제로 가장 적절한 것은 ① '문자 언어와 개인적 사고의 성장'이다.

어휘

- fundamentally 근본적으로
- oral 구술의
- collective 집단적인
- repetition 반복
- access 접근하다
- participation 참여
- continuity 연속성
- immediate 즉각적인
- foster 촉진하다
- abstract 추상적인
- authorship 저자
- emergence 출현
- autonomy 자율성
- value 가치
- thought 사고
- preserve 보존하다
- ritual 의식
- store 저장하다
- rely on ~에 의존하다
- maintain 유지하다
- refine 다듬다
- interaction 상호작용
- reflection 성찰
- reasoning 사고
- contribute to ~에 기여하다
- identity 정체성
- absence 부재
- rejection 거부

정답 ①

048

난이도 ★☆☆

해석

습관은 숙달의 기반을 만든다. 체스에서, 체스를 두는 사람이 게임의 다음 단계에 집중할 수 있는 것은 오직 체스 말의 기본적인 움직임이 무의식적으로 이루어지고 난 이후이다. 암기된 각각의 정보 덩어리는 더 노력이 필요한 사고를 위한 정신적 공간을 열어준다. 이것은 당신이 시도하는 어느 것에나 해당된다. 단순한 동작을 아주 잘 알고 있어서 생각하지 않고도 해낼 수 있을 때, 당신은 더 수준 높은 세부 사항에 자유롭게 집중한다. 이런 식으로, 습관은 그 어떤 탁월함의 추구에서도 중추적인 역할을 한다. 그러나 습관의 이점에는 대가가 따른다. 처음에, 각각의 반복은 유창함, 속도, 그리고 기술을 발달시킨다. 그러나 그다음에 습관이 무의식적으로 이루어지면서 당신은 피드백에 덜 민감해진다. 당신은 무의식적인 반복에 빠져든다. 실수를 내려두기가 더 쉬워진다. 당신은 무의식적으로 충분히 잘할 수 있을 때, 그것을 더 잘하는 방법에 대해 생각하는 것을 멈춘다.

① 생각하지 않고 행동하는 방법
② 대가를 치르는 방법
④ 적절한 피드백을 주는 방법

해설

글의 중심 소재는 습관 형성이고 습관 형성의 이점과 그 부정적 영향에 대해 설명하는 글이다. 습관이 형성되어 간단한 기본적인 동작을 무의식적으로 수행하게 되면 더 수준 높은 세부 사항에도 집중하기 쉽다고 말한 뒤, 습관이 무의식적으로 이루어지면 피드백에 덜 민감해지고 실수를 대수롭지 않게 생각하는 단점이 생긴다고 한다. 빈칸이 있는 문장은 역접의 접속사 However로 시작되는 세 문장의 내용을 재진술하는 것이므로 빈칸에는 피드백에 민감하지 않고 실수를 대수롭지 않게 여긴다는 내용과 반대되는 표현이 들어가야 한다. 특히, 빈칸 앞에 stop thinking about이 있으므로 습관이 형성되기 이전에 하는 행동을 빈칸에 넣어야 한다는 점에 주의하며 답을 고르도록 한다. 따라서 가장 적절한 것은 ③ '그것을 더 잘하는 방법'이다. ①은 습관이 형성되고 난 이후에 보이는 태도와 관련이 있으므로 답으로 적절하지 않다.

어휘

- foundation 기반
- piece 체스 말
- chunk (큰) 덩어리
- effortful 노력이 필요한
- pursuit 추구
- fluency 유창
- mindless 무의식적인
- mastery 숙달
- automatic 무의식적인
- memorize 암기하다
- backbone 중추
- at a cost 대가를 지불하여
- sensitive 민감한
- let ~ slide ~을 내버려두다

정답 ③

049 글의 흐름상 가장 어색한 것은?

Many birds pursue prey by swimming under water, but none is so superbly adapted to the task as the penguins. ① The entire anatomy of the penguin wing has been modified so that it is a stiff, oar-like flipper like that of a dolphin. ② Awkward on land, penguins use their wings for underwater propulsion as efficiently as other birds use wings for flying. ③ Although all birds share a generally similar body plan, they vary greatly in size and proportions, being adapted to so many ways of life. ④ Most other underwater swimmers — such as loons, cormorants and some ducks — are propelled by their powerful feet, although some use their wings for balance.

주요 구문 분석

Many birds pursue prey / by swimming under water, // but none is so superbly adapted to the task / as the penguins.

분석 부정주어 뒤에 원급 비교나 비교급 비교가 있으면 최상급 대용표현이다. 「부정주어 + so/as 형/부 as A」는 'A만큼 ~한 것은 없다' 즉 'A가 가장 ~하다'를 의미한다. the task는 물속에서 헤엄치며 먹이를 쫓는 일을 가리킨다.

050 다음 글의 제목으로 가장 적절한 것은?

While the written word has done much to preserve history, pictures are necessary to supplement the printed page. No other section of the American frontier has been so richly endowed with a pictorial record of its past as has the area encompassed by the headwaters of the Missouri River and its tributary, the Yellowstone. For almost a century, beginning in the 1830s, artistic painters added to this record. Although paintings often provide a very valuable record, in terms of exactness, the work of the photographer must come first. In the spring of 1886, a farmer, once a photographer, hit upon the idea of producing an album of his fellow settlers. For the next 15 years, Solomon D. Butcher crisscrossed Custer County, Nebraska, encouraging farmers to have their farm photos taken. His genius as a photographer lay in allowing them to pose as they wished, against scenes of their own choosing. The resulting portraits convey the dignity of pioneers in challenging circumstances, and they remain a classic record of a resolute breed.

① The Visual Record on the Pioneers
② The Value of the Written History
③ A Photographer of Genius on the Frontier
④ Difference Between Painting and Photo

주요 구문 분석

No other section of the American frontier / has been so richly endowed with a pictorial record of its past // as has the area (encompassed by the headwaters of the Missouri River and its tributary, the Yellowstone).

분석 부정주어 뒤에 원급 비교나 비교급 비교가 있으면 최상급 대용표현이다. 「no other A ~ as B does」는 'B만큼 ~한 A는 없다'를 의미한다. B에 해당하는 것은 the area이고 encompassed 이하 과거분사구에 의해 수식받고 있다. has는 주절의 has been이 중복되므로 has만 남겨 시제를 보여주고 있다. 또한 as나 than절에서는 주어와 조동사 위치가 도치 가능하다는 것도 알아두자.

049

난이도 ★★☆

해석

많은 새가 물속에서 헤엄치면서 사냥감을 쫓지만 그 어떤 새도 펭귄만큼 그 일에 아주 잘 적응되어 있지 않다. ① 펭귄 날개의 전체 해부학적 구조가 변화되어 돌고래의 그것과 같이 뻣뻣하고 노처럼 생긴 지느러미발이 되었다. ② 펭귄은 땅 위에서는 어색하지만 물속에서 추진력을 얻기 위해 다른 새들이 날기 위해 효율적으로 날개를 사용하는 것만큼 그들의 날개를 효율적으로 사용한다. ③ 비록 새들이 모두 일반적으로 비슷한 몸 구조를 갖지만 그것들은 너무 많은 생활 방식에 적응되어 몸집의 크기와 비율에 있어 매우 다양하다. ④ 비록 몇몇은 몸의 균형을 잡기 위해 날개를 사용하지만, 아비새, 가마우지와 일부 오리들과 같이 대부분 물속에서 헤엄치는 다른 것들은 그들의 강력한 발로 추진력을 얻는다.

해설

이 글의 중심 소재는 펭귄의 날개이며, 펭귄은 날개 덕분에 다른 새들보다 물속에서 더 빠르게 사냥을 할 수 있다고 말한다. 이후로는 펭귄 날개의 특성을 설명하며 글이 전개된다. 그런데 ③은 새들의 몸의 형태에 대해서 말하고 있으므로 펭귄 날개의 특성과는 관련이 없다. 따라서 ③은 글의 흐름과 관련이 없다.

어휘

- prey 사냥감
- superbly 최고로
- anatomy 해부(학적 구조)
- stiff 뻣뻣한
- flipper 지느러미발
- propulsion 추진
- proportion 비율
- loon 아비새
- propel 추진시키다
- pursue 쫓다
- adapt 적응하다
- modify 수정하다
- oar-like 노 같은
- awkward 어색한
- share 공유하다
- vary 다르다
- cormorant 가마우지

정답 ③

050

난이도 ★☆☆

해석

문자는 역사를 보존하기 위해 많은 역할을 했지만, 그림은 인쇄된 지면을 보충하기 위해 반드시 필요하다. 미국 변경의 다른 어느 지역도 미주리 강의 원류와 그 지류인 옐로스톤 강으로 둘러싸인 지역만큼 과거의 그림 기록을 그렇게 많이 가지지는 못했다. 1830년대에 시작해서 거의 한 세기 동안, 화가들은 이 기록을 증가시켰다. 그림이 대단히 귀중한 기록을 종종 제공하기는 하지만, 정확성의 면에서, 사진사의 작업이 확실히 가장 으뜸이다. 1886년 봄, 한때 사진사였던 한 농부가 자신의 동료 정착민들의 앨범을 제작하는 아이디어를 생각해 냈다. 다음 15년 동안, 솔로몬 D 부처는 네브래스카 주의 커스터 카운티를 종횡무진 누비며, 농부들에게 농장 사진을 찍으라고 권장했다. 사진작가로서의 그의 천재성은 농민들이 직접 선택한 경치를 배경으로, 그들이 원하는 자세를 취하도록 허용한 데 있었다. 결과적으로 나온 인물 사진들은 힘든 상황에 있는 개척민들의 존엄성을 전달하고, 결의가 굳은 사람의 유형을 담은 고전적인 기록물로 여전히 남아 있다.

① 개척민들에 대한 시각적 기록
② 문자로 쓴 역사의 가치
③ 변경의 한 천재적인 사진가
④ 그림과 사진의 차이점

해설

글의 중심 소재는 시각적 기록이고 특별한 주제문이 없이 미국 변경 지역의 그림과 사진으로 기록된 역사를 기술한다. 우선은 화가들이 그린 그림 기록에 대해 언급한 뒤에, 정확성 면에서 훨씬 뛰어난 사진 기록을 설명한다. 한 사례로, 부처라는 농부 사진가는 농부 개척민과 농장을 그들이 원하는 모습으로 촬영해서 기록으로 남겼다고 한다. 따라서 제목으로 가장 적절한 것은 ① '개척민들에 대한 시각적 기록'이다. ②는 글의 서두에 시각 기록의 중요성을 언급하기 위한 비교 대상으로 제시되었을 뿐이고, ③, ④는 지엽적인 내용에 불과하므로 제목으로 적절하지 않다.

어휘

- supplement 보충하다
- endow 부여하다
- encompass 둘러싸다
- tributary (강의) 지류
- exactness 정확성
- crisscross 종횡으로 움직이다
- convey 전달하다
- pioneer 개척자
- breed 사람의 유형
- frontier 변경
- pictorial 그림 같은
- headwaters (강의) 원류
- add to 증가시키다
- hit upon 생각나다
- portrait 인물 사진
- dignity 존엄성
- resolute 결의가 굳은

정답 ①

051 밑줄 친 (A), (B)에 들어갈 말로 가장 적절한 것은?

In one survey, 61 percent of Americans said that they supported the government spending more on 'assistance to the poor'. But when the same population was asked whether they supported spending more government money on 'welfare', only 21 percent were in favour. ___(A)___, if you ask people about individual welfare programmes — such as giving financial help to long-term patients and paying for school meals for families with low income — people are broadly in favour of them. But if you ask about 'welfare' — which refers to those exact same programmes that you've just listed — they're against it. The word 'welfare' has negative connotations, perhaps because of the way many politicians and newspapers portray it. ___(B)___, the framing of a question can heavily influence the answer in many ways, which matters if your aim is to obtain a 'true measure' of what people think. And next time you hear a politician say 'surveys prove that the majority of the people agree with me', be very wary.

* connotation: 함축

	(A)	(B)
①	As a result	However
②	For example	In the same way
③	On the other hand	Consequently
④	In other words	Therefore

052 다음 글의 제목으로 가장 적절한 것은?

As society becomes more aware of mental health, researchers have begun exploring unexpected sources of psychological support — including the role of companion animals. A 2022 study by the University of Michigan found that dog owners reported 15% lower levels of perceived stress compared to non-owners. In the same study, elderly participants who regularly walked their dogs showed improved mood and reduced symptoms of loneliness. Another report from a Japanese hospital revealed that patients recovering from surgery displayed lower blood pressure and greater emotional stability after interacting with therapy animals twice a week. However, experts caution that the emotional benefits of pet ownership may depend on factors such as animal temperament, owner lifestyle, and the quality of human-animal interaction.

① How Pet Ownership Became a Mental Health Trend
② Pets as Contributors to Emotional Well-Being
③ Why Pet Therapy Is Better Than Medication
④ The History of Human-Animal Relationships

주요 구문 분석

Therefore, / the framing (of a question) can heavily influence the answer / in many ways, / which matters // if your aim is / to obtain a 'true measure' (of what people think).

분석 which는 앞 절 전체를 선행사로 하며 계속적 용법으로 쓰였다. '~며, 이는 중요하다'와 같이 해석한다. if절의 보어는 명사적 용법의 to부정사로 주어와 동격을 이루어 '당신의 목표가 얻는 것이라면'으로 해석한다.

주요 구문 분석

A 2022 study (by the University of Michigan) found // that dog owners reported 15% lower levels of perceived stress / compared to non-owners.

분석 「A study found that ~」은 연구 결과를 표현할 때 주로 쓰는 구조로 '연구는 ~임을 발견했다'라고 해석한다. that절이 found의 목적어로 쓰였고, compared to는 when they are가 생략된 분사구문으로 '~과 비교해서'를 뜻한다.

문장 분석 및 해설

051
난이도 ★★☆

해석

한 설문조사에서, 미국인들의 61퍼센트는 '빈곤층 지원'에 더 많은 예산을 쓰는 정부를 지지한다고 말했다. 그러나 같은 집단이 '복지'에 더 많은 정부 예산을 쓰는 것을 지지하느냐는 질문을 받았을 때, 오직 21퍼센트만이 찬성했다. (A) 다시 말해, 만약 당신이 개별 복지 프로그램들에 대해 사람들에게 물어보면 — 장기 환자에게 재정적 도움을 주고 저소득 가정 급식비를 지원하는 것 같은 — 사람들은 대체로 그것들을 찬성한다. 그러나 만약 당신이 '복지'에 관해 물어본다면 — 방금 나열한 것과 정확히 동일한 프로그램을 나타내는 — 그들은 그것에 반대한다. '복지'라는 단어는 아마도 많은 정치인과 신문이 그것을 묘사하는 방식 때문에, 부정적인 함축된 의미를 가지고 있다. (B) 그러므로, 질문의 구성은 여러 가지 방식으로 답변에 큰 영향을 미칠 수 있으며, 이는 당신의 목표가 사람들이 생각하는 것에 대한 '진정한 척도'를 얻는 것이라면 중요하다. 그리고 다음번에 당신이 한 정치인이 '설문조사는 대다수의 국민들이 나에게 동의한다는 것을 나타낸다'고 말하는 것을 듣게 될 때, 매우 조심하라.

	(A)	(B)
①	결과적으로	그러나
②	예를 들어	같은 방식으로
③	반면에	결과적으로

해설

(A) 빈칸 앞에서는 미국인들의 61퍼센트는 '빈곤층 지원'에 예산을 쓰는 정부를 지지하지만 '복지'에 예산을 쓰는 정부를 지지하는 사람은 21퍼센트뿐이라고 말하고 나서, 빈칸 뒤에서 빈곤층 지원에 해당하는 '개별 복지 프로그램', 즉 장기 질환을 가진 사람들에게 재정적 도움을 주고 저소득 가정의 급식비를 대주는 것과 같은 것에는 사람들이 찬성하지만 '복지'에 관해서는 반대한다고 말한다. 앞에서 말한 내용을 재진술하고 있으므로 빈칸에는 재진술의 연결어 In other words가 적절하다.
(B) 빈칸 앞에서는 '빈곤층 지원'이라는 말로 질문하면 찬성하고, '복지'라는 말로 질문하면 반대하는 사람들의 성향을 말하고 나서 빈칸 뒤에서는 그러한 성향 때문에 질문의 구성은 사람들의 답변에 큰 영향을 미칠 수 있다고 말하고 있으므로 빈칸에는 결과의 연결어 Consequently나 Therefore가 적절하다.
따라서 이 두 가지를 모두 충족하는 ④가 정답이다.

어휘

- population 집단
- financial 재정적인
- portray 묘사하다
- matter 중요하다
- obtain 얻다
- wary 조심하는
- in favour (of) ~을 찬성하는
- broadly 대체로
- framing 구성, 틀
- aim 목표
- measure 척도

정답 ④

052
난이도 ★☆☆

해석

사회가 정신 건강에 대해 더 많이 인식하게 되면서, 연구자들은 — 반려동물의 역할을 포함한 예상하지 못했던 심리적 지지의 원천을 탐구하기 시작했다. 2022년의 미시간 대학교의 연구는 개를 키우는 사람들이 개를 키우지 않는 사람들과 비교해서 감지된 스트레스 수준이 15% 더 낮다고 보고했다는 것을 발견했다. 동일한 연구에서, 규칙적으로 개와 산책하는 연세가 드신 참가자들은 기분이 나아지는 것과 외로움 증상이 낮아지는 것을 보여주었다. 일본의 한 병원의 또 다른 보고서는 수술에서 회복하는 환자들이 1주일에 2번, 치료 동물들과 상호작용을 한 후 혈압이 더 낮아지고 정서적 안정감이 높아지는 것을 보였다는 것을 발견했다. 그러나 전문가들은 애완동물 소유의 이점이 동물의 기질, 주인의 생활 방식 그리고 인간과 동물간의 상호작용의 질과 같은 요인들에 달려있다고 경고한다.

① 반려동물 소유가 어떻게 정신 건강 트렌드가 되었는가
② 정서적 건강에 기여자로서의 반려동물
③ 왜 동물 매개 치료가 약물 치료보다 더 나은가
④ 인간-동물 관계의 역사

해설

글의 중심 소재는 심리적 지지의 원천으로서 반려동물이며, 반려동물이 인간의 심리적 지지의 원천인지 탐구하기 시작했다고 한 첫 번째 문장이 주제문에 해당하며 글의 방향을 제시하고 있다. 이후 2022년 미시간 대학교의 연구를 통해 반려견이 스트레스 수치를 낮추고 노인의 외로움과 기분 향상에 도움을 주었음을 밝히고, 일본의 병원 사례를 통해 수술 회복 중인 환자에게도 혈압과 정서적 안정에 도움을 주었음을 밝혔다. 이런 예시를 통해 반려동물과의 상호작용이 인간 심리에 긍정적 영향을 주었다는 것을 보여준다. 따라서 제목으로 가장 적절한 것은 ② '정서적 건강에 기여자로서의 반려동물'이다.

어휘

- aware 인식하는
- unexpected 예상하지 못한
- companion animal 반려동물
- elderly 연세가 드신
- improve 나아지다
- symptom 증상
- display 보이다
- interact with ~와 상호작용을 하다
- expert 전문가
- benefit 이점
- factor 요인
- interaction 상호작용
- contributor 기여자
- explore 탐구하다
- source 원천
- perceive 감지하다
- regularly 규칙적으로
- mood 기분
- reveal 밝히다
- stability 안정감
- therapy 치료
- caution 경고하다
- ownership 소유
- temperament 기질
- mental 정신적인
- medication 약물 치료

정답 ②

053 다음 글의 요지로 가장 적절한 것은?

Many people search for happiness in success, material possessions, or praise from others. While these may offer temporary satisfaction, they rarely lead to a lasting sense of fulfillment. True and lasting happiness is more likely to be found in the ongoing experience of learning. Unlike external achievements, learning offers an internal reward that deepens over time. Learning something new — whether a skill, an idea, or a deeper understanding of oneself — can bring a quiet but enduring joy. The process of learning helps people grow, see the world differently, and feel a sense of personal progress. This is true not only in academic learning but also in everyday experiences that stimulate thinking and intellectual abilities. Over time, this kind of growth often proves more rewarding than any external reward or recognition.

① The pursuit of learning is facilitated by material support.
② True happiness comes from continuous learning.
③ Many people seek happiness in external rewards.
④ Happiness is closely related to stable relationships.

054 밑줄 친 부분에 들어갈 말로 가장 적절한 것은?

What exactly does normal science involve? According to Thomas Kuhn, it is primarily a matter of puzzle-solving. However successful a paradigm is, it will always encounter certain problems — phenomena which it cannot easily accommodate, or mismatches between the theory's predictions and the experimental facts. The job of the normal scientist is to try to eliminate these minor puzzles while making as few changes as possible to the paradigm. So normal science is a conservative activity — its practitioners are not trying to make any earthshattering discoveries, but rather just to develop and extend the existing paradigm. If a normal scientist gets an experimental result which _____ with the paradigm, they will usually assume that their experimental technique is faulty, not that the paradigm is wrong.

① corresponds
② emerges
③ deals
④ conflicts

053

난이도 ★★★

해석

> 많은 사람들은 성공, 물질적 소유, 또는 타인의 칭찬에서 행복을 찾으려 한다. 이런 것들은 일시적인 만족을 줄 수 있지만, 지속적인 충만감으로 이어지는 경우는 드물다. 진정하고 지속적인 행복은 끊임없는 배움의 경험 속에서 더 잘 발견될 수 있다. 외적인 성취와 달리, 배움은 시간이 지날수록 깊어지는 내면의 보상을 제공한다. 새로운 것을 배우는 일 — 기술이든, 생각이든, 자신에 대한 깊은 이해든 — 은 조용하지만 오래가는 기쁨을 가져다줄 수 있다. 배움의 과정은 사람이 성장하고 세상을 다르게 바라보며 개인적인 발전을 느끼도록 돕는다. 이것은 학교에서의 학습뿐 아니라, 사고와 지적인 능력을 자극하는 일상의 경험에서도 마찬가지로 적용된다. 시간이 지나면 이러한 종류의 성장은 어떠한 외적인 보상이나 인정보다 종종 더 보람 있는 것으로 입증된다.

① 배움의 추구는 물질적 뒷받침에 의해 촉진된다.
② 진정한 행복은 지속적인 배움에서 비롯된다.
③ 많은 사람들은 외적인 보상에서 행복을 찾는다.
④ 행복은 안정적인 인간관계와 밀접하게 관련되어 있다.

해설

글의 중심 소재는 진정한 행복이며, 주제문은 세 번째 문장으로 진정한 지속적인 행복은 배움의 경험에서 비롯된다고 주장한다. 글 전반에서는 사람들이 성공, 물질, 타인의 칭찬에서 행복을 찾으려 하지만, 그것들은 일시적인 만족만 줄 뿐 지속적인 충족감은 주지 못한다고 지적한다. 이어지는 내용에서는 배움이 내면의 기쁨을 주며, 개인의 성장과 세계에 대한 새로운 시각을 가능하게 한다는 점을 설명하며 이 주장에 근거를 제시한다. 따라서 글의 요지로 가장 적절한 것은 ② '진정한 행복은 지속적인 배움에서 비롯된다.'이다.

어휘

- material 물질적인
- praise 칭찬
- satisfaction 만족
- achievement 성취
- progress 발전
- prove 입증하다
- recognition 인정
- continuous 지속적인
- possession 소유
- temporary 일시적인
- fulfillment 충만
- enduring 오래가는
- stimulate 자극하다
- rewarding 보람 있는
- pursuit 추구
- stable 안정적인

정답 ②

054

난이도 ★★★

해석

> 정상 과학은 정확히 무엇을 수반하는가? Thomas Kuhn에 따르면 이것은 주로 수수께끼 풀기의 문제이다. 패러다임이 아무리 성공적이더라도 이것은 항상 특정 문제에 직면한다 — 이것이 쉽게 수용할 수 없는 현상이나 이론의 예측과 실험적 사실 사이의 불일치이다. 정상 과학자들의 과제는 패러다임에 가능한 한 적은 변화를 주면서 이러한 사소한 문제를 제거하도록 노력하는 것이다. 그래서 정상 과학은 보수적인 활동이다 — 이것의 종사자들은 세상을 깜짝 놀랄 발견을 하려고 노력하는 것이 아니라, 오히려 그저 존재하는 패러다임을 개발하고 확장하는 것이다. 만약 정상 과학자가 패러다임에 상충하는 실험 결과를 얻는다면, 그들은 보통 패러다임이 잘못된 것이 아니라 그들의 실험 기술이 잘못되었다고 추정할 것이다.

① 일치하는
② 나타나는
③ 다루는

해설

글의 중심 소재는 정상 과학이다. 글의 도입부에서 정상 과학은 '수수께끼 풀기'의 문제이며 패러다임이 아무리 성공적이더라도 예측과 실험적 사실 사이의 불일치에 부딪힐 것이며 이때 정상 과학자들은 패러다임에 변화를 거의 주지 않으면서 사소한 문제를 제거하려고 노력한다고 설명한다. 빈칸이 있는 문장에서 정상 과학자들이 패러다임과 빈칸의 관계를 갖는 실험 결과를 얻는다면 자신의 실험 기술에 결함이 있고, 패러다임이 틀린 것은 아니라고 여긴다고 했으므로 빈칸에는 앞에서 언급된 불일치와 문맥이 통하는 ④ '상충하는'이 오는 것이 적절하다.

어휘

- normal science 정상 과학
- phenomenon (pl. phenomena) 현상
- prediction 예측
- eliminate 제거하다
- conservative 보수적인
- earth-shattering 세상을 깜짝 놀라게 할
- correspond 일치하다
- deal with 다루다
- encounter 직면하다
- accommodate 수용하다
- experimental 실험적인
- minor 사소한
- practitioner 종사자
- faulty 잘못된
- emerge 나타나다

정답 ④

DAY 11

055 주어진 문장 다음에 이어질 글의 순서로 가장 적절한 것은?

Before the arrival of European settlers on the North American west coast, the sea otter population was part of a complex ecosystem made up of bottom-dwelling creatures, kelp, otters, whales, and other species.

(A) But with the effects of over-hunting, people realized they had done more than simply take otters. They had torn the food web, disrupted an entire ecosystem, and triggered a loss of valuable natural resources and services, including biodiversity.

(B) Each of these interacting populations was kept in check by — and helped to sustain — all the others. When humans arrived and began hunting the otters for their pelts, they probably did not know much about the intricate web of life beneath the ocean surface.

(C) They depended on one another for survival. Giant kelp forests served as food and shelter for sea urchins. Otters ate the sea urchins and other kelp eaters. Some species of whales and sharks ate the otters. And detritus from all these species helped to maintain the giant kelp forests.

① (A) – (C) – (B) ② (B) – (A) – (C)
③ (C) – (A) – (B) ④ (C) – (B) – (A)

주요 구문 분석

Before the arrival (of European settlers) (on the North American west coast), / the sea otter population was part (of a complex ecosystem / (made up of bottom-dwelling creatures, kelp, otters, whales, and other species)).

분석 the arrival of는 '~의 도착'인데 of는 주격을 의미하므로 Before the arrival of ~는 '~이 도착하기 전에'라고 절처럼 해석할 수 있다. a complex ecosystem을 과거분사구가 수식하는 구조이다. be made up of는 '~로 이루어져 있다'를 의미한다.

---

055 난이도 ★★☆

해석

북아메리카 서부 해안에 유럽 정착민들이 도착하기 전, 해달 개체군은 해저에 사는 생물, 켈프, 해달, 고래, 그리고 다른 종들로 구성된 복잡한 생태계의 일부였다. (C) 그것들은 생존을 위해 서로에게 의존했다. 거대한 켈프 숲은 성게를 위한 먹이와 보금자리의 역할을 했다. 해달은 그 성게와 켈프를 먹이로 하는 다른 것들을 먹었다. 일부 고래 종과 상어 종은 해달을 먹었다. 그리고 이 모든 종들로부터 나온 유기 퇴적물은 그 거대한 켈프 숲을 유지하는 것을 도왔다. (B) 이 상호 작용하는 각 개체군이 다른 것들에 의해 억제되고 다른 모든 것들을 유지하는 것을 도왔다. 인간이 도착하여 그들의 모피를 얻기 위해 해달을 사냥하기 시작했을 때, 아마도 인간은 그 해양 표면 아래의 복잡한 생물망에 대해 많이 알지 못했을 것이다. (A) 하지만 남획의 결과로 사람들은 그들이 단순히 해달을 잡는 것 이상을 했다는 것을 깨달았다. 그들은 먹이그물을 찢었고, 전체 생태계를 붕괴시켰으며 생물 다양성을 포함한 소중한 천연자원과 서비스의 상실을 유발했다.

해설

주어진 문장에서는 유럽 정착민의 도착 전, 북아메리카 서부 해안의 자연 생태계를 구성하고 있던 해달을 비롯한 여러 동식물을 제시한다. (C)에서는 이 여러 동물을 They로 지칭하면서 그것들 사이의 상호 의존성에 대한 내용이 언급되고, (B)에서는 이것들 사이의 상호 작용이 균형을 유지하다가 인간의 도착과 함께 해달 사냥이 시작되면서 그 균형이 무너지게 되었다는 상황을 설명한다. 그 이후, (A)에서 인간의 해달 남획으로 생태계 전체가 붕괴되고, 소중한 천연자원과 서비스가 상실되었다는 궁극의 결과를 제시하며 글이 마무리된다. 따라서 순서로 가장 적절한 것은 ④ (C)-(B)-(A)이다.

어휘

- settler 정착민
- bottom-dwelling 해저에 사는
- kelp (해초) 켈프
- food web 먹이그물
- ecosystem 생태계
- biodiversity 생물 다양성
- sustain 유지하다
- intricate 복잡한
- detritus 유기 퇴적물
- sea otter 해달
- creature 생물
- over-hunting 남획
- disrupt 붕괴시키다
- trigger 유발하다
- keep ~ in check ~을 억제하다
- pelt 모피
- sea urchin 성게

정답 ④

056 다음 글의 주제로 가장 적절한 것은?

The design profession has been around for thousands of years, and in the beginning, architects and designers were held in high regard. They served kings and queens, and were treated with the utmost respect for their craft. But somewhere along the way, the profession transformed from a title of distinction into one of subservience. While many clients respect design professionals, many more believe that designers and architects are simply the hired help. You hire a lawyer because you need legal advice, and you see a doctor because you want to be healthy, but you don't absolutely need a design professional to build or design your project. Hiring a designer is considered a luxury. Yet as a luxury profession it doesn't command the respect of the business world in the way other professions do.

* subservience: 복종, 종속

① 디자이너 전문가들의 위상 변화
② 디자이너와 건축가들을 위한 장밋빛 전망
③ 좋은 디자이너나 건축가가 되기 위한 자격 요건
④ 건축가와 디자이너가 과거에 존중받았던 이유

056 난이도 ★★☆

(해석)

디자인 직업은 수천 년 동안 존재해왔고, 초기에는, 건축가들과 디자이너들이 높은 존경을 받았다. 그들은 왕과 왕비를 섬겼고, 그들의 기술에 대해 최고의 존경을 받았다. 하지만 그 과정의 어딘가에서, 그 직업은 탁월함의 표식에서 복종의 표식으로 변했다. 많은 고객들이 디자인 전문가를 존중하지만, 더 많은 고객들이 디자이너와 건축가가 단순히 고용된 일꾼일 뿐이라고 생각한다. 법률적 조언이 필요하기 때문에 변호사를 고용하고, 건강해지고 싶어서 의사를 만나지만, 당신의 계획을 세우고 디자인하기 위해 디자인 전문가가 꼭 필요한 것은 아니다. 디자이너를 고용하는 것은 사치로 여겨진다. 그러나 그것은 고급스러운 직업으로서 다른 직업들이 받는 것처럼 재계의 존경을 받지는 못한다.

(해설)

글의 중심 소재는 디자인 직업이며, 주제문은 세 번째 문장이다. 디자인 직업이 초기에는 존경을 받았지만, 어느 시점부터는 결국 고용된 일꾼으로 여겨졌다는 내용이다. 따라서 주제문으로는 ① '디자이너 전문가들의 위상 변화'가 가장 적절하다.

(어휘)
- profession 직업
- architect 건축가
- be held in high regard 높은 존경을 받다
- utmost 최고의
- craft 기술
- distinction 탁월함
- luxury 사치
- command (응당 받아야 할 것을) 받다

정답 ①

주요 구문 분석

Yet / as a luxury profession / it doesn't command the respect (of the business world) / in the way other professions do.

(분석) Yet은 앞 문장과 대조를 이루며 '그러나'를 의미한다. command the respect of는 '~의 존경을 받다'이고 「in the way+주어+do」는 '~가 하는 방식처럼'으로 해석한다. 이때 do는 앞에 있는 주절의 동사 command를 받는 대동사이다.

057 밑줄 친 (A), (B)에 들어갈 말로 가장 적절한 것은?

Toys are cultural objects that children learn to play with in particular and culturally appropriate ways. Through participating in complex play, caregivers demonstrate traditional ways of object use. ___(A)___, when a mother models a telephone conversation during pretend play, she first dials the number, waits for a response, and only then begins to talk. If, while imitating the telephone conversation, the child forgets to dial the number, or mistakes the order of action, the mother may adjust the child's actions, thus teaching the correct way of play. Parent-child object play is also a medium through which children practice real life scenarios (e.g. doctor-patient, mother-baby). Children's knowledge of cultural activities also contributes to the structure of parent-child play. When children play with familiar toys, they are more likely to facilitate pretend play, while parents serve as an audience. ___(B)___, when novel toys are used in the course of parent-child play, parents are more likely to start and organize the pretense.

	(A)	(B)
①	However	In contrast
②	However	In other words
③	For example	In contrast
④	For example	In other words

주요 구문 분석

Parent-child object play is also a medium (through which children practice real life scenarios / (e.g. doctor-patient, mother-baby)).

분석 though which는 「전치사+관계대명사」 구조로 뒤에 완전한 절이 온다. 의미상 '매개체를 통해'이지만 해석 시에는 though which가 해석되지 않고 '주어가 ~하는'으로 해석된다.

058 주어진 글 다음에 이어질 글의 순서로 가장 적절한 것은?

In a comparison of two very common handicaps, blindness and deafness, the former would generally be regarded as the more severe of the two. Yet, at least in terms of maintaining contact with the world about us, many of us fail to realize that deafness is a greater handicap.

(A) You are now in the position of a deaf person who sees but cannot hear. Try to follow the story on the screen. Unless you are able to read lips, you have no idea what is taking place. Despite the popularly held view, deafness, as can be readily seen, is a greater obstacle toward social interaction than blindness.

(B) A simple experiment will immediately confirm the correctness of this assertion. Turn on your television set to your favorite soap opera or talk program. Now turn the brightness control knob until the screen is completely dark and the picture totally blacked out.

(C) Leave the sound on. You are now in the position of a blind man who can hear but not see. You will have no trouble following the story even though you cannot see the action. Now turn on the picture but turn the volume control knob until the sound disappears completely.

① (A) – (C) – (B) ② (B) – (A) – (C)
③ (B) – (C) – (A) ④ (C) – (A) – (B)

주요 구문 분석

In a comparison (of two very common handicaps, / blindness and deafness), / the former would generally be regarded / as the more severe of the two.

분석 전치사구인 In a comparison of A and B는 'A와 B의 비교에서'라는 뜻이다. two very common handicaps와 동격으로 blindness and deafness가 언급되었고, 둘 중 먼저 언급된 blindness를 전자(the former)로 지칭하였다. 참고로 후자는 the latter이다.

057 난이도 ★★☆

해석

장난감은 아이들이 특별하고 문화적으로 적절한 방식으로 가지고 놀기를 배우는 문화적 사물이다. 복잡한 놀이에 참여하는 것을 통해, 보호자는 사물 사용의 전통적인 방식을 설명해 준다. (A) 예를 들어, 엄마가 흉내 놀이를 하면서 전화 대화를 본보기로 보여 줄 때 먼저 전화를 걸고 응답을 기다리고 나서야 비로소 말하기 시작한다. 전화 대화를 흉내 내면서 아이가 전화 거는 것을 잊거나 행동의 순서를 오인하면 엄마는 아이의 행동을 조정해서 놀이의 올바른 방식을 가르칠 수 있다. 부모-자녀 사물놀이는 또한 아이들이 (예를 들어 의사-환자, 엄마-아기와 같은) 실제 생활 시나리오를 연습하는 매개체이다. 문화 활동에 대한 아이들의 지식 또한 부모-자녀 놀이의 구조에 기여한다. 아이들이 친숙한 장난감을 가지고 놀 때, 그들은 더 쉽게 흉내 놀이를 할 수 있고, 반면 부모는 청중의 역할을 하게 된다. (B) 이와는 반대로, 부모-자녀 놀이가 진행되는 동안 새로운 장난감이 사용되면 부모가 그 흉내를 시작하고 구성할 가능성이 더 높다.

(A)	(B)
① 하지만	이와는 반대로
② 하지만	다시 말해
④ 예를 들어	다시 말해

해설

이 글은 장난감을 통해 아이들이 놀이를 어떻게 배우는지 설명한다.
(A) 다음의 글은 엄마가 전화를 가지고 아이에게 실제로 놀이를 보여 주는 장면이다. 이는 빈칸 앞에 제시한 글의 한 사례임을 알 수 있으므로 For example이 들어가야 한다.
(B) 앞에서는 아이들이 친숙한 장난감을 가지고 놀 때 부모는 청중의 역할을 하지만, (B) 뒤에서는 새로운 장난감이 사용되면 부모가 놀이를 시작하고 구성하게 된다는 내용으로 앞뒤의 내용이 서로 상반되므로 대조의 연결어 In contrast가 들어가는 것이 적절하다.
따라서 이 두 가지를 모두 충족하는 ③이 정답이다.

어휘

- caregiver 보호자
- traditional 전통적인
- pretend play 가상 놀이
- response 반응
- mistake 오인하다
- medium 매개체
- facilitate 용이하게 하다
- demonstrate 설명하다
- model 모형을 만들다
- dial a number 전화를 걸다
- imitate 흉내내다
- adjust 조정하다
- scenario 시나리오
- pretense 흉내

정답 ③

058 난이도 ★★☆

해석

대표적인 두 신체장애인 시각 장애와 청각 장애를 비교해 볼 때 전자가 일반적으로 둘 중 더 심각한 것으로 간주될 것이다. 하지만 적어도 우리 주위의 세계와 접촉을 유지하는 데에 있어서는, 우리들 중 많은 이들이 청각 장애가 더 심한 신체장애라는 것을 깨닫지 못한다. (B) 하나의 단순한 실험이 이 주장의 정확성을 즉각적으로 확인시켜 줄 것이다. 여러분의 텔레비전을 여러분이 가장 좋아하는 연속극이나 토크쇼로 (채널을) 틀어라. 이제 화면이 완전히 어두워지고 영상이 완전히 깜깜해질 때까지 명암 조절 손잡이를 돌려라. (C) 소리는 켜둔 채 놔두어라. 여러분은 이제 들을 수는 있지만 볼 수 없는 시각 장애인의 입장에 있다. 비록 여러분이 움직임은 볼 수 없지만 이야기를 따라가는 데 아무런 문제가 없을 것이다. 이제 영상은 켜지만, 음량 조절 손잡이를 소리가 완전히 사라질 때까지 돌려라. (A) 여러분은 이제 보지만 들을 수 없는 청각 장애인의 입장에 있다. 화면상의 이야기를 따라가려고 노력해 보아라. 여러분이 입술의 움직임을 읽어낼 수 있지 않는 한, 여러분은 어떤 일이 일어나고 있는지 모른다. 일반적으로 받아들여지는 견해에도 불구하고, 쉽사리 볼 수 있듯이 청각 장애는 시각 장애보다 사회적 상호작용에 대한 더 심한 장애이다.

해설

주어진 글에서 우리가 주위의 세계와 접촉을 유지할 때 청각 장애가 시각 장애보다 더 심한 신체장애라는 견해가 제시된다. 이러한 견해는 (B)에서 this assertion으로 연결되며, 뒤이어 이러한 견해를 증명하기 위한 실험이 제시되고 있다. (B)에서 TV의 화면을 어둡게 하고 소리만 듣도록 했던 실험 내용은 (C)에서 설명하는 시각 장애인의 상황과 연결된다. (C)의 마지막 부분에서 TV의 영상은 그대로 두고 소리가 들리지 않도록 하라고 이야기하는데, 이는 (A)의 청각 장애인의 상황과 연결된다. 따라서 글의 순서로 알맞은 것은 ③ (B)-(C)-(A)이다.

어휘

- handicap 신체장애
- deafness 청각 장애
- in terms of ~에 있어서
- readily 쉽사리
- confirm 확인하다
- soap opera 연속극
- knob 손잡이
- blindness 시각 장애
- the former 전자
- popularly 일반적으로
- obstacle 장애
- assertion 주장
- brightness 명암
- black out 깜깜하게 만들다

정답 ③

059 다음 글의 요지로 가장 적절한 것은?

Aldous Huxley in his book *Brave New World* painted a picture of a perfectly planned state, from which freedom, difficulty, pain, and insecurity had all disappeared. But too much comfort, too much order, too much pleasure, and a total lack of anxiety had dehumanized the people in it — they had become less than human. Until at last the one rebel in the state cries out to its governor: "I don't want comfort, I want God, I want real danger, I want freedom, I want sin." "In fact," said the governor, "you're claiming the right to be unhappy." Whether or not this is a true picture, there is something in the nature of men which makes them escape from secure situations — e.g., into polar expedition or dangerous mountain climbing.

① Human beings prefer, ironically, to be unhappy.
② Men cannot live in a planned state.
③ The state depicted in Huxley's novel does not exist.
④ Security does not always guarantee happiness for men.

주요 구문 분석

But too much comfort, / too much order, / too much pleasure, / and a total lack of anxiety / had dehumanized the people in it / — they had become less than human.
(분석) 「too much+불가산명사」는 '지나친 ~'이고, 「a total lack of+명사」는 '~가 완전히 없는 상태'라고 해석한다. had dehumanized와 had become은 과거완료 시제로 과거에 이미 일어나 있던 상태를 나타낸다.

060 밑줄 친 부분에 들어갈 말로 적절한 것은?

Let's think about flipping a coin. If you get ten heads in a row, what is the likelihood that the next flip will be heads? Don't be fooled — it's 50 percent, the same as it is on any single coin flip. Most people think the chances of getting heads will actually be lower than 50 percent — the opposite of momentum. They know they should see roughly the same number of heads as tails (50-50), so they feel that if they have got heads 10 times in a row, they are due for tails. Tails has to emerge. But it doesn't. There is no law of averages. If the process is random, there is no predictability. This is also what drives the "gambler's fallacy." Gamblers on losing streaks erroneously believe they are due for a win and keep gambling, thinking that their luck _____. But if the whole thing is random, you aren't due for anything. Your chances haven't changed at all.

① is a coincidence
② has to even out
③ rouses others' jealousy
④ breaks the law of averages

주요 구문 분석

Gamblers (on losing streaks) erroneously believe // they are due for a win / and keep gambling, / thinking // that their luck has to even out.
(분석) believe의 목적어로 that이 생략된 명사절이 쓰였고, that절에 thinking이라는 부대 상황을 나타내는 분사구문이 쓰였다. thinking도 that 명사절을 목적어로 취하고 있다. on losing streaks는 '연속으로 지고 있는'이란 뜻의 전치사구로 Gamblers를 수식하고 있다.

문장 분석 및 해설

059 　　　　　　　　　　　　　　　　난이도 ★★★

해석

Aldous Huxley는 자신의 책 〈멋진 신세계〉에서 자유, 고난, 고통 그리고 불안이 모두 사라진, 완벽하게 설계된 국가를 그렸다. 그러나 너무나 많은 안락, 과도한 질서, 지나친 쾌락 그리고 근심이 전혀 없는 상태는 그 속에 있는 사람들을 비인간화시켰다 — 그들은 인간보다 더 못한 모습이 되었다. 그리하여 결국 그 국가의 한 명의 반역자가 통치자에게 다음과 같이 소리 지르게 되었다: "나는 안락을 원치 않는다, 나는 신을 원한다, 나는 진정한 위험을 원한다, 나는 자유를 원한다, 나는 죄를 원한다." 이에 통치자는 말했다. "사실, 너는 불행할 권리를 요구하고 있다." 이것이 실제 모습이든 아니든 간에, 인간을 안전한 상태로부터 벗어나게 만드는 예를 들어 극지방 탐험이나 위험한 산악 등반처럼 그 무언가가 인간의 본성에 있다.

① 인간은 아이러니하게도 불행한 것을 선호한다.
② 인간은 계획된 국가에서 살 수 없다.
③ Huxley의 소설에 묘사된 국가는 존재하지 않는다.
④ 안정이 늘 인간에게 행복을 보장하는 것은 아니다.

해설

글의 두 번째 문장을 통해 Aldous Huxley가 그의 책 〈멋진 신세계〉에서 전달하고자 하는 메시지를 잘 드러내고 있다. 자유, 고난, 고통 그리고 불안이 모두 사라진 완벽하게 설계된 국가를 설정했지만 이는 결국 인간을 비인간화한다고 말한다. 결국 이를 거부하고 불행할 권리를 요구하는 인간의 모습이 책의 내용이므로, ④ '안정이 늘 인간에게 행복을 보장하는 것은 아니다.'가 이 글의 요지로 가장 적절하다. ①의 경우, 지문에서 인간이 불행할 권리를 요구하는 것은 불행을 선호해서라고 볼 수 없으므로 답이 될 수 없다.

어휘

- insecurity 불안
- rebel 반역자
- claim 요구하다
- expedition 탐험
- security 안정
- dehumanize 비인간화하다
- governor 통치자
- polar 극지방의
- depict 묘사하다
- guarantee 보장하다

정답 ④

060 　　　　　　　　　　　　　　　　난이도 ★★★

해석

동전 던지기를 생각해 보자. 만약에 앞면이 10번 연속으로 나온다면 그 다음 던졌을 때 또 앞면이 나올 가능성은 얼마나 될 것인가? 속지 마라 — 그것은 50%로, 이는 단 한 번 동전을 던져서 나올 수 있는 가능성과 같다. 대부분의 사람들은 그동안의 여세와는 반대로 앞면이 나올 가능성이 50%보다 실제로 낮을 것이라고 생각한다. 그들은 그들이 뒷면과 대략 같은 수의 (50-50으로) 앞면을 보리라는 것을 알고 있고, 그래서 그들은 만일 그들이 연속해서 앞면을 10번 보았다면 그들은 뒷면이 예정되었다고 생각한다. 뒷면이 나와야만 한다. 하지만 그렇지 않다. 평균의 법칙이라는 것은 없다. 만약 과정이 무작위라면, 어떤 예측 가능성도 없다. 이것이 또한 "도박꾼의 오류"를 이끌어 내는 것이다. 연속적으로 지고 있는 중인 도박꾼들은 그들의 운이 고르게 해야 한다고 생각하면서 그들이 이길 차례라고 잘못 생각하고 게임을 계속한다. 하지만 모든 것이 무작위라면, 당신에게 예정된 것은 아무것도 없다. 당신의 가능성은 결국 전혀 바뀌지 않는다.

① 우연이다
③ 다른 사람들의 질투를 유발한다
④ 평균의 규칙을 깬다

해설

글의 중심 소재는 도박꾼의 오류이다. 저자는 평균의 법칙이 없다는 점을 글의 요지로 말하고 있으며, 이는 50-50이라는 평균의 법칙이 잘못된 생각이라는 것이다. 또한 저자는 이것이 도박꾼의 오류를 이끌어낸다고 말하고 있고 도박꾼의 오류라는 것은 실패와 성공이 균형을 맞춘다는 생각이므로 ② '고르게 해야 한다'가 가장 적절하다.

어휘

- flip 동전을 던지다
- in a row 연속하여
- momentum 여세
- tails (동전의) 뒷면
- random 무작위의
- gambler's fallacy 도박사의 오류
- erroneously 잘못되게
- coincidence 우연의 일치
- rouse 불러일으키다
- heads (동전의) 앞면
- likelihood 가능성
- roughly 대략
- due for ~할 예정인
- predictability 예측 가능성
- streak 연속
- due ~할 차례인
- even out 고르게 하다

정답 ②

DAY 12

DAY 13

061 다음 글의 제목으로 가장 적절한 것은?

When it comes to non-megasporting events, one can never quite predict when a key competition will occur. Sometimes one early glance at a seasonal schedule highlights a possible contest of epic proportions, many of which frequently fail to materialize. Other times key matchups reveal themselves only after earlier competitions make a particular — largely random — date and time more important than any other date on the sports calendar. Megasports operate separately from these organic structures, with many events scheduled nearly a decade in advance. Olympic sites are awarded 7 years before an event. Football and rugby World Cups typically follow a similar model, with some having been awarded as much as 12 years before an event. Other megasporting events are seemingly scheduled in perpetuity. While picking a winner can involve high odds, it likely is a good bet that the first Saturday in May 2040 will also feature the Kentucky Derby horse race at Churchill Downs.

① Why Some People Prefer Non-Megasports
② Organic Structure of Megasports
③ What Makes Megasports Difficult to Schedule
④ Predictability of Sporting Event Schedules

주요 구문 분석

Megasports operate separately / from these organic structures, / with many events scheduled nearly a decade in advance.
분석) Megasports와 these organic structures가 대비되고 있으며 여기서 organic은 '유기적인'이 아니라 '자연발생적인, 자생적인'을 의미한다. 「with+목적어+목적격보어」 구조로 이루어진 with 분사구문이며 '~한 상태로'를 의미한다.

062 밑줄 친 부분에 들어갈 말로 가장 적절한 것은?

As globalization marches forward, the world gets smaller and smaller and collaboration technology gets better and better. Yet only a handful of these advancements like international conference calls, IP phones, and video chats allow people to speak rather than to write. Now, more information is exchanged via text than ever before, which makes it extremely important that you can communicate effectively in writing. If you plan on participating in this knowledge economy, which grows more and more important with each passing day, you will need to learn _____ _____ fairly well. You don't have to be Shakespeare, but you do need to know how to express yourself properly in written form. This is because not only is writing an important academic skill, but it is also an important skill that translates into any career field.

① how to write
② how to speak
③ how to use computer
④ how to express yourself

주요 구문 분석

Now, / more information is exchanged via text / than ever before, / which makes it extremely important // that you can communicate effectively in writing.
분석) which는 관계대명사의 계속적 용법으로 앞 절 전체를 선행사로 받는다. '그리고 이는'으로 해석할 수 있다. make의 목적어가 that절 전체이기 때문에 가목적어를 쓰고 진목적어는 목적격보어 뒤에 두었다. it 대신 진목적어를 해석해 주어야 한다.

061

난이도 ★★☆

(해석)

비 메가 스포츠 행사에 관한 한 언제 주요 대회가 열리는지 확실히 예측할 수 없다. 때때로 시즌 일정을 미리 한 번 힐끗 봤을 때 엄청난 규모의 가능한 경기를 강조하는 것 같지만, 그중 다수는 종종 실현되지 못한다. 또 다른 때에는 주요 대전이 앞선 대회가 대개 임의적인 특정한 날짜와 시간을 스포츠 달력상의 다른 어떤 날보다 더 중요하게 만든 후에야 드러난다. 메가 스포츠는 이러한 자생적인 구조와 별개로 운영되며, 많은 행사들이 거의 10년이나 미리 일정이 잡힌다. 올림픽 개최지는 행사 7년 전에 결정된다. 축구와 럭비 월드컵도 보통 비슷한 방식을 따르는데, 어떤 것은 무려 행사 12년 전에 선정된다. 다른 메가 스포츠 행사는 겉보기에 영구히 일정이 잡혀 있는 듯하다. 우승자를 고르는 것이 큰 가능성을 수반할 수 있지만, 2040년 5월 첫 번째 토요일이 Churchill Downs에서 Kentucky Derby 경마를 등장시킬 거라는 것 또한 아마도 성공할 가능성이 큰 일일 것이다.

① 왜 어떤 사람들은 비 메가 스포츠를 선호하는가
② 메가 스포츠의 유기적 구조
③ 무엇이 메가 스포츠가 일정을 잡기 어렵게 하는가
④ 스포츠 행사 일정의 예측 가능성

(해설)

글의 전반부에서는 비 메가 스포츠 행사들의 경우에 일정이 매우 유동적이라서 특정 대회가 정확히 언제 개최될지를 예측하는 것이 불가능하다는 점을 설명하였고, 후반부에서는 메가 스포츠 행사들의 경우에 매우 장기적으로 행사 일정이 정확히 잡혀 있거나 아예 영구적으로 일정이 정해져 있음을 설명하였다. 스포츠 행사를 크게 두 가지 유형으로 나누어 각각의 일정에 대한 예측 가능성을 분석하고 있으므로 글의 제목으로는 ④ '스포츠 행사 일정의 예측 가능성'이 가장 적절하다.

(어휘)

- when it comes to ~에 관한 한
- competition 대회
- glance 힐끗 봄
- highlight 강조하다
- epic proportions 엄청난 규모
- frequently 종종
- materialize 실현되다
- matchup 대전 (상대)
- random 임의적인
- separately 별개로
- organic 자생적인
- in advance 미리
- award 제정하다
- in perpetuity 영구히
- odds 가능성
- a good bet 성공할 가능성이 큰 것
- feature 출연시키다
- predictability 예측 가능성

(정답) ④

062

난이도 ★☆☆

(해석)

세계화가 진행됨에 따라 세상은 점점 작아지고, 협동 기술은 더욱 발달한다. 그러나 국제 화상 회의, IP 전화, 그리고 화상채팅과 같은 소수의 발전만이 사람들이 쓰기보다는 말을 하도록 허용한다. 오늘날에는 그 어느 때보다도 더 많은 정보가 문서를 통해 교환되며, 당신이 글쓰기를 통해 효과적으로 의사소통할 수 있는 것을 대단히 중요하게 만든다. 만약에 당신이 날이 갈수록 점점 더 중요해지는 이런 지식 경제 시대에 참여할 계획이라면, 당신은 글을 잘 쓰는 법을 배울 필요가 있을 것이다. 당신은 셰익스피어가 될 필요는 없지만, 글로 된 형태로 당신 자신을 적절하게 표현하는 법을 알아야 할 필요가 있다. 그것은 쓰기가 중요한 학문적 기술일 뿐만 아니라 어떤 직업 분야로든 옮겨가는 중요한 기술이기 때문이다.

② 말하는 법
③ 컴퓨터를 사용하는 법
④ 자신을 표현하는 법

(해설)

글의 중심 소재는 글 잘 쓰는 법이다. 저자는 이 글에서 아무리 기술이 발전하였다 해도 말하기를 더 많이 사용 하는 것은 'only a handful of these advancements'라고 말한다. 즉 글쓰기의 중요성이 결코 사라지지 않았다는 것이다. 뒤따라오는 문장에서는 이러한 주장을 뒷받침하고 있다. 많은 정보가 문서로 교환되고(via text), 의사소통을 문서를 통해(in writing) 하는 것이 어느 때보다도 중요하다고 설명한다. 빈칸 뒤에도 자신을 문서의 형태로(in written form) 표현할 줄 알아야 하며, 글쓰기가 학문적 기술인 동시에 다른 분야로 옮겨 갈 수 있는 기술이라고 주장한다. 따라서 빈칸에는 ① '글을 잘 쓰는 법'이 가장 어울린다.

(어휘)

- march 진행하다
- collaboration 협동
- a handful of 소수의
- advancement 진보
- conference call 화상 회의
- knowledge economy 지식 경제
- with each passing day 날이 갈수록
- properly 적절하게
- written form 기록 형태
- academic 학문적
- translate 옮기다
- career field 직업 분야

(정답) ①

DAY 13

063 주어진 문장이 들어갈 위치로 가장 적절한 것은?

> This exposure during the earliest months of life creates the foundation for later musical learning.

From a very early age, humans instinctively respond to music, experiencing it in a variety of ways that go beyond simply hearing sounds. (①) Infants listen attentively to lullabies sung by their parents or to music playing in the home, and they often show a sensory response to music by moving their bodies to the rhythm or smiling. (②) As children grow, their engagement with music becomes more intentional — they sing, mimic instruments, and invent musical games. (③) By the time they reach school age, many children can express emotion through rhythm and grasp basic musical patterns. (④) Music, therefore, plays a central role in personal development and communication.

주요 구문 분석

From a very early age, / humans instinctively respond to music, / experiencing it / in a variety of ways (that go beyond simply hearing sounds).

분석 experiencing ~는 분사구문으로, 주절의 주어인 humans와 의미상 주어가 같고, 음악에 반응하는 방식을 구체적으로 설명하는 역할을 한다. that ~ sounds는 ways를 수식하는 관계절로, 사람들이 단순히 음악을 듣는 것을 넘어서 다양한 방식으로 경험한다는 의미를 전달한다.

064 다음 글의 요지로 가장 적절한 것은?

By common consent, we live in a global economy, and the funny thing about the global economy is much of the globe has been left out of it. Four billion people still earn less than four dollars a day, and as far as the global economy is concerned they hardly exist. But perhaps it makes better sense for companies to see the poor as patrons worthy of their solicitations. Though developing nations don't have much money on a per capita basis, together they control enormous sums; the ten biggest developing countries have about fourteen trillion dollars in annual purchasing power. Most corporations assume that the world's poor are so preoccupied with getting by that they're indifferent to the allure of consumer goods or new technology, but the evidence suggests that poor consumers are similar to rich ones: they like to shop.

① Cheap labor is not assumed to be a target of global marketing.
② The individual purchasing power is still low in the developing countries.
③ Big companies tend to have little interest in the low-end market.
④ Penny-wise and poor people can be a big opportunity for the global businesses.

주요 구문 분석

But perhaps it makes better sense for companies to see the poor as patrons (worthy of their solicitations).

분석 가주어와 진주어(to see ~), 의미상의 주어(for companies)가 모두 들어 있는 패턴이다. It makes better sense for A to B는 'A가 B하는 것이 더 타당하다'라고 해석한다. worthy of ~는 '~할 자격이 있는, ~의 가치가 있는'의 의미이며 patrons를 수식한다.

063 난이도 ★★★

해석

인간은 아주 어린 시절부터 음악에 본능적으로 반응하며, 단순히 소리를 듣는 것 이상으로 다양한 방식으로 음악을 경험한다. ① 아기들은 부모가 불러주는 자장가나 집안에 흐르는 음악을 주의 깊게 듣고, 리듬에 맞춰 몸을 움직이거나 미소를 지으면서 음악에 대한 감각적 반응을 종종 보인다. ② <u>생후 몇 개월 동안의 이러한 노출은 이후의 음악 학습을 위한 기초를 형성한다.</u> 아이들이 자라면서 음악에 대한 그들의 참여는 더 의도적이게 된다 — 그들은 노래하고, 악기를 흉내 내며, 음악 놀이를 만들어낸다. ③ 취학 연령에 이를 때쯤에는 많은 아이들이 리듬을 통해 감정을 표현하고, 기본적인 음악 패턴을 파악할 수 있다. ④ 따라서 음악은 개인의 발달과 의사소통에서 중심적인 역할을 한다.

해설

글의 중심 소재는 인간과 음악이고, 주제문은 첫 번째 문장으로 인간은 아주 어린 나이부터 본능적으로 음악에 반응한다는 것이다. 주어진 문장은 생후 몇 개월 동안의 노출이 음악 학습의 기초가 된다고 했으므로, 주어진 문장의 앞에는 어린 시절에 음악에 노출되는 상황이 제시되고, 뒤에는 이후의 음악 학습에 대한 내용이 제시될 것을 유추할 수 있다. ②의 앞은 영아기부터 인간이 음악에 반응한다는 내용이고, 뒤는 아이들이 자라면서 음악에 더 참여하게 된다는 내용이다. 따라서 주어진 문장이 들어갈 위치로 가장 적절한 것은 ②이다.

어휘

- exposure 노출
- foundation 기초
- instinctively 본능적으로
- respond 반응하다
- a variety of 다양한
- infant 영아
- attentively 주의 깊게
- lullaby 자장가
- sensory 감각적인
- response 반응
- engagement 참여
- intentional 의도적인
- mimic 흉내를 내다
- school age 취학 연령
- grasp 파악하다
- development 발달

정답 ②

064 난이도 ★★★

해석

누구나 동의하듯, 우리는 글로벌 경제 속에 살고 있으며, 글로벌 경제에 관한 재미있는 사실은 지구의 많은 부분이 그것에서 배제되어왔다는 점이다. 40억 명의 사람들이 여전히 하루에 4달러가 안 되는 돈을 벌고 있으며, 글로벌 경제의 관점에서 그들은 거의 존재하지 않는다. 하지만 기업들이 빈곤층을 유도할 가치가 있는 고객으로 보는 것이 어쩌면 더 타당하다. 개발도상국들은 1인당 기준으로는 돈이 많지 않더라도, 전체적으로는 엄청난 총액을 다룬다; 세계 10대 개발도상국들은 약 14조 달러의 연간 구매력을 보유한다. 대부분의 기업은 세계의 빈곤층이 먹고사는 데 몰입하여 소비재나 새로운 기술의 유혹에 무관심하다고 추측하지만, 증거에 따르면 가난한 소비자들이 부유한 소비자들과 유사하다는 것을 보여 준다: 그들도 물건 사는 것을 즐긴다.

① 값싼 노동력은 글로벌 마케팅의 대상으로 간주되지 않는다.
② 개발도상국에서 개인의 구매력은 여전히 낮다.
③ 대기업들은 저가 시장에 거의 관심이 없는 경향을 보인다.
④ 푼돈을 아끼는 가난한 사람들이 글로벌 기업에 큰 기회가 될 수 있다.

해설

글의 중심 소재는 글로벌 경제이고 주제문은 But으로 시작하는 세 번째 문장이다. 전반부에서는 글로벌 경제의 현 상황에 대한 일반적인 문제점을 설명하며 지구의 가난한 40억 명의 사람들이 글로벌 경제에서 배제되어 있다고 말한다. 그런데, But으로 이를 반박하며 빈곤층 역시 부유한 구매자들과 마찬가지로 소비 욕구가 있으므로 이 사람들이 오히려 글로벌 기업들에게 기회가 될 수 있다고 주장한다. 따라서 이 글의 요지는 ④ '푼돈을 아끼는 가난한 사람들이 글로벌 기업에 큰 기회가 될 수 있다'가 가장 적절하다. ②는 글의 내용과 다르고 ①, ③은 지금까지의 통념에 가까운 설명이고 필자는 이를 반박하고 있으므로 모두 요지로 적합하지 않다.

어휘

- consent 동의하다
- as(so) far as ~ is concerned ~의 관점에서는
- make sense 타당하다
- patron 고객
- solicitation (구매) 유도
- on a per capita basis 1인당 기준으로
- enormous 엄청난
- be preoccupied with ~에 몰입하다
- get by 근근이 살아가다
- be indifferent to ~에 무관심하다
- allure 매력
- impatient 참을성 없는
- low-end 저가의
- penny-wise 푼돈을 아끼는

정답 ④

065 주어진 글 다음에 이어질 글의 순서로 가장 적절한 것은?

The recent economic news has been positive, with the unemployment rate continuing to improve. It was 10% in the fall of 2009. It was 7.5% at this time last year. It has been fluctuating 6.3% and 6.7% for the last couple months.

(A) Unemployment for 18 to 29 year olds is 15.8%, more than double the general rate. Unemployment for 18 to 29 year old African-Americans is 23.8%. For Hispanics it is 16.6%.

(B) Youth unemployment is one such problem. Young people face higher hurdles to and in the job market. They have fewer skills, less work experience and smaller networks. The consequences are devastating and the facts bear this out.

(C) High youth unemployment is not confined to the United States. For the 33 developed countries in the Organization for Economic Co-operation and Development (OECD), combined 2013 youth unemployment was 16%. It ranged from 7% in Japan to a whopping 58% in Greece. This problem has serious financial implications for all of us.

(D) But before we celebrate, we need to examine the numbers behind the numbers. These can mask deeper problems.

① (A) – (B) – (C) – (D)
② (B) – (D) – (A) – (C)
③ (C) – (B) – (D) – (A)
④ (D) – (B) – (A) – (C)

주요 구문 분석

The recent economic news has been positive, / with the unemployment rate continuing to improve.

분석 「with + 목적어 + 목적격보어」는 부대 상황을 나타내며 '목적어가 ~하는 가운데, 목적어가 ~하면서'로 해석된다.

---

065 난이도 ★★☆

해석

실업률이 계속해서 개선되는 가운데 최근 경제 소식은 긍정적이었다. 2009년 가을 실업률은 10퍼센트였다. 작년 이맘때는 7.5퍼센트였다. 지난 몇 달 동안 실업률은 6.3퍼센트와 6.7퍼센트를 오르내리고 있다. (D) 하지만 축하하기 전에 우리는 수치 이면의 수치를 조사해 볼 필요가 있다. 이것들은 더 깊은 문제를 감출 수 있다. (B) 청년 실업률이 하나의 그런 문제이다. 젊은이들이 직업 시장으로 가는 그리고 직업 시장 안의 높은 장벽들을 직면하고 있다. 그들은 미숙한 기술과 적은 직업 경험 그리고 적은 인맥을 가지고 있다. 결과는 참담하고 사실들이 이것을 증명하고 있다. (A) 18세부터 29세의 실업률은 평균 실업률의 두 배 이상인 15.8퍼센트이다. 아프리카계 미국인들의 18세부터 29세의 실업률은 23.8퍼센트이다. 히스패닉은 16.6퍼센트이다. (C) 높은 청년 실업률은 미국에만 한정된 것은 아니다. 경제협력개발기구(OECD)의 33개 선진국들의 2013년 전체 청년 실업률은 16퍼센트였다. 이것은 일본의 7퍼센트로부터 그리스의 터무니없는 58퍼센트까지에 이른다. 이 문제는 우리 모두에게 심각한 재정적인 영향을 준다.

해설

주어진 문장의 숫자를 언급하여 이 수치 뒤에 있는 수치를 조사해 볼 필요가 있다는 (D)가 가장 먼저 오고, 여기서 언급된 '더 깊은 문제들' 중 하나를 언급하는 (B)의 Youth unemployment로 이어져야 한다. (B)에서 청년 실업률로 인한 결과를 설명하고 몇 가지 사실이 이를 증명한다고 한 뒤 이에 대한 구체적인 수치를 제시하는 (A)가 오는 것이 자연스럽다. 미국의 수치를 설명하는 (A) 다음에는 청년 실업이 미국에만 한정된 것이 아니라고 말한 뒤 다른 나라의 수치를 언급하고 결론을 내리는 (C)가 마지막에 오는 것이 적절하다. 따라서 정답은 ④ (D)-(B)-(A)-(C)이다.

어휘

- unemployment 실업
- fluctuate 오르내리다
- hurdle 장벽
- consequence 결과
- devastating 참담한
- bear out 증명하다
- be confined to ~에 한정되다
- combined 전체의
- whopping 터무니없는
- implication 영향
- celebrate 축하하다

정답 ④

066 주어진 문장이 들어갈 위치로 가장 적절한 것은?

Consequently, during the 1930s, significant pressure was applied to regulate the behavior of the participants in the financial markets.

From 1929 to 1932, the stock market declined by more than 80 percent — the value of stocks declined from nearly $90 billion to less than $16 billion. Many felt that the market crash was precipitated by unethical trading practices of investment organizations and individuals. (①) Much of the legislation that formed the foundation of today's regulatory tenor was enacted at the time. (②) The justification for the regulation was to ban fraudulent behavior and corrupt practices of investors and investment organizations and to require greater disclosure of financial information by issuers of securities. (③) The requirements to disclose more financial information created new opportunities in the investments arena. (④) The accounting profession exploded, investment organizations introduced security analysis, and investments became a popular field of study at many universities.

* tenor: 방침

067 다음 글의 주제로 가장 적절한 것은?

In urban forested areas, a widespread practice is to clean out the brush understory along with the leaf litter on the forest floor. Frequently, the establishment of shade-tolerant grasses follows this procedure. Loss of the understory and leaf litter is harmful to many wildlife species dependent on these forest features. In the long term, such practice also will lead to loss of the forest itself. As trees die from old age, wind and insect damage, lightning, or other causes, there are no replacements for them because the tree seedlings in the understory have been eliminated. These sites can be replanted at great expense with nursery stock, and there is some value in doing so, but research on birds has shown that no matter how good our intentions, the planted environment does not replace the value of natural forest stands. Thus, where possible in parks and other open spaces, maintenance of natural forest stands should be encouraged.

* forest stand: 임분: 나무의 종, 나이 등이 비슷해서 주변 산림과 구분되는 숲의 범위

① When do urban forests need human intervention?
② Why should we leave forests as they are?
③ What kinds of benefits can urban forests offer?
④ Who are responsible for the maintenance of forests?

068 밑줄 친 부분에 들어갈 말로 가장 적절한 것은?

Elizabeth Gilbert, the author of *Eat, Pray, Love* tells the fable of a great saint who would lead his followers in meditation. Just as the followers were dropping into their zen moment, they would be disrupted by a cat that would walk through the temple meowing and bothering everyone. The saint came up with a simple solution: He began to tie the cat to a pole during meditation sessions. This solution quickly developed into a ritual: Tie the cat to the pole first, meditate second. When the cat eventually died of natural causes, a religious crisis followed. What were the followers supposed to do? How could they possibly meditate without tying the cat to the pole? This story illustrates habits and behaviors that have unnecessarily rigidified into rules. Although written rules can be resistant to change, hidden ones are more unyielding. They're _____.

* zen: (불교) 선(禪)

① invisible rules controlling our actions without awareness
② the rules that could keep cats from going around
③ what awaken us to a fuller knowledge of our existence
④ what make every moment of your life into a zen moment

067 난이도 ★★☆

해석

도시 안의 숲 지역에서 널리 퍼져 있는 관행은 숲 바닥 위의 낙엽과 더불어 잡목이 있는 덤불층을 깨끗이 치우는 것이다. 종종 응달에서 자라는 잔디의 토착이 이 과정을 따른다. 덤불층과 낙엽층의 상실은 이 숲의 특색에 의존하는 많은 야생 생물 종들에게 해롭다. 장기적으로 그런 관행은 또한 숲 자체의 상실로 이어질 것이다. 나무들이 노령, 바람과 곤충 피해, 번개, 또는 다른 원인으로 죽을 때, 덤불층에 있는 묘목들이 제거되었기 때문에 그들(나무들)을 대체하는 것들이 없다. 이 장소들은 종묘장의 어린 나무로 많은 비용을 들여 다시 심어질 수 있고 그렇게 하는 것에 어느정도 가치는 있지만, 새들에 관한 연구는 아무리 우리의 의도가 좋을지라도 (사람들에 의해) 심어진 환경은 자연 임분의 가치를 대체하지 않는다는 것을 보여주었다. 따라서 공원과 다른 녹지의 가능한 곳에서 자연 임분의 유지는 장려되어야 한다.

① 도시의 숲은 언제 인간의 개입을 필요로 하는가?
② 우리는 왜 숲을 있는 그대로의 모습으로 두어야 하는가?
③ 도시의 숲은 어떤 종류의 유익을 제공할 수 있는가?
④ 누구에게 숲 관리에 대한 책임이 있는가?

해설

글의 중심 소재는 숲의 덤불층과 낙엽층이다. 첫 번째 문장에서 덤불층과 낙엽층을 치우는 관행의 문제점을 제시하고, 그런 행동이 숲에 사는 야생 동물에게 해로우며 결과적으로 숲 자체를 상실하게 된다고 설명한 다음, 주제이자 결론인 마지막 문장에서 인공적으로 조성한 환경이 아니라 자연적으로 형성된 숲의 형태를 유지해야 한다고 주장한다. 따라서 글의 주제로 가장 적절한 것은 ② '우리는 왜 숲을 있는 그대로의 모습으로 두어야 하는가?'이다.

어휘

- practice 관행
- understory 덤불층
- establishment 토착
- procedure 과정
- replacement 대체(물)
- expense 비용
- maintenance 유지
- brush 잡목
- leaf litter 낙엽층
- shade-tolerant 응달에서 자라는
- lightning 번개
- seedling 묘목
- nursery stock 종묘장의 어린 나무
- intervention 개입

정답 ②

068 난이도 ★☆☆

해석

〈먹고, 기도하고, 사랑하라〉의 작가 엘리자베스 길버트는 명상을 할 때 그의 신도들을 이끌었던 위대한 성자의 우화에 대해 이야기한다. 신도들이 그들의 선의 순간에 막 빠질 때, 야옹하고 울고 모든 사람들을 귀찮게 하며 사원을 돌아다니는 고양이에 의해 그들은 방해를 받곤 했다. 성자는 간단한 해결책을 생각해 냈다: 그는 명상 시간 동안 고양이를 기둥에 묶기 시작했다. 이 해결책은 빠르게 하나의 의식으로 발전했다: 먼저 고양이를 기둥에 묶고, 그 다음에 명상을 하라. 고양이가 결국 자연사했을 때, 종교적 위기가 뒤따랐다. 신도들이 무엇을 해야 하는 것인가? 어떻게 고양이를 기둥에 묶지 않고 그들이 명상을 할 수 있을 것인가? 이 이야기는 불필요하게 규칙으로 굳어진 습관과 행동들을 보여준다. 비록 명문화된 규칙은 변화에 저항할 수 있지만, 숨겨진 규칙은 더 완고하다. 그것은 '<u>무의식적으로 우리의 행동을 지배하는 보이지 않는 규칙</u>'이다.

② 고양이가 돌아다니지 못하게 할 수 있는 규칙
③ 우리가 우리의 존재에 대한 더 많은 지식을 깨닫게 하는 것
④ 당신 삶의 모든 순간을 선의 순간으로 만드는 것

해설

보이지 않는 규칙이 우리에게 스며들어 무의식적으로 우리의 행동에 영향을 미친다는 것을 우화를 통해 보여주는 글이다. 빈칸 문장의 They는 앞에서 말한 hidden ones(rules)를 가리키고 앞에서 소개된 우화의 내용을 정리하는 표현이 빈칸에 들어가는 것이 적절하므로 ① '무의식적으로 우리의 행동을 지배하는 보이지 않는 규칙'이 정답이다. ②는 우화에 국한되는 지엽적인 내용이고 ③, ④는 글의 내용과 관련 없는 내용이므로 답이 될 수 없다.

어휘

- fable 우화
- meditation 명상
- meow 야옹하고 울다
- pole 기둥
- ritual 의식
- eventually 결국
- illustrate 분명히 보여주다
- rigidify 굳게 하다
- unyielding 완고한
- awareness 의식
- existence 존재
- saint 성자
- disrupt 방해하다
- come up with 생각해내다
- session 시간
- meditate 명상하다
- die of natural causes 자연사하다
- unnecessarily 불필요하게
- resistant 저항하는
- invisible 보이지 않는
- awaken 깨닫게 하다

정답 ①

DAY 14

069 글의 흐름상 가장 어색한 문장은?

In general, public transport is considered an essential component in the management of congestion in urban areas. However, in some cases, unattractiveness of public transport contributes to congestion, since it turns passengers away from public transport and into private vehicles. ① The reasons for not preferring public transportation include a real or perceived level of poor performance, a real or perceived lack of network coverage and a real or perceived low level of reliability. ② Even if there is significant demand for public transportation, this may lead to a congested public transportation system which detracts from its ability to develop its market share. ③ In addition, public transportation can only serve scattered and sprawled urban areas with difficulty, and then only in a limited capacity and in a few niche markets. ④ The development of urban and suburban public transport has always been attached as a high priority in the national transport development strategies and programmes. As a result, the role of public transportation in providing a viable transport alternative for the whole of an urban area is often limited.

주요 구문 분석

However, / in some cases, / unattractiveness (of public transport) contributes to congestion, // since it turns passengers away / from public transport / and into private vehicles.

분석 since는 원인을 나타내는 부사절 접속사로 '왜냐하면 ~이기 때문이다'를 의미한다. it turns passengers away from A and into B는 '승객을 A에서 멀어지게 하여 B로 향하게 하다'로 해석한다.

070 다음 글의 요지로 가장 적절한 것은?

In most people emotions are situational; that is, something happening now makes you angry. The emotion itself is tied to the situation in which it arises. As long as you remain in that irritating situation, you're likely to remain angry. If you leave the situation, the opposite is true — the emotion begins to fade as soon as you move away from the situation. Keeping a distance from the situation prevents your anger from taking control of you. Psychologists often advise clients to get some emotional distance from whatever is bothering them. One way to do that is to geographically separate yourself from the source of your anger. If you are too aggressively confronting your friend, politely excuse yourself and back to him after getting your cool back. Another way to do that is to take a moment to visualize an image of the emotions you're experiencing — such as a tornado. Imagine it ripping through a field and tearing up trees, and after a few minutes, it dissipating with your anger.

① The emotion is so strong that you can't distinguish between right and wrong.
② The physical distance also helps to create distance from the thoughts and feelings.
③ You'd better avoid being in any situation bearing conflict with your acquaintances.
④ You should separate yourself from the provoking situation to manage your anger.

주요 구문 분석

Psychologists often advise clients / to get some emotional distance / from whatever is bothering them.

분석 「advise + 목적어 + to부정사」는 '목적어에게 ~하라고 조언하다'로 해석한다. from의 목적어로 whatever 복합관계사절이 왔다. '~하는 것은 무엇이든'으로 해석한다.

069

난이도 ★★☆

해석

일반적으로 대중교통은 도시 지역의 혼잡 관리에서 필수적인 구성 요소로 여겨진다. 하지만 어떤 경우에는 대중교통의 비 매력성이 혼잡의 한 원인에 기여하는데, 그것이 승객들로 하여금 대중교통을 외면하고 개인 차량을 사용하도록 만들기 때문이다. ① 대중교통을 선호하지 않는 이유는 실제의 또는 인지되는 낮은 수준의 기능 수행 능력, 실제의 또는 인지되는 운행노선 적용 범위 부족, 그리고 실제의 또는 인지되는 낮은 수준의 신뢰도를 포함한다. ② 대중교통에 대한 상당한 수요가 있다 하더라도, 이것은 그것의 시장 점유율을 성장시키는 그것의 능력을 손상시키는 혼잡한 대중교통 체제로 이어질 수 있다. ③ 게다가 대중교통은 오직 분산되고 불규칙하게 퍼져나간 도시 지역에만, 그리고는 오직 제한된 수용력으로 몇몇 틈새 시장에서만 간신히 기여할 수 있다. ④ <u>도시 및 교외 대중교통 개발은 전국적 수송 개발 전략과 프로그램에서 항상 높은 우선순위로서 추가되어 왔다.</u> 그 결과, 도시 지역 전체를 위한 실행가능한 운송 대안을 제공하는 데 있어서 대중교통의 역할은 종종 제한적이다.

해설

글의 중심 소재는 교통 혼잡 관리이다. 전반부를 통해 파악할 수 있는 이 글의 요지는 도시 지역의 교통 혼잡 관리의 중요한 구성 요소인 대중교통의 매력도가 매우 낮다는 것이다. 이후에는 기능상의 대중교통의 낮은 효율성, 혼잡해질 수밖에 없는 필연성, 제한적인 시장 접근성을 언급하며 매력도가 매우 낮은 이유를 설명하는 흐름이 이어지고 있다. 그러나 ④는 도시 및 교외 대중교통 개발에 항상 우선순위를 두어 왔다는 내용을 담고 있어 글의 흐름상 어색하다.

어휘

- public transport 대중교통
- congestion 혼잡
- coverage 적용 범위
- congested 혼잡한
- market share 시장 점유율
- sprawl 불규칙하게 퍼지다
- niche 틈새
- attach 추가하다
- viable 실행가능한
- component 구성 요소
- unattractiveness 매력 없음
- reliability 신뢰도
- detract from ~을 손상시키다
- scatter 분산시키다
- with difficulty 간신히
- suburban 교외의
- priority 우선순위

정답 ④

070

난이도 ★★☆

해석

대부분의 사람에게 감정은 상황에 달려 있다; 즉, 현재 일어나는 무언가가 당신을 화나게 한다. 그 감정 자체는 그것이 일어나는 상황과 연결되어 있다. 그 화 나게 하는 상황 속에 남아있는 한 당신은 화가 난 상태를 유지하기 쉽다. 만약 당신이 그 상황을 떠나면, 정반대가 사실이 된다 — 당신이 그 상황에서 멀어지자마자 그 감정은 사라지기 시작한다. 그 상황과 거리를 유지하면 당신의 화가 당신을 제어하는 것을 막게 된다. 심리학자들은 내담자들에게 그들을 괴롭히는 것이 무엇이든 그것과 약간의 감정적 거리를 두라고 자주 조언한다. 그렇게 하는 한 가지 방법은 화의 근원으로부터 당신 자신을 지리적으로 거리를 두는 것이다. 만약 당신이 친구에게 너무 공격적으로 맞서고 있다면, 정중하게 자리를 떴다가 냉정함을 되찾은 뒤에 친구에게 돌아가라. 그렇게 하는 또 다른 방법은 당신이 경험하는 감정의 이미지를 — 예컨대 토네이도 — 상상할 시간을 갖는 것이다. 토네이도가 들판을 휩쓸고 나무를 뿌리째 뽑아버리고, 잠시 뒤에 그것이 당신의 화와 함께 사라지는 것을 상상하라.

① 그 감정이 너무 강렬해서 당신은 옳고 그름을 구분할 수 없다.
② 물리적 거리도 생각과 감정에서 거리감이 생기도록 돕는다.
③ 아는 사람들과 갈등을 품게 하는 어떤 상황에 놓이는 것도 피하는 편이 좋다.
④ 화를 다스리기 위해서는 짜증 나게 하는 상황으로부터 거리를 두어야 한다.

해설

글의 전반부에서는 사람들의 분노가 그것이 발생하는 상황과 관련이 있다고 설명하며, 화가 난 상황 속에 머무르면 화가 유지되고 그 상황에서 멀어지면 감정도 멀어진다고 설명한다. 그런 다음 주제문인 다섯 번째 문장에서, 상황과 거리를 유지하면 화에 제어 당하지 않는다고 주장한다. 이후, 심리학자들의 조언을 인용하며 상황과 거리를 유지하는 두 가지 방법을 자세히 설명하며 주제를 뒷받침한다. 따라서 글의 요지로 가장 적절한 것은 ④ '화를 다스리기 위해서는 짜증 나게 하는 상황으로부터 거리를 두어야 한다.'이다. ①과 ③은 글에 언급되지 않은 내용이고 ②는 지엽적 내용을 이용한 오답이다.

어휘

- situational 상황에 달린
- arise 생기다
- opposite 정반대의 것[사람]
- distance 거리
- geographically 지리적으로
- confront 맞서다
- excuse oneself 자리를 뜨다
- visualize 상상하다
- tear up (나무 등을) 뿌리째 뽑다
- distinguish 구분하다
- provoking 짜증 나게 하는
- that is 즉
- irritating 화나게 하는
- fade 사라지다
- take control of ~을 제어하다
- aggressively 공격적으로
- politely 정중하게
- cool 냉정함
- rip through 휩쓸다
- dissipate 사라지다
- acquaintance 아는 사람

정답 ④

071 밑줄 친 부분에 들어갈 말로 가장 적절한 것은?

Choosing to live with less is not merely about getting rid of unnecessary things but about _____ _____. Minimalism, as a deliberate lifestyle choice, encourages individuals to critically examine what adds value to their lives. Advocates argue that eliminating excess allows for deeper engagement with personal priorities and relationships. This intentional reduction often leads to improved mental clarity, reduced stress, and a stronger sense of purpose. By consciously limiting possessions and commitments, individuals can regain control over their time, attention, and emotional energy. Far from being restrictive, minimalism promotes freedom from material distraction and fosters alignment with one's core values.

① maximizing financial gain
② optimizing daily efficiency
③ prioritizing meaningful essentials
④ avoiding social obligations

주요 구문 분석

Minimalism, (as a deliberate lifestyle choice), / encourages individuals / to critically examine // what adds value to their lives.

분석 「encourage+목적어+to부정사」는 '목적어가 ~하도록 격려하다'로 해석된다. what 명사절은 「의문사+V+O」로 이루어진 간접의문문 형태를 가졌다. 목적격보어 examine의 목적어로 what 명사절이 사용되었다.

072 주어진 문장 다음에 이어질 글의 순서로 가장 적절한 것은?

Plants are genius chemists. They rely on their ability to manufacture chemical compounds for every single aspect of their survival. For example, a plant with juicy leaves can't run away to avoid being eaten.

(A) Like this, when you consider that plants solve almost all of their problems by making chemicals, and that there are nearly 400,000 species of plants on Earth, it's no wonder that the plant kingdom is a source for a dazzling array of useful substances.

(B) Since plants need to attract pollinators to accomplish reproduction, they've evolved intoxicating scents, sweet nectar, and pheromones that send signals that bees and butterflies can't resist.

(C) It relies on its own chemical defenses to kill microbes or deter pests. Plants also need to reproduce. They can't impress a potential mate with a fancy dance, a victory in horn-to-horn combat, or a well-constructed nest like animals do.

* pollinator: 꽃가루 매개자

① (B) – (A) – (C)   ② (B) – (C) – (A)
③ (C) – (A) – (B)   ④ (C) – (B) – (A)

주요 구문 분석

Like this, / when you consider // that plants solve almost all of their problems / by making chemicals, // and that there are nearly 400,000 species of plants on Earth, // it's no wonder // that the plant kingdom is a source / for a dazzling array (of useful substances).

분석 when 부사절의 동사 consider가 두 개의 that절을 목적어로 취하고 있으므로 목적어를 차례로 해석하며 '~을 고려할 때'와 같이 해석한다. 주절의 it는 가주어이므로 진주어인 that절을 바로 해석하여 '~는 전혀 놀랄 일이 아니다'로 해석한다.

071 난이도 ★★☆

해석

덜 가지고 살기로 선택하는 것은 단순히 불필요한 물건을 없애는 것뿐만 아니라 의미 있는 중요한 것을 우선하는 것에 관한 것이다. 의도적인 생활 방식으로서의 미니멀리즘은 무엇이 삶에 가치를 더해주는지를 비판적으로 성찰하도록 권장한다. 옹호자들은 과잉을 없애는 것이 개인의 우선순위와 인간관계에 더 깊은 몰입을 가능하게 한다고 주장한다. 이러한 의도적인 축소는 정신적 명료성 향상, 스트레스 감소, 그리고 더 강한 목적의식으로 종종 이어진다. 소유물과 약속을 의식적으로 제한함으로써, 개인은 시간, 주의력, 감정 에너지에 대한 통제력을 다시 찾을 수 있다. 미니멀리즘은 제약적이기는커녕 물질적 산만함으로부터의 자유를 촉진하며 개인의 핵심 가치에 부합하는 것을 촉진한다.

① 재정적 이익을 극대화하는 것
② 일상의 효율성을 최적화하는 것
④ 사회적 의무를 피하는 것

해설

글의 중심 소재는 미니멀리즘이며, 주제문은 빈칸이 포함된 첫 번째 문장이다. 이 문장에서는 '단순히 불필요한 물건을 없애는 것'을 넘어서서, 미니멀리즘이 궁극적으로 지향하는 바가 무엇인지를 설명하려 한다. 이후 글에서는 미니멀리즘이 개인의 가치 기준에 따라 삶의 우선순위를 재정립하고, 불필요한 것들을 줄이는 과정이 삶의 질을 높이고 내면적 명확성과 목적의식을 강화시킨다고 구체적으로 서술한다. 마지막 문장에서는 미니멀리즘이 물질적 산만함으로부터의 자유를 가능하게 하고, 핵심 가치와의 일치를 촉진한다고 요약한다. 따라서 정답은 ③ '의미 있는 중요한 것에 우선하는 것'이다.

어휘

- get rid of ~을 없애다
- deliberate 의도적인
- advocate 옹호자
- excess 과잉
- priority 우선순위
- reduction 축소
- consciously 의식적으로
- commitment 약속
- restrictive 제약적인
- foster 촉진하다
- maximize 극대화하다
- obligation 의무
- minimalism 미니멀리즘
- examine 성찰하다
- eliminate 제거하다
- engagement 몰입
- intentional 의도적인
- clarity 명료성
- possession 소유물
- regain 다시 얻다
- distraction 산만함
- alignment 부합
- optimize 최적화하다

정답 ③

072 난이도 ★★☆

해석

식물은 천재적인 화학자다. 그것들은 생존의 모든 측면 하나하나를 위한 화학적 혼합물을 제조하는 자신들의 능력에 의존한다. 예를 들면, 즙이 많은 잎을 가진 식물은 먹히는 것을 피하려고 달아날 수는 없다. (C) 그것은 자체의 화학적 방어 수단에 의존해 세균을 죽이거나 해충을 저지한다. 식물은 또한 번식도 해야 한다. 식물은 동물이 하듯이 화려한 춤이나 뿔 대 뿔 결투에서의 승리, 혹은 잘 지어진 둥지로 잠재적 짝을 감동시킬 수 없다. (B) 번식을 완수하기 위해서는 꽃가루 매개자를 끌어들여야 하기 때문에 식물은 취하게 하는 향기, 달콤한 화밀, 그리고 벌과 나비가 저항할 수 없는 신호를 보내는 페로몬을 진화시켜 왔다. (A) 이처럼, 식물이 거의 모든 문제를 화학 물질을 만들어 해결한다는 것과 지구상에 거의 40만 종의 식물이 있다는 것을 고려해 볼 때, 식물계는 놀랍도록 다양한 유용한 물질의 공급원이라는 것이 전혀 놀랄 일이 아니다.

해설

식물은 생존의 모든 것을 화학적 혼합물을 제조하는 능력에 의존한다고 언급하고 A plant with juicy leaves를 (C)에서 It으로 받아 식물은 달아나지 못하므로 화학적 방어 수단에 의존해 자신을 방어한다고 설명한다. 그리고 식물의 번식을 언급하고 (B)에서 식물이 번식을 위해 향기, 화밀, 페로몬 등의 화학 물질을 만들어내도록 진화했다고 언급한다. (A)는 Like this로 앞의 내용을 이어받아, 식물이 화학 물질을 만들어 모든 문제를 해결한다고 말함으로써 글을 마무리 짓고 있으므로 마지막에 오는 것이 자연스럽다. 따라서 글의 순서로 가장 적절한 것은 ④ (C)-(B)-(A)이다.

어휘

- chemist 화학자
- compound 혼합물
- dazzling 놀라운
- attract 끌어들이다
- evolve 진화시키다
- scent 향기
- pheromone 페로몬
- defense 방어 수단
- deter 저지하다
- reproduce 번식하다
- combat 결투
- manufacture 제조하다
- kingdom (분류학) 계
- an array of 다양한
- reproduction 번식
- intoxicating 취하게 하는
- nectar 화밀
- resist 저항하다
- microbe 세균
- pest 해충
- potential 잠재적인

정답 ④

073 다음 글의 주제로 가장 적절한 것은?

Many people look for safety and security in popular thinking. They figure that if a lot of people are doing something, then it must be right. It must be a good idea. If most people accept it, then it probably represents fairness, equality, compassion, and sensitivity, right? Not necessarily. Popular thinking said the earth was the center of the universe, yet Copernicus studied the stars and planets and proved mathematically that the earth and the other planets in our solar system revolve around the sun. Popular thinking said surgery didn't require clean instruments, yet Joseph Lister studied the high death rates in hospitals and introduced the antiseptic method that immediately saved lives. Popular thinking said that women shouldn't have the right to vote, yet social reformers like Susan B. Anthony fought for and won that right. We must always remember there is a huge difference between acceptance and intelligence. People may say that there's safety in numbers, but that's not always true.

* antiseptic: 멸균의

① Most people don't let popular thinking fool them.
② The majority's thoughts are not always good and right.
③ Safety and security are the topmost priorities in human life.
④ The Copernican Revolution reformed the basic concepts of astronomy.

주요 구문 분석

Popular thinking said // the earth was the center (of the universe), // yet Copernicus studied the stars and planets // and proved mathematically // that the earth and the other planets (in our solar system) revolve / around the sun.

분석 said는 뒤에 that이 생략된 명사절을 목적어로 취하여 '~이라고 주장했다'로 해석하고 proved도 that 명사절을 목적어로 취하여 '~함을 입증했다'라고 해석한다.

074 밑줄 친 부분에 들어갈 말로 가장 적절한 것은?

The promise of a computerized society, we were told, was that it would pass to machines all of the repetitive hard and boring tasks, allowing us humans to pursue higher purposes and to have more leisure time. In reality, we're _____.
Instead of more time, most of us have less. Companies large and small have offloaded work onto the backs of consumers. Things that used to be done for us, as part of the value-added service of working with a company, we are now expected to do ourselves. With air travel, we're now expected to complete our own reservations and check-in, jobs that used to be done by airline employees or travel agents. At the grocery store, we're expected to bag our own groceries and, in some supermarkets, to scan our own purchases. Collectively, a lot of the service we expect from companies or their computerized system has been transferred to the customers.

① being actively engaged at work
② doing more work than ever before
③ working more systemically and effectively
④ having more quality time with our family

주요 구문 분석

Collectively, / a lot of the service (we expect / from companies or their computerized system) / has been transferred / to the customers.

분석 Collectively는 문장 전체를 수식하는 부사로 '전체적으로'라는 뜻이다. that/which가 생략된 관계대명사절이 the service를 수식하는 구조다. transfer A to B(A를 B로 넘기다)가 수동태로 전환되어 A is transferred to B(A가 B로 넘겨지다) 형태가 되었다.

073 난이도 ★★★

해석

많은 사람들이 대중적인 생각에서 안전과 안심을 찾는다. 그들은 많은 사람들이 무언가를 하고 있다면, 그것이 분명히 옳을 것으로 생각한다. 그것은 좋은 생각임이 틀림없다. 만약 대부분의 사람들이 그것을 받아들인다면, 그것은 아마도 공정함, 평등함, 동정심, 그리고 세심함을 나타낼 것이다, 그렇지 않은가? 반드시 그런 것은 아니다. 대중적인 생각은 지구가 우주의 중심이라고 말했지만, 코페르니쿠스는 별과 행성을 연구했고 지구와 태양계의 다른 행성들이 태양 주위를 공전한다는 것을 수학적으로 증명했다. 대중적인 생각은 수술이 깨끗한 도구를 필요로 하지 않는다고 말했지만, Joseph Lister는 병원에서의 높은 사망률을 연구했고 직접적으로 생명을 구하는 멸균법을 소개했다. 대중적인 생각은 여성들이 투표권을 가져서는 안 된다고 말했지만, Susan B. Anthony 같은 사회 개혁가들은 그 권리를 위해 싸웠고 그것을 얻어냈다. 우리는 수용과 지성 사이에 큰 차이가 있다는 것을 항상 기억해야 한다. 사람들은 수가 많으면 더 안전하다고 말할지도 모르지만, 그것이 항상 사실인 것은 아니다.

① 대부분의 사람들은 대중적인 생각이 자신을 속이도록 내버려 두지 않는다.
② 다수의 생각이 언제나 선하고 옳은 것은 아니다.
③ 안전과 안심은 인간의 삶에서 최고의 우선 사항이다.
④ 코페르니쿠스적 대변혁이 천문학의 기본 개념을 바꿨다.

해설

글의 전반부에서는 많은 사람들이 대중적인 생각을 옳다고 믿는다는 일반적 통념을 이야기한다. 다섯 번째 문장 이후로 대중적인 생각이 잘못될 수 있다는 반론을 제기하고 그에 대한 세 가지 예시를 보여준다. 글의 주제문인 마지막 문장에서, 수가 많다고 더 안전한 것은 아니라고, 즉 다수의 생각이 늘 사실인 것은 아니라고 주장한다. 따라서 글의 주제로 가장 적절한 것은 ② '다수의 생각이 언제나 선하고 옳은 것은 아니다.'이다. ①은 글의 주제와 반대이고 ③은 글에 언급되지 않았으며 ④는 지엽적인 내용을 이용한 오답이다.

어휘

- safety 안전
- figure 생각하다
- represent 나타내다
- equality 평등함
- sensitivity 세심함
- revolve 공전하다
- instrument 도구
- vote 투표하다
- majority 다수
- priority 우선 사항
- reform 바꾸다
- astronomy 천문학
- security 안심
- accept 받아들이다
- fairness 공정함
- compassion 동정심
- mathematically 수학적으로
- surgery 수술
- immediately 직접적으로
- fool 속이다
- topmost 최고의
- revolution 대변혁
- concept 개념

정답 ②

074 난이도 ★★★

해석

컴퓨터화된 사회의 약속은, 우리가 듣기로는, 그것이 모든 반복적인 힘들고 지루한 일을 기계에 넘겨, 우리 인간들이 더 높은 목적을 추구하고 더 많은 여가를 가질 수 있게 해 준다는 것이었다. 실제로, 우리는 그 어느 때보다 더 많은 일을 하고 있다. 더 많은 시간 대신에, 우리 대부분은 더 적은 시간을 가지고 있다. 크고 작은 회사들은 일을 소비자의 등에 떠넘겼다. 회사에 맡겨 해결하던 부가가치 서비스의 일환으로, 우리를 위해 행해지던 것들을 이제 우리가 직접 할 것으로 기대된다. 항공 여행의 경우, 항공사 직원이나 여행사 직원들에 의해 행해지던 일인 우리의 예약과 체크인을 이제는 우리가 직접 완수하도록 기대된다. 식료품점에서는, 우리가 우리 자신의 식료품을 직접 봉지에 넣도록, 그리고 일부 슈퍼마켓에서는, 우리 자신이 구매한 물건을 스캔하도록 기대된다. 전체적으로, 우리가 회사나 회사의 컴퓨터화된 시스템으로부터 예상하는 많은 서비스가 소비자에게로 넘겨졌다.

① 업무에 적극적으로 참여하고
③ 더 체계적이고 효율적으로 일하고
④ 가족과 더 단란한 시간을 보내고

해설

첫 문장에서는 컴퓨터화된 사회에서 우리는 일이 줄어들 것으로 예상된다고 말한다. 하지만 빈칸 문장의 In reality는 생각과 현실이 다른 경우에 자주 사용하는 부사구이고, 빈칸 다음 문장부터 기대와 다른 현실에 대한 부연 설명과 예시가 이어진다. 그리고 마지막 문장에서, 글의 주제가 재진술되어 컴퓨터화된 시스템이 해결해줄 것으로 예상되는 일이 소비자에게 떠넘겨졌다고 주장한다. 따라서 빈칸에는 이와 비슷한 맥락의 내용이 들어가야 한다. 정답은 ② '그 어느 때보다 더 많은 일을 하고'이다.

어휘

- repetitive 반복적인
- value-added 부가가치의
- grocery 식료품
- collectively 전체적으로
- engaged 참여하는
- effectively 효율적으로
- offload 떠넘기다
- complete 완수하다
- scan 스캔하다
- transfer 넘기다
- systemically 체계적으로
- quality time 단란한 시간

정답 ②

075 주어진 문장이 들어갈 위치로 가장 적절한 것은?

> However, no matter how many communication tools a company adopts, remote work can never fully replicate the subtle cues of in-person collaboration.

Advances in technology and changes in workplace culture have made remote work more feasible than ever. Working from home has become increasingly common in recent years. (①) Many companies have embraced remote work for its flexibility and potential to increase productivity. (②) Video calls, messaging platforms, and project management tools make it easier than ever to coordinate from different locations. (③) These tools allow teams to share updates promptly and help keep projects on track. (④) They often fall short of capturing the spontaneous conversations and nonverbal feedback that naturally occur in a shared office environment.

075 난이도 ★★★

해석

기술의 발전과 직장 문화의 변화가 원격 근무를 그 어느 때보다 더 실현 가능하게 만들었다. 최근에 재택 근무를 하는 것이 점차 일반적이 되었다. (①) 많은 회사들이 재택 근무의 유연성과 생산성 향상의 잠재성 때문에 재택 근무를 받아들였다. (②) 화상 통화, 메시지 플랫폼, 그리고 프로젝트 관리 도구들이 다양한 장소에서 협업하는 것을 그 어느 때보다 더 쉽게 만든다. (③) 이러한 도구들은 팀이 최신 정보를 즉각 공유할 수 있게 하고 프로젝트가 제대로 진행되도록 돕는다. (④) 그러나, 회사가 아무리 많은 의사소통 도구들을 채택하더라도, 원격 근무는 대면 공동 작업의 미묘한 신호를 결코 완전히 복제할 수 없다. 그것들은 공유된 사무실 환경에서 자연스럽게 일어나는 즉흥적인 대화와 비언어적 피드백을 포착하는 데 종종 미흡하다.

해설

However로 시작하는 주어진 문장에서 의사소통 도구들이 미묘한 신호를 복제할 수 없다는 단점이 언급되고 있다. 따라서 이 앞에서는 이들 도구들의 장점이 언급되고 이후에는 단점에 대한 부연 설명이나 예시가 있을 것임을 예측할 수 있다. ④의 앞에서는 의사소통 도구들의 장점이 언급되고 있고 뒤에서는 단점에 대한 구체적인 예시가 이어진다. 따라서 주어진 문장은 ④에 들어가야 한다.

어휘

- communication 의사소통
- tool 도구
- adopt 채택하다
- remote work 원격 근무
- replicate 복제하다
- subtle 미묘한
- cue 신호
- in-person 대면의
- collaboration 공동 작업
- workplace 직장
- feasible 실현 가능한
- work from home 재택근무를 하다
- embrace 받아들이다
- flexibility 유연성
- potential 잠재력
- productivity 생산성
- video call 화상 통화
- coordinate 협업하다
- updates 최신 정보
- promptly 즉각적으로
- on track 제대로 진행되고 있는
- fall short of ~에 미흡하다
- capture 포착하다
- spontaneous 즉흥적인
- nonverbal 비언어적인

정답 ④

주요 구문 분석

However, / no matter how many communication tools a company adopts, // remote work can never fully replicate the subtle cues (of in-person collaboration).

분석 「no matter how+형용사/부사+S+V」 구문에서 no matter how는 복합관계사 however와 바꿔서 사용할 수 있다. 그리고 no matter how나 however가 사용되는 경우 수식하는 형용사나 부사를 반드시 함께 써줘야 하고, 이는 '얼마나'로 해석한다.

076 주어진 문장이 들어갈 위치로 가장 적절한 것은?

Despite this specialization, brain regions do not work alone but stay connected through complex neural networks.

The human brain is composed of specialized regions, each responsible for distinct functions such as movement, memory, and language. (①) These functions are not randomly assigned but reflect evolutionary adaptations that allow the brain to perform vital tasks with greater precision and speed. (②) This division of labor enables the brain to process complex information efficiently. (③) For example, certain areas are dedicated to processing visual input, while others play key roles in processing sound, language, and memory. (④) Such integration allows the brain to generate coordinated, adaptive responses that match the demands of ever-changing environments.

076 난이도 ★★★

해석

인간의 뇌는 특수화된 영역들로 구성되어 있고, 각각은 움직임, 기억, 그리고 언어와 같은 별개의 기능을 담당한다. (①) 이러한 기능들은 무작위로 배정된 것이 아니라, 뇌가 중요한 작업을 더 정확하고 빠르게 수행할 수 있도록 하는 진화적 적응을 반영한다. (②) 이러한 업무 분담은 뇌가 복잡한 정보를 효율적으로 처리할 수 있게 해준다. (③) 예를 들어, 특정 영역은 시각 정보를 처리하는 데 전념하는 반면 다른 영역은 소리, 언어, 그리고 기억을 처리하는 데 핵심적인 역할을 한다. (④) 이러한 특수화에도 불구하고, 뇌 영역은 고립된 채 작동하는 것이 아니라 복잡한 신경망을 통해 계속 연결되어 있다. 이러한 통합은 뇌가 계속 변화하는 환경의 요구에 부응하는 잘 조율된 적응 반응을 생성할 수 있게 해준다.

해설

주어진 문장은 이러한 특수화에도 불구하고 뇌 영역들이 서로 연결되어 있다는 내용을 담고 있으므로, 이 문장의 앞에는 뇌의 각 영역이 특정 기능을 담당하는 특수화에 대한 설명이 제시되어야 하고, 이 문장 뒤에는 영역 간의 연결성과 통합적 작용에 대한 진술이 이어져야 한다. ④의 앞에서 시각, 청각, 언어, 기억 등의 처리 역할이 영역별로 나뉘어 있음을 예로 들고 있고 ④의 뒤에서는 이러한 통합이 적응 반응을 가능하게 한다고 말한다. 따라서 정답은 ④이다.

어휘

- specialization 특수화
- neural 신경의
- function 기능
- assign 배정하다
- adaptation 적응
- efficiently 효율적으로
- input 정보
- generate 생성하다
- adaptive 적응의
- region 영역
- distinct 별개의
- randomly 무작위로
- evolutionary 진화적인
- vital 중요한
- dedicate 전념시키다
- integration 통합
- coordinate 조율하다

정답 ④

주요 구문 분석

Such integration allows the brain / to generate coordinated, adaptive responses (that match the demands of ever-changing environments).

분석 동사 allow가 사용된 5형식 문장이고, allow의 목적어 the brain과 목적격보어 generate의 관계가 능동이기 때문에 '뇌가 생성할 수 있게 해준다'로 해석한다. 또한, 동사 match는 '어울리다, 일치하다'라는 뜻이 아니라 '(필요에) 맞추다[부응하다]'의 의미로 사용되었으므로 '요구에 부응하는 반응'으로 해석한다.

077 다음 글의 요지로 가장 적절한 것은?

Human movement can be affected, either positively or negatively, by the environment within which the movement takes place. Consider an athlete who runs the 100 m wearing training shoes. She is unlikely to achieve as good a time wearing these shoes as she would if she wore specifically designed spiked running shoes. During athletic competitions wind speed is always measured as it is recognized as having an impact, either positively or negatively, on performance times. If our runner was running into a headwind, her speed would be reduced, as some of her force would be needed to overcome the additional obstacle of the wind. On the contrary, if she had a tailwind, her performance would be enhanced and her movement would be assisted by the wind. Let us also consider other surrounding circumstances, such as what is motivating the athlete to run. Is she there because she really wants to be, or is she there just because her brother is also a runner and so her parents bring her along as well? Motivation is a key factor in sports training and performance.

① Motivation is the foundation of all athletic effort and accomplishment.
② Human movement can be quantified with high precision and accuracy.
③ Athletes should wear special running shoes to improve their performance.
④ Human locomotion can be influenced by environmental factors.

주요 구문 분석

She is unlikely to achieve as good a time / wearing these shoes // as she would // if she wore specifically designed spiked running shoes.

(분석) achieve의 목적어로 as good a time이 왔는데 관사의 위치를 주의해야 하고 wearing은 분사구문으로 조건을 의미한다. 다시 as라는 접속사가 나오고 이후에는 가정법이 사용되었다. 또한 would 뒤에는 achieve as good a time이 생략된 형태이다.

078 글의 흐름상 가장 어색한 것은?

Some species travel great distances as part of their natural life cycle. Monarch butterflies, for example, migrate thousands of kilometers between Canada and Mexico each year to survive seasonal changes. ① Humpback whales also follow predictable routes, moving from cold feeding grounds to warmer breeding areas. ② This type of long-distance travel helps animals access resources, avoid harsh climates, and reproduce successfully. ③ Migratory birds, such as Arctic terns, can even cross entire oceans during their annual journeys. ④ The distance traveled during migration does not always reflect the complexity of the journey, including obstacles faced and environmental challenges encountered. Migration is often triggered by environmental cues like temperature, food availability, or changes in daylight.

주요 구문 분석

This type (of long-distance travel) helps animals / access resources, / avoid harsh climates, / and reproduce successfully.

(분석) 영어에서 동사의 성격을 잘 파악하는 것이 중요하다. 동사 help는 목적격보어로 원형부정사를 가질 수 있으며 목적어가 목적격보어를 하는 데 도움이 된다고 해석해야 한다. access, avoid, reproduce의 세 개의 원형부정사가 등위접속사 and로 병렬로 연결되어 있으므로 목적어가 이 세 가지 행동을 한다고 해석해야 한다.

077

난이도 ★★☆

해석

인간의 운동은 그 운동이 일어나는 환경에 의해, 긍정적으로 혹은 부정적으로, 영향을 받을 수 있다. 트레이닝슈즈를 신고 100미터를 달리는 육상 선수를 생각해 보라. 그녀는 특별히 고안된 스파이크가 박힌 러닝슈즈를 신는다면 달성할 수 있는 것만큼 이 운동화(트레이닝슈즈)를 신고 좋은 시간(기록)을 달성할 것 같지 않다. 풍속이 성과 시간에 긍정적으로 혹은 부정적으로 영향을 미치는 것으로 인식되기 때문에, 육상 경기 중에는 항상 풍속이 측정된다. 만약 우리 주자가 역풍을 맞닥뜨리게 되면, 바람이라는 추가적인 장애물을 극복하기 위해 그녀 힘의 일부가 필요하기 때문에, 그녀의 속도는 줄어들 것이다. 반대로, 그녀에게 순풍이 있다면, 그녀의 경기력이 향상되고 그녀의 움직임은 바람의 도움을 받을 것이다. 그 육상 선수가 달리도록 동기를 부여하는 것이 무엇인지와 같은 다른 주변 상황도 고려해 보자. 그녀는 자신이 정말로 원해서 거기에 있는 것인가, 아니면 단지 그녀의 남자 형제 또한 주자여서 그녀의 부모가 그녀도 함께 데려 오기 때문에 거기에 있는 것인가? 동기 부여는 스포츠 훈련과 경기력의 핵심 요소이다.

① 동기 부여는 모든 운동 노력과 성취의 기초이다.
② 인간의 운동을 정밀하고 정확하게 정량화할 수 있다.
③ 선수들은 경기력 향상을 위해 특별한 러닝슈즈를 신어야 한다.
④ 인간의 운동은 환경적 요인의 영향을 받을 수 있다.

해설

첫 번째 문장이 주제문으로, 인간의 운동 능력은 운동이 발생하는 환경적 요인에 의해 영향을 받는다고 설명하는 글이다. 신발, 바람, 동기 부여라는 세 가지 환경적 요인을 예시로 들어 이러한 환경적 요인과 운동 능력과의 관계를 설명하고 있으므로 이 글의 요지로 가장 적절한 것은 ④ '인간의 운동은 환경적 요인의 영향을 받을 수 있다'이다. ①은 세 가지 환경 요인 중 하나에 해당하는 동기 부여만을 말하고 있으므로 지엽적이고, ② 인간의 운동 정량화에 대한 내용은 언급되지 않았고, ③은 세 가지 환경 요인 중 하나인 신발에 대한 내용만을 말하고 있어 지엽적이므로 답이 될 수 없다.

어휘

- spiked 스파이크가 박힌
- competition 경기
- recognize 인식하다
- headwind 역풍
- obstacle 장애(물)
- enhance 향상시키다
- circumstance 상황
- accomplishment 성취
- precision 정밀
- locomotion 운동
- athletic 육상의
- measure 측정하다
- performance 성과
- additional 추가적인
- tailwind 순풍
- surrounding 주변의
- motivation 동기 부여
- quantify 정량화하다
- accuracy 정확

정답 ④

078

난이도 ★★☆

해석

일부 생물종은 자연스러운 생애 주기의 일환으로 매우 먼 거리를 여행한다. 예를 들어, 왕나비는 계절 변화에서 살아남기 위해 매년 캐나다와 멕시코 사이를 수천 킬로미터씩 이동한다. ① 혹등고래 또한 예측 가능한 경로를 따라가며, 차가운 먹이터에서 더 따뜻한 번식지로 이동한다. ② 이런 종류의 장거리 여행은 동물들이 자원에 접근하고, 혹독한 기후를 피하며, 성공적으로 번식하는 데 도움이 된다. ③ 북극제비갈매기와 같은 철새들은 매년 이동 중에 심지어 대양 전체를 건너기도 한다. ④ 이동 중에 여행한 거리는 직면했던 장애물과 만났던 환경적 도전들을 포함한 여정의 복잡성을 항상 반영하지는 않는다. 이동은 종종 온도, 먹이의 가용성 또는 일조량의 변화와 같은 환경 신호에 의해 촉발된다.

해설

글의 중심 소재는 이동하는 생물종이다. 글의 도입부에서 자연스러운 생애 주기의 일환으로 먼 거리를 여행하는 생물종을 소개하며, 왕나비를 예시로 들었다. ①은 먹이터에서 번식지로 이동하는 혹등고래를, ②는 동물들의 장거리 여행의 이점을, ③은 대양을 건너는 북극제비갈매기와 같은 철새의 이동을 다뤘지만 ④는 이동 거리와 여정의 복잡성의 관계를 다루고 있으므로 글의 흐름상 가장 어색한 것은 ④이다.

어휘

- species 종
- monarch butterfly 왕나비
- survive 살아남다
- predictable 예측 가능한
- breeding area 번식지
- resource 자원
- reproduce 번식하다
- Artic tern 북극제비갈매기
- migration 이동
- complexity 복잡성
- environmental 환경의
- trigger 촉발시키다
- availability 이용 가능성
- distance 거리
- migrate 이동하다
- humpback whale 혹등고래
- feeding ground 먹이터
- access 접근하다
- harsh 혹독한
- migratory bird 철새
- annual 매년의
- reflect 반영하다
- obstacle 장애물
- encounter 만나다
- cue 신호

정답 ④

079 다음 글의 주제로 가장 적절한 것은?

Fireflies don't just light up their behinds to attract mates, but they also glow to tell bats not to eat them. This twist in the tale of the trait that gives fireflies their name was discovered by Jesse Barber and his colleagues. The glow's warning role benefits both fireflies and bats, because these insects taste disgusting to the mammals. When swallowed, chemicals released by fireflies cause bats to throw them back up. The team placed eight bats in a dark room with three or four fireflies plus three times as many tasty insects, including beetles and moths, for four days. During the first night, all the bats captured at least one firefly. But by the fourth night, most bats had learned to avoid fireflies and catch all the other prey instead. When the team painted fireflies' light organs dark, a new set of bats took twice as long to learn to avoid them. It had long been thought that firefly bioluminescence mainly acted as a mating signal, but the new finding explains why firefly larvae also glow despite being immature for mating.
* bioluminescence: 생물 발광(發光)

① the glowing mechanism of fireflies
② light emission of fireflies for not being eaten
③ commonality between fireflies and bats
④ bats as the major predator of the firefly

주요 구문 분석

Fireflies don't just light up their behinds / to attract mates, // but they also glow / to tell bats not to eat them.
분석 not just ~ but의 구문이 사용되었기 때문에 전체 문장을 '~뿐만 아니라, ~하기 위해'라고 해석해야 한다. 또한 각각의 to부정사는 부사적 용법의 목적으로 쓰였으므로 '~하기 위해'로 해석한다. 두 번째 절의 to tell의 목적어로 to eat를 썼으며 이를 부정하는 not이 있으므로 주의해서 해석한다.

080 밑줄 친 부분에 들어갈 말로 가장 적절한 것은?

Today, the secret of success of many profitable businesses lies in their ability _____ _____. The business of information management encompasses more than just storing the data. It also covers 'data mining' or acquiring information by processing data using a new form of business intelligence. Hence, organizations need to invest in data mining techniques to uncover hidden patterns, discover new knowledge, and as a consequence gain more insight into the current business situation. For example, a typical report is able to identify the bestselling product in a supermarket. However, a report aided by data mining or business intelligence, is not only able to identify the best-selling product in a supermarket but the report is also able to explain the reasons why the product is the best. This ability of knowing 'why' will therefore empower the organization to make the necessary strategic changes.

① to continuously develop best-selling products
② to increase investment in the data mining industry
③ to securely store data using high-tech equipment
④ to process the data using advanced analytical methods

주요 구문 분석

However, / a report (aided by data mining or business intelligence), / is not only able to identify the best-selling product in a supermarket // but the report is also able to explain the reasons (why the product is the best).
분석 「not only A but (also) B」의 등위상관접속사 구문으로, able to identify와 able to explain이 병렬 관계를 이루고 있다. 'A뿐만 아니라 B도'라는 의미이므로 '~을 확인할 수 있을 뿐만 아니라 ~을 설명할 수 있다'로 자연스럽게 해석한다.

문장 분석 및 해설

079
난이도 ★★☆

해석

반딧불이는 짝의 주의를 끌기 위해서 꽁무니에 불을 밝히는 것만이 아니라, 박쥐에게 자기들을 먹지 말라고 말하기 위해 빛을 내기도 한다. 반딧불이의 이름을 붙이는 특성에 대한 이야기의 이 반전은 Jesse Barber와 그의 동료들에 의해 밝혀졌다. 빛이 하는 경고 역할은 반딧불이와 박쥐 모두에게 유익한데, 왜냐하면 이 곤충이 그 포유 동물(박쥐)에게는 역겨운 맛이 나기 때문이다. (반딧불이를) 삼키면, 반딧불이가 배출하는 화학 물질은 박쥐가 그것을 다시 토해내게 한다. 연구팀은 여덟 마리의 박쥐를 서너 마리의 반딧불이와, 그보다 세 배 많은 딱정벌레와 나방을 포함한 맛이 좋은 곤충들과 함께 어두운 방에 나흘 동안 두었다. 첫날 밤 동안에, 모든 박쥐는 적어도 한 마리의 반딧불이를 잡았다. 그러나 네 번째 밤에 이르러서는, 대부분의 박쥐는 반딧불이를 피하고 대신 다른 모든 먹이를 잡아야 한다는 것을 배웠다. 그 팀이 반딧불이에서 빛이 나는 기관을 어둡게 칠했을 때, 새로운 한 무리의 박쥐는 그것들을 피해야 한다는 것을 배우는 데 두 배의 시간이 걸렸다. 오랫동안 반딧불이의 생물 발광(發光)은 주로 짝짓기 신호의 역할을 한다고 생각되었지만, 새로운 연구 결과는 짝짓기를 하기에 미숙함에도 불구하고 반딧불이 애벌레 역시 빛을 내는 이유를 설명해 준다.

① 반딧불이의 발광 구조
② 먹히지 않기 위한 반딧불이의 빛 방출
③ 반딧불이와 박쥐의 공통성
④ 반딧불이의 주요 포식동물인 박쥐

해설

첫 번째 문장이 주제문이고 마지막 문장에서 이를 보완하는 구조의 글이다. 지금까지 반딧불이가 꽁무니에 불을 밝히는 이유는 짝짓기를 하기 위함이라고 여겨져 왔지만, 박쥐의 먹잇감이 되지 않고 살아남기 위해서라는 새로운 견해가 밝혀졌다고 한다. 자세한 실험 내용을 설명한 뒤에 마지막 문장에서 새로운 연구 결과는 짝짓기를 하지 못하는 반딧불이 애벌레도 빛을 발하는 이유가 무엇인지 설명해 준다고 말한다. 따라서 글의 주제로 가장 적절한 것은 ② '먹히지 않기 위한 반딧불이의 빛 방출'이다.

어휘

- firefly 반딧불이
- glow 불을 밝히다
- benefit 유익하다
- swallow 삼키다
- organ 기관
- glowing 발광
- commonality 공통성
- attract 주의를 끌다
- twist 반전
- disgusting 역겨운
- throw up 토하다
- immature 미숙한
- mechanism 구조
- predator 포식동물

정답 ②

080
난이도 ★★☆

해석

오늘날, 수익성 있는 많은 기업들의 성공 비결은 고급 분석 방법을 사용하여 데이터를 처리하는 능력에 있다. 정보 관리 사업은 단순히 데이터를 저장하는 것 이상을 포함한다. 그것은 또한 '데이터 마이닝' 혹은 새로운 형태의 사업 정보 수집 활동을 사용하여 데이터를 처리함으로써 정보를 얻는 것을 포함한다. 이런 이유로, 조직은 숨겨진 패턴을 밝혀내고, 새로운 지식을 발견하고, 결과적으로 현재의 사업 상황에 대한 더 많은 통찰력을 얻기 위해서 데이터 마이닝 기법에 투자할 필요가 있다. 예를 들어, 전형적인 연구 보고서는 슈퍼마켓에서 가장 잘 팔리는 상품을 확인할 수 있다. 그러나, 데이터 마이닝 혹은 사업 정보 수집 활동의 도움을 받는 연구 보고서는 슈퍼마켓에서 가장 잘 팔리는 상품을 확인할 수 있을 뿐만 아니라 그 상품이 왜 최고인지에 대한 이유 또한 설명할 수 있다. 따라서 '이유'를 아는 이러한 능력은 조직이 필수적인 전략 변화를 만들 수 있도록 힘을 실어줄 것이다.

① 가장 많이 팔리는 상품을 끊임없이 개발하는
② 데이터 마이닝 사업에 투자를 늘리는
③ 첨단 장비를 사용하여 데이터를 안전하게 저장하는

해설

글의 중심 소재는 데이터 마이닝(data mining)이다. 첫 문장은 주제문이며, 이후 글에서는 이 주장을 뒷받침하는 다양한 단서들이 제시된다. 지문에서는 데이터 마이닝의 정의, 역할, 그리고 기업이 더 깊이 있는 통찰(insight)을 얻기 위해 데이터 마이닝 기법에 투자해야 하는 이유를 설명하고 있다. 또한 슈퍼마켓의 사례를 통해, 단순한 수치 파악을 넘어서 '왜' 그런 결과가 나왔는지까지 파악할 수 있는 능력이 기업 전략에 어떻게 도움이 되는지를 보여준다. 따라서 빈칸에는 데이터 마이닝을 패러프레이징한 ④ '고급 분석 방법을 사용하여 데이터를 처리하는'이 들어가는 것이 가장 적절하다.

어휘

- profitable 수익성이 있는
- encompass 포함하다
- data mining 데이터 마이닝: 대규모 자료를 토대로 새로운 정보를 찾아내는 것
- intelligence 정보 수집 활동
- uncover 밝혀내다
- insight 통찰력
- identify 확인하다
- advanced 고급의
- management 관리
- store 저장하다
- process 처리하다
- hence 이런 이유로
- as a consequence 결과적으로
- typical 전형적인
- empower 힘을 실어주다
- analytical 분석적인

정답 ④

081 다음 글의 주제로 가장 적절한 것은?

Biotechnology has not replaced and will not replace "classical" plant breeding, but it will take it to heights never thought possible before (although, perhaps, not as soon as some have expected). Most importantly, biotechnology will enable breeders to identify in increasing detail the interacting metabolic pathways that enable a plant to express its genetic potential. Simultaneously, breeders will identify and learn how to regulate the genes that control those pathways. With this knowledge, they will be able to analyze existing genotypes — existing cultivars — for strengths and weaknesses, metabolic and genetic. Then they will be able to redesign the genotypes to provide greater stability of performance, more drought or insect tolerance, higher yield, or whatever trait farmers (or other users further down the line) deem to be in greatest need of improvement.

* cultivar: 재배 변종

① limitations of biotechnological applications
② danger of biotechnological regulation of genes
③ differences between biotechnology and genetics
④ role of biotechnology in improving crop species

082 밑줄 친 부분에 들어갈 가장 적절한 것은?

The Renaissance painter Giotto imitated nature so accurately that his teacher swatted at a painted fly on one of Giotto's works. Is this not an insuperable artistic achievement? If so, the artist's object was mimesis. Beginning during the Renaissance, mimesis was considered the pinnacle of artistic achievement. However, modern art focuses not only on depicting the world of surfaces, but also the inner world of abstract thoughts and feelings. Modern art focuses on the way the elements in the work of art interact and what feelings these elements evoke. A quick glance at art produced over the past century reveals that _____.

① artistic achievement in modern art depends solely on the imitative description of objects
② abstract thoughts and feelings are ignored in modern art
③ mimetic skills allow artists to interact with inner feelings
④ the importance of mimesis has decreased in modern art

주요 구문분석

Biotechnology has not replaced and will not replace "classical" plant breeding, // but it will take it / to heights (never thought possible before) // (although, perhaps, not as soon as some have expected).

분석 분사는 명사를 수식하는 역할을 한다. 명사 height를 과거분사 thought가 수식하고 있으므로 수동의 의미로 해석한다. 또한 부사절에 생략된 부분이 있으므로 생략된 것을 찾아서 해석해야 한다. although, perhaps, not as soon as some have expected는 although (it will) perhaps not (take it to such heights) as soon as some people have expected.로 해석해야 한다.

주요 구문분석

However, / modern art focuses / not only on depicting the world of surfaces, / but also the inner world (of abstract thoughts and feelings).

분석 not only A but also의 구문으로 해석해야 한다. not only 뒤에는 on depicting the world of surfaces로 전치사구가 왔고 but also 뒤에는 the inner world of abstract thoughts and feelings라는 명사절이 왔다. 따라서 여기서는 on depicting이 생략된 형태로 보고 '표면적의 세상을 묘사하는 것뿐 아니라 추상적 사고와 느낌의 내부세계를 묘사하는 데도' 정도로 해석해야 한다.

081

난이도 ★★★

해석

생물 공학은 '고전적인' 식물 육종을 대체하지 않았고 대체하지 않을 것이지만, (아마도 일부가 기대하는 것만큼 빠르지는 않을지라도) 이전에 결코 가능하리라고 여겨지지 않았던 수준으로 그것을 높일 것이다. 가장 중요하게, 생물 공학은 육종 전문가들로 하여금 식물이 그것의 유전적 잠재성을 발현하도록 해주는 상호작용 신진대사 경로를 점점 더 상세하게 파악하는 것이 가능하도록 해줄 것이다. 동시에, 육종 전문가들은 그 경로를 제어하는 유전자를 조절하는 방법을 파악하여 배울 것이다. 이 지식을 가지고, 그들은 존재하는 유전자형, 즉 존재하는 재배 변종을 — 장단점에 대해, 신진대사적으로나 유전자적으로 — 분석할 수 있을 것이다. 그러면 그들은 더 큰 수행상의 안정성, 더 많은 가뭄 및 곤충 내성, 더 높은 수확량, 또는 농부들(또는 나중에는 다른 사용자들)이 가장 향상할 필요가 있다고 간주하는 어떤 특성이든 제공하고자 유전자형을 재설계할 수 있을 것이다.

① 생물 공학 응용의 한계
② 유전자의 생물 공학적 조절의 위험성
③ 생물 공학과 유전학 사이의 차이
④ 농작물 종 개선에서 생물 공학의 역할

해설

첫 문장에서 중심 소재인 생물 공학을 제시하고 그것이 농작물과 관련하여 어떤 역할을 하고 어떤 결과를 가져오는지 설명하는 글이다. 생물 공학을 통해 육종 전문가들이 식물의 유전적 잠재성 발현에서 상호작용하는 신진대사 경로에 대한 지식을 갖추고 유전자 조절 방법을 알아냄으로써 여러 가지 면에서 개선이 이루어지도록 유전자형을 재설계할 수 있다는 내용이다. 따라서 가장 적절한 주제는 ④ '농작물 종 개선에서 생물 공학의 역할'이다. 첫 문장을 생물 공학의 문제점을 언급하는 내용으로 생각해 ①이나 ②를 고르지 않도록 주의해야 한다.

어휘

- breeding 육종
- identify 파악하다
- genetic 유전자의
- regulate 조절하다
- genotype 유전자형
- performance 수행
- tolerance 내성
- deem 간주하다
- breeder 육종 전문가
- metabolic 신진대사의
- simultaneously 동시에
- analyze 분석하다
- stability 안정성
- drought 가뭄
- yield 수확량

정답 ④

082

난이도 ★★★

해석

르네상스 화가인 조토는 자연을 너무나 정밀하게 모방해서 그의 스승이 조토의 작품 중 하나에 그려져 있었던 파리를 찰싹 때리기도 했다. 이것은 뛰어넘기 어려운 예술적 업적이 아닌가? 만일 그렇다면 그 예술가의 목적은 모방이었다. 르네상스 시기에 시작된 모방은 예술적 성취의 정점으로 간주되었다. 그러나 현대 미술은 표면적의 세계를 묘사하는 것뿐 아니라 추상적 사고와 느낌의 내부 세계를 묘사하는 데도 초점을 맞춘다. 현대 미술은 예술 작품 속 요소들이 상호 작용하는 방식과 이러한 요소들이 어떤 감정을 불러일으키는지에 초점을 맞춘다. 지난 세기 동안 만들어진 예술품을 잠깐 훑어보면 모방의 중요성이 현대 미술에서는 감소했다는 것이 드러난다.

① 현대 미술의 예술적 성취는 단지 사물을 모방하여 묘사하는 것에만 달려 있다
② 추상적인 사고와 느낌이 현대 미술에서는 무시된다
③ 모방하는 기술은 예술가들로 하여금 내적 감정과 상호 작용할 수 있게 한다

해설

전반부에서는 화가 조토를 예로 들어 르네상스 미술의 특징이 모방이었다고 설명한다. 그러나 However로 시작하는 후반부에서는 르네상스 미술과 달리 현대 미술이 표면적인 세계의 묘사, 즉 모방뿐 아니라 추상적 사고와 느낌 같은 내부 세계도 중시했다고 설명한다. 즉, 지난 세기에 강조한 모방의 중요성이 현대에 들어 줄어들었다는 것이다. 따라서, 빈칸에는 ④ '모방의 중요성이 현대 미술에서는 감소했다'가 들어가는 것이 가장 적절하다.

어휘

- imitate 모방하다
- swat 찰싹 때리다
- object 목적
- pinnacle 정점
- depict 묘사하다
- interact 상호작용하다
- glance 힐끗 봄
- accurately 정밀하게
- insuperable 뛰어넘기 어려운
- mimesis 모방
- achievement 업적
- abstract 추상적인
- evoke 불러일으키다

정답 ④

083 글의 흐름상 가장 어색한 문장은?

The rapid development of artificial intelligence (AI) is transforming many aspects of modern society. Companies are increasingly using AI to optimize production, improve customer service, and analyze large amounts of data. ① Some experts argue that this technological progress will create new job opportunities and boost economic growth. ② For example, AI-powered systems can help doctors make more accurate diagnoses and recommend effective treatments. ③ However, there are also concerns that widespread automation could lead to significant job losses in certain industries. ④ Investing in traditional manufacturing equipment is the best way for companies to remain competitive in the digital age. As new AI applications continue to emerge at a rapid pace, ongoing education and training will be essential for the workforce. As AI continues to advance, it is important for governments and businesses to adapt to these changes and prepare for the future.

주요 구문 분석

As AI continues to advance, // it is important for governments and businesses to adapt to these changes and prepare for the future.

분석 「가주어 it + be동사 + 보어(형용사/분사/명사) + 진주어(명사절/to부정사)」 구문이 사용되었다. 이 경우 진주어를 찾아서 주어로 해석하고 가주어 it은 해석하지 않는다. 또한 문장의 주어가 가주어로 to부정사의 행위 주체와 다르기 때문에, to부정사의 의미상의 주어를 「for + 목적격」으로 표현 했다. 따라서 '정부와 기업이 적응하고 준비하는 것은'으로 해석해야 한다.

084 다음 글의 요지로 가장 적절한 것은?

In modern life, more and more people are taking part in dangerous sports and activities. They seek an immediate thrill from a risky activity which may only last a few minutes or even seconds. Why do people take part in such activities? Some psychologists suggest that it is because life in modern societies has become safe and boring. Not very long ago, people's lives were constantly under threat. They had to go out and hunt for food, diseases could not easily be cured, and life was a continuous battle for survival. Nowadays, according to many people, life offers little excitement. People live and work in comparatively safe environments: they buy food in shops; and there are doctors and hospitals to look after them if they become ill. The answer for some of these people is to seek danger in activities such as bungee jumping.

① Thrill-seeking sports and activities have changed people's life style.
② There are several ways for people to relieve stress and anxiety.
③ Outdoor exercise is a modern day must for desk and indoor workers.
④ Safe but dull modern life drives people to crave for adventure.

주요 구문 분석

Some psychologists suggest // that it is // because life (in modern societies) has become safe and boring.

분석 suggest가 당위절이 아닌 사실절을 이끄는 경우로 that절의 동사가 「(should) + 동사원형」이 아니라 일반 동사를 썼다. because는 보통 이유를 나타내는 부사절을 이끌지만 이 경우에는 is의 보어가 되는 명사절을 이끌고 있고, '~ 때문이다'로 해석한다.

문장 분석 및 해설

083 난이도 ★★★

해석

인공지능(AI)의 급격한 발전은 현대 사회의 많은 측면들을 바꾸어 놓는 중이다. 기업들은 생산을 최적화하고, 고객 서비스를 향상시키고, 거대한 양의 데이터를 분석하는 데 인공지능을 점점 더 많이 사용하고 있다. ① 일부 전문가들은 이러한 기술적 진보가 새로운 직업 기회를 창출하고 경제 성장을 신장시킬 것이라고 주장한다. ② 예를 들어, 인공지능을 동력으로 하는 시스템은 의사들이 더 정확한 진단을 하고 효과적인 치료를 추천하는 데 도움을 준다. ③ 그러나 널리 퍼진 자동화가 특정 분야의 사업에 심각한 일자리 손실을 가져올 수 있다는 우려 또한 있다. ④ 전통적인 제조 장비에 투자하는 것은 디지털 시대에 기업들이 경쟁력을 유지하는 최고의 방법이다. 새로운 인공지능 프로그램들이 급속한 속도로 계속 등장함에 따라 지속적인 교육과 훈련은 노동자들에게 필수적일 것이다. 인공지능이 계속 발전함에 따라 정부와 기업이 이런 변화들에 적응하고 미래에 대해 대비하는 것이 중요하다.

해설

글의 중심 소재는 인공지능의 발전으로 주제문은 첫 번째 문장이다. 즉 인공지능이 현대 사회에 막대한 영향을 미치고 있다는 내용이다. 그러면서 인공지능이 가져올 일에 대해 부연 설명하고 있다. 그러나 ④는 전통 제조업에 대한 내용으로 인공지능과는 관련이 없으므로 글의 흐름에 일치하지 않는다.

어휘

- rapid 급격한
- transform 바꾸다
- optimize 최적화하다
- analyze 분석하다
- opportunity 기회
- diagnose 진단
- automation 자동화
- traditional 전통적인
- equipment 장비
- emerge 나타나다
- adapt 적응하다
- development 발전
- aspect 측면
- production 생산
- progress 진보
- accurate 정확한
- treatment 치료
- invest 투자하다
- manufacturing 제조
- competitive 경쟁력 있는
- ongoing 지속적인

정답 ④

084 난이도 ★★★

해석

현대생활에서, 점점 더 많은 사람들이 위험한 스포츠와 활동에 참여하고 있다. 그들은 겨우 몇 분 혹은 심지어 몇 초 동안 계속되는 위험한 활동에서 즉각적인 스릴을 찾는다. 왜 사람들은 그런 활동에 참여하는 것일까? 어떤 심리학자들은 현대 사회의 삶이 안전하고 지루해졌기 때문이라고 말한다. 얼마 전만 해도, 사람들의 삶은 끊임없이 위협을 받았다. 그들은 밖으로 나가서 먹을 것을 찾아야 했고, 병은 쉽게 치료될 수 없었으며, 삶은 생존을 위한 끊임없는 전투였다. 오늘날, 많은 사람들에 따르면, 삶이 흥분을 거의 제공하지 않는다. 사람들은 비교적 안전한 환경에서 살고 일한다: 그들은 상점에서 식품을 산다; 그리고 만약 그들이 아프게 되면 그들을 돌봐줄 의사와 병원이 있다. 이런 사람들 중 일부를 위한 해결책은 번지점프 같은 활동에서 위험을 찾는 것이다.

① 스릴을 추구하는 스포츠와 활동은 사람들의 생활 방식을 변화시켰다.
② 사람들이 스트레스와 불안을 줄일 수 있는 몇 가지 방법들이 있다.
③ 야외 운동은 사무직과 실내 근로자들에게 현대생활의 필수품이다.
④ 안전하지만 따분한 현대의 삶은 사람들이 모험을 갈망하도록 만든다.

해설

글의 중심 소재는 현대생활과 스릴이고 주제문은 네 번째 문장이다. 처음 두 문장에서 현대생활에서 사람들이 위험 또는 스릴을 찾는다고 전제한 뒤, 그 이유가 무엇인지 물어보고 삶이 안전하고 지루하기 때문이라고 대답한다. 따라서 글의 요지로 가장 적절한 것은 ④ '안전하지만 따분한 현대의 삶은 사람들이 모험을 갈망하도록 만든다'이다. ①은 스릴을 추구하는 스포츠를 하게 된 원인이 무엇인지 찾는 글이기 때문에 요지로 적절하지 않다.

어휘

- take part in ~에 참여하다
- risky 위험한
- constantly 끊임없이
- cure 치료하다
- relieve 줄이다
- must 필수품
- crave for ~을 갈망하다
- immediate 즉각적인
- psychologist 심리학자
- under threat 위협을 받는
- comparatively 비교적, 상대적으로
- anxiety 불안
- dull 따분한

정답 ④

085 주어진 문장 다음에 이어질 글의 순서로 가장 적절한 것은?

Some forms of energy are more versatile in their usefulness than others.

(A) In effect, we put a differing value on different forms of energy, with electricity at the top of the value ladder, liquid and gaseous fuels in the middle, and coal or firewood at the bottom. Solar and wind technologies have an advantage in that they produce high-value electricity directly.

(B) For example, we can use electricity for a myriad of applications, whereas the heat from burning coal is currently used mostly for stationary applications like generating power. When we turn the heat from burning coal into electricity, a substantial amount of energy is lost due to the inefficiency of the process.

(C) But we are willing to accept that loss because coal is relatively cheap, and it would be difficult and inconvenient to use burning coal directly to power lights, computers, and refrigerators.

* versatile: 다용도의

① (A) – (B) – (C)　② (A) – (C) – (B)
③ (B) – (A) – (C)　④ (B) – (C) – (A)

주요 구문 분석

In effect, / we put a differing value / on different forms of energy, / with electricity at the top of the value ladder, / liquid and gaseous fuels in the middle, / and coal or firewood at the bottom.

분석 세 개의 「with+명사+전치사구」 구조가 병렬로 연결된 형태이다. 명사 뒤에 전치사구가 이어져 부대 상황을 설명하고 있으므로 '~하면서'로 해석한다. 또한 middle과 bottom 뒤에는 문맥상 of the value ladder가 반복을 피하기 위해 생략되어 있음을 이해해야 한다.

---

085 난이도 ★★☆

해석

어떤 형태의 에너지는 유용성에 있어 다른 것들보다 더 다용도로 쓰인다. (B) 예를 들어, 우리는 수많은 용도로 전기를 사용할 수 있는 반면에 석탄을 연소시켜 얻는 열은 전기를 발생시키는 것과 같이 대부분 고정된 용도로 현재 사용되고 있다. 석탄 연소로부터 얻은 열을 전기로 바꿀 때 과정상의 비효율 때문에 상당한 양의 에너지가 손실된다. (C) 하지만 석탄이 비교적 저렴하기 때문에 우리는 기꺼이 그 손실을 받아들이는데, 연료용 석탄을 전등, 컴퓨터, 그리고 냉장고에 직접 전원을 공급하는 데 사용한다면 어렵고 불편한 일이 될 것이다. (A) 사실상, 우리는 서로 다른 형태의 에너지에 상이한 가치를 매기는데, 전기를 가치 사다리의 최상위에 두고, 액체 및 기체 연료를 중간에, 그리고 석탄이나 장작은 맨 밑에 둔다. 태양과 풍력 기술은 높은 가치의 전기를 직접적으로 생산해내는 데 이점이 있다.

해설

주어진 문장에서 어떤 에너지는 다른 것들보다 더 유용하다고 나왔고 이에 대한 예시로 (B)에서 전기에너지와 열에너지를 비교하여 설명하고 있다. 전기는 무수한 용도로 사용되지만 열은 전기를 생산하는 용도 등 고정된다고 한다. (B)의 마지막 문장에서 열을 전기로 바꾸는 과정은 비효율적이라서 상당한 에너지를 잃게 된다고 나오는데 (C)에서 비효율적이라도 석탄이 상대적으로 싸기 때문에 우리가 기꺼이 그 에너지 손실을 받아들인다고 나온다. (C)의 that loss는 (B)의 a substantial amount of energy is lost를 받는 말이다. 마지막으로 (A)에서 사실, 다양한 형태의 에너지가 있으며 그 가치가 다 다르다고 나온다. 가치 사다리의 최상위에는 전기가 있으며, 그다음으로는 액체, 기체연료, 석탄, 장작 순서로 내려간다. 따라서 글의 순서로 가장 적절한 것은 ④ (B)-(C)-(A)이다.

어휘

- usefulness 유용성
- differing 상이한
- ladder 사다리
- gaseous 기체의
- firewood 장작
- a myriad of 무수히 많은
- coal 석탄
- power 전기; 전원을 공급하다
- substantial 상당한
- process 과정
- relatively 상대적으로
- refrigerator 냉장고
- in effect 사실상
- electricity 전기
- liquid 액체 (형태의)
- fuel 연료
- advantage 이점
- application 특정의 용도
- stationary 고정된
- generate 발생시키다
- inefficiency 비효율
- be willing to 기꺼이 ~하다
- inconvenient 불편한

정답 ④

086 밑줄 친 부분에 들어갈 말로 가장 적절한 것은?

Scientists found that _____ began over 7,000 years ago by looking at human skeletons buried during the early Neolithic era. The study conducted by archaeologists from universities of Bristol, Oxford and Cardiff found that ancient people that were buried with tools had better access to preferred farmlands than those without. Researchers used strontium isotope analysis that lets them know the skeletons' place of origin. Since the people with tools were considered the wealthy of the time, it indicates that unfair distribution of wealth existed even back then. "It seems the Neolithic era introduced heritable property into Europe causing such an undesirable result. After that, of course, there was no looking back," said Professor Alex Bentley from the University of Bristol.

* strontium isotope: 스트론튬 동위원소

① vanity
② inequality
③ cultivation
④ evolution

주요 구문 분석

Since the people (with tools) were considered the wealthy of the time, // it indicates // that unfair distribution (of wealth) existed / even back then.

(분석) since가 시간이 아닌 이유를 나타내므로 주절에 현재완료가 아닌 현재 시제가 쓰였다. consider가 보어를 갖는 5형식 동사이므로 수동태로 전환될 때 the wealthy of the time이라는 보어가 왔다. 「the+형용사」는 복수 보통명사로 취급하며 '~한 사람들'로 해석해야 하므로 '부유한 사람들'로 해석한다.

DAY 18

087 다음 글의 주제로 가장 적절한 것은?

At the end of an article about the future risks of nuclear war, two scientists, Wiesner and York, made an important point. They explained that as military power grows, national security can actually become weaker, which creates a serious problem. They believed that this kind of problem cannot be solved by science or technology alone. If powerful nations continue to rely only on scientific methods, the problem may get even worse. Today, many people believe that science can solve most problems. So it takes real courage to say that some problems do not have technical solutions. Wiesner and York showed that courage when they shared their view in a respected science journal. They said that the answer must come from outside of science. This article does not argue whether their opinion was right or wrong, but instead focuses on the idea that some problems cannot be solved by science alone.

① the courage to express unpopular views
② the danger of relying on science alone
③ problems with seeking security through arms
④ total faith in scientific solutions

주요 구문 분석

So it takes real courage to say // that some problems do not have technical solutions.

분석 「it + take + (간접목적어) + 직접목적어(시간/노력/돈) + to부정사」 구문은 '~가 …하는 데 시간[노력/비용]이 걸리다[필요하다]'를 의미한다. 이 경우 it은 가주어이고 진주어는 to say이며, 가주어 it은 해석하지 않는다. 따라서 '~라고 말하는 것은 진정한 용기가 필요하다'로 자연스럽게 해석한다.

088 밑줄 친 부분에 들어갈 가장 적절한 것은?

Those who cannot accept change often miss out on many new experiences. These people are afraid of change probably because they think the current level of comfort in their lives will be threatened by the burden of learning and adapting to something new. Due to this fear, new foods, new languages, new cities and new friends are left for others to try. As a matter of fact, however, all these elements, when added to one's life, create opportunities for increased knowledge and experience. Mastering new languages, for example, would ensure one could travel around the world with comfort, and would help to expand one's experience with new cultures. Friendship with new and different people can open one's eyes to different life-styles, which also make life richer. Challenges with new foods could increase one's interest in new hobbies like cooking and traveling. Undoubtedly, people who fear change will _____.

① also be afraid to make their lives more comfortable than before
② deprive themselves of opportunities to ameliorate their lives
③ bring themselves to the challenge of learning and adapting
④ not be able to experience the pleasure that comes from cooking

주요 구문 분석

Those (who cannot accept change) / often miss out on many new experiences.

분석 Those는 '사람들'을 의미한다. 관계대명사절의 수식을 받으므로 '~하는 사람들'로 해석한다. miss out on은 동사구로 '~을 놓치다'로 해석한다.

087 난이도 ★★★

해석

핵전쟁의 미래 위험에 관한 한 논문의 끝에서, 두 과학자 Wiesner와 York는 중요한 주장을 했다. 그들은 군사력이 증가함에 따라 국가의 안보는 실제로 더 약화될 수 있고, 이것이 심각한 문제를 만들어 낸다고 설명했다. 그들은 이런 종류의 문제가 과학이나 기술만으로는 해결될 수 없다고 생각했다. 만약 강대국들이 계속해서 오직 과학적인 방법에만 의존한다면, 문제는 훨씬 더 악화될 수도 있다. 오늘날 많은 사람들은 과학이 대부분의 문제를 해결할 수 있다고 생각한다. 그래서 어떤 문제들은 기술적인 해결책을 가지고 있지 않다고 말하는 것은 진정한 용기가 필요하다. Wiesner와 York는 자신들의 견해를 저명한 과학 학술지에 공유함으로써 그 용기를 보여주었다. 그들은 해답이 과학의 영역 밖에서 와야 한다고 말했다. 이 논문은 그들의 의견이 맞았는지 틀렸는지를 논쟁하는 것이 아니라, 대신에 어떤 문제들은 과학만으로는 해결할 수 없다는 생각에 초점을 맞추고 있다.

① 인기 없는 견해를 표명할 용기
② 과학에만 의존하는 것의 위험성
③ 무기를 통한 안보 추구의 문제점
④ 과학적 해결책에 대한 전적인 믿음

해설

글의 중심 소재는 과학만으로 해결되지 않는 문제이고, 주제문은 마지막 문장이다. 도입부에서 두 과학자 Wiesner와 York는 군사력과 국가 안보 문제를 예시로 들어 이러한 문제들은 과학만으로 해결될 수 없고, 오히려 해결책이 과학의 영역 밖에서 나와야 한다고 주장한다. 마지막 문장에서 어떤 문제들은 과학만으로는 해결할 수 없다는 점을 재진술하며 주제를 국가안보 문제에서 인간의 일반 문제로 확대하고 있다. 따라서 글의 주제로 가장 적절한 것은 ② '과학에만 의존하는 것의 위험성'이다.

어휘

- article 논문
- point 주장
- security 안보
- rely on ~에 의존하다
- courage 용기
- argue 논쟁하다
- seek 추구하다
- faith 믿음
- nuclear 핵의
- military 군사의
- technology 기술
- method 방법
- respected 저명한
- express 표현하다
- arms (pl.) 무기

정답 ②

088 난이도 ★★★

해석

변화를 받아들이지 못하는 사람들은 수많은 새로운 경험을 종종 놓친다. 이러한 사람들은 아마도 현재의 안락한 생활수준이 새로운 것을 배우고 거기에 적응해야 한다는 부담감에 의해 위태로워질 것으로 생각하기 때문에 변화를 두려워한다. 이러한 두려움 때문에, 새로운 음식, 새로운 언어, 새로운 도시 그리고 새로운 친구들은 다른 사람들이 시도하도록 남겨진다. 하지만, 사실상, 이러한 모든 요소는, 누군가의 삶에 더해지면, 지식과 경험을 늘릴 기회를 만들어준다. 예를 들어, 새로운 언어를 정복하는 것은 누군가가 세계를 편하게 여행할 수 있도록 보장할 것이고, 새로운 문화에 대한 경험을 확대하도록 도와줄 것이다. 새롭고 다양한 사람들과의 우정은 색다른 생활 방식에 눈을 뜨게 할 수 있고, 또한 이것은 삶을 더 풍요롭게 만든다. 새로운 음식에 대한 도전은 요리와 여행 같은 새로운 취미에 대한 흥미를 증가시켜 줄 수 있다. 확실히, 변화를 두려워하는 사람들은 자신들의 삶을 개선할 기회를 스스로 빼앗을 것이다.

① 또한 자신들의 삶을 이전보다 더 안락하게 만드는 것을 두려워할
③ 용기를 내서 배움과 적응이라는 도전에 직면할
④ 요리에서 오는 즐거움을 경험하지 못할

해설

마지막 문장에 빈칸이 있으므로 글의 주제를 완성하는 유형이다. 글의 중심 소재는 '변화'이고, 첫 문장에서 주제를 제시하고 예시와 부연 설명을 통해 글을 발전시킨 뒤에 마지막 문장에서 결론을 내리며 주제를 보강 및 재진술하는 구조이다. 첫 문장에서 말했듯이 변화를 받아들이지 못하면 새로운 경험을 할 수 없다고 말한다. 이후 이러한 요소(변화 요소)들이 누군가의 삶에 더해지면 지식과 경험을 늘릴 기회를 만들어준다고 말한 뒤 새로운 언어, 새로운 친구, 새로운 음식의 예를 들어 말한다. 빈칸은 변화를 두려워하는 사람과 관련된 것이므로 ② '자신들의 삶을 개선할 기회를 스스로 빼앗을'이 들어가는 것이 가장 적절하다. ①, ③은 글의 내용과 반대이고 ④는 일반적인 진술로 마무리되는 주제문에 맞지 않게 지나치게 구체적인 사례로 의미를 제한하기 때문에 답으로 적합하지 않다.

어휘

- miss out on ~을 놓치다
- adapt to ~에 적응하다
- expand 확대하다
- undoubtedly 확실히
- ameliorate 개선하다
- threaten 위태롭게 하다
- ensure 보장하다
- open one's eyes to ~에 눈을 뜨게 하다
- deprive A of B A에게서 B를 빼앗다
- bring oneself to do 용기를 내서 ~하다

정답 ②

089 주어진 문장이 들어가기에 가장 적절한 곳은?

> The study also revealed the commanders had given more attention and praise to the crew members for whom they had the higher expectations.

Self-fulfilling prophecies can have a positive side. (①) We know that students introduced to their teachers as "intellectual bloomers" often do better on achievement tests than do their counterparts who lack such a positive introduction. (②) In a study of army tank crews, one set of tank commanders was told that some members of their assigned crews had exceptional abilities while others were only average. (③) In reality, the crew members had been assigned randomly so that the two test groups were equal in ability. The commanders later reported that the so-called "exceptional" crew members performed better than the "average" ones. (④) The self-fulfilling effects in these cases strongly suggest that managers adopt positive and optimistic approaches toward others at work.

* bloomer: 재능을 발휘하는 사람

주요 구문 분석

The study also revealed // the commanders had given more attention and praise / to the crew members (for whom they had the higher expectations).

분석 타동사 뒤에 주어와 동사가 오면, 명사절 접속사 that이 생략된 형태로 명사절이 타동사의 목적어로 사용된 것이며 '~하는 것을'로 해석한다. 뒷부분의 관계대명사절의 선행사는 the crew members이고, 문맥상 '~에게 더 높은 기대를 가졌다'라는 의미이므로 관계대명사 앞에 대상을 표현하는 전치사 for를 사용했다.

090 다음 글의 요지로 가장 잘 어울리는 것은?

Positive discrimination, also known as affirmative action, was introduced to address the lasting effects of racial and gender inequality. Supporters argue that it promotes fairness by improving access to education and employment for marginalized groups. They believe such policies help correct systemic imbalances and foster a more inclusive society. For example, in the United States, affirmative action has played a significant role in increasing minority representation in university admissions and the workforce. However, critics contend that these measures may result in reverse discrimination, unfairly disadvantaging individuals from non-targeted groups. Some argue that it undermines merit-based systems and fuels resentment. These contrasting perspectives have sparked ongoing debate in both academic and public spheres, and the discussion continues as societies seek the most effective path toward equality.

① Positive discrimination was created to reward disadvantaged groups equally.
② Affirmative action sparks debate over fairness and social equality.
③ Anti-discrimination policy creates more problems than it is meant to solve.
④ Many institutions are now gradually moving away from Affirmative action.

주요 구문 분석

They believe // such policies help correct systemic imbalances / and foster a more inclusive society.

분석 동사 believe의 목적어 자리에 접속사 that이 이끄는 명사절이 왔는데, 목적어 자리에 오는 명사절의 5형식으로 사용된 준사역동사 help는 목적격보어로 동사원형과 to부정사를 모두 사용할 수 있으며, '목적어가 목적격보어 하는 데 도움이 된다'로 해석한다.

089   난이도 ★★☆

해석

자기 충족적인 예언에는 긍정적인 측면이 있을 수 있다. (①) 우리는 자신의 선생님에게 '지적으로 재능을 발휘하는 사람'으로 소개받은 학생이 그러한 소개를 받지 못한 학생보다 성취도 검사를 더 잘 해낸다는 것을 알고 있다. (②) 군 전차병에 대한 한 연구에서, 한 집단의 지휘관들은 배치된 병사 중 일부는 특출한 능력을 가진 반면, 다른 병사들은 보통에 불과하다는 말을 들었다. (③) 사실은 전차병들은 능력에 있어서 두 실험 집단이 동등하도록 무작위로 배치되었다. 지휘관들은 후에 이른바 '특출한' 전차병들이 '보통' 전차병들보다 더 잘했다고 보고했다. (④) 또한 그 연구는 지휘관들은 기대치가 더 높았던 전차병들에게 더 많은 관심과 칭찬을 준 것을 밝혀냈다. 이러한 사례에서 자기 충족적 효과는 관리자들이 직장에서 다른 사람들에게 긍정적이고 낙관적인 접근법을 취할 것을 강력하게 시사한다.

해설

자기 충족적인 예언의 효과를 보여주기 위해 군 전차병을 대상으로 한 연구에 대한 글이다. 지휘관들은 무작위로 배치되었지만 특출한 능력을 지닌 것으로 소개된 전차병들이 그렇지 않은 전차병들보다 더 잘했다고 보고했는데, 주어진 문장은 그러한 결과가 나오게 된 이유에 해당한다. 즉, 지휘관은 특출한 능력을 가졌다고 들은 전차병들에게 더 많은 관심과 칭찬을 주었다는 것이다. 이 실험 결과가 ④ 이후 설명하는 자기 충족적 효과가 직장에 이어지도록 강력하게 시사한다는 내용과 자연스럽게 이어진다. 따라서 ④가 주어진 문장이 들어갈 위치로 가장 적절하다.

어휘

- commander 지휘관
- prophecy 예언
- tank crew 전차병
- exceptional 특출한
- so-called 이른바
- optimistic 낙관적인
- self-fulfilling 자기 충족적인
- counterpart 대응 관계에 있는 사람
- assign 배치하다
- randomly 무작위로
- suggest 시사하다
- approach 접근법

정답 ④

090   난이도 ★★☆

해석

적극적 우대 조치라고 흔히 일컬어지는 긍정적 차별은 인종 및 성별 불평등의 지속적인 영향을 해결하기 위해 도입되었다. 지지자들은 이 제도가 소외된 집단의 교육과 고용 접근성을 확대함으로써 공정성을 증진한다고 주장한다. 그들은 이러한 정책이 체계적인 불균형을 바로잡고 더 포용적인 사회를 조성하는 데 도움이 된다고 믿는다. 예를 들어, 미국에서 적극적 우대 조치는 대학 입학과 노동 시장에서 소수집단의 대표성을 높이는 데 중요한 역할을 해왔다. 그러나 비평가들은 이러한 조치가 역차별을 초래하고, 대상이 아닌 집단의 사람들에게 불공정하게 불이익을 줄 수 있다고 주장한다. 어떤 이들은 이 제도가 능력 기반 시스템을 약화시키고 분노를 부추긴다고 말한다. 이러한 상반된 시각은 학계와 대중사회 모두에서 지속적인 논쟁을 불러일으켰으며, 사회가 평등을 향한 가장 효과적인 길을 모색함에 따라 이 논의는 계속되고 있다.

① 긍정적 차별은 소외된 집단을 동등하게 보상하기 위해 만들어졌다.
② 적극적 우대 조치는 공정함과 사회적 평등에 대한 논쟁을 유발한다.
③ 차별 반대 정책은 그것이 해결하려던 것보다 더 많은 문제를 만들었다.
④ 많은 기관들이 현재 적극적 우대 조치에서 점점 멀어지고 있다.

해설

글의 중심 소재는 긍정적 차별 혹은 적극적 우대 조치이고 주제문은 마지막 문장으로, 적극적 우대 조치가 공정성과 평등이라는 핵심 가치에 대해 논쟁을 일으킨다고 설명한다. 글의 전반부에서는 이 제도가 인종 및 성별 불평등의 지속적인 영향을 해결하고, 소외 집단에게 교육 및 고용 기회를 확대함으로써 공정성과 포용성을 증진한다는 지지자들의 주장을 소개한다. 하지만 후반부에서는 역차별 가능성, 능력주의 훼손, 분노 유발 등 비판적인 관점이 등장하며, 이러한 찬반 양측의 입장이 학계와 사회 전반에서 지속적인 논쟁을 낳고 있다고 마무리된다. 따라서 글의 요지로 가장 적절한 것은 ② '적극적 우대 조치는 공정함과 사회적 평등에 대한 논쟁을 유발한다.'이다.

어휘

- discrimination 차별
- racial 인종의
- inequality 불평등
- marginalize 소외시키다
- imbalance 불균형
- inclusive 포용적인
- representation 대표성
- contend 주장하다
- disadvantage 불이익을 주다
- merit-based 능력 기반의
- equality 평등
- affirmative action 적극적 우대 조치
- gender 성별
- fairness 공정성
- correct 바로잡다
- forster 조성하다
- minority 소수집단
- admission 입학
- reverse 역의
- undermine 약화시키다
- resentment 분노

정답 ②

091 다음 글의 요지로 가장 적절한 것은?

The most advanced military jets are fly-by-wire: They are so unstable that they require an automated system that can sense and act more quickly than a human operator to maintain control. Our dependence on smart technology has led to a paradox. As technology improves, it becomes more reliable and more efficient, and human operators depend on it even more. Eventually they lose focus, become distracted, and check out, leaving the system to run on its own. In the most extreme case, piloting a massive airliner could become a passive occupation, like watching TV. This is fine until something unexpected happens. The unexpected reveals the value of humans; what we bring to the table is the flexibility to handle new situations. Machines aren't collaborating in pursuit of a joint goal; they are merely serving as tools. So when the human operator gives up oversight, the system is more likely to have a serious accident.

① The more advanced the technology is, the more we rely on it.
② People get more freedom because of the technological advancement.
③ Human flexibility cannot be replaced with smart technology.
④ An accident is unpredictable, which makes machines more necessary.

092 밑줄 친 부분에 들어갈 말로 가장 알맞은 것은?

Regular physical activity plays a crucial role in maintaining mental well-being. Numerous studies have shown that people who exercise regularly experience lower levels of stress and anxiety. Physical activity stimulates the release of endorphins, chemicals in the brain that help improve mood and promote relaxation. In addition, participating in group sports or fitness classes can provide valuable social connections, further enhancing emotional health. Even a short daily walk can make a noticeable difference in how a person feels. Over time, those who make exercise a habit often report greater resilience in coping with everyday challenges. Furthermore, the sense of accomplishment that comes from reaching fitness goals can boost self-esteem and confidence. These positive effects are observed across all age groups, from children to older adults. For these reasons, it is widely accepted that _____ _____.

① regular exercise is essential for a healthy diet
② physical activity is closely linked to mental health
③ mental health problems are caused by social isolation
④ group sports are more effective than individual exercise

주요 구문 분석

The unexpected reveals the value of humans; // what we bring to the table / is the flexibility (to handle new situations).

분석 「the+형용사/분사」는 사람을 나타내면 복수 보통명사, 사물이나 추상적 개념을 나타내면 단수 보통명사를 의미한다. The unexpected는 '예상치 못한 일'이라는 의미로 단수로 쓰였기 때문에, 단수 동사 reveals가 쓰였다.

주요 구문 분석

Physical activity stimulates the release (of endorphins, (chemicals in the brain (that help improve mood and promote relaxation))).

분석 endorphins 뒤에 콤마를 사용하여 동격의 명사구가 삽입되었고, 그 안에 chemicals를 선행사로 하는 관계사절이 포함된 구조이다. 5형식으로 사용된 준사역동사 help는 목적격보어로 동사원형과 to부정사를 모두 사용할 수 있으며, '목적어가 목적격보어 하는 데 도움이 된다'로 해석한다.

091

난이도 ★★☆

해석

가장 진보한 군용 제트기는 전기 신호식 비행 제어 장치로 비행한다: 그것들은 너무 불안정해서 통제를 유지하기 위해 인간 조종사보다 더 빠르게 감지하고 행동할 수 있는 자동화된 시스템을 필요로 한다. 스마트 기술에 대한 우리의 의존은 역설을 가져왔다. 기술이 향상될수록 그것은 더 믿을만하고 더 효율적이 되고, 인간 운전자는 그것에 더욱더 의존한다. 결국 그들은 초점을 잃고 산만해지고 물러나서 그 시스템이 스스로 작동하도록 둔다. 가장 극단적인 경우에는 대형 여객기를 조종하는 것은 TV를 보는 것처럼 수동적인 직업이 될 수 있다. 이것은 예측치 못한 일이 일어날 때까지는 괜찮다. 예측치 못한 일은 인간의 가치를 드러내 보인다; 우리가 제시하는 것은 새로운 상황을 다룰 수 있는 융통성이다. 기계는 공동의 목표를 추구하여 협력하지 않는다; 그것들은 단지 도구로 쓰인다. 그래서 인간 운전자가 관리를 포기할 때, 그 시스템은 심각한 사고를 당할 가능성이 더 크다.

① 기술이 더 향상될수록, 우리는 그것에 더 의존한다.
② 기술적 발전 때문에 사람들은 더 많은 자유를 얻는다.
③ 인간의 융통성은 스마트 기술로 대체될 수 없다.
④ 사고는 예측할 수 없고 이것은 기계를 더 필요하게 만든다.

해설

글의 전반부에서 기술이 발전하면서 기술에 대한 인간의 의존도가 더 높아지고 있으면 극단적인 경우에는 기계가 스스로 작동하도록 둔다고 말한다. 일곱 번째 문장이 주제문으로서 예기치 못한 상황이 인간의 가치를 드러내며, 그때 비로소 기계가 가지지 못하는 인간의 융통성이 진가를 발휘할 수 있다고 말한다. 즉, 아무리 기술이 발전하더라도 예상치 못한 상황이 생기면 인간의 융통성이 필요하다는 내용이므로 ③ '인간의 융통성은 스마트 기술로 대체될 수 없다'가 요지로 가장 적절하다.

어휘

- advanced 진보한
- fly-by-wire 전기 신호식 비행 제어 장치로 비행하는
- automated 자동화된
- operator 조종사
- maintain 유지하다
- dependence 의존
- paradox 역설
- distracted 산만해진
- check out 물러나오다
- extreme 극단의
- airliner 여객기
- passive 수동적인
- occupation 직업
- bring ~ to the table ~을 제시하다
- flexibility 융통성
- collaborate 협력하다
- in pursuit of ~을 추구하여
- joint 공동의
- oversight 관리
- advancement 발전

정답 ③

092

난이도 ★★☆

해석

정기적인 신체 활동이 정신 건강을 유지하는 데 매우 중요한 역할을 한다. 많은 연구가 정기적으로 운동을 하는 사람들이 더 낮은 스트레스와 불안감 수치를 경험한다는 것을 보여준다. 신체 활동은 기분을 향상시키고 이완을 촉진하는 데 도움을 주는 뇌 속에 있는 화학물질인 엔돌핀의 분비를 촉진한다. 게다가 단체 운동이나 신체 단련 수업에 참가하는 것이 가치 있는 사회적 관계를 제공할 수 있고 더 나아가 정서적 건강을 향상시킨다. 심지어 짧은 매일의 산책도 인간이 어떻게 느끼는가에 뚜렷한 변화를 가져올 수 있다. 시간이 지나면서 운동하는 것을 습관으로 만든 사람들은 종종 매일의 힘든 일에 대처하는 데 있어 더 큰 회복력을 보고한다. 게다가 신체 단련 목표에 도달하는 것에서 오는 성취감은 자존감과 자신감을 증대시킬 수 있다. 이러한 긍정적인 영향은 어린이들부터 나이 많은 성인까지 모든 연령대에서 관찰된다. 이러한 이유로 <u>신체 활동은 정신 건강과 밀접하게 연결되어 있다</u>는 사실이 널리 받아들여진다.

① 정기적인 운동은 건강한 식단에 중요하다
③ 정신 건강 문제는 사회적 고립에 의해 발생한다
④ 단체 운동이 개인 운동보다 더 효과적이다

해설

글의 중심 소재는 신체 활동과 정신 건강과의 관계이며 첫 번째 문장이 주제문으로 신체 활동이 정신 건강을 유지하는 데 중요한 역할을 한다고 말한다. 이후 신체 활동과 정신 건강과의 관계에 대한 예시들이 이어진다. 마지막 문장은 결론을 도출하는 문장이므로 앞선 근거를 종합해서 일반화한 진술이 빈칸에 들어가야 한다. 따라서 정답은 ② '신체 활동은 정신 건강과 밀접하게 연결되어 있다'이다.

어휘

- regular 정기적인
- play a role in ~에 중요한 역할을 하다
- maintain 유지하다
- mental 정신적인
- well-being 건강
- anxiety 불안
- stimulate 촉진하다
- release 분비
- chemical 화학물질
- relaxation 이완
- participate 참가하다
- fitness 신체 단련
- valuable 가치 있는
- enhance 향상시키다
- noticeable 뚜렷한
- resilience 회복력
- sense of accomplishment 성취감
- self-esteem 자부심
- confidence 자신감
- observe 관찰하다
- isolation 고립
- effective 효과적인

정답 ②

DAY 19

093 글의 흐름상 가장 어색한 문장은?

Good teachers know that learning occurs when students compare what they already know with the new ideas presented by the teacher or textbook. ① It is the students who decide whether or not to reconstruct their conceptions; therefore, teaching should be student-centered rather than teacher centered. ② Teaching at the level of the student is a pedagogical approach that involves evaluating students using a simple assessment tool and then grouping them according to learning level rather than age or grade. ③ This means that students should be actively involved in making and interpreting analogies. ④ If we believe that analogy use is an effective way to help students think and learn, then it makes sense to help students generate their own analogies or reconstruct the teacher's analogies to fit in with their own experiences.

094 밑줄 친 부분에 들어갈 말로 가장 적절한 것은?

A period in the learning process when progress seems to stall, even with continued effort, is a common but often misunderstood aspect of skill development. After an initial phase of rapid improvement, learners may experience a noticeable slowdown in progress. This stagnation can lead to frustration and reduced motivation, especially when their efforts no longer seem to yield visible results. However, researchers emphasize that a period of learning stagnation does not indicate failure but rather represents a phase of internal consolidation. Interventions such as varied practice routines, timely feedback, and sufficient rest can help learners move past this stage. Ultimately, accepting times when improvement is hard to see as _____ may lead to more sustainable long-term growth.

① an unnecessary obstacle to avoid
② a necessary stage for further growth
③ a last phase of the education system
④ a motivation for short-term effort

주요 구문 분석

Good teachers know // that learning occurs // when students compare // what they already know // with the new ideas (presented by the teacher or textbook).

분석 동사 know의 목적어 자리에 that이 이끄는 명사절이 왔으므로 '~하는 것을'로 해석한다. 명사와 그 명사를 수식하는 과거분사는 수동의 관계이므로 presented는 '제시된'으로 해석한다.

주요 구문 분석

However, / researchers emphasize // that a period (of learning stagnation) does not indicate failure // but rather represents a phase (of internal consolidation).

분석 해석할 때 구문이 있으면 구문의 의미를 잘 결합하여 해석해야 한다. 「not A but B」는 'A가 아닌 B'의 의미이므로 '실패를 나타내는 것이 아니라 내적 통합의 단계를 나타낸다'로 해석해야 한다.

문장 분석 및 해설

093
난이도 ★★★

해석

훌륭한 교사는 학생들이 그들이 이미 알고 있는 것을 교사 혹은 교과서에 의해 제시된 새로운 개념과 비교할 때 학습이 일어난다는 것을 알고 있다. ① 그들의 개념을 재구성할지 여부를 결정하는 것은 학생이다; 따라서, 가르치는 것은 교사 중심이라기보다는 학생 중심이어야 한다. ② 학생 수준에서 가르치는 것은 단순한 평가 도구를 사용하여 학생들을 평가하고, 그 다음에 나이나 학년 대신 학습 수준에 따라 분류하는 것을 포함하는 교육학적 접근법이다. ③ 이는 학생들이 유추를 하고 이해하는 데 적극적으로 참여해야 함을 의미한다. ④ 만약 우리가 유추 사용이 학생들이 생각하고 학습하는 데 도움이 되는 효과적인 방법이라고 믿는다면, 학생들이 그들 자신의 유추를 만들어내거나 그들 자신의 경험에 맞게 교사의 유추를 재구성하도록 돕는 것이 이치에 맞다.

해설

도입에서 훌륭한 교사는 학생들이 그들의 기존 지식과 교사나 교과서에 의해 제시된 새로운 개념을 비교하는 과정에서 학습이 일어난다는 것을 안다고 언급한다. 그렇기 때문에 학생들은 자신의 개념을 재구성할지 여부를 스스로 결정하는 주체이며, 가르치는 것은 교사가 아닌 학생 중심이어야 한다는 내용의 글이다. ①은 글의 주제문에 해당하며, ③의 This는 ①에서 언급된 가르치는 것은 교사가 아닌 학생 중심이어야 한다는 내용을 가리키며, 이를 위해서는 학생들이 유추에 적극적으로 참여해야 한다고 말한다. 이후 앞 문장에서 언급된 유추의 내용에 이어, ④에서는 교사가 학생들에게 유추 사용이 도움이 된다고 생각하면 어떻게 해야 하는지에 대한 내용을 담고 있기 때문에 흐름상 자연스럽다. 그러나 ②는 학생들을 수준별로 가르치는 교육학적 접근법에 대한 내용이므로, 글의 흐름상 가장 어색한 문장은 ②이다.

어휘

- compare 비교하다
- reconstruct 재구성하다
- pedagogical 교육학의
- evaluate 평가하다
- group 분류하다
- analogy 유추
- idea 개념
- conception 개념
- approach 접근법
- assessment 평가
- interpret 이해하다

정답 ②

094
난이도 ★☆☆

해석

지속적인 노력에도 불구하고 진전이 멈춘 것처럼 보이는 학습 과정의 한 시기는 기량 개발의 흔하지만 자주 오해받는 측면이다. 빠른 향상의 초기 단계를 지난 후, 학습자는 발전이 눈에 띄게 둔화하는 것을 경험할 수 있다. 이러한 정체는 특히 그들의 노력이 가시적인 결과를 더 이상 내지 못하는 것처럼 보일 때, 좌절과 동기 저하로 이어질 수 있다. 그러나 연구자들은 학습 정체기가 실패를 나타내는 것이 아니라, 내적 통합의 한 단계를 나타낸다고 강조한다. 다양한 연습 방식, 시기적절한 피드백, 그리고 충분한 휴식과 같은 개입은 학습자가 이 단계를 지나가도록 하는 데 도움이 될 수 있다. 궁극적으로, 성장이 잘 보이지 않는 시기를 <u>더 나은 성장을 위한 필수 단계</u>로 받아들이는 것은 보다 지속 가능한 장기적 성장으로 이어질 수 있다.

① 피해야 할 불필요한 장애
③ 교육 체계의 마지막 단계
④ 단기적인 노력을 위한 동기

해설

글의 중심 소재는 학습 정체기이며, 주제문은 네 번째 문장으로 학습 정체기는 실패가 아니라 내적 통합의 한 단계라고 설명한다. 빈칸이 있는 문장은 Ultimately로 시작하는 결론부에 해당하므로, 지문의 주제와 직접적으로 연결되는 핵심 문장이다. 여기서 말하는 '성장이 잘 보이지 않는 시기'는 앞서 언급된 학습 정체기를 가리키며, 이를 어떻게 받아들이느냐에 따라 장기적인 성장 가능성이 달라질 수 있음을 시사한다. 따라서 정답은 ② '더 나은 성장을 위한 필수 단계'이다.

어휘

- stall 멈추다
- aspect 측면
- phase 단계
- improvement 향상
- stagnation 정체
- motivation 동기
- visible 가시적인
- indicate 나타내다
- intervention 개입
- sufficient 충분한
- sustainable 지속 가능한
- misunderstand 오해하다
- initial 초기의
- rapid 빠른
- noticeable 눈에 띄는
- frustration 좌절
- yield 내다
- emphasize 강조하다
- consolidation 통합
- timely 시기적절한
- ultimately 궁극적으로
- obstacle 장애

정답 ②

095 다음 글의 제목으로 가장 적절한 것은?

Rather than attempting to punish students with a low grade or mark in the hope it will encourage them to give greater effort in the future, teachers can better motivate students by considering their work as incomplete and then requiring additional effort. Teachers at Beachwood Middle School in Beachwood, Ohio, record students' grades as A, B, C, or I (Incomplete). Students who receive an I grade are required to do additional work in order to bring their performance up to an acceptable level. This policy is based on the belief that students perform at a failure level or submit failing work in large part because teachers accept it. The Beachwood teachers reason that if they no longer accept substandard work, students will not submit it. And with appropriate support, they believe students will continue to work until their performance is satisfactory.

① A Failing Grade: a Weapon of Last Resort
② Adverse Consequences of Grading Systems
③ The Standards of Grading System for Self-satisfaction
④ Motivating Students by Using Incomplete Grades

주요 구문 분석

Rather than attempting to punish students / with a low grade or mark / in the hope [it will encourage them / to give greater effort / in the future], teachers can better motivate students / by considering their work / as incomplete / and then requiring additional effort.

분석 Rather than은 전치사로도 쓰고 접속사로도 쓸 수 있다. Rather than 뒤에 동명사구가 왔으므로 전치사임을 알 수 있다. it will encourage ~ the future는 hope의 동격절이다. 동격절의 접속사 that도 생략이 가능하다.

---

095 난이도 ★★★

해석

학생이 미래에 더 많은 노력을 기울이도록 격려하길 바라고 낮은 등급이나 점수로 학생을 벌주려고 하기보다는, 그들의 과제가 미완성이라고 여기고 추가적인 노력을 요구함으로써 교사는 학생에게 동기 부여를 더 잘할 수 있다. 오하이오주 비치우드의 비치우드 중학교 교사는 학생의 등급을 A, B, C 또는 I(미완성)로 기록한다. I등급을 받은 학생은 자신의 과제 수행을 받아들여질 수 있는 수준까지 끌어올리기 위해서 추가적인 과제를 하도록 요구받는다. 이런 방침은 학생이 낙제 수준으로 수행하거나 낙제 과제를 제출하는 것이 대부분 교사가 그것을 받아들이기 때문이라는 믿음에 근거한다. 비치우드의 교사는 만약 그들이 더이상 기준 이하의 과제를 받아들이지 않는다면, 학생이 그것을 제출하지 않을 것이라고 판단한다. 그리고 학생들은 적절한 도움을 받아서 자신의 과제 수행이 만족스러울 때까지 계속 노력할 것이라고 교사는 믿는다.

① 낙제 등급: 최후 수단의 무기
② 등급 제도의 부정적인 결과
③ 자기만족을 위한 등급 제도의 기준
④ 미완성 등급을 활용하여 학생들 동기 부여하기

해설

첫 번째 문장이 주제문으로, 학생에게 낮은 등급이나 점수를 주어 학생을 벌주려고 하기보다는, 그들의 과제가 미완성이라고 여기고 추가적인 노력을 요구함으로써 교사는 학생에게 동기 부여를 더 잘할 수 있다고 주장한다. 즉, 미완성 등급을 주고 이를 개선할 기회를 주면 동기 부여에 도움이 된다는 요지의 글이다. 그러므로 제목으로 가장 적절한 것은 ④ '미완성 등급을 활용하여 학생들 동기 부여하기'가 가장 적절하다. ①은 글의 요지와 반대되고, ② 등급 제도의 부작용은 본문에 언급되지 않았으며, ③ 등급 제도의 기준에 대해서는 글에 언급되지 않았으므로 모두 답이 될 수 없다.

어휘

- attempt to ~하려고 시도하다
- punish 벌주다
- in the hope ~을 바라고
- encourage 격려하다
- incomplete 미완성의
- bring up to ~까지 올리다
- performance 과제 수행
- acceptable 받아들여지는
- in large part 대부분
- reason 판단하다
- substandard 기준 이하의
- satisfactory 만족스러운
- last resort 최후의 수단
- adverse 부정적인

정답 ④

096 글의 흐름상 가장 어색한 것은?

Regardless of whether the people existing after agriculture were happier, healthier, or neither, it is undeniable that there were more of them. ① Agriculture both supports and requires more people to grow the crops that sustain them. ② Estimates vary, of course, but evidence points to an increase in the human population from 1~5 million people worldwide to a few hundred million once agriculture had become established. ③ And a larger population doesn't just mean a quantitative growth in every aspect of our lives, like buying a bigger box of cereal for a larger family. ④ Buying cereal in bulk packaging isn't only good for large families, but also for single people who don't often shop. It brings qualitative changes in the way people live. For example, more people means more kinds of diseases, particularly when those people are sedentary. When those groups of people can also store food for long periods, the opportunity arises for sequestering that food, creating in turn a society with haves and have-nots.

주요 구문 분석

Regardless of // whether the people (existin after agriculture) were happier, healthier, or neither, // it is undeniable that there were more of them.

분석) whether가 이끄는 명사절이 전치사 of의 목적어가 된 문장으로 whether는 '~이든 아니든'으로 해석해야 한다. it은 가주어이고 that이 이끄는 명사절이 진주어이므로 진주어를 먼저 해석하고 '~은 부정할 수 없다'고 해석한다.

096 난이도 ★☆☆

해석

농업 이후 존재한 사람들이 더 행복했든, 더 건강했든, 아니면 둘 다 아니었든 간에 상관없이, 더 많은 사람들이 있었다는 것은 부인할 수 없다. ① 농업은 그들을 살아가게 하는 작물을 기르는 더 많은 사람을 부양하고 필요로 한다. ② 물론, 추정치는 다양하지만, 증거는 농업이 정착되자 인구가 전 세계적으로 100~500만 명에서 수억 명으로 증가했음을 보여준다. ③ 그리고 대가족을 위해 더 큰 상자의 시리얼을 구매하는 것과 같이, 더 많은 인구가 꼭 우리 삶의 모든 측면에서 양적인 성장을 의미하는 것은 아니다. ④ 대용량 포장의 시리얼을 사는 것은 대가족뿐만 아니라 장을 자주 보지 않는 혼자 사는 사람들에게도 좋다. 그것은 사람들이 살아가는 방식에 질적인 변화를 가져온다. 예를 들어, 더 많은 사람들은 더 많은 종류의 질병을 의미하는데, 특히 사람들이 한 곳에 머물러 살 때 그렇다. 또한 그러한 사람들의 집단이 장기간 식량을 저장할 수 있을 때, 그 식량을 점유할 수 있는 기회가 생기고, 결국 가진 자와 가지지 못한 자가 있는 사회를 만들어낸다.

해설

농업 이후 인구가 늘어났으며, 이로 인해 양적인 변화만이 아니라 질적인 변화도 생겼다는 내용의 글이다. 도입에서 농업 이후 사람들이 많아졌다는 것을 부인할 수 없다고 언급하며, ①에서 농업이 사람들이 살아가는 데 필요한 농작물을 기르기 때문에 사람들을 부양하고 필요로 한다고 이유를 설명한다. 이후 ②에서 실제로 농업이 정착된 이후 인구가 증가했음을 수치로 보여준다. ③에서 이러한 인구의 증가가 우리 삶에서 양적인 성장만을 의미하는 것이 아니라고 설명한 후 It brings qualitative changes in the way people live 문장을 통해 살아가는 방식에 질적인 변화를 가지고 온다고 이야기하며, 이에 대한 구체적인 예시로 질병과 식량 저장으로 인한 빈부 격차를 들어 설명한다. 그러나 ④는 앞 문장에서 인구 증가의 양적인 변화에 대한 예시로 나온 더 큰 상자의 시리얼에 대한 부연 설명이므로 글의 전체 흐름과는 어울리지 않는다.

어휘

- regardless of ~와 상관없이
- undeniable 부인할 수 없는
- require 필요로 하다
- estimate 추정치
- evidence 증거
- population 인구
- quantitative 양적인
- qualitative 질적인
- store 저장하다
- in turn 결국
- agriculture 농업
- support 부양하다
- sustain 살아가게 하다
- vary 다양하다
- point to ~을 보여주다
- establish 정착하다
- shop 장을 보다
- sedentary 한 곳에 머물러 사는
- sequester 점유하다

정답 ④

097 다음 글의 제목으로 가장 적절한 것은?

From the age of discovery until the nineteenth century the world leadership of Europe had remained virtually unchallenged. As European nations established overseas commercial or colonial contacts, the ultimate conquest of the globe by western civilization appeared inevitable. But there had also been signs of a reverse trend, as some regions seemed to grow restive under European tutelage. The United States had been the first European overseas possession to gain independence, and there were soon to be similar movements for independence in the other regions where Europeans had settled. In time this unrest also affected some of the native peoples.

* tutelage: 보호

① The Age of Discovery
② The Conquest of the Globe
③ Western Civilization in America
④ Movements for Independence

098 밑줄 친 부분에 들어갈 말로 가장 적절한 것은?

The human brain is designed to make connections between new information and past experiences. This associative process plays a key role in memory formation. When we learn something new, our brain often links it to familiar concepts, images, or emotions. For example, a student trying to remember a historical date may recall it more easily if it is tied to a vivid story or a personal event. In addition, emotional arousal enhances these connections by increasing attention and engagement, making the information more memorable. These links create mental pathways that strengthen over time. As a result, information that is emotionally meaningful or conceptually related to what we already know is _____.

① harder to recall than emotional information
② less likely to be processed than abstract ideas
③ easier to remember than isolated facts
④ more difficult to understand than familiar concepts

주요 구문 분석

But there had also been signs (of a reverse trend), // as some regions seemed to grow restive / under European tutelage.

분석 주절의 동사는 had been으로 과거완료 시제인데 이는 as절의 시제인 seemed보다 앞선 시제임을 나타낸다. 즉 조짐이 있었다는 것을 먼저 해석하고, as는 이유를 나타내는 접속사이므로 조짐에 대한 이유로 해석해야 한다.

주요 구문 분석

In addition, / emotional arousal enhances these connections / by increasing attention and engagement, / making the information more memorable.

분석 분사구문이 뒤에 오면 부대상황, 결과의 의미로 많이 쓰인다. making은 분사구문으로 결과의 의미로 해석해야 한다. '(그 결과로) 정보를 더 잘 기억시킨다'로 해석하는 것이 가장 적절하다.

097 난이도 ★★★

해석

발견의 시대(15세기~17세기 대항해 시대)부터 19세기에 이르기까지 유럽의 세계 지배력은 사실상 의심할 바 없었다. 유럽 국가들이 상업적 또는 식민지적 해외 교류를 구축했을 때, 서구 문명의 궁극적인 세계 정복은 불가피한 것으로 보였다. 하지만 반대 움직임의 징후 또한 있었는데, 일부 지역이 유럽의 보호 아래서 점점 말을 듣지 않는 것처럼 보였기 때문이다. 미국은 독립을 얻은 최초의 유럽 해외 영토였으며, 곧 유럽인들이 정착한 다른 지역에서도 이와 유사한 독립의 움직임이 있었다. 이윽고 이런 불안은 일부 원주민들에게도 또한 영향을 미쳤다.

① 발견의 시대
② 세계 정복
③ 미국의 서구 문명
④ 독립의 움직임

해설

19세기에 이르기까지 유럽 국가들이 세계 리더로서의 역할을 했는데 미국이 처음으로 독립을 성취했고, 유럽이 통치했던 다른 지역에서도 비슷한 움직임이 있었다는 내용의 글이다. 지문의 중반부에 But으로 시작하는 문장인 'But there had also been signs of a reverse trend, as some regions seemed to grow restive under European tutelage.'를 글의 주제문으로 볼 수 있다. 이 문장에서 언급된 reverse trend는 바로 유럽으로부터 독립하려는 움직임을 말한다. 따라서 ④ '독립의 움직임'이 가장 적절한 글의 제목이다.

어휘

- virtually 사실상
- overseas 해외의
- conquest 정복
- reverse 반대의
- possession 영토
- unrest 불안
- unchallenged 의심할 바 없는
- ultimate 궁극적인
- inevitable 불가피한
- restive 말을 듣지 않는
- in time 이윽고
- civilization 문명

정답 ④

098 난이도 ★★★

해석

인간의 뇌는 새로운 정보와 과거 경험 사이에 연결을 만들도록 설계되어 있다. 이러한 연상 과정은 기억 형성에 중요한 역할을 한다. 우리가 새로운 것을 배울 때, 뇌는 그것을 익숙한 개념, 이미지, 또는 감정과 종종 연결시킨다. 예를 들어, 한 학생이 어떤 역사적 날짜를 기억하려 할 때, 그것이 생생한 이야기나 개인적인 사건과 연결되어 있다면 더 쉽게 기억해 낼 수 있다. 게다가 감정적 각성은 주의력과 참여를 높임으로써 이러한 연결을 강화하고, 정보를 더 잘 기억나게 만든다. 이러한 연결들은 시간이 지남에 따라 강화되는 정신적 경로를 만들어낸다. 결과적으로, 감정적으로 의미 있거나 우리가 이미 알고 있는 것과 개념적으로 관련된 정보는 고립된 사실보다 기억하기 더 쉽다.

① 감정적 정보보다 기억해 내기가 더 어렵다
② 추상적인 개념보다 덜 처리될 것이다
③ 고립된 사실보다 기억하기 더 쉽다
④ 익숙한 개념보다 이해하기 더 어렵다

해설

글의 중심 소재는 기억 형성이고 주제문은 첫 번째와 두 번째 문장으로 새로운 정보와 지난 기억을 연상하는 것이 기억 형성을 돕는다는 것이다. 역사적 날짜와 같은 정보도 생생한 이야기나 개인적 사건과 연결시키면 더 기억하기 쉽다고 하면서, 특히 감정적으로 연결되면 연결을 강화시켜서 정보를 더 잘 기억나게 만든다고 했다. 빈칸이 있는 마지막 문장은 주제를 재진술하고 있어서, 감정적으로 연결되거나 이미 알고 있던 정보들은 빈칸의 결과를 가져온다고 했다. 따라서 빈칸에는 기억 형성이 잘 된다는 내용이 들어가면 되므로, 빈칸에 들어갈 말로 가장 적절한 것은 ③ '고립된 사실보다 기억하기 더 쉽다'이다.

어휘

- associative 연상의
- formation 형성
- vivid 생생한
- enhance 높이다
- memorable 기억할 만한
- conceptually 개념적으로
- process 과정; 처리하다
- recall 기억해 내다
- arousal 각성
- engagement 참여
- pathway 경로
- isolate 고립시키다

정답 ③

099 주어진 글 다음에 이어질 글의 순서로 가장 적절한 것은?

In ice hockey, pro athletes generally got their start while they were children. Children's leagues are grouped by age, but rather than automatically moving from league to league on their birthday (which might disrupt teams), kids are grouped for each season based on a cutoff date — typically January 1.

(A) Nine-year-olds are usually bigger and stronger than 8-year-olds. Kids born late in the year grow up always being matched against others who are older, stronger, and faster, so they tend to drop out of the sport.

(B) Thus, when the season starts in November, if you're already 9 or will turn 9 by the end of December, you play with the 9-year-olds, but if your birthday isn't until after January 1, you play with the 8-year-olds. Why does that matter?

(C) Meanwhile, the lucky kids with birthdays in January will grow up being the oldest (and therefore often the biggest and strongest) children in their league, which puts them at a physical advantage. This advantage helps them be successful and makes the sport fun for them.

① (A) – (C) – (B)　② (B) – (A) – (C)
③ (B) – (C) – (A)　④ (C) – (A) – (B)

100 주어진 문장이 들어갈 위치로 가장 적절한 것은?

Therefore, the judgments which are suggested in a book are the lesson it teaches.

The aim of all books is to teach. All books contain persuasion. The differences are between those which teach well and those which teach badly, and between those which teach valuable things and those which teach bad or unimportant things. Literary criticism deals with these important differences which cannot be denied. If style alone were all that was important, it would be possible to write books in beautiful language about evil actions of criminals. (①) But society would not admire such books, or any society which did would soon destroy itself. (②) That lesson must be considered when the value of the book is determined. That is not the only way the value of a book will be judged. (③) But the lesson of a book is one way to judge its value, and must be recognized by the author as well as his readers. (④) Any author who does not care what he teaches is just as likely to be a bad author as one who does not care how he writes. And if an author is to defend himself against those who criticize his ideas, he will do so more effectively by justifying the ideas than by saying he did not intend to teach them. Teaching is a serious responsibility.

주요 구문 분석

Kids (born late in the year) grow up / always being matched / against others (who are older, stronger, and faster), // so they tend to drop out of the sport.
(분석) 분사구문이 뒤에 오면 부대상황, 결과의 의미로 많이 쓰인다. being matched가 분사구문으로 그 해의 늦게 태어난 아이들이 성장해서 더 나이 많고 강한 아이들과 경기를 한다는 말이므로 결과의 의미로 해석해야 한다.

주요 구문 분석

Therefore, / the judgments (which are suggested in a book) / are the lesson (it teaches).
(분석) 대명사가 가리키는 것을 잘 파악해야 한다. 뒤의 it이 가리키는 것은 a book이다. 또한 관계대명사의 목적격은 종종 생략된다는 것을 기억해야 한다. it 앞에 목적격 관계대명사가 생략되었으며 선행사는 the lesson이므로 관계사절이 lessons를 수식하도록 해석해야 한다.

099 난이도 ★★☆

해석

아이스하키에서, 프로 선수들은 일반적으로 유소년일 때 운동을 시작했다. 유소년 리그는 연령별로 그룹을 이루지만, 자신의 생일에 자동으로 리그에서 리그로 이동하는 것이 아니며(그것은 팀을 와해시킬 것이다), 아이들은 매 시즌 결산일을 기준으로 그룹을 이룬다 — 보통 1월 1일이다. (B) 따라서 시즌이 11월에 시작할 때, 이미 아홉 살 또는 12월 말에 아홉 살이 될 것이면 아홉 살짜리들과 운동을 하지만, 생일이 1월 1일이 지나서라면 여덟 살짜리들과 운동을 한다. 왜 그것이 중요한가? (A) 아홉 살짜리들은 보통 여덟 살짜리들보다 더 크고 더 강하다. 그해 늦게(늦은 달에) 태어난 아이들은 더 나이가 많고, 더 힘이 세고, 더 빠른 아이들과 항상 시합하면서 성장하여 그 스포츠를 그만두는 경향이 있다. (C) 한편, 생일이 1월에 있는 운 좋은 아이들은 자신들이 속한 리그에서 가장 나이가 많은 (그래서 흔히 가장 크고 가장 강한) 아이들로 성장하는데, 이것은 그들에게 신체적 유리함을 준다. 이 유리함은 그들이 성공하는 데 도움을 주고 그 스포츠가 그들에게 재미있도록 만들어준다.

해설

아이스하키 선수가 몇 월에 출생했느냐에 따라 유소년기의 경력에 지대한 영향을 받는다는 것을 논리적으로 설명하는 글이다. 글의 논리적 흐름을 파악하려면 (B)의 Thus가 연결하는 인과관계, (C)의 Meanwhile이 연결하는 대조적 흐름을 이해해야 한다. 주어진 글에서는 유소년 하키 리그가 연령별로 구성되는데 연령 구분 기준이 보통 1월 1일이라고 설명한다. (B)에서는 Thus로 인과관계를 나타내면서, 그러므로 출생 월에 따라 9세 리그 또는 8세 리그에 참여하게 된다는 점을 설명한다. (A)에서는 (B)의 마지막에 던진 질문 Why does that matter?에 대한 답변이 제시되는데, 출생 월이 늦은 아이들이 불리한 상황에 놓이게 된다고 설명한다. (C)에서는 Meanwhile로 글을 대조적으로 전환하면서 출생 월이 늦은 아이들과는 반대로 1월생 아이들은 리그에서 유리함을 갖게 된다는 점을 설명한다. 따라서 정답은 ② (B)-(A)-(C)이다.

어휘

- disrupt 와해시키다
- cutoff date 결산일
- match A against B A를 B와 시합시키다
- drop out of ~을 그만두다
- matter 중요하다; 문제

정답 ②

100 난이도 ★★☆

해석

모든 책의 목표는 가르치는 것이다. 모든 책은 설득을 포함한다. 잘 가르치는 책들과 못 가르치는 책들 사이에, 그리고 가치 있는 것을 가르치는 책들과 나쁘거나 중요하지 않은 것들을 가르치는 책들 사이에는 차이점이 있다. 문학 비평은 인정하지 않을 수 없는 이런 중요한 차이점들을 다룬다. 만일 문체 하나만이 중요한 것이라면, 범죄자들의 악행에 대해 아름다운 언어로 책을 쓰는 것이 가능할 것이다. (①) 그러나 사회는 그런 책들에 감탄하지 않을 것이며, 그렇게 하는 어떤 사회든 곧 스스로를 파괴할 것이다. (②) 따라서 책에서 제시되는 판단은 책이 가르치는 교훈이다. 그 교훈은 책의 가치가 결정될 때 고려되어야만 한다. 그것은 책의 가치가 판단되는 유일한 방법은 아니다. (③) 그러나 책의 교훈은 그것의 가치를 판단하는 하나의 방법이며, 그의 독자들뿐만 아니라 작가에 의해 반드시 인지되어야 한다. (④) 자신이 가르치는 것을 신경을 쓰지 않는 그 어느 작가든 자신이 어떻게 써야 하는지 신경 쓰지 않는 작가만큼 똑같이 나쁜 작가이다. 그리고 만약 작가가 그의 생각을 비판하는 사람들에게서 스스로를 방어하려면, 그는 그것들을 가르치려는 의도가 아니었다고 말하는 것보다 그 생각을 정당화함에 의해서 더 효과적으로 그렇게 할 것이다. 가르치는 것은 중요한 책임이다.

해설

첫 두 문장이 주제문으로 글이 ②의 전후에서 내용상의 분리가 나타난다. ②의 앞부분에서는 책의 style(문체)에 대한 내용이고 뒷부분은 교훈에 대한 내용이다. 주어진 문장은 '따라서 책에서 제시되는 판단은 책이 가르치는 교훈이다.'라는 내용이다. ② 다음 문장에서 그 교훈(that lesson)이라고 언급하면서 주어진 문장에서 언급한 the lesson에 대한 부연 설명으로 이어진다. 또한 책에서 중요한 것은 문체가 아니라고 설명하는 앞 문장과 인과관계의 신호어 Therefore로 연결되면서 책에서 중요한 것은 책에서 제시되는 판단, 즉 책이 가르치는 교훈이라고 설명하는 것이 가장 적절하다. 따라서 정답은 ②이다.

어휘

- judgment 판단
- aim 목표
- persuasion 설득
- deal with ~을 다루다
- style 문체
- admire 감탄하다
- consider 고려하다
- recognize 인지하다
- effectively 효율적으로
- suggest 제시하다
- contain 포함하다
- literary criticism 문학 비평
- deny 인정하지 않다
- criminal 범죄자
- destroy 파괴하다
- determine 결정하다
- defend 방어하다
- responsibility 책임

정답 ②

101 다음 글의 제목으로 알맞은 것은?

People who deal with me often marvel at my capacity for handling bad news. Although I haven't learned to like bad news, I have learned to deal with it. Bad news is seldom as bad as it first sounds, and most business disasters are rarely as disastrous as they first seem. Over the years I have learned — and am still learning — the importance of patience, and how destructive the lack of it can be. It is still amazing to me how the simple passing of time can totally alter a situation, solve problems, render other problems meaningless, cool down confrontations, and add a whole new perspective. Part of being opportunistic is waiting, like a cat in a forest, for an opportunity to come along. Learning to wait, learning to be patient, has so many applications and ramifications that it is difficult for me to give one or two examples without trivializing its importance. I would say, however, that in our twenty-old years in business, 90 percent of our successes have involved in some way the need for patience, and 90 percent of our failures have been caused in part by a lack of it.

① Dealing with Bad News
② How to Succeed in Business
③ Importance of Time
④ Learning to Wait

102 빈칸에 들어갈 말로 가장 적절한 것은?

Think back to grade school. You may have noticed that some of your classmates seemed to be real smart, quick to learn, more attentive than most, and had a better memory. Certainly, you observed differences then, and probably have noticed varying personal abilities, interests, and other differences in people throughout your life. Sometimes the slower person back in school outdoes the "brain" later in life. Yet it certainly seems plausible to assume that a healthy, unimpaired psyche or mind would generally make better decisions. But that may not consistently be the case. You may have seen a relatively "smart" person make some poor or inappropriate decisions, and you may have observed a mentally challenged person make some perfectly good, appropriate decisions. So when considering mental ability, you should be careful not _____.

① to try to outdo the smartest
② to make sweeping generalizations
③ to give too much detailed feedback
④ to impose your preference on others

주요 구문 분석

Bad news is seldom as bad // as it first sounds, // and most business disasters are rarely as disastrous // as they first seem.

분석 원급 비교는 「as+형/부+as」의 구조로 '~만큼 ...하다'로 해석한다. 주어를 먼저 해석하고 이어 뒤의 as 부분을 해석하고 거기에 '~만큼 형용사/부사하다'로 해석을 추가해 준다. 첫 번째 절을 해석하면 '나쁜 뉴스는 처음 들리는 것만큼 나쁘지 않다'로 해석됨을 알 수 있다.

주요 구문 분석

Yet / it certainly seems plausible / to assume // that a healthy, unimpaired psyche or mind / would generally make better decisions.

분석 가주어 it이 나왔고 진주어로 to assume의 to부정사가 왔으므로 to부정사를 먼저 해석해 주고 뒤에 보어로 해석을 이어준다. that ~은 assume의 목적어가 되는 명사절이다.

101 난이도 ★★☆

해석

나를 대하는 사람들은 나쁜 소식에 대처하는 나의 능력에 종종 놀란다. 나는 나쁜 소식을 좋아하는 법을 배우지는 않았지만, 그것을 대하는 법은 배웠다. 나쁜 소식이 처음에 들리는 것만큼 나쁜 적은 거의 없고, 대부분의 사업 실패가 처음에 보이는 것만큼 참담한 적도 거의 없다. 수년간 나는 인내의 중요성, 그리고 그것의 부족이 얼마나 파괴적일 수 있는지를 배웠다 — 그리고 여전히 배우고 있다. 단순히 시간이 흐르는 것이 어떻게 상황을 완전히 바꾸고, 문제를 해결하고, 다른 문제들을 무의미하게 만들고, 다툼을 진정시키며, 완전히 새로운 관점을 더해주는지는 나에게 여전히 놀라운 일이다. 기회주의적으로 구는 것의 일환은 숲속의 고양이처럼, 기회가 오기를 기다리는 것이다. 기다리는 법을 배우는 것, 인내하는 법을 배우는 것은, 대단히 많은 응용과 파급 효과가 있어서 내가 그 중요성을 과소평가하지 않으면서 한두 가지 사례를 두는 것은 어렵다. 그러나, 우리의 20년 사업 기간에서, 아마도 우리가 거둔 성공의 90퍼센트는 어떤 식으로든 인내가 필요하고, 우리가 겪은 실패의 90퍼센트는 부분적으로 인내의 부족 때문에 발생한다고 말할 수 있을 것이다.

① 나쁜 소식 다루기
② 사업에서 성공하는 법
③ 시간의 중요성
④ 기다리는 법을 배우기

해설

글의 중심 소재는 인내 또는 기다림이고, 주제문은 네 번째 문장으로 기다리는 법을 배우는 것이 대단히 중요하다고 주장한다. 글의 앞에서는 나쁜 소식에 잘 대처할 수 있는 것도 시간을 두고 기다리기 때문이라고 했고, 중반에서는 고양이의 예를 들어 기회가 올 때를 기다리라고 했으며, 뒷부분에서는 성공과 실패 경험을 사례로 들어 인내의 중요성을 거듭 강조한다. 따라서 이 글의 제목은 ④ '기다리는 법을 배우기'가 가장 적절하다. ①, ②는 주제를 설명하는 과정에서 언급된 지엽적인 내용이고 ③은 시간 자체의 중요성이 아니라 기다리는 시간의 중요성을 설명하는 글이므로 정답으로 적절하지 않다.

어휘

- deal with ~을 대하다
- handle 대처하다
- disastrous 참담한
- destructive 파괴적인
- cool down 진정시키다
- perspective 관점
- come along 오다
- ramification 파급 효과
- marvel at ~에 놀라다
- disaster (큰) 실패
- patience 인내
- render 만들다
- confrontation 다툼
- opportunistic 기회주의적인
- application 응용
- trivialize 과소평가하다

정답 ④

102 난이도 ★★☆

해석

초등학교 때를 회상해보라. 여러분은 여러분의 급우 중 몇몇은 정말 똑똑하고, 빨리 배우며, 대부분의 사람들보다 더 주의 깊은 것 같으며, 기억력이 더 좋다는 것을 알아챘을지도 모른다. 틀림없이 여러분은 그때 차이점을 목격했으며, 아마도 여러분의 생애에 걸쳐 변화하는 개인적 능력, 관심사, 그리고 다른 차이점들을 느껴왔을 것이다. 때때로 학창 시절을 돌아볼 때 느렸던 사람이 생애의 후반에 '두뇌(머리가 좋은 사람)'를 능가한다. 그렇지만 건강하고 손상되지 않은 정신 또는 마음이 보통 더 좋은 결정을 내릴 것이라고 가정하는 것은 확실히 그럴듯해 보인다. 그러나 그것이 항상 사실은 아닐 수도 있다. 여러분은 상대적으로 '똑똑한' 사람이 몇몇 잘못되거나 부적절한 결정을 내리는 것을 보았을 것이고, 여러분은 정신적으로 장애가 있는 사람이 지극히 훌륭하고 적절한 결정을 내리는 것을 목격했을지도 모른다. 따라서 정신 능력을 고려할 때, <u>전면적인 일반화를 하지</u> 않도록 주의해야 한다.

① 가장 총명한 사람을 능가하지
③ 너무 상세한 피드백을 주지
④ 여러분의 선호를 다른 사람에게 강요하지

해설

글 전반의 내용은 학창 시절에는 뒤처진 사람이 나중에는 훨씬 더 똑똑했던 사람을 능가하는 경우도 있다는 것이다. 중반부의 내용은 건강하고 온전한 정신을 가진 사람들이 잘못되거나 부적절한 결정을 내리는 경우가 있는 반면에, 정신 장애가 있는 사람들이 훌륭한 결정을 내릴 수도 있다는 내용이 나오는데, 이것이 이 글의 요지이다. 이 두 가지 예시의 공통점은 우리가 일반적으로 우수하거나 열등할 것이라고 결론짓는 사람들이 예상과 전혀 다른 결과를 보일 수 있다는 것이다. 따라서 빈칸에는 ② '전면적인 일반화를 하지'가 들어가는 가장 적절하다.

어휘

- think back to ~을 회상하다
- attentive 주의 깊은
- outdo 능가하다
- unimpaired 손상되지 않은
- consistently 일관되게
- mentally challenged 정신 장애가 있는
- sweeping 전면적인
- preference 선호
- grade school 초등학교
- varing 변화하는
- plausible 그럴듯한
- psyche 정신
- relatively 상대적으로
- impose 강요하다

정답 ②

DAY 21

103 글의 흐름상 가장 어색한 문장은?

There is no discrepancy between the fact that there is a tendency to ignore events that have a low probability and the fact that people continue to buy tickets in the national lottery or bet on the results of sporting events, knowing that their chances of winning are very small, even minimal. ① The explanation is in the attitude to lotteries in general, which is likely to reflect the tendency to seek risk or to be risk averse, and these can appear in different forms in different circumstances. ② A reasonable person may buy a lottery ticket because the expected loss is small relative to the high prize he could win, and also because of the good feeling he gets from the possibility of winning, until the lucky numbers are announced. ③ Loss aversion is a cognitive bias that suggests that for individuals the pain of losing is psychologically twice as powerful as the pleasure of gaining. ④ The same person would not risk all his property on such a lottery, even if the prize he could win was hundreds of thousands times larger. Being risk averse or risk prone does not contradict rational behavior.

주요 구문 분석

Loss aversion is a cognitive bias (that suggests // that for individuals / the pain of losing is psychologically twice as powerful / as the pleasure of gaining).

분석 배수비교는 원급 비교 앞에 배수사를 써 주는 형태이며 해석은 원급 비교처럼 뒤의 as를 먼저 해석하고 마지막에 '의 ~배만큼 ....하다'로 해석해야 한다. 이 문장의 배수 비교 부분을 해석하면 '손실의 고통은 획득의 기쁨의 두 배만큼 강력하다'로 해석한다.

104 밑줄 친 부분에 들어갈 말로 가장 적절한 것은?

Over the centuries various writers and thinkers, looking at humans from an outside perspective, have been struck by the theatrical quality of social life. The most famous quote expressing this comes from Shakespeare: "All the world's a stage, And all the men and women merely players; They have their exits and their entrances, And one man in his time plays many parts." If the theater and actors were traditionally represented by the image of masks, writers such as Shakespeare are implying that all of us are _____. Some people are better actors than others. Evil types such as Iago in the play *Othello* are able to conceal their hostile intentions behind a friendly smile. Others are able to act with more confidence and boast — they often become leaders. People with excellent acting skills can better navigate our complex social environments and get ahead.

① writing our own histories with choices we are making
② coming on the stage to share their experiences
③ acting on behalf of others all the time
④ constantly wearing masks to live our lives

주요 구문 분석

If the theater and actors were traditionally represented / by the image of masks, // writers (such as Shakespeare) are implying // that all of us are constantly wearing masks / to live our lives.

분석 시제가 과거와 현재가 섞여 있어 주의해야 한다. if절의 시제는 과거인데 이는 과거 사실에 대한 조건을 말한다. if절의 조건이 사실이라면, 주절도 일종의 일반적 사실이 되기 때문에 과거시제가 아닌 현재시제로 표현했다.

문장 분석 및 해설

103 난이도 ★★☆

해석

확률이 낮은 사건을 무시하는 경향이 있다는 사실과 사람들이 이길 확률이 매우 낮거나, 심지어 최저라는 것을 알고도 국가가 발행하는 복권을 사거나 스포츠 경기의 결과에 돈을 거는 사실 사이에는 전혀 모순이 없다. ① 이에 대한 설명은 일반적으로 복권을 대하는 태도에 있는데 이것은 위험을 추구하는 경향 또는 위험을 회피하려는 경향을 반영하며 서로 다른 상황에서 서로 다른 형태로 나타날 수 있다. ② 예상된 손실이 그가 얻을 수 있는 큰 보상에 비해 적기 때문에 그리고 또한 행운의 숫자들이 발표되기 전까지 그가 당첨될 가능성으로부터 얻는 좋은 기분 때문에 합리적인 사람은 복권을 살 수 있다. ③ 손실 혐오는 개개인에게 손실의 고통이 심리적으로 획득의 즐거움의 두 배만큼 강력하다는 것을 시사하는 인지 편향이다. ④ 그 사람이 얻을 상금이 수십 만 배 크다 하더라도 같은 사람이 그런 복권에 모든 그의 재산을 걸지는 않을 것이다. 위험을 회피하는 것과 위험을 무릅쓰기 쉬운 것은 합리적인 행동에 모순되는 것이 아니다.

해설

이 글의 중심 소재는 복권이며, 복권을 살 때 위험을 회피하는 경향과 위험을 무릅쓰는 경향 두 가지가 모두 나타난다는 것이 이 글의 주제이다. 겉으로 보기에 이 두 가지 경향은 모순된 관계 같지만, 모순이 아니라는 것을 설명하고 있다. 첫째로, 우리가 복권을 살 때 큰돈을 걸지 않고 작은 돈만 거는 것이 곧 위험을 회피하는 경향이다. 둘째로, 예상 손실이 얻을 수 있는 보상보다 훨씬 적고, 당첨 발표 전까지의 기쁨을 누릴 수 있는 것이 곧 위험을 무릅쓸 수 있게 하는 것이라고 말한다. 그렇지만 아무리 상금이 크더라도 전 재산을 복권에 걸지는 않는다고 말하며 위험을 회피하는 것과 위험을 무릅쓰는 것은 합리적인 행동에 모순되는 것이 아니라고 말한다. 그런데 ③은 손실에 대한 혐오를 언급하여 주제에서 벗어난다.

어휘

- discrepancy 모순
- bet 돈을 걸다
- risk averse 위험을 회피하려 하는
- aversion 혐오
- psychologically 심리적으로
- risk prone 위험을 무릅쓰기 쉬운
- rational 합리적인
- probability 확률
- attitude 태도
- circumstances 주변 환경
- cognitive bias 인지 편향
- property 재산
- contradict 모순되다

정답 ③

104 난이도 ★★☆

해석

수 세기에 걸쳐 다양한 작가와 사상가들은 외부의 관점에서 인간들을 바라보며, 사회적 삶의 연극적 속성과 마주해왔다. 이것을 표현하는 가장 유명한 명언은 셰익스피어에게서 비롯된다: "모든 세상은 연극무대이고, 그리고 모든 인간은 단지 배우일 뿐이다; 그들은 퇴장하고 입장한다, 그리고 일생 동안 한 인간은 다양한 역할을 연기한다." 만약 연극과 배우들이 전통적으로 가면의 이미지에 의해 표현된다면, 셰익스피어와 같은 작가들은 우리 모두가 인생을 살면서 끊임없이 가면을 쓰고 있다는 것을 암시하고 있는 것이다. 어떤 사람들은 다른 사람보다 더 나은 배우이다. 연극 <오셀로> 속 이아고와 같은 악당들은 그들의 적대적 의도를 친근한 미소 뒤에 숨길 수 있다. 다른 사람들은 더 큰 자신감과 허세를 가지고 연기를 할 수 있다 — 그들은 주로 리더가 된다. 훌륭한 연기력을 가지고 있는 사람들은 우리의 복잡한 사회 환경을 더 잘 다루고 성공할 수 있다.

① 우리가 하는 선택으로 우리 스스로의 역사를 쓰고
② 자신의 경험을 공유하기 위해 무대에 오르고
③ 항상 다른 사람들을 대신하여 행동하고

해설

빈칸이 중간에 있는 경우에는 뒤의 설명을 통해 빈칸의 내용을 유추할 수 있다. 이 문제도 같은 유형의 문제이다. 인간의 삶이 가진 연극적 속성에 대해 앞부분에서 이야기한 후, 따라서 우리는 마치 배우가 연극을 하듯이 삶이라는 연극을 해나가고 있다는 설명이 후반부에 이어진다. 그리고 빈칸 바로 앞에서 연극과 배우는 가면의 이미지로 표현된다고 말한다. 이 두 가지를 가지고 빈칸에는 ④ '인생을 살면서 끊임없이 가면을 쓰고'가 들어가야 함을 알 수 있다.

어휘

- perspective 관점
- quote 명언
- conceal 숨기다
- intention 의도
- boast 허세
- get ahead 성공하다
- theatrical 연극적인
- merely 단지 ~일 뿐인
- hostile 적대적인
- confidence 자신감
- navigate 다루다
- on behalf of ~을 대신하여

정답 ④

105 다음 글을 문맥에 맞게 올바른 순서로 연결한 것은?

> Ricardo Tovar, a fifty-nine-year-old keeper at the Houston Zoo, was killed by a tiger on May 12, 1988. The primary cause of death was a broken neck, although most of the ribs on the left side of his chest were fractured as well.

(A) Somehow the tiger had broken the glass, grabbed the keeper, and pulled him through the window to his death. Fatal zoo accidents occur more frequently than most people realize. There was a similar accident the year before Tovar died.

(B) A keeper in the Fort Worth Zoo was crushed by an elephant, and in 1985, an employee of the Bronx Zoo was killed by two Siberian tigers — the same subspecies as the one that attacked Tovar — when she mistakenly entered the tiger enclosure while the animals were still there.

(C) Tovar had been standing at a steel door separating the zookeepers' area from the tiger in a naturalistic outdoor enclosure. Set into the door was a small viewing window — only slightly larger than an average television screen — made of wire-reinforced glass.

① (B) – (A) – (C) ② (B) – (C) – (A)
③ (C) – (A) – (B) ④ (C) – (B) – (A)

주요 구문 분석

Set into the door was a small viewing window / — only slightly larger / than an average television screen — / (made of wire-reinforced glass).

분석 set은 과거분사로 was set의 수동태의 형태에서 보어 도치가 되었다. 따라서 주어인 a small viewing window와 동사 was가 도치되었으므로 주어를 잘 찾아 해석해야 한다. 때로는 대쉬(—)와 대쉬(—) 사이에 삽입구를 넣을 수 있다. windows를 설명하는 삽입구가 왔으므로 이를 수식처럼 해석해야 한다.

106 다음 글의 주제로 가장 적절한 것은?

Soil life must have energy. Synthetic fertilizers, for the most part, contain no carbon and no energy. As a result, soil life is forced to use the soil's energy reserves. The soil's energy supply soon runs low, the chemicals don't get properly processed, and plants are fed unnaturally, causing them to have a dramatically lower resistance to pests. As a result, diseases and insect pests are invited in. Production falls off, more chemicals are used, more soil energy is burned up, the soil life doesn't have sufficient energy to process the fertilizers or detoxify the pesticides, and microbe and earthworm populations decline. Consequently, the soil dies and loses structure, wind and rain erosion take their toll, and the once-productive farm or ranch land soon becomes a biological desert.

① efficient ways to make soil more fertile
② how synthetic fertilizers attract insect pests
③ negative effects of synthetic fertilizers on soil
④ necessity of soil becoming resistant to chemicals

주요 구문 분석

As a result, / soil life is forced / to use the soil's energy reserves.

분석 force는 목적어와 목적격보어의 관계가 능동일 때 목적격보어로 반드시 to부정사를 취한다. force의 목적어를 주어로 하는 수동태 문장이므로 '주어가 …하도록 강요되다'로 해석한다.

106

해석

토양 생명체는 에너지를 가져야 한다. 합성 비료는 대부분 탄소와 에너지를 포함하지 않는다. 그 결과, 토양 생명체는 토양의 에너지 비축량을 사용하도록 강요된다. 토양의 에너지 공급은 곧 고갈되고, 화학 물질은 제대로 처리되지 않으며, 식물은 비정상적 자양분을 공급받아 그들이 해충에 대해 현저하게 낮은 저항력을 갖도록 야기한다. 그 결과, 질병과 해충이 들어온다. 생산량이 떨어지고, 더 많은 화학 물질이 사용되고, 더 많은 토양 에너지가 소실되고, 토양 생명체는 비료들을 처리하거나 농약을 해독할 충분한 에너지가 없게 되며, 미생물과 지렁이 개체 수는 감소한다. 결과적으로, 토양이 죽고, 구조가 붕괴되고, 바람과 비의 침식이 큰 피해를 입히며, 한때 생산적이었던 농장이나 목장의 땅은 곧 생물학적 사막이 된다.

① 흙을 더 비옥하게 만드는 효율적인 방법
② 어떻게 합성 비료가 해충을 끌어들이는가
③ 합성 비료가 토양에 끼치는 부정적인 영향
④ 화학 물질에 내성이 생기도록 하는 흙의 필요성

해설

중심 소재는 토양이고 주제문은 첫 번째 문장인 '토양 생명체는 에너지를 가져야 한다'이다. 그렇기 때문에 에너지를 갖고 있지 않은 합성 비료를 사용하면 많은 문제가 생긴다는 것이다. 세 번째 문장부터는 합성 비료를 사용함으로써 생기는 악순환에 대한 내용이 이어지며 결국 땅은 생물학적 사막이 되어 버린다는 비참한 결과를 낳는다고 한다. 따라서 이 글의 주제로 가장 적합한 것은 ③ '합성 비료가 토양에 끼치는 부정적인 영향'이다.

어휘

- synthetic fertilizer 합성 비료
- carbon 탄소
- as a result 그 결과
- reserve 비축(량)
- run low 고갈되다
- chemical 화학 물질
- dramatically 급격하게
- resistance 저항
- detoxify 해독하다
- pesticide 농약
- microbe 미생물
- population 개체 수
- erosion 침식
- take one's toll 큰 피해를 입히다
- ranch 목장
- fertile 비옥한

정답 ③

107 다음 글의 제목으로 가장 적절한 것은?

An interesting phenomenon that arose from social media is the concept of social proof. The notion of social proof refers to the tendency human beings follow those around them. It's easier for a person to accept new values or ideas when they see that others have already done so. If the person they see accepting the new idea happens to be a friend, then social proof has even more power by exerting peer pressure as well as relying on the trust that people put in the judgments of their close friends. For example, a video about some issue may be controversial on its own but more credible if it got thousands of *likes*. If a friend recommends the video to you, in many cases, the credibility of the idea it presents will rise in direct proportion to the trust you place in the friend recommending the video. This is the power of social media and part of the reason why videos or "posts" can become "viral."

* viral: 바이러스성의, 입소문이 나는

① Types of Social Proof
② Positive Social Proof vs. Negative Social Proof
③ Social Proof: What It Is and How It Works
④ The Right Way to Use Social Proof

108 밑줄 친 부분에 들어갈 말로 가장 적절한 것은?

To help decide what's risky and what's safe, who's trustworthy and who's not, we look for _____. From an evolutionary view, tending to copy the actions of others is almost always positive for our prospects of survival. "If everyone's doing it, it must be a sensible thing to do," explains famous psychologist and best selling writer of *Influence*, Robert Cialdini. While we can frequently see this today in product reviews, even subtler cues within the environment can signal trustworthiness. Consider this: when you visit a local restaurant, is it busy? Is there a line outside or is it easy to find a seat? It is a hassle to wait, but a line can be a powerful cue that the food's tasty, and these seats are in demand. More often than not, it's good to adopt the practices of those around you.

* hassle: 성가신 일

① rational judgment
② social evidence
③ intuitive thinking
④ rule-based analysis

주요 구문 분석

If the person (they see accepting the new idea) happens to be a friend, // then social proof has even more power / by exerting peer pressure / as well as relying on the trust (that people put / in the judgments of their close friends).

분석) 길고 복잡한 문장도 수식 관계와 연결 관계를 잘 따져 해석하면 쉽게 해석할 수 있다. 선행사가 the person이고, 관계사절의 동사인 see의 목적어가 없으므로 the person과 they see 사이에는 목적격 관계대명사 whom이 생략된 형태이다. as well as는 접속사이고 exerting ~과 relying on ~ 두 개의 동명사를 병렬 연결하고 있으며 relying on ~부터 해석해야 한다.

주요 구문 분석

It is a hassle to wait, // but a line can be a powerful cue [that the food's tasty, // and these seats are in demand].

분석) 가주어 it으로 시작하므로 진주어를 찾아 먼저 해석해야 한다. to wait이 진주어이다. 접속사 that이 왔는데 뒤의 절이 완전하므로 명사절 접속사이고 cue와 동격을 이루는 동격의 접속사이다. 동격은 관계대명사처럼 동격절을 먼저 해석하고 동격 명사를 이어 해석해야 한다.

107 난이도 ★★★

해석

소셜 미디어에서 생긴 흥미로운 현상은 사회적 증거라는 개념이다. 사회적 증거라는 개념은 인간이 그들 주변의 사람들을 따르는 경향을 말한다. 다른 사람들이 이미 받아들인 것을 볼 때, 한 사람이 새로운 가치나 생각을 받아들이기가 더 쉽다. 만약 그들이 새로운 생각을 받아들이고 있다고 보는 그 사람이 마침 친구라면, 사회적 증거는 사람들이 가까운 친구들의 판단에 두는 신뢰에 의존할 뿐만 아니라 또래의 압력을 행사함으로써 훨씬 더 큰 힘을 갖게 된다. 예를 들어, 어떤 문제에 관한 비디오는 그 자체로 논란이 될 수 있지만 수천 개의 '좋아요'를 얻었다면 더 신뢰할 수 있다. 친구가 당신에게 이 비디오를 추천한다면, 많은 경우에, 그것이 나타내는 생각에 대한 신뢰도가 비디오를 추천하는 친구의 신뢰도에 정비례하여 높아질 것이다. 이것이 소셜 미디어의 힘이고 비디오나 '게시물'이 '바이러스성'이 될 수 있는 이유의 일부이다.

① 사회적 증거의 유형
② 긍정적인 사회적 증거 대 부정적인 사회적 증거
③ 사회적 증거: 그것은 무엇이고 어떻게 작동하는가
④ 사회적 증거를 이용하는 올바른 방법

해설

첫 번째 문장에서 글의 중심 소재인 사회적 증거라는 개념을 언급하고 두 번째 문장이 주제문으로 사회적 증거는 주위 사람들을 따르는 경향이라고 설명한다. 이후에는 구체적인 예시를 통해 사회적 증거가 작동하는 방식을 설명하고 있다. 따라서 글의 제목으로 가장 적절한 것은 ③ '사회적 증거: 그것은 무엇이고 어떻게 작동하는가'이다.

어휘

- arise 생기다
- tendency 경향
- exert 행사하다
- rely on ~에 의존하다
- controversial 논란이 있는
- refer to ~을 말하다
- happen to 마침 ~이다
- pressure 압력
- judgment 판단
- credible 신뢰할 수 있는
- in direct proportion to ~에 정비례하여

정답 ③

108 난이도 ★☆☆

해석

무엇이 위험하고 무엇이 안전한지, 누가 신뢰할 수 있고 누가 신뢰할 수 없는지를 결정하는 것을 돕기 위해, 우리는 '사회적 증거'를 찾아본다. 진화의 관점에서 볼 때, 다른 사람들의 행동을 모방하는 경향이 있는 것은 우리의 생존 전망에 거의 항상 긍정적이다. "모든 사람이 그것을 하고 있다면, 그것은 해야 할 분별 있는 일임이 틀림없다."라고 유명한 심리학자이자 <Influence>를 쓴 베스트셀러 작가인 Robert Cialdini는 설명한다. 오늘날 우리는 상품 평에서 이것을 자주 볼 수 있지만, 환경 내의 훨씬 더 미묘한 신호가 신뢰성을 나타낼 수 있다. 이것을 생각해보라: 여러분이 어떤 지역의 음식점을 방문할 때, 그곳이 분주한가? 밖에 줄이 있는가, 아니면 자리를 찾기가 쉬운가? 기다리는 것은 성가신 일이지만, 줄은 음식이 맛있고 이곳의 좌석은 수요가 많다는 강력한 신호일 수 있다. 대개, 주변에 있는 사람들의 행동을 따르는 것이 좋다.

① 이성적 판단
③ 직관적 사고
④ 규칙을 바탕으로 한 분석

해설

주제문을 완성하는 유형의 문제이다. 주제문 이후, 빈칸의 근거가 될 수 있는 설명이 이어진다. 먼저, 진화론적 관점에서 생존을 위해 사람들이 다른 사람들의 행동을 모방하는 것이 긍정적이라고 한다. 또한, 유명한 저서를 인용해서 모든 사람이 하는 행동이라면 그것은 분별력 있는 것이라고 주장한다. 그리고 식당을 예로 들어, 긴 줄은 음식의 맛이 좋다는 신호로 작용한다고 했다. 즉, 다수의 의견이나 행동을 찾아보고 그것을 따르라는 내용이므로 빈칸에도 이와 비슷한 맥락의 표현이 들어가야 한다. 따라서 정답은 ② '사회적 증거'이다. 모든 사람이 하는 행동이 분별력 있는 것이라는 설명에 현혹되어 ①을 답으로 고르지 않도록 하자.

어휘

- risky 위험한
- evidence 증거
- positive 긍정적인
- psychologist 심리학자
- cue 신호
- consider 생각하다
- tasty 맛있는
- more often than not 대개
- practice 행동
- evidence 증거
- analysis 분석
- trustworthy 신뢰할 수 있는
- evolutionary 진화의
- prospect 전망
- product review 상품 평
- signal 나타내다
- local 지역의
- in demand 수요가 많은
- adopt 따르다
- judgment 판단
- intuitive 직관적인

정답 ②

109 주어진 문장 다음에 이어질 글의 순서로 가장 적절한 것은?

> Meetings encourage creative thinking and can give you ideas that you may never have thought of on your own.

(A) But you can make your meetings more productive and more useful by preparing well in advance. You should create a list of items to be discussed and share your list with other participants before a meeting.

(B) It allows them to know what to expect in your meeting and prepare to participate.

(C) However, on average, meeting participants consider about one third of meeting time to be unproductive.

① (B) – (A) – (C)　② (B) – (C) – (A)
③ (C) – (A) – (B)　④ (C) – (B) – (A)

주요 구문 분석

However, / on average, / meeting participants consider about one third of meeting time / to be unproductive.
분석) 동사 consider는 to부정사를 목적격보어로 취하므로 to be unproductive는 보어로 해석해야 한다. 따라서 목적어인 meeting time이 to be unproductive 즉 비생산적이라고 생각한다(consider)로 해석한다.

110 글의 흐름상 가장 어색한 문장은?

> Today's technology makes it relatively simple to create information sheets, directives, and other health-relevant behavior plans that are specifically tailored to individuals. ① For example, physical therapists frequently employ computer programs with data banks of pictures and instructions for various exercises. ② They create and print out sets of exercises designed to address a patient's individual needs. ③ Similarly, a registered dietitian who uses their special software may provide individualized counseling to patients, helping them to develop a personalized meal plan that suits their unique nutritional needs and food preferences. ④ When you are storing patient information online, certain precautions must be met in order to maintain the same security and privacy guaranteed each patient. Even if there are no preexisting data banks for a particular illness, disease, or injury, healthcare professionals may choose to create their own that they use frequently with their patient populations.

주요 구문 분석

Today's technology makes it relatively simple / to create information sheets, directives, and other health-relevant behavior plans (that are specifically tailored / to individuals).
분석) make가 5형식 동사이고 가목적어 it이 왔으므로 진목적어를 먼저 찾아 해석하고 이어서 목적격보어 simple을 해석해야 한다. to create ~가 진목적어이고, '~을 생산하는 것을 쉽게 만든다'로 해석해야 한다.

109 난이도 ★★★

해석

회의는 창의적인 사고를 촉진하고 절대 당신 혼자서 생각해 내지 못했을 생각을 줄 수 있다. (C) 그러나, 평균적으로 회의 참석자들은 회의 시간의 3분의 1을 비생산적이라고 생각한다. (A) 그러나 당신은 미리 잘 준비함으로써 당신의 회의를 더 생산적이고 더 유용하게 만들 수 있다. 당신은 논의되어야 할 사항의 목록을 만들고 회의 전에 다른 참석자들과 당신의 목록을 공유해야 한다. (B) 이것은 그들이 당신의 회의에서 무엇을 예상해야 하는지 알게 하여 참석을 준비하도록 한다.

해설

회의의 긍정적인 측면을 다룬 글로 주어진 문장에서는 회의의 생산성에 대해 진술한다. (A)와 (B)도 생산적인 회의에 관한 내용인데 (A)가 역접의 연결어 But으로 시작하므로 주어진 문장과 같은 맥락의 (A)가 But으로 이어지는 것은 어색하다. (C)가 역접의 연결어 However로 시작하며 회의 참석자들이 회의를 비생산적으로 여기는 것에 대해 언급하므로 주어진 문장 뒤에 (C)가 먼저 오고, 다시 내용을 전환시켜 생산적인 회의를 할 수 있다는 (A)가 오는 것이 적절하다. (A)의 your list와 other participants를 (B)에서 각각 It과 them으로 받아서 회의 안건을 미리 알려 회의를 준비할 수 있도록 만들어 준다고 마무리하는 것이 자연스럽다. 따라서 글의 순서로 가장 적절한 것은 ③ (C)-(A)-(B)이다.

어휘

- encourage 촉진하다
- think of ~을 생각해내다
- on one's own 혼자서
- productive 생산적인
- useful 유용한
- in advance 미리
- participant 참석자
- participate 참석하다
- unproductive 비생산적인

정답 ③

110 난이도 ★★★

해석

오늘날의 기술은 개인에게 특별히 맞춰진 도표, 명령, 그리고 다른 건강 관련 행동 계획을 고안하는 것을 상대적으로 더 쉽게 만든다. ① 예를 들어, 물리 치료사는 다양한 운동을 위한 그림과 설명이 있는 데이터 뱅크를 갖춘 컴퓨터 프로그램을 빈번히 이용한다. ② 그들은 한 환자의 개인적 필요를 다루도록 설계된 일련의 운동을 고안하여 출력한다. ③ 마찬가지로, 자신의 특별한 소프트웨어를 사용하는 등록된 영양사는 환자들에게 개별적으로 다루어진 상담을 제공하여, 그들이 자신들의 고유한 영양적 요구와 식품 선호에 맞는 개인화된 식단을 개발하도록 도울 것이다. ④ 환자 정보를 온라인으로 저장하고자 할 때는, 각 환자에게 보장된 동일한 보안과 개인 정보 보호를 유지하도록 특정한 예방 조치가 취해져야 한다. 특정 질환, 질병, 부상에 대한 기존의 데이터 뱅크가 없어도, 의료 전문가들은 자신들의 환자 집단에 빈번히 사용하는 그들 자신만의 것을 고안하는 것을 선택할 수 있을 것이다.

해설

중심 소재는 개인화이고 첫 문장에서 오늘날의 기술을 이용하면 개개인에게 맞추어진 자료를 만들어 활용하기 쉽다는 글의 주제를 제시하고, 그 이후에 이에 관한 몇몇 사례를 열거하는 형식의 글이다. 두 번째 문장부터 물리 치료사가 컴퓨터 프로그램을 이용하여 다양한 운동 관련 자료를 만들어 환자의 개인적 필요를 처리해 주는 것, 영양사가 전문 소프트웨어를 사용하여 환자별로 개인화된 식단 계획을 만들 수 있도록 개별적으로 다루어진 상담을 제공하는 것, 그리고 특정 질환에 관련된 기존의 데이터 뱅크 자료가 없을 때 의료 전문가들이 자신만의 자료를 만들어 환자들에게 사용하는 것과 같은 사례를 제시하고 있다. 하지만, ④는 환자의 정보를 온라인으로 저장할 때 보안과 개인 정보 보호에 각별히 유념해야 한다는 내용으로 글의 전체 흐름과 어울리지 않는다.

어휘

- relatively 상대적으로
- directive 명령
- relevant 관련된
- specifically 특별히
- tailor 맞추어 만들다
- physical therapist 물리 치료사
- frequently 빈번하게
- instruction 설명
- address 다루다
- registered 등록된
- dietitian 영양사
- individualize 개별적으로 다루다
- counseling 상담
- personalize 개인화하다
- nutritional 영양의
- preference 선호
- precaution 예방 (조치)
- security 보안
- guarantee 보장하다
- preexisting 기존의

정답 ④

111 주어진 글에 이어질 글의 순서로 가장 적절한 것은?

The role of computers in the development of a young child has been a widely controversial topic for decades, and both parents and educators have put forth both concerns about the potential benefits as well as harms to young children.

(A) However, even to those who advocate the use of technology in education, there are also some concerns that the most modern technologies are not being optimized and utilized in the best way possible.

(B) Critics argue that introducing technology in schools only wastes money and time, and that instead children should be allowed to develop essential learning and social skills through interaction with other students.

(C) On the other hand, proponents of the computer technology suggest that children should take advantage of the newest technologies and that children should learn how to become adept at utilizing such technologies as a means to further their success in their eventual entering of the workforce.

① (B) – (A) – (C)
② (B) – (C) – (A)
③ (C) – (A) – (B)
④ (C) – (B) – (A)

112 밑줄 친 부분에 들어갈 말로 가장 적절한 것은?

People spend much of their time interacting with media, but that does not mean that people have the critical skills _____.
One well-known study from Stanford University in 2016 demonstrated that youth are easily fooled by misinformation, especially when it comes through social media channels. This weakness is not found only in youth, however. Research from New York University found that people over 65 shared seven times as much misinformation as their younger counterparts. All of this raises a question: What's the solution to the misinformation problem? Governments and tech platforms certainly have a role to play in blocking misinformation. However, every individual needs to take responsibility for combating this threat by becoming more information literate.

① to keep their personal privacy
② to analyze and understand the media
③ to communicate with people
④ to detect bias in algorithm

주요 구문 분석

However, / even to those (who advocate the use of technology in education), / there are also some concerns (that the most modern technologies are not being optimized and utilized / in the best way possible).

분석 who는 those를 수식하는 관계대명사이므로 이를 먼저 해석한 후 '~하는 사람들'로 해석해야 한다. that 이후가 완전한 절이므로 관계대명사가 아닌 concerns를 설명하는 동격절이다. 동격절 역시 관계대명사절처럼 동격절을 먼저 해석한 후에 설명하는 명사를 붙여 해석한다.

주요 구문 분석

People spend much of their time / interacting with media, // but that does not mean // that people have the critical skills (to analyze and understand the media).

분석 '~하는 데 시간/돈을 쓰다'라는 의미의 「spend+시간/돈+~ing」의 구문이므로 이에 맞는 순서로 해석해야 한다. that은 앞의 내용을 가리키는 대명사이다. to analyze and understand the media는 skills를 수식하는 to부정사의 형용사적 용법이므로 skills를 수식하는 방식으로 해석해야 한다.

111

난이도 ★★☆

해석

어린아이의 발달에서 컴퓨터의 역할은 수십 년 동안 대단히 논란이 많은 주제였고, 부모들과 교육자들 둘 다 어린아이에게 미치는 피해뿐만 아니라 잠재적 이득에 대한 우려를 제시했다. (B) 비평가들은 학교에 기술을 도입하는 것은 돈과 시간을 낭비할 뿐이며, 그 대신 아이들은 다른 학생들과의 상호작용을 통해 필수적인 학습 기술 및 사회성 기술을 배우도록 허용되어야 한다고 주장한다. (C) 반면에 컴퓨터 기술의 지지자들은 아이들은 최신 기술의 이점을 이용해야 하며 아이들의 궁극적인 취업으로의 진입에 대한 성공을 촉진하는 수단으로서 그런 기술들을 이용하는 데 능숙해지는 방법을 배워야 한다고 제안한다. (A) 그러나 심지어 교육에서 과학 기술의 사용을 지지하는 사람들에게도 대부분의 현대 과학 기술이 가능한 최선의 방법으로 최적화되고 이용되고 있지 않다는 약간의 우려가 또한 있다.

해설

주어진 문장은 어린아이의 발달에서 컴퓨터의 역할에 대한 두 가지 상반된 주장에 대해 우려를 표한다고 나온다. 그리고 같은 입장을 나타내는 학교에서의 기술의 사용에 대한 반대의 입장인 (B)가 이어지는 것이 자연스럽고 역접을 나타내는 On the other hand로 시작하며 기술의 사용에 대한 찬성의 입장을 주장하는 (C)가 그 뒤에 이어져야 한다. (A)는 역접인 However로 시작하여 찬성하는 사람들의 입장 중에서 일부 우려 사항을 이야기하고 있으므로 찬성하는 주장인 (C) 다음에 오는 것이 바르다. 따라서 정답은 ② (B)-(C)-(A)이다.

어휘

- controversial 논란이 많은
- put forth 제시하다
- advocate 지지하다
- optimize 최적화하다
- utilize 이용하다
- in the best way possible 가능한 최선의 방법으로
- introduce 도입하다
- proponent 지지자
- adept at ~에 능숙한
- further 촉진하다
- eventual 궁극적인

정답 ②

112

난이도 ★☆☆

해석

사람들은 미디어와 상호작용하는 데 많은 시간을 소비하지만, 그렇다고 해서 사람들이 미디어를 분석하고 이해하는 중요한 기술을 가지고 있는 것은 아니다. 2016년 스탠퍼드 대학의 잘 알려진 한 연구는 특히 소셜 미디어 채널을 통해 젊은이들이 잘못된 정보에 쉽게 속는다는 것을 보여주었다. 그러나 이러한 약점은 젊은이에게서만 발견되는 것은 아니다. 뉴욕 대학의 조사에 따르면 65세 이상의 사람들이 젊은이들보다 7배나 더 많은 잘못된 정보를 공유한다고 한다. 이 모든 것이 의문을 제기한다: 잘못된 정보 문제에 대한 해결책은 무엇인가? 정부와 기술 플랫폼은 분명 잘못된 정보를 막아내는 데 있어 해야 할 역할을 가지고 있다. 그러나, 모든 개인은 정보를 더 잘 분석하고 이해할 줄 알게 됨으로써 이러한 위협에 맞서 싸울 책임을 지닐 필요가 있다.

① 개인의 사생활을 보호하는
③ 사람들과 소통하는
④ 알고리즘의 편향을 감지하는

해설

빈칸에는 미디어와 관련되어 있지만, 사람들이 가지고 있지 않은 기술이 무엇인지가 들어가야 한다. 스탠퍼드 대학의 연구를 예시로 젊은이들이 잘못된 정보에 쉽게 속는다고 했고, 두 번째 예시로 뉴욕 대학의 조사에서 65세 이상의 사람들이 잘못된 정보를 공유하는 것을 언급한다. 그리고 마지막 문장에서 잘못된 정보에 대한 개인의 역할은 정보를 더 잘 다루는 것이라고 언급하므로, 미디어에서 정보를 제대로 분석하고 이해하지 못해서 잘못된 정보를 이끌어냈다는 것을 찾을 수 있다. 빈칸에는 ② '미디어를 분석하고 이해하는'이 들어가는 것이 가장 적절하다.

어휘

- interact 상호작용하다
- critical 중요한
- fool 속이다
- counterpart 상대
- combat 싸우다
- threat 위협
- information literate 정보를 분석하고 이해할 줄 아는
- bias 편향

정답 ②

113 다음 글의 제목으로 가장 적절한 것은?

Science is primarily analytic, art primarily synthetic. Medicine is likely to remain an art, however hard we may try to make it more and more scientific, and however much we may attempt to master its scientific contents. For medicine deals not with impersonal atoms, elements, plants with tropisms, or animals with instinct mechanisms, but with humans with a "soul" and "free will." In order to fulfill his mission, therefore, the physician has to be more than a mere technician and man of science. He must be a well-rounded human being, humane and humanistic. In practice he deals not with disordered metabolisms, specific infections, or neoplasms, but with sick human individuals. Even the effect of digitalis or antibiotics will partially depend on the human relationship between the doctor and his patient, not to speak of treatment of the "psychosomatic" diseases that will normally form from 50 to 70 percent of the doctor's practice.

* neoplasm: 종양
* digitalis: 디기탈리스(디기탈리스의 씨와 잎으로 만든 강심제)

① How Does Medicine Reduce Humans' Pain?
② Is It Possible to Prove Human Soul Scientifically?
③ Mission of Medicine: Free Humans From Diseases
④ Medicine as an Art with Which to Deal with Humans

114 밑줄 친 부분에 들어갈 말로 가장 적절한 것은?

Stonehenge, a large circle of massive stones located in England, remains one of the world's great mysteries because no one knows exactly who built it or why. Over the years, people have proposed many theories about its purpose. Some believe it was used for religious ceremonies, while others think it served as an ancient observatory. Because of its age and unusual design, it has also become the subject of many unusual stories. In the past, some claimed that a powerful wizard moved the stones using magic. Others suggested that aliens played a role in its construction. However, most experts today agree that Stonehenge was built by humans using basic tools, careful planning, and teamwork. Although many questions remain, Stonehenge demonstrates how _____ ancient people could be.

① superstitious and easily fooled
② unsophisticated and poorly organized
③ advanced and imaginative
④ spiritual and full of fear

주요 구문 분석

Medicine is likely to remain an art, // however hard we may try / to make it more and more scientific, // and however much we may attempt / to master its scientific contents.

분석 「However(= No matter how)+형용사/부사+S+V」의 복합관계사 양보구문이다. However가 '얼마나'를 의미하며 뒤의 형용사나 부사를 수식하고 전체를 양보의 의미로 해석한다.

주요 구문 분석

Although many questions remain, // Stonehenge demonstrates // how advanced and imaginative ancient people could be.

분석 간접의문문이 동사의 목적어로 사용되었다. how가 형용사를 수식하고 있으므로 '얼마나'로 해석해야 한다. 즉 '고대의 사람들이 얼마나 발전되고 상상력이 풍부할 수 있었는지'로 해석해야 한다.

113 난이도 ★★★

해석

과학은 주로 분석적이며, 예술은 주로 종합적이다. 아무리 우리가 의학을 더욱 더 과학적으로 만들기 위해 열심히 노력할지라도, 그리고 우리가 의학의 과학적 내용을 완전히 습득하기 위해 아무리 많이 시도할지라도, 의학은 예술로 남을 가능성이 크다. 왜냐하면 의학은 비인간적인 원자, 원소, 친화성을 가진 식물, 또는 본능적인 메커니즘을 가진 동물을 대하는 것이 아니라, '영혼'과 '자유 의지'를 가진 인간을 다루기 때문이다. 그러므로 임무를 완수하기 위해, 의사는 단순한 기술자와 과학자 그 이상이어야 한다. 그는 인도적이고 인본주의적이고, 전 인격을 갖춘 인간이어야 한다. 실제로 그는 이상이 있는 신진대사, 특정 감염, 또는 종양을 다루는 것이 아니라 아픈 인간 개인을 다룬다. 심지어 디기탈리스나 항생제의 영향도 부분적으로는 의사와 그의 환자 사이의 관계에 달려있을 것인데, 의사가 하는 업무의 보통 50퍼센트에서 70퍼센트를 형성할 '심신' 질병의 치료는 말할 것도 없다.

① 의학은 어떻게 인간의 고통을 줄이는가?
② 인간의 영혼을 과학적으로 증명하는 것은 가능한가?
③ 의학의 사명: 인간을 질병으로부터 자유롭게 하라
④ 인간을 다루는 예술로서의 의학

해설

중심 소재는 의학과 예술이고 두 번째 문장이 주제문이며 의학은 어떤 것에 대해 분석적으로 접근하는 과학이라기보다는 인간을 다루기 때문에 종합적 성격의 예술에 가깝다는 내용의 글이다. 단순히 기술자나 과학자 그 이상으로 인도적이고 인본주의적인 전 인격을 갖춘 인간으로서 특정한 질병이 아닌 아픈 인간을 다루고, 그래서 약품의 영향도 의사와 그의 환자 사이의 관계에 달려있을 거라고 필자는 주장한다. 따라서 글의 제목으로 가장 적절한 것은 ④ '인간을 다루는 예술로서의 의학'이다.

어휘

- analytic 분석적인
- synthetic 종합적인
- impersonal 비인간적인
- tropism (식물의) 친화성
- instinct 본능
- free will 자유 의지
- well-rounded 전 인격을 갖춘
- humane 인도적인
- humanistic 인본주의적인
- in practice 실제로
- disordered 이상이 있는
- metabolism 신진대사
- infection 감염
- not to speak of ~은 말할 것도 없고
- psychosomatic 심신의
- practice (의사·변호사의) 업무

정답 ④

114 난이도 ★★★

해석

영국에 위치한 거대한 돌들로 이루어진 원형 구조물인 스톤헨지는, 누가 왜 그것을 지었는지 정확히 알 수 없기 때문에 세계에서 가장 큰 불가사의 중 하나로 남아 있다. 오랜 시간에 걸쳐 사람들은 그 목적에 대해 다양한 이론을 제시해 왔다. 어떤 이들은 그것이 종교적 의식에 사용되었을 것이라 믿고, 다른 이들은 고대의 천문대 역할을 했다고 생각한다. 그 나이와 기이한 구조 때문에, 그것(스톤헨지)은 많은 기이한 이야기들의 주제가 되기도 했다. 과거에 어떤 사람들은 강력한 마법사가 돌을 마법으로 옮겼다고 주장하기도 했다. 또 어떤 이들은 외계인이 건설에 관여한 것이라고 주장했다. 그러나 오늘날 대부분의 전문가들은 스톤헨지가 인간의 손에 의해, 기본적인 도구와 신중한 계획, 그리고 협동을 통해 지어졌다고 보고 있다. 아직 많은 의문이 남아 있지만, 스톤헨지는 고대인들이 얼마나 <u>발전되고 상상력이 풍부</u>할 수 있었는지를 보여준다.

① 미신을 잘 믿고 쉽게 속을
② 세련되지 못하고 조직력이 부족할
④ 영적이고 두려움이 많을

해설

글의 중심 소재는 스톤헨지이고, 주제문은 마지막 문장이다. 여전히 불가사의로 남아있지만, 스톤헨지를 왜 세웠는지(종교의식, 천문대) 누가 세웠는지에 대한 이론들(마법사, 외계인 건설)을 제시한 다음, 마지막으로 오늘날의 견해는 인간의 손과 도구, 계획과 협동으로 건설되었을 것이라고 주장하며 고대인들에 대한 평가로 마무리한다. 지금도 누가 왜 어떤 목적으로 지었는지 이해하기 어려운 것을 인간들이 직접 건설했다고 하므로 빈칸에는 인간이 이러한 거대한 구조물을 건설할 능력이 있는 존재임을 보여주는 말이 와야 한다. 따라서 빈칸에는 ③ '발전되고 상상력이 풍부할'이 가장 적절하다.

어휘

- massive 거대한
- mystery 불가사의
- propose 주장하다
- theory 이론
- purpose 목적
- religious 종교적인
- ceremony 의식
- unusual 기이한
- serve as ~의 역할을 하다
- observatory 천문대
- subject 주제
- claim 주장하다
- wizard 마법사
- magic 마법
- suggest 주장하다
- alien 외계인
- construction 건설
- teamwork 협동
- demonstrate 보여주다
- superstitious 미신을 잘 믿는
- fool 속이다
- unsophisticated 세련되지 못한
- poorly organized 조직력이 부족한
- advanced 발전된
- imaginative 상상력이 풍부한
- spiritual 영적인

정답 ③

115 글의 흐름상 가장 어색한 것은?

When assessing the scope of philanthropy, we must again remind ourselves that there is a vast and largely uncharted ocean of informal, spontaneous, interpersonal philanthropy. ① We make a mistake in measuring the scale and scope of philanthropy if we neglect or forget about the pervasive, character-shaping good works that are immediate, direct, or personal. ② And we do not have adequate ways to measure the impact of all this sort of work on people, on the communities in which they live and work, and on the nation and the world. ③ But this informal philanthropy clearly matters, especially to those receiving the help, whether they are our closest friends or a stranger. ④ For most of us, benefiting from philanthropy is not about our own hunger or homelessness, but is about benefiting from social change or stewardship. We must think of philanthropy as encompassing both the spontaneous, individual acts of kindness and the planned, organized efforts that ensure acts of kindness are not ineffective or short-lived.

주요 구문 분석

When assessing the scope of philanthropy, // we must again remind ourselves // that there is a vast and largely uncharted ocean (of informal, spontaneous, interpersonal philanthropy).

분석 when은 분사구문의 의미를 명확하게 하기 위해 접속사를 남겨둔 것이므로 '~할 때'라고 명확한 해석을 해야 한다. 동사 remind는 '~에게'에 해당하는 목적어 뒤에 of나 that절로 전달하는 내용을 말한다. 따라서 '~에게 that 이하의 것을 상기시켜야 한다'로 해석해야 한다. 또한 접속사 없이 여러 개의 형용사를 나열해서 명사를 수식할 수 있다.

115 난이도 ★★★

해석

자선 활동의 범위를 평가할 때, 우리는 다시 한 번 우리 자신에게 비공식적이고, 자발적이며, 대인 관계적인 자선 활동의 넓고 대부분 알려지지 않은 바다가 있다는 것을 상기시켜야 한다. ① 즉각적이거나, 직접적이거나, 또는 개인적인 만연하고, 성격을 형성해주는 선행들에 대해서 우리가 무시하거나 잊어버린다면, 우리는 자선 활동의 규모와 범위를 측정하는 것에서 실수를 범하게 된다. ② 그리고 우리는 이런 모든 종류의 일이 사람들, 그들이 살고 일하는 지역 사회, 그리고 국가와 세계에 미치는 영향을 측정할 적절한 방법을 가지고 있지 않다. ③ 그러나 이 비공식적인 자선사업은 특히 도움을 받는 사람들에게, 그들이 우리의 가장 가까운 친구든 낯선 사람이든 간에 분명히 중요하다. ④ 우리 대부분에게 자선 활동으로부터 이익을 얻는다는 것은 우리의 굶주림이나 집 없는 것에 관한 것이 아니라, 사회 변화나 관리로부터 이익을 얻는 것에 관한 것이다. 우리는 자선 활동을 자발적이고, 개인적인 친절의 행동과 친절의 행동이 비효율적이거나 수명이 짧지 않도록 보장하는 계획되고, 조직된 노력 둘 다를 아우르는 것으로서 생각해야 한다.

해설

첫 문장에서 파악할 수 있는 이 글의 중심 소재는 자선 활동이며, 자선 활동의 범위에는 비공식적이고 자발적이며 대인 관계적인 것이 아주 많고 그리고 대부분 알려져 있지 않다는 사실을 알리고 있다. 이후의 글에서 이러한 비공식적이고 개인적인 선행에 대해 무시하거나 잊어서는 안 되며 이것을 측정할 적절한 방법은 없지만, 이 도움을 받는 이들에게는 여전히 중요한 것이라고 강조한다. 그리고 마지막 문장에서 다시 한 번 자선 활동의 개념에 대해 계획되고 조직된 것뿐만이 아닌 자발적이고 개인적인 이러한 비공식적인 선행도 포함시켜서 생각해야 한다고 주장하고 있다. 따라서 자선 활동을 통해 얻게 되는 이익에 대해 말하는 ④는 비공식적인 자선 활동을 자선 활동의 범위에 포함시켜야 한다는 글의 흐름에 어울리지 않는다.

어휘

- assess 평가하다
- scope 범위
- philanthropy 자선 활동
- uncharted 알려지지 않은
- spontaneous 자발적인
- interpersonal 대인관계의
- measure 측정하다
- pervasive 만연하는
- immediate 즉각적인
- adequate 적절한
- matter 중요하다
- benefit from ~로부터 이익을 얻다
- homelessness 집이 없음
- stewardship 관리
- encompass 아우르다
- ensure 보장하다
- ineffective 비효율적인
- short-lived 수명이 짧은

정답 ④

116 주어진 문장이 들어갈 위치로 가장 적절한 곳은?

Such disconnection makes us reactive rather than proactive, often looking for quick fixes and seeking instant gratification.

Every emotion has its own vibration energy, similar to a tuning fork that, when struck, vibrates and puts out a certain energy frequency. When we are feeling intense emotions, our bodies vibrate at a different rate than when we are not. (①) Therefore, we experience emotions through our physical body. (②) However, most of us are not well connected to our physical body, meaning that we do not understand the emotional messages that are manifesting in it. (③) For example, if we have a headache, we take aspirin, and if that doesn't relieve the pain, we see a doctor to get some prescription medication. (④) But this approach merely masks the problem, and sooner or later our body presents its bill.

주요 구문 분석

Every emotion has its own vibration energy, / similar to a tuning fork (that, when struck, vibrates / and puts out a certain energy frequency).

분석 similar to 앞에 which is가 생략되었고, 선행사는 vibration energy이다. 관계대명사 앞에 콤마가 있는 관계대명사의 계속적 용법이므로 관계대명사의 앞을 먼저 해석하고 similar to 부분을 이어서 해석해야 한다. 관계대명사와 동사 사이에는 삽입구나 절이 올 수 있다. when (it is) struck의 부사절이 삽입되었으며 이때는 부사절 먼저 해석하고 관계대명사절을 해석한다.

116

난이도 ★★☆

해석

모든 감정은 그것만의 진동 에너지를 갖고 있는데, 타격을 입으면 진동하여 특정한 에너지 주파수를 만들어내는 소리굽쇠와 유사하다. 우리가 강렬한 감정을 느끼고 있을 때, 우리의 신체는 우리가 그렇지 않을 때와는 다른 속도로 진동한다. ① 따라서 우리는 우리의 신체를 통해 감정을 경험한다. ② 하지만 우리 대부분은 우리의 신체와 잘 연결되어 있지 않은데, 이는 우리가 우리 몸에서 나타내고 있는 감정적 메시지를 이해하지 못한다는 것을 의미한다. ③ 그러한 단절은 우리가 사전 대책을 강구하기보다는 반응하게 만드는데, 흔히 응급조치를 찾고 즉각적인 만족을 추구하게 된다. 예를 들어 우리는 두통이 생기면, 아스피린을 먹고, 그것이 통증을 완화하지 않으면 우리는 어떤 처방약을 받으려고 의사를 찾아간다. ④ 하지만 이러한 접근법은 단지 문제를 감추는 것일 뿐이며, 조만간 우리의 신체는 그것의 청구서를 내민다.

해설

첫 번째 문장에서 감정의 진동 에너지라는 소재를 제시하고 그것이 무엇이며 그것을 인식하는 것이 왜 중요한지를 예를 들면서 설명하는 구조의 글이다. 주어진 문장은 Such disconnection을 주어로 하고 있으므로 이 어구가 가리키는 내용을 찾는 것이 문제 해결의 핵심이다. ② 앞까지의 내용은 모두 감정의 진동 에너지에 대한 설명이고, ② 뒤의 문장은 However로 시작하여 내용이 대조적으로 전환된다. 이 문장의 not well connected라는 표현을 주어진 문장에서 Such disconnection으로 받으면 흐름이 자연스럽다. 또한 ③ 다음의 For example로 시작하는 문장의 내용이 주어진 문장에서 말하는 '응급조치'이자 '즉각적인 만족'의 구체적 예시이다. 따라서 정답은 ③이다.

어휘

- disconnection 단절
- reactive 반응을 보이는
- proactive 사전 대책을 강구하는
- quick fix 응급조치
- gratification 만족
- vibration 진동
- tuning fork 소리굽쇠
- put out 만들어내다
- frequency 주파수
- intense 강렬한
- physical body 신체
- manifest 나타내다
- relieve 완화하다
- prescription 처방
- medication 약
- sooner or later 조만간

정답 ③

117 다음 중 글의 주제로 가장 적절한 것은?

A major factor which can help people to withstand fear and anxiety is being in control. In the studies of American servicemen this was revealed when aircrew in the European area of operations were asked in June 1944: "If you were doing it over again, do you think you would choose to sign up for combat flying?" Pilots were always more willing to answer "Yes, I'm pretty sure I would" (51-84 percent) than other enlisted men (39-51 percent), and fighter pilots flying their planes single-handed (84 percent) more so than bomber pilots (51-74 percent), carrying out operations with other member crew such as a copilot, radar navigator, navigator and electronic warfare officer. These heavy bomber crews' reluctance turned out to increase in proportion to missions they had flown.

* copilot: 부조종사

① importance of a sense of control in military flying
② a great way of avoiding injury in war
③ exceptions in the unwillingness of pilots to fly
④ mind control for safe and secure solo flights

118 글의 흐름상 가장 어색한 문장은?

When we compare human and animal desire we find many extraordinary differences. Animals tend to eat with their stomachs, and humans with their brains. ① When animals' stomachs are full, they stop eating, but humans are never sure when to stop. ② When they have eaten as much as their bellies can take, they still feel empty, they still feel an urge for further gratification. ③ This is largely due to anxiety, to the knowledge that a constant supply of food is uncertain. ④ Another major difference between humans and animals is our ability of complex reasoning, our use of complex language. Therefore, they eat as much as possible while they can. It is due, also, to the knowledge that, in an insecure world, pleasure is uncertain. Therefore, the immediate pleasure of eating must be exploited to the full, even though it does violence to the digestion.

주요 구문 분석

A major factor (which can help people / to withstand fear and anxiety) is being in control.
분석 동사 help는 목적어와 목적격보어를 가지고 있으므로 '목적어가 목적격보어 하는 것을 돕다'로 해석한다. which는 관계대명사이므로 관계대명사절을 먼저 해석한 후에 선행사 major factor를 수식하여 해석한다. being in control은 동명사로 is의 보어이다.

주요 구문 분석

When they have eaten as much // as their bellies can take, // they still feel empty, // they still feel an urge (for further gratification).
분석 원급 비교이므로 뒤의 as를 먼저 해석하고 '그만큼 많이 먹었다'로 해석한다. 주절에 두 개의 절이 접속사 없이 사용됐지만 이것은 리듬감과 강조를 살리기 위해 허용되는 문법 파괴 현상이다. 해석도 각각 단어 하나하나 해석해서 강조 느낌을 넣어야 한다.

117

난이도 ★★☆

해석

사람들이 두려움과 불안감을 견디도록 도울 수 있는 중요한 요인은 통제한다는 것이다. 미국 군인들에 대한 연구에서, 이것은 유럽의 작전 구역 내의 항공기 승무원이 1944년 6월에 질문을 받았을 때 밝혀졌다: "만약 그것을 다시 한다면, 당신은 전투 비행에 지원하는 것을 선택할 것이라고 생각하는가?" 조종사들은 (51-84 퍼센트) 대부분 다른 사병들보다 (39-51 퍼센트) "네, 그럴 것이라고 거의 확신합니다."라고 언제나 더 기꺼이 응답했고, 단독으로 비행기를 조종하는 전투기 비행사는 (84 퍼센트) 부조종사, 레이더 조종자, 조종자, 전자전 장교 같은 다른 승무원들과 함께 작전을 수행하는 폭격기 조종사보다 (51-74 퍼센트) 그렇게 하겠다고 더 기꺼이 대답했다. 이러한 중폭격기 탑승자의 저항감은 그들이 비행했던 작전들에 비례해서 증가하는 것으로 밝혀졌다.

① 군사 비행에서 통제감의 중요성
② 전쟁에서 부상을 피하는 좋은 방법
③ 조종사가 비행을 회피하는 것의 예외
④ 안전하고 안정적인 단독 비행을 위한 마인드 컨트롤

해설

첫 문장에서 두려움과 불안감을 견딜 수 있는 요인이 통제감이라는 일반적인 설명을 한 뒤에, 미국 군인에 대한 연구 내용을 바탕으로 조종사들이 두려움과 불안감을 견딜 수 있는 요인이 무엇인지 설명한다. 전투 비행 지원 의향에 관한 조사에서 조종사들이 사병보다 긍정적 응답률이 높았고 단독 조종 전투기 비행사가 다른 군인들과 함께 작전을 수행하는 폭격기 조종사보다 긍정적 응답률이 높았다고 말한다. 즉 통제를 할 수 있는 힘이 더 많은 사람들이 두려움과 불안감을 더 잘 이겨서 긍정적인 응답을 했다는 것을 보여주므로 통제감이 전투 비행 조종에서 중요하다는 것을 알 수 있다. 따라서 정답은 ① '군사 비행에서 통제감의 중요성'이다.

어휘

- factor 요인
- anxiety 불안감
- serviceman 군인
- operation 작전
- combat flying 전투 비행
- single-handed 단독으로
- electronic warfare officer 전자전 장교
- heavy bomber 중폭격기
- in proportion to ~에 비례해서
- withstand 견디다
- be in control ~을 통제하다
- aircrew [군인] 항공기 승무원
- sign up for ~에 지원하다
- enlisted man 사병
- navigator 조종자
- reluctance 저항감

정답 ①

118

난이도 ★☆☆

해석

인간과 동물의 욕망을 비교할 때 우리는 많은 엄청난 차이점을 발견한다. 동물은 위장으로 먹는 경향이 있으며, 사람은 뇌로 먹는 경향이 있다. ① 동물은 배가 부르면 먹는 것을 멈추지만, 인간은 언제 멈춰야 할지 결코 확신하지 못한다. ② 인간은 배에 담을 수 있는 만큼 먹었을 때에도, 그들은 여전히 시장기를 느끼고 추가적인 만족감에 대한 충동을 여전히 느낀다. ③ 이것은 주로 지속적인 식량 공급이 불확실하다는 인식에 따른 두려움 때문이다. ④ <u>인간과 동물의 또 하나의 주요 차이점은 복잡한 추론 능력, 복잡한 언어 사용 능력이다.</u> 그러므로 그들은 먹을 수 있을 때 가능한 한 최대한으로 많이 먹는다. 또한, 그것은 불안정한 세상에서 즐거움이 불확실하다는 인식 때문이다. 따라서 즉각적인 먹는 즐거움은 소화에 무리가 되더라도 충분히 이용해야 한다.

해설

사람과 동물의 먹는 차이를 설명하는 글이다. 동물은 위장으로 먹고, 사람은 뇌로 먹는 경향을 가지고 있다고 말한다. 즉 동물은 배가 부르면 먹는 것을 멈추는 데 사람은 배가 불러도 언제 멈출지 모른다고 말한다. 이는 식량 공급이 불확실하다는 두려움 때문이라고 말한다. 그리고 이는 불안정한 세상에서 즐거움이 불확실하기 때문에 먹는 즐거움을 무리해서라도 충분히 즐긴다고 말한다. 그런데 ④는 먹는 경향에 대한 차이점이 아닌 추론과 언어의 사용이라는 다른 차이점에 대해 언급하고 있으므로 글의 흐름상 적절하지 않다.

어휘

- extraordinary 엄청난
- urge 충동
- constant 끊임없는
- insecure 불안정한
- stomach 위장
- anxiety 두려움
- belly 배
- exploit 이용하다

정답 ④

119 다음 글의 제목으로 가장 적절한 것은?

It is often said that we live in an age in which people are allowed to do almost anything they like. Is this good for children? They are going through their adolescence, which is a very formative stage of their development. Some parents think it is good for children to be allowed to run wild, without any control. They say that this enables children's personalities to develop naturally and that they will learn to be responsible from the mistakes they make. However, this might lead to juvenile delinquency, or it might simply make children self-centered. Other parents believe in being strict, with the children being dominated and ruled by their parents. Parents can also be very possessive and try to keep their children dependent on them. These last two attitudes can encourage rebelliousness (against parents, school, authority) in a child, or, conversely, suppress a child's natural sense of adventure and curiosity. A strict upbringing by over-caring parents can make a child so timid and inhibited that he or she is unable to express freely his or her emotions and form mature relationships.

① The Best Among Three Types of Parenting Styles
② Effects of Permissive Parenting Style on Your Child
③ Consequences of Authoritarian Parenting Style
④ How Much Freedom Should Children Have?

120 밑줄 친 부분에 들어갈 말로 가장 적절한 것은?

The word "cool" has been cool for a long time. Originally associated with temperature, by the 16th century the term had evolved to describe not just the atmosphere, but also an internal state of calm, almost icy composure. And by the late 1800s it began to signify style and hipness and some of the other meanings with which it is associated today. Now cool is used as a synonym for almost anything good. Music can be cool and restaurants can be cool. Every so often even a minivan seems cool. But not all words and phrases _____. In the 1940s, dress snappy and someone might say you looked "spiffy." In the 1950s, people might say you looked "swell." These days, teenagers might say you're "on fleek." What was once "awesome" is now "dope." Tell someone today that they look spiffy and people will think you're caught in a time warp. In other words, language is constantly evolving. Certain words and phrases catch on and become popular while others die out and wither away.

① persist
② change
③ corelate
④ appeal

문장 분석 및 해설

119 난이도 ★★★

해석

우리는 사람들이 좋아하는 것은 거의 무엇이든 하도록 허용되는 시대에 살고 있다고 종종 말해진다. 이것이 아이들에게 좋은 걸까? 아이들은 청소년기를 겪는데, 이는 아이들의 발달에 중요한 형성기이다. 어떤 부모들은 아무 통제도 없이, 아이들이 자유롭게 뛰어다니도록 허용되는 것이 좋다고 생각한다. 그들은 이것이 아이들의 인성이 자연스럽게 발달할 수 있게 하고 아이들이 자기가 저지르는 실수를 통해 책임지는 법을 배울 것이라고 말한다. 그러나 이것은 청소년 범죄로 이어질 수도 있고, 아니면 이것은 단순히 아이들을 자기중심적으로 만들 수도 있다. 다른 부모들은 엄하게 대해야 한다고 믿어서, 아이들이 부모에 의해 지배당하고 통제당한다. 부모들은 또한 소유욕이 매우 강해서 아이들을 자신들에게 의존하도록 만들려고 할 수 있다. 이런 마지막 두 가지 태도는 아이에게 (부모, 학교, 권위에 대한) 반항심을 부추긴다거나, 반대로, 아이들의 자연스러운 모험심과 호기심을 억압할 수 있다. 과잉보호하는 부모의 엄격한 양육은 아이를 매우 소심하고 내성적으로 만들 수 있어서 아이가 자신의 감정을 자유롭게 표현하지 못하고 원만한 (대인)관계를 형성하지 못한다.

① 세 가지 유형의 양육 방식 중 가장 좋은 것
② 허용적인 양육 방식이 당신의 아이에게 미치는 영향
③ 권위적인 양육 방식의 결과
④ 아이들은 얼마만큼의 자유를 가져야 하는가?

해설

글의 중심 소재는 자유와 아이들이고, 도입부에서 오늘날 모든 것을 하도록 허용되는 자유가 과연 아이들에게 좋은지 질문을 제기한 뒤 이에 관해 설명해 나가는 구조이다. 아이들은 부모의 양육관에 따라서 크게 두 가지 환경, 즉 자유를 과하게 누리거나 과하게 억압당하는 환경에서 자라는데, 이 대조적인 각각의 상황에서 아이들은 모두 부정적인 결과를 얻을 수 있다고 설명한다. 자유가 지나치면 범죄를 저지르거나 자기중심적인 성격이 될 수 있고, 자유가 억압당하면 반항심이 생기거나 대인관계에 문제가 생길 수 있다는 것이다. 따라서 중심 소재이자 핵심어인 자유와 아이들이 모두 들어간 ④ '아이들은 얼마만큼의 자유를 가져야 하는가?'가 글의 제목으로 가장 적절하다. ①은 글에서 몇 가지 유형의 양육 방식을 비교했을 뿐 가장 좋은 것을 뽑지는 않았고, ②, ③은 지엽적이므로 정답이 될 수 없다.

어휘

- adolescence 청소년기
- juvenile delinquency 청소년 범죄
- rebelliousness 반항
- upbringing 양육
- permissive 허용적인
- formative 형성의
- possessive 소유욕이 강한
- suppress 억압하다
- inhibited 내성적인
- authoritarian 권위적인

정답 ④

120 난이도 ★★★

해석

'cool'이라는 단어는 오랫동안 cool했다. 원래 온도와 관련되었으나, 16세기 무렵에 이 단어는 단지 대기뿐 아니라 평온한 내적 상태, 즉 거의 얼음 같은 평정을 묘사하기 위해 발전했다. 그리고 1800년대 말경에 이것은 스타일과 최신 정보에 밝음 그리고 오늘날 이것이 연관되는 몇 가지 다른 의미들을 의미하기 시작했다. 이제 cool은 거의 모든 좋은 것의 동의어로 사용된다. 음악이 cool할 수도 있고 식당이 cool할 수도 있다. 가끔은 미니밴조차 cool하게 보인다. 하지만 모든 단어들과 문구들이 지속되는 것은 아니다. 1940년대에 옷을 멋지게 입어보라, 그러면, 어떤 사람은 너 'spiffy(멋있어)'하게 보인다고 말했을 것이다. 1950년대에 사람들은 너 'swell(아주 좋아)'하게 보인다고 말했을 것이다. 요즘에 십 대들은 너 'on fleek(멋진 걸)'한 걸이라고 말했을 것이다. 한때 'awesome(멋진)'한 것은 이제 'dope(멋진)'하다. 오늘 누군가에게 그들이 'spiffy(멋진)'하다고 말해보라. 그러면 사람들은 당신이 시간 왜곡 속에 사로잡혀 있다고 생각할 것이다. 달리 말하면, 언어는 끊임없이 발전하고 있다. 어떤 단어와 어구가 유행하고 인기를 얻는 반면에 다른 것들은 자취를 감추고 쇠퇴한다.

② 변화하는
③ 연관시키는
④ 마음에 호소하는

해설

이 글에서는 단어의 존속과 소멸에 대해 설명하고 있다. 빈칸 앞에서는 cool이라는 단어가 원래 온도의 뜻에서 발전하여 정신적 평정을 의미하다 지금은 '멋지다'라는 의미로 사용되었다고 쓰여 있으나 빈칸 뒤에서는 시대마다 같은 의미가 다른 단어로 대체되는 것을 설명한다. 따라서 빈칸에는 모든 단어들이 ① '지속되는' 것은 아니라는 의미가 들어가야 한다.

어휘

- be associated with ~와 관련되다
- signify 의미하다
- snappy 멋진
- swell 아주 좋은
- dope 멋진
- catch on 유행하다
- wither 쇠퇴하다
- composure (마음의) 평정
- hipness 최신 정보에 밝음
- spiffy 멋진
- on fleek 멋진
- time warp 시간 왜곡
- die out 자취를 감추다
- persist 지속되다

정답 ①

DAY 25

121 밑줄 친 부분에 들어갈 말로 가장 적절한 것은?

> Ransom Olds, the father of the Oldsmobile, could not produce his "horseless carriages" fast enough. In 1901 he had an idea to speed up the manufacturing process — instead of building one car at a time, he created the assembly line. The acceleration in production was unheard-of — from an output of 425 automobiles in 1901 to an impressive 2,500 cars the following year. While other competitors were overwhelmed with this incredible volume, Henry Ford dared to ask, "Can we do even better?" He was, in fact, able to improve upon Olds's clever idea by introducing conveyor belts to the assembly line. As a result, Ford's production went through the roof. Instead of taking a day and a half to manufacture a Model T, as in the past, he was now able to spit them out at a rate of one car every ninety minutes. The moral of the story is that _____.

① embracing failure can lead to great success
② we should not run away from our mistakes
③ slow and steady wins the race
④ good progress is the forerunner of great progress

122 주어진 문장 다음에 이어질 글의 순서로 가장 적절한 것은?

> Do you sometimes feel like you don't love your life? Like, deep inside, something is missing?

(A) Before we realize we are losing ownership of our lives, we end up envying how other people live. Then, we can only see the greener grass — ours is never good enough. To regain that passion for the life you want, you must recover control of your choices. No one but yourself can choose how you live.

(B) That's because we are living someone else's life. We allow other people to influence our choices. We are trying to meet their expectations. Social pressure is deceiving — we are all impacted without realizing it.

(C) But, how? The first step to getting rid of expectations is to treat yourself kindly. You can't truly love other people if you don't love yourself first. When we accept who we are, there's no room for other's expectations.

① (B) – (A) – (C)
② (B) – (C) – (A)
③ (C) – (A) – (B)
④ (C) – (B) – (A)

주요 구문 분석

Instead of taking a day and a half / to manufacture a Model T, / as in the past, / he was now able to spit them out / at a rate (of one car every ninety minutes).

분석 '~하는 데 …의 시간이 걸리다'를 의미하는 「take 날짜/시간 (for 의미상의 주어) to부정사」 구문이므로 해석에 주의해야 한다. them이 복수형을 지칭하는 대명사이지만 성별이 명확하지 않은 단수를 지칭할 때 they나 them으로 받을 수 있다. 여기서는 a Model T를 받는 것이므로 해석에 유의해야 한다.

주요 구문 분석

Before we realize // we are losing ownership (of our lives), // we end up envying // how other people live.

분석 「end up ~ing」 구문은 '(결국) ~하게 되다'라는 의미로, 어떤 행동의 결과나 마지막 상태를 나타낸다. 특히 의도하지 않았지만 그렇게 되었다는 뉘앙스를 포함하는 경우가 많으므로 해석할 때도 이 의미를 포함시켜야 한다.

121 난이도 ★★☆

해석

Oldsmobile의 창립자인 Ransom olds는 그의 '말 없는 마차'를 만족할 만큼 빠르게 생산할 수 없었다. 1901년에 그는 제조 공정을 가속화하려는 생각을 가지고 있었다 — 한 번에 한 대의 자동차를 만드는 대신, 조립라인을 만들었다. 생산의 가속화는 전례가 없었다 — 1901년 425대의 자동차 생산에서 이듬해에 2,500대의 놀라운 생산으로. 다른 경쟁자들은 이 놀라운 양에 압도당했지만, Henry Ford는 감히 "우리가 더 잘할 수 있을까?"라고 물었다. 그는, 사실, 조립라인에 컨베이어 벨트를 도입함으로써 Olds의 기발한 생각을 향상시킬 수 있었다. 결과적으로, Ford의 생산은 최고조에 달했다. 과거와 같이 모델 T를 제조하는 데 하루 반이 걸리는 대신에, 그는 이제 90분마다 한 대의 차를 만들어내는 속도로 그것들을 뱉어낼 수 있었다. 이 이야기의 교훈은 <u>좋은 진보가 위대한 진보의 전조</u>라는 것이다.

① 실수의 수용이 성공으로 이어질 수 있다
② 우리는 실수를 회피하려 해서는 안 된다
③ 느려도 착실하면 이긴다

해설

이야기의 주제를 글 마지막에 제시한 미괄식 구조의 글로, 빈칸에 들어갈 적절한 교훈을 그 앞의 이야기를 통해 유추할 수 있다. Oldsmobile의 창립자인 Ransom olds가 마차 생산 과정의 속도를 높이는 아이디어로 조립라인을 고안해서 전례 없는 생산의 가속화를 이뤄냈다는 내용이 먼저 나오고 이어서 Henry Ford가 Olds가 개발한 조립라인에 컨베이어 벨트를 도입함으로써 Olds의 훌륭한 아이디어를 더욱 향상시킬 수 있었다고 말하고 있으므로 빈칸에는 ④ '좋은 진보가 위대한 진보의 전조이다'가 들어가는 것이 가장 적절하다.

어휘

- carriage 마차
- assembly line 조립라인
- unheard-of 전례가 없는
- following 다음의
- incredible 놀라운
- spit out 뱉어내다
- embrace 수용하다
- forerunner 전조
- speed up 가속하다
- acceleration 가속화
- impressive 인상적인
- overwhelm 압도하다
- go through the roof 치솟다
- moral 교훈
- run away from ~을 회피하려 하다

정답 ④

122 난이도 ★★★

해석

당신은 때때로 당신의 삶을 사랑하지 않는다고 느끼는가? 마치, 마음 깊은 곳에서 뭔가가 사라진 것처럼? (B) 그것은 우리가 다른 누군가의 삶을 살고 있기 때문이다. 우리는 다른 사람들이 우리의 선택에 영향을 주도록 허용한다. 우리는 그들의 기대를 충족시키기 위해 노력하고 있다. 사회적 압력이 현혹하고 있다 — 우리 모두는 그것을 깨닫지도 못한 채 영향을 받는다. (A) 우리가 우리 삶의 소유권을 잃어버리고 있다는 것을 깨닫기 전에, 우리는 다른 사람들이 어떻게 사는지를 부러워하게 된다. 그러면 우리는 더 푸른 초원(타인의 삶)만 볼 수 있을 뿐이다 — 우리의 푸른 초원(우리의 삶)은 결코 충분히 좋지 않다. 당신이 원하는 삶의 열정을 되찾기 위해서 당신은 당신의 선택에 대한 통제권을 회복해야만 한다. 당신 자신 말고는 누구도 당신이 어떻게 사는지 선택할 수 없다. (C) 하지만 어떻게 해야 할까? 기대를 제거하는 첫 번째 단계는 자신을 스스로 친절하게 대하는 것이다. 당신은 먼저 당신 스스로를 사랑하지 않는다면, 다른 사람들을 진정으로 사랑할 수 없다. 우리가 우리 자신을 받아들일 때, 다른 사람의 기대를 위한 공간은 없게 된다.

해설

주어진 문장에서 자신의 삶을 사랑하지 않는 기분이 들지 않는지 질문하였고 (B)에서 That's because로 그 질문에 대해 답하고 있다. 그 이유는 우리가 다른 누군가의 삶을 살고 있기 때문이며 그래서 다른 사람이 우리의 선택에 영향을 준다고 말한다. (B) 마지막 문장에서 우리가 그것을 깨닫지 못하도록 사회 압력이 우리를 현혹시킨다고 나오는데, 이에 대한 보충 설명으로 (A)가 이어진다. 우리는 우리 삶의 소유권을 잃고 있다는 것을 깨닫기도 전에 다른 사람들의 삶을 부러워하게 된다고 말한다. 그리고 후반부에서 선택의 통제권을 회복해야 하며 오직 너 자신만이 어떻게 살지를 결정할 수 있다고 언급한다. 마지막으로 (C)에서 But, how?로 말하며 그 방법에 대해 설명한다. 그 방법은 스스로를 사랑하는 것이다. 따라서 순서로 가장 적절한 것은 ① (B)-(A)-(C)이다.

어휘

- ownership 소유(권)
- envy 부러워하다
- passion 열정
- control 통제(권)
- meet 충족시키다
- deceive 현혹하다
- end up ~ing 결국 ~하게 되다
- regain 되찾다
- recover 회복하다
- influence 영향을 주다
- expectation 기대
- get rid of ~을 제거하다

정답 ①

DAY 25

123 다음 글의 제목으로 가장 적절한 것은?

There are more than 700 million cell phones used in the US today and at least 140 million of those cell phone users will abandon their current phone for a new phone every 14-18 months. I'm not one of those people who just "must" have the latest phone. Actually, I use my cell phone until the battery no longer holds a good charge. At that point, it's time. So I figure I'll just get a replacement battery. But I'm told that battery is no longer made and the phone is no longer manufactured because there's newer technology and better features in the latest phones. That's a typical justification. The phone wasn't even that old; maybe a little over one year? I'm just one example. Can you imagine how many countless other people have that same scenario? No wonder cell phones take the lead when it comes to "e-waste."

① A Typical Justification for New Cell Phones
② The Trend of Newly Launched Cell Phones
③ The Difficulty of Repairing Cell Phones
④ Cell Phones: the Lead of E-waste

124 밑줄 친 부분에 들어갈 말로 가장 적절한 것은?

Democracy can never succeed if the people or the voters are uneducated. Lincoln defined democracy as "Government of the people, by the people and for the people." Democracy is a government by the majority. In other words, in democracy, fifty one fools are more powerful than forty-nine wise people. The problem is very clear. So long as the people are not educated, they cannot elect their leaders properly. They cannot elect the leaders of integrity, honesty, efficiency and selflessness. In India only eighteen percent voters are educated. They can exercise their votes properly. But the rest can be bought and taken in by clever speeches. We can well imagine the fate of a government in which unscrupulous people reign supreme. A leader who cares for his own loaves and fishes cannot think for the welfare of the common people. Uneducated voters can never elect the right type of legislators. If we are to make democracy a success, we must start a crusade against _____.

① poverty
② illiteracy
③ indifference
④ discrimination

주요 구문 분석

But I'm told // that battery is no longer made // and the phone is no longer manufactured // because there's newer technology and better features / in the latest phones.

분석 4형식 동사 tell의 간접목적어를 주어로 하는 수동태 문장이고, 직접목적어인 두 개의 명사절이 and로 병렬되었다. 이런 경우 뒤쪽에 오는 명사절의 that은 생략할 수 있다. 두 개의 that절을 먼저 해석하고 수동태인 is told를 해석한다.

주요 구문 분석

If we are to make democracy a success, // we must start a crusade (against illiteracy).

분석 「be동사+to부정사」의 경우 예정, 의무, 의도, 가능, 운명의 의미를 가진다. 쉽게 생각해 보면 미래적인 의미를 가지므로 이를 반영해서 해석해야 한다. 여기서는 '의도'로 해석하는 것이 적절하다.

123   난이도 ★★★

해석

오늘날 미국에서 사용되는 휴대 전화가 7억 개가 넘고 이 휴대 전화 사용자 중 적어도 1억 4천만 명은 새 휴대 전화를 위해 14~18개월마다 그들의 현재 휴대 전화를 버릴 것이다. 나는 최신 휴대 전화를 '반드시' 가져야 하는 그런 사람들 중 한 명은 아니다. 사실 나는 배터리가 더 이상 충전되지 않을 때까지 내 휴대 전화를 사용한다. 그 때라면 때가 된 것이다. 그래서 나는 그저 교체용 배터리를 사야겠다고 생각한다. 그러나 나는 그 배터리가 더 이상 만들어지지 않고, 최신 휴대 전화에 더 새로운 기술과 더 나은 기능들이 있기 때문에 그 휴대 전화는 더 이상 제조되지 않는다고 듣게 된다. 그것이 전형적인 변명이다. 그 휴대 전화는 심지어 그렇게 오래되지 않았다; 아마도 1년 좀 넘게? 나는 단지 한 사례일 뿐이다. 얼마나 무수한 다른 사람들이 이와 똑같은 시나리오를 갖는지 당신은 상상할 수 있는가? '전자 쓰레기'와 관련해서, 휴대 전화가 선두에 있다는 것은 놀랍지 않다.

① 새로운 휴대 전화에 대한 전형적인 정당화
② 새롭게 출시된 휴대 전화의 경향
③ 휴대 전화 수리의 어려움
④ 휴대 전화: 전자 쓰레기의 선두

해설

오늘날 미국에서 휴대 전화가 많이 사용되고, 사용자들은 짧은 사용 기간 후에 사용하던 휴대 전화를 버린다고 언급한다. 이후 글쓴이는 자신은 오래 쓰려고 노력하지만, 빠른 기술의 발전으로 인해 더 이상 사용할 수 없는 환경을 언급한 후, 마지막 문장에서 휴대 전화가 전자 쓰레기의 선두라고 말한다. 그러므로 글의 제목으로는 ④ '휴대 전화: 전자 쓰레기의 선두'가 가장 적절하다. ①은 지문에서 구형 휴대 전화의 제조 중단에 대한 전형적인 정당화에 대한 언급을 했을 뿐이므로 답이 될 수 없다.

어휘

- abandon 버리다
- charge 충전
- figure 생각하다
- replacement 교체
- manufacture 제조하다
- feature 기능
- typical 전형적인
- justification 변명
- no wonder ~은 놀랍지 않다
- take the lead 선두에 있다
- when it comes to ~와 관련해서

정답 ④

---

124   난이도 ★★★

해석

민주주의는 국민들 또는 유권자들이 교육받지 못하면 결코 성공할 수 없다. 링컨은 민주주의를 '국민의, 국민에 의한, 국민을 위한 정부'라고 정의했다. 민주주의는 다수에 의한 정부이다. 다시 말해, 민주주의에서는, 51명의 바보가 49명의 현명한 사람보다 더 강력하다. 문제는 매우 명확하다. 국민이 교육되지 않는 한, 그들은 그들의 지도자를 적절하게 선출할 수 없다. 그들은 청렴, 정직, 효율 그리고 무욕(無慾)의 지도자를 선출할 수 없다. 인도에서는, 단 18퍼센트의 유권자만이 교육을 받는다. 그들은 그들의 투표를 적절하게 행사할 수 있다. 하지만 나머지는 교묘한 언변에 매수되고 속아 넘어갈 수 있다. 우리는 부도덕한 사람들이 대권을 장악한 정부의 운명을 잘 상상할 수 있다. 자신의 사리(私利)를 챙기는 지도자는 일반 국민의 행복을 염두에 두지 못한다. 교육받지 못한 유권자들은 결코 올바른 유형의 입법자들을 선출할 수 없다. 민주주의가 성공하도록 하려면, 우리는 <u>문맹</u> 퇴치 운동을 시작해야 한다.

① 빈곤
③ 무관심
④ 차별

해설

첫 문장에 민주주의와 교육이라는 핵심 소재와 민주주의는 교육이 필요하다는 주제를 제시하고 뒷받침 진술을 한 후 마지막 문장에서 결론을 재진술하는 구조의 글이다. 민주주의는 국민이 얼마나 지도자를 잘 선출하느냐에 그 성패가 달려 있으므로 국민이 교육을 잘 받아 투표권을 적절하게 행사하는 것이 매우 중요하다는 내용이다. 특히 인도의 예를 들며 교육을 받은 18%는 투표를 적절하게 행사하지만 나머지는 매수되고 속을 수 있다고 말한다. 밑줄 친 부분에는 민주주의의 성공을 위한 필수 요소를 나타내는 교육과 관련된 ② '문맹'이 가장 적절하다. ①, ③, ④는 글에 구체적으로 언급되지 않은 내용이므로 정답으로 적절하지 않다.

어휘

- democracy 민주주의
- integrity 청렴
- selflessness 무욕(無慾)
- buy 매수하다
- take in ~을 속이다
- unscrupulous 부도덕한
- reign supreme 대권을 장악하다
- loaves and fishes 사리(私利)
- legislator 입법자
- crusade 운동

정답 ②

125 주어진 글이 들어갈 위치로 가장 적절한 것은?

> Once the athlete takes off, they can't change that path in midair.

In sports like high jump, long jump, diving, or gymnastics, the athlete is in the air only for a short time. When the athlete jumps, they push both upward and forward. (①) These two forces work together to decide the direction of the jump. (②) While the athlete is in the air, gravity pulls them down just like it does on the ground. (③) This pull from gravity makes their flight path look like a curve in the air. (④) So if a diver jumps straight up, she may land right back on the board. To avoid landing on the board, a diver must jump both upward and slightly forward, so their curved path carries them safely away from the platform.

125 난이도 ★★★

해석

높이뛰기, 멀리뛰기, 다이빙, 체조 같은 운동에서는 선수들이 공중에 있는 시간이 짧다. 선수가 점프할 때는 위쪽(수직)과 앞쪽(수평)으로 동시에 밀어낸다. (①) 이 두 방향의 힘이 합쳐져서 점프의 방향이 결정된다. (②) 선수가 공중에 떠 있는 동안에도, 중력은 지상에서처럼 계속 아래로 끌어당긴다. (③) 이 중력의 끌어당김 때문에, 선수의 공중에서의 움직임은 곡선 형태(포물선)를 그리게 된다. 일단 선수가 뛰어오르고 나면 공중에서는 그 경로는 바꿀 수 없다. (④) 그러므로 다이버가 수직으로만 뛰면 다시 뛰어오른 그 발판으로 떨어질 수 있다. 발판에 착지하지 않기 위해, 다이버는 위쪽과 약간 앞쪽으로 점프해야 하며, 그러면 그들의 곡선 비행 경로가 그들을 다이빙대에서 멀리 안전하게 데려다준다.

해설

주어진 문장은 일단 공중으로 도약하고 나면 선수는 공중에서 도약할 때 정해진 경로를 바꿀 수 없다는 내용이다. 주어진 문장 앞에는 공중으로 뛰어오르는 것에 관한 내용이 나오고, 뒤에는 경로를 바꾸지 못한 것과 관련된 내용이 나올 것으로 예측된다. ④의 앞에는 공중에 있는 동안 중력의 힘으로 곡선 형태를 그리며 떨어진다고 하는 도약과 중력의 일반적인 원리를 설명했고, ④의 뒤에서는 다이빙 선수의 사례가 나오며 선수가 수직으로만 점프했을 때 다시 제자리에 떨어질 수도 있으므로 약간 앞쪽으로 해서 점프해야 한다고 조언하고 있다. 따라서 주어진 문장은 ④에 들어가는 것이 적절하다.

어휘

- athlete 운동선수
- path 경로
- long jump 멀리뛰기
- upward 위로
- direction 방향
- pull 끌어당김
- curve 곡선; 곡선을 이루다
- board 발판(=springboard)
- take off 뛰어오르다
- high jump 높이뛰기
- gymnastics 체조
- forward 앞으로
- gravity 중력
- flight 공중에서의 움직임
- land 착지하다
- platform 다이빙대

정답 ④

주요 구문 분석

While the athlete is in the air, // gravity pulls them down // just like it does / on the ground.

분석 시간의 부사절을 이끄는 while은 '~하는 동안' 또는 '~하면서'로 해석한다. 성별이 명확하지 않은 단수 명사는 they나 them으로 지칭할 수 있는데, 이 문장에서는 the athlete를 대명사 them으로 지칭하고 있음에 유의하여 해석한다. 마지막으로 do동사만 나오고 문장이 완료되면 이는 대동사이므로 앞에 나오는 동사를 보고 해석해야 한다. 여기서는 앞의 pulls them down을 받으므로 이를 해석에 반영해야 한다.

126 주어진 글 다음에 이어질 글의 순서로 가장 적절한 것은?

The law of demand is that the demand for goods and services increases as prices fall, and the demand falls as prices increase. Giffen goods are special types of products for which the traditional law of demand does not apply.

(A) Instead of switching to cheaper replacements, consumers demand more of giffen goods when the price increases and less of them when the price decreases.

(B) The reason for this is, when the price of rice falls, people have more money to spend on other types of products such as meat and dairy and, therefore, change their spending pattern.

(C) To take an example, rice in China is a giffen good because people tend to purchase less of it when the price falls.

① (A) – (B) – (C)　② (A) – (C) – (B)
③ (B) – (A) – (C)　④ (B) – (C) – (A)

126 　난이도 ★★☆

해석

수요의 법칙은 가격이 하락함에 따라 상품과 서비스에 대한 수요가 증가하고, 가격이 상승함에 따라 수요가 감소하는 것이다. 기펜재는 그러한 전통적인 수요의 법칙이 적용되지 않는 특별한 유형의 상품이다. (A) 더욱 저렴한 대체품으로 바꾸는 대신에 소비자들은 가격이 상승할 때 더 많은 기펜재를 요구하고, 가격이 하락할 때 더 적은 기펜재를 요구한다. (C) 예를 들면, 중국에서는 쌀이 기펜재인데, 왜냐하면 가격이 하락할 때 사람들이 쌀을 덜 사는 경향이 있기 때문이다. (B) 그 이유는, 쌀의 가격이 하락할 때, 사람들은 고기나 유제품 같은 다른 유형의 상품에 쓸 돈이 많아지게 되고, 따라서 그들의 소비 패턴을 바꾸기 때문이다.

해설

글의 중심 소재는 'giffen goods(기펜재)'이다. 주어진 글에서 전통적인 수요의 법칙을 설명하고 나서 기펜재는 전통적인 수요의 법칙(가격이 상승하면 수요가 감소하는 것)이 적용되지 않는다고 언급한다. 이후에는 기펜재의 수요의 법칙이 어떻게 다른지를 부연 설명하고 있는 (A)가 먼저 나오는 것이 적절하다. 기펜재는 가격이 상승할 때 더 많이, 가격이 하락할 때 덜 소비된다는 것이다. 그 다음에는 To take an example이라고 문장을 시작하여, 중국의 쌀을 기펜재의 예시로서 들고 있는 (C)가 이어져야 한다. 마지막으로는 쌀이 기펜재가 될 수 밖에 없는, 즉 쌀값이 하락하면 소비가 줄어드는 경향에 대한 이유를 설명하는 (B)가 오는 것이 자연스럽다. (B)의 The reason for this is~에서 this는 (C)의 마지막 부분, 즉 가격이 떨어지면 사람들이 쌀을 적게 산다는 내용을 가리킨다. 따라서 글의 순서로 가장 적절한 것은 ② (A)-(C)-(B)이다.

어휘

□ law of demand 수요의 법칙　□ product 상품
□ traditional 전통적인　□ apply 적용되다
□ switch 바꾸다　□ replacement 대체품
□ consumer 고객　□ dairy 유제품
□ tend to ~하는 경향이 있다　□ purchase 구매하다

정답 ②

주요 구문 분석

Giffen goods are special types (of products (for which the traditional law of demand does not apply)).

분석 「전치사+관계대명사」의 뒤에는 완전한 절이 와야 하는데 apply가 자동사이므로 완전한 절이 왔다. apply와 잘 어울리는 전치사 for가 왔으며 선행사가 products이므로 이를 수식하는 형태로 해석해야 한다.

127 다음 글의 요지로 가장 적절한 것은?

It's important that you think independently and fight for what you believe in, but there comes a time when it's wiser to stop fighting for your view and move on to accepting what a trustworthy group of people think is best. This can be extremely difficult. But it's smarter, and ultimately better for you to be open-minded and have faith that the conclusions of a trustworthy group of people are better than whatever you think. If you can't understand their view, you're probably just blind to their way of thinking. If you continue doing what you think is best when all the evidence and trustworthy people are against you, you're being dangerously confident. The truth is that while most people can become incredibly open-minded, some can't, even after they have repeatedly encountered lots of pain from betting that they were right when they were not.

① Be calm and reasonable in how you present your view and have faith in your thinking process.
② Switch from a fighting mode to an asking mode and compare your perspective with others'.
③ Know that sometimes it's best to stop fighting and accept what believable people think is best.
④ Take time to think the situation you made bad decisions because you didn't see what others saw.

주요 구문 분석

But it's smarter, and ultimately better / for you to be open-minded / and have faith [that the conclusions of a trustworthy group of people are better // than whatever you think].

분석 가주어 it이 왔으므로 진주어를 찾아 먼저 해석해야 한다. for you는 진주어인 to be ~의 의미상의 주어이므로 주격으로 해석해야 한다. that은 faith를 수식하는 동격절로 먼저 해석하고 faith를 수식하는 형태로 해석해야 한다.

128 밑줄 친 부분에 들어갈 말로 가장 적절한 것은?

Failure to do one's work in time has proved disastrous to people and nations. A torn cloth not stitched in time will require ten times the labour to do it afterwards, and may often be beyond repair. A student who has neglected his or her studies throughout the year cannot mend it with tears. Who can bring back the golden opportunities of youth, who can set back the hands of the clock of time? Men with excellent gifts fail in life because they cannot find out the proper time for doing as action. They refuse to strike when the iron is hot. The result is vexation, failure and misery throughout their lives. It is for this reason that elders repeatedly tell us never to _____.

① bite off more than you can chew
② swap horses when crossing a stream
③ judge people by their appearance or background
④ put off till tomorrow things that can be done today

주요 구문 분석

A torn cloth (not stitched in time) will require ten times the labour (to do it afterwards), // and may often be beyond repair.

분석 과거분사 stitched가 명사 cloth 뒤에 놓여 명사를 수식하고 있으므로 수동의 의미로 해석한다. 명사 앞에 배수사가 쓰여서 배수 비교를 하고 있으므로 '~ 배의'라고 해석한다. 즉, '열 배의 노동'이라는 의미를 가진다.

127 난이도 ★★★

해석

독자적으로 생각하고 자신이 믿는 것을 위해 싸우는 것은 중요하지만, 자신의 생각을 위해 싸우는 것을 중단하고 신뢰할 수 있는 집단이 가장 좋다고 생각하는 것을 받아들이는 쪽으로 나아가는 것이 현명한 때가 온다. 이것은 매우 어려울 수 있다. 하지만 당신이 마음을 열고 신뢰할 수 있는 집단의 결론이 당신이 생각하는 어떤 것보다 낫다는 믿음을 갖는 것이 더 영리하고 궁극적으로 더 좋다. 만약 당신이 그들의 생각을 이해할 수 없다면, 당신은 아마도 단지 그들이 생각하는 방식을 보지 못하는 것이다. 모든 증거와 신뢰할 수 있는 사람들이 당신에게 반대할 때 당신이 최선이라고 생각하는 것을 계속한다면, 당신은 위험할 정도로 자신감에 차 있는 것이다. 사실 대부분의 사람들은 믿을 수 없을 정도로 마음을 열게 되는 반면에, 어떤 사람들은 자신이 옳지 않았을 때 옳았다고 확신하는 것으로부터 되풀이하여 많은 고통을 겪고 난 후에도 그렇게 하지 못한다는 것이다.

① 당신의 생각을 나타내는 방식에 있어 차분하고 합리적이 되고 사고 과정에 믿음을 가져라.
② 전투 방식에서 부탁 방식으로 전환하고 당신의 시각을 다른 사람의 시각과 비교하라.
③ 때로는 싸움을 멈추고 신용할 수 있는 사람들이 가장 좋다고 생각하는 것을 받아들이는 것이 가장 좋다는 것을 알아라.
④ 당신이 다른 사람들이 본 것을 보지 못해서 잘못된 결정을 내린 상황을 생각해보는 시간을 가져라.

해설

이 글의 중심 소재는 열린 마음과 신뢰할 수 있는 집단의 판단을 수용하는 지혜이며, 첫 번째 문장이 주제문으로 자신의 생각을 위해 싸우는 것을 중단하고 신뢰할 수 있는 집단이 가장 좋다고 생각하는 것을 받아들이는 것이 현명한 때가 있다는 내용의 글이다. 따라서 글의 요지로 가장 적절한 것은 ③ '때로는 싸움을 멈추고 신용할 수 있는 사람들이 가장 좋다고 생각하는 것을 받아들이는 것이 가장 좋다는 것을 알아라'가 가장 적절하다. ①은 타인의 의견을 받아들이는 것이 아니라 자신의 견해를 제시하는 방식이므로 글의 요지와 반대되는 내용이고, ②는 싸우는 것을 멈추라고 언급하지만 부탁 방식에 대한 언급은 없고, ④는 잘못된 결정을 내리는 상황에 대한 언급은 없으므로 모두 답이 될 수 없다.

어휘

- independently 자주적으로
- move on 나아가다
- trustworthy 신뢰할 수 있는
- extremely 매우
- ultimately 궁극적으로
- conclusion 결론
- be blind to 못보다
- evidence 증거
- incredibly 믿을 수 없을 정도로
- repeatedly 되풀이하여
- encounter 마주치다
- bet 단언하다
- reasonable 합리적인
- perspective 시각

정답 ③

128 난이도 ★★★

해석

자신의 일을 제때 하지 못하면 국민과 국가에 재앙이 된다는 것이 입증되었다. 제때 꿰매어지지 않은 찢어진 천은 후에 그것을 하는 데 열 배의 노동이 필요할 것이고, 종종 수선 불가능이 될 수도 있다. 자신의 공부를 일 년 내내 소홀히 한 학생은 그것을 눈물로 바로잡을 수 없다. 누가 그 젊음이라는 황금과 같은 기회를 되돌리고, 누가 시간의 시계 시침을 되돌릴 수 있겠는가? 뛰어난 재능을 가진 사람들이 인생에 실패하는 이유는 그들이 행동에 나설 적절한 시기를 찾지 못하기 때문이다. 그들은 쇠가 달구어져 있을 때 두드리기를 거부한다. 그 결과는 평생에 걸친 통한, 실패, 그리고 고뇌이다. 바로 이런 이유로 어르신들은 계속해서 우리에게 <u>오늘 할 수 있는 일을 결코 내일로 미루지</u> 말라고 말한다.

① 씹을 수 있는 만큼만 깨물지
② 강을 건널 때 말을 바꿔 타지
③ 외모나 배경으로 사람을 판단하지

해설

첫 번째 문장에서 글의 주제를 제시하고, 몇 가지 사례를 제시하면서 이를 뒷받침한 후, 마지막 문장에서 속담을 활용하여 다시 한 번 글의 주제를 정리하는 구조의 글이다. 어떤 일이든 제 시간에 하지 않으면 다시는 기회를 얻을 수 없다는 점을 제때 꿰매지 않은 천, 공부에 태만했던 학생, 재능을 적절한 시기에 사용하지 못하는 사람을 예로 들면서 설명하고 있다. 밑줄 친 부분에는 never와 더불어 모든 일에는 때가 있으니 적절한 시기를 놓쳐서는 안 된다는 의미를 나타내는 ④ '오늘 할 수 있는 일을 내일로 미루지'가 가장 적절하다. ①은 never와 함께 '과욕을 부리지 마라', ②는 '일의 중대한 고비에서 계획을 변경하지 마라', ③은 '사람에 대해 섣부른 판단을 내리지 마라'는 의미를 나타내므로 정답으로 적절하지 않다.

어휘

- disastrous 재앙의
- stitch 꿰매다
- labour 노동
- mend 바로잡다
- vexation 통한
- misery 고뇌
- elder 어르신
- swap 바꾸다
- put off 미루다

정답 ④

129 글의 흐름상 가장 어색한 것은?

The Universe is gloriously transparent to visible light over journeys lasting billions of years. However, in the last few microseconds before light arrives at telescope mirrors on Earth it must travel through our turbulent atmosphere and the fine cosmic details become blurred. It is this same atmospheric turbulence that makes the stars appear to twinkle on a dark night. ① Putting a telescope in space is one way of evading this problem. ② As well as collecting visible light from its orbit high above the atmosphere, the Hubble Space Telescope also observes the infrared and ultraviolet wavelengths that are completely filtered out by the atmosphere. ③ The Hubble Space Telescope, a joint ESA and NASA project, has made some of the most dramatic discoveries in the history of astronomy. ④ NASA's Kepler space telescope is scheduled to launch in 2017 to explore the M dwarfs. From its vantage point 600km above the Earth, Hubble can detect light with 'eyes' 5 times sharper than the best ground-based telescope and looks deep into space where some of the most profound mysteries are still buried in the mists of time.

주요 구문 분석

It is this same atmospheric turbulence that makes the stars appear to twinkle on a dark night.

(분석) that 뒤가 불완전하므로 이는 가주어-진주어 구문이 아니라 「it ~ that」 강조구문임을 알 수 있다. 「It ~ that」 강조구문은 that 이하를 먼저 해석해 주고 끝에 강조되는 부분을 넣어서 '~은 바로 …이다'로 해석해 준다.

130 밑줄 친 (A), (B)에 들어갈 말로 가장 적절한 것은?

Hunting can explain how humans developed reciprocal altruism and social exchange. Humans seem to be unique among primates in showing extensive reciprocal relationships that can last years, decades, or a lifetime. Meat from a large game animal comes in quantities that exceed what a single hunter and his immediate family could possibly consume. ___(A)___, hunting success is highly variable; a hunter who is successful one week might fail the next. These conditions encourage food sharing from hunting. The costs to a hunter of giving away meat he cannot eat immediately are low because he cannot consume all the meat himself and leftovers will soon spoil. The benefits can be large, ___(B)___, when those who are given his food return the generous favor later on when he has failed to get food for himself. In essence, hunters can store extra meat in the bodies of their friends and neighbors.

(A)	(B)
① Instead	therefore
② Nonetheless	indeed
③ Moreover	hence
④ Furthermore	however

주요 구문 분석

Meat (from a large game animal) comes in quantities (that exceed // what a single hunter and his immediate family could possibly consume).

(분석) 전치사구는 형용사의 역할을 하므로 from이 이끄는 전치사구가 명사 meat을 수식하도록 해석해야 한다. that은 관계대명사로 선행사 quantities를 수식한다. what은 명사절을 이끌며 exceed의 목적어 역할을 한다.

129
난이도 ★★★

해석

우주는 가시광선이 수십억 년을 지속하며 여행할 수 있을 정도로 엄청나게 투명하다. 그러나 빛이 지구의 망원경 거울에 도달하기 전 마지막 몇 마이크로초 안에, 그 빛은 우리의 요동치는 대기를 통과해야만 하며, 그래서 미세한 우주의 세부적인 부분들은 흐려지게 된다. 밤하늘에 별들을 반짝여 보이게 만드는 것은 바로 그 똑같은 난기류이다. ① 망원경을 우주공간에 위치시키는 것은 이 문제를 피하는 하나의 방법이다. ② 허블 우주 망원경은 대기 높은 곳의 궤도에서 가시광선을 모으는 것은 물론 대기에 의해 완전히 걸러지는 적외선과 자외선 파장 또한 관찰한다. ③ 유럽 우주 기구와 나사의 합작 계획인 허블 우주 망원경은 천문학 역사에 있어 가장 극적인 발견들 중 일부를 이뤄냈다. ④ 나사의 케플러 우주 망원경이 M 왜성들을 탐사하기 위해 2017년 발사될 계획이다. 지구 상공의 600킬로미터의 유리한 지점에서, 허블은 지상의 가장 좋은 망원경보다 다섯 배나 더 예리한 '눈'으로 빛을 감지할 수 있으며, 가장 심오한 미스터리들의 일부가 시간의 안개 속에 여전히 묻혀 있는 우주를 깊숙이 바라본다.

해설

이 글의 중심 소재는 허블 우주 망원경이며, 우주를 관찰하고 정보를 얻기 위해 우주에 설치된 이 망원경에 관한 내용이다. 즉, 지구 대기의 난기류 때문에 우주의 세부적인 것들을 보기가 어려운데, 허블 우주 망원경은 지구의 대기를 넘어 우주에 설치를 하기 때문에 이 문제점을 극복할 수 있다는 것이다. 그런데 ④는 케플러 우주 망원경의 발사 계획에 대한 내용이므로 흐름상 적절하지 않다.

어휘

- gloriously 엄청나게
- transparent 투명한
- visible light 가시광선
- microsecond 마이크로초(100만분의 1초)
- turbulent 요동치는
- atmosphere 대기
- fine 미세한
- cosmic 우주의
- blur 흐릿해지다
- evade 피하다
- orbit 궤도
- infrared 적외선의
- ultraviolet 자외선의
- wavelength 파장
- filter out 걸러내다
- astronomy 천문학
- launch 발사하다
- dwarf 왜성
- vantage point 유리한 지점
- profound 심오한
- mist 안개

정답 ④

130
난이도 ★★★

해석

사냥은 인간이 어떻게 상호 이타주의와 사회적 교류를 발전시켰는지를 설명할 수 있다. 인간은 영장류 중에서 몇 년, 수십 년, 혹은 평생 지속될 수 있는 광범위한 상호 관계를 보여준다는 점에서 특별한 것 같다. 큰 사냥감의 고기는 사냥꾼 한 명과 그의 직계가족이 소비할 수 있을 만한 양을 초과한다. (A) 게다가, 사냥의 성공은 매우 가변적이다. 한 주에는 성공한 사냥꾼이 다음 주에는 실패할 수도 있다. 이러한 조건들은 사냥으로 인한 음식 공유를 장려한다. 혼자서 고기를 다 먹을 수 없고 남은 고기는 곧 상하기 때문에 사냥꾼이 당장 먹을 수 없는 고기를 나눠 주는 데 드는 비용은 적게 든다. (B) 그러나, 그 사람이 나중에 스스로 음식을 얻지 못했을 때, 그 사람의 음식을 받은 다른 사람들이 관대한 호의에 보답할 때 그 혜택은 클 수 있다. 본질적으로 사냥꾼들은 그들의 친구와 이웃의 몸에 여분의 고기를 저장할 수 있다.

	(A)	(B)
①	대신에	그러므로
②	그럼에도 불구하고	사실상
③	더욱이	그러므로

해설

사냥이 어떻게 인간의 상호 이타주의와 사회적 교류를 발전시켰는지에 대해 설명하는 글이다.
(A) 앞에서는 음식을 공유하는 이유로 큰 사냥감의 고기가 사냥꾼과 그 직계가족이 소비할 수 있는 양을 초과하는 경우를 (A) 뒤에서는 사냥의 성공이 가변적인 경우를 설명하고 있고, 다음에 이들의 경우가 음식을 공유하는 이유라고 말한다. 한 가지 이유에 다른 이유를 추가로 언급하므로 moreover나 furthermore가 들어가는 것이 적절하다.
(B) 앞에서는 사냥꾼이 고기를 나눠주는 데 드는 비용은 적다고 언급한 후, 뒤에서는 스스로 음식을 얻지 못했을 때, 예전에 베풀었던 호의에 대해 보답받을 때 그 혜택이 크다고 말한다. 즉, (B) 앞에서는 자신이 고기를 가지고 나눠줬던 상황과 뒤에서는 반대로 스스로 음식을 얻지 못했을 때의 상황이 언급되므로 빈칸에는 however가 들어가는 것이 적절하다.
그러므로 이 두 가지를 모두 충족하는 ④가 정답이다.

어휘

- exchange 교류
- primate 영장류
- reciprocal 상호 간의
- altruism 이타주의
- game 사냥감
- quantity 양
- immediate family 직계 가족
- consume 소비하다, 먹다
- variable 가변적인
- condition 조건
- encourage 장려하다
- cost 비용
- leftover 남은 음식
- generous 관대한
- in essence 본질적으로
- store 저장하다

정답 ④

131 다음 글의 제목으로 가장 적절한 것은?

Children may develop imaginary friends around three or four years of age. Imaginary friends are a concern only if children replace all social interactions with pretend friends. As long as children are developing socially with other children, then imaginary friends are beneficial. Parents often will need reassurance about imaginary friends; they should be respectful of the pretend friends as well as of their child. Children who create imaginary friends should never be teased, humiliated, or ridiculed in any way. Parents may tire of including the friends in daily activities, such as setting an extra plate at dinner, but they should be reassured that the imaginary friends stage will pass. Until then, imaginary friends should be respected and welcomed by parents because they signify a child's developing imagination.

① Imaginary Friends: A Concern of the Parents
② Imaginary Friends: A Practice for Social Interactions
③ Imaginary Friends: A Being that Needs to Be Accepted
④ Imaginary Friends: A Humiliating Stage of Development

132 밑줄 친 부분에 들어갈 말로 가장 적절한 것은?

In both rural and urban areas, increased investments not only increase the amount of capital per person but also the quality of the technology embedded in the capital. A cell phone, or personal computer, or high-yield variety seed brings the latest in science to the benefit of the poor. Yet using these new technologies requires training and technical competence. Even in the poorest societies, primary education alone is no longer sufficient. All school-aged youth should be provided with a minimum of nine years of schooling, and most should have more than that. The society as a whole should promote a significant group of university-trained graduates. These teachers, medical officers, agricultural extension officers, and engineers will _____.

① benefit from technological breakthroughs
② move from local regions to the large cities
③ be needed to harness technologies for local use
④ fight against the side effect of a new technology

주요 구문 분석

Parents often will need reassurance / about imaginary friends; // they should be respectful / of the pretend friends / as well as of their child.
분석 세미콜론은 접속사의 역할을 한다. 따라서 세미콜론 뒤에 다시 절이 나올 수 있다. 「B as well as A」의 경우 A를 먼저 해석하고 'A뿐만 아니라 B'로 해석해야 한다.

주요 구문 분석

A cell phone, / or personal computer, / or high-yield variety seed / brings the latest in science / to the benefit of the poor.
분석 주어가 or로 연결되는 경우 동사는 가장 가까운 위치에 있는 것에 수일치를 해서 해석해야 한다. high-yield variety seed가 단수이므로 단수 동사 brings가 바르게 쓰였다. the latest는 단순히 최상급인데 수식하는 명사가 없다. 이처럼 최상급의 뒤에 알 수 있는 명사는 생략할 수 있다. 여기서는 이전 문장의 기술을 의미하여 '가장 최신의 기술'로 해석해야 한다.

131　난이도 ★★★

해석

어린이는 서너 살 무렵에 상상의 친구를 만들어낼 수 있다. 어린이가 모든 사회적 상호작용을 상상의 친구로 대체할 때에만 상상의 친구는 걱정거리가 된다. 어린이가 다른 어린이들과 함께 사회적으로 성장하고 있는 한, 상상의 친구는 유익하다. 부모는 종종 상상의 친구에 대해 안심할 필요가 있다; 그들은 자신의 자녀뿐 아니라 상상의 친구도 존중해야 한다. 상상의 친구를 만들어내는 어린이는 어떤 식으로도 놀림을 받거나 창피를 당하거나 조롱을 받아서는 안 된다. 부모는 저녁 식사 시간에 추가적인 접시를 놓는 것과 같은 일상적인 활동에 그 친구를 포함시키는 것에 지칠 수 있지만, 상상의 친구를 만들어내는 시기가 지나갈 테니 안심해도 된다. 그때까지, 상상의 친구는 자녀의 자라나는 상상력을 의미하기 때문에 그들은 부모에게 존중받고 환영받아야 한다.

① 상상의 친구: 부모의 걱정거리
② 상상의 친구: 사회적 상호작용의 연습
③ 상상의 친구: 받아들여져야 하는 존재
④ 상상의 친구: 굴욕적인 발달 단계

해설

첫 문장에서 글의 중심 소재인 상상의 친구를 제시하고 주제문인 마지막 문장에서 부모는 상상의 친구가 자녀의 자라나는 상상력을 의미하는 것이므로 상상의 친구를 존중하고 받아들여야 한다고 주장한다. 따라서 글의 제목으로 가장 적절한 것은 ③ '상상의 친구: 받아들여져야 하는 존재'이다.

어휘

- imaginary 상상의
- interaction 상호작용
- beneficial 유익한
- respectful of ~을 존중하는
- humiliate 창피를 주다
- tire 지치다
- signify 의미하다
- replace 대체하다
- pretend 상상의
- reassurance 안심
- tease 놀리다
- ridicule 조롱하다
- reassure 안심시키다

정답 ③

132　난이도 ★★★

해석

농촌과 도시 지역 모두에서, 증가된 투자는 1인당 자본의 양뿐만 아니라 자본에 종속된 기술의 질 역시 증가시킨다. 휴대폰, 또는 개인용 컴퓨터, 또는 고수익 품종 씨앗은 과학의 최신 기술을 가난한 사람들에게 도움이 되게 한다. 그러나 이러한 새로운 기술을 이용하는 것은 훈련과 기술적 역량을 필요로 한다. 극빈사회에서도 초등교육만으로는 더 이상 충분하지 않다. 모든 학령기 청소년들은 최소한 9년의 학교 교육을 제공받아야 하며, 대부분은 그 이상의 교육을 받아야 한다. 사회 전체는 상당한 집단의 대학 교육을 받은 졸업생을 육성해야 한다. 이러한 교사들, 의료 공무원들, 농촌지도 공무원들, 그리고 기술자들은 지역 사회를 위해 기술을 이용하는 데 필요로 될 것이다.

① 기술의 획기적인 발전에서 수혜를 얻을
② 지방에서 대도시로 이동할
④ 신기술의 부작용에 맞서 싸울

해설

마지막 문장에 빈칸이 있으므로 글의 주제문 혹은 필자의 주장을 근거로 빈칸을 완성해야 한다. 첫 번째와 두 번째 문장은 글의 배경을 제시하는 것으로, 농촌과 도시 모두 투자의 증가로 기술의 질이 향상되었고 최신 기술이 가난한 사람들에게도 도움이 된다고 설명한다. 세 번째 문장은 글의 주제 혹은 필자의 주장으로, 이 새로운 기술을 이용하기 위해 훈련과 기술적 역량이 필요하다고 말한다. 그 방법으로서 특정 기간의 교육 제공과 대학 졸업생 육성이 필요하다고 주장한다. 뒤이은 빈칸 문장은 교사들, 의료 공무원들, 기술자들이 '자신이 속한 농촌이나 도시, 즉 지역 사회의 필요에 맞게 기술을 이용하기 위해 필요하다'는 내용이 되어야 한다. 따라서 빈칸에 들어갈 가장 적절한 말은 ③ '지역 사회를 위해 기술을 이용하는 데 필요로 될'이다. ①은 특정한 사람들이 기술 발전의 혜택을 얻는다는 것은 글의 내용과 맞지 않으므로 답이 될 수 없다.

어휘

- rural 농촌의
- capital 자본
- high-yield 고수익의
- competence 역량
- a minimum of 최소
- as a whole 전체로서
- agricultural extension 농촌 지도(농업 발전을 위한 교육 사업으로서의 농촌 사회 교육)
- breakthrough 획기적 발전
- urban 도시의
- embed 끼워 넣다
- variety 품종
- sufficient 충분한
- schooling 학교 교육
- graduate 졸업생
- harness 이용하다

정답 ③

133 다음 글의 주제로 가장 적절한 것은?

Television has been accused of reducing the public's political interest. Some of the evidence is circumstantial; the voter turnout has decreased, for the most part, since the involvement of television in political campaigning and as the amount spent on televised political ads increases. Other reasons to link television to political indifference are framing effects. Because television simplifies political problems and presents examples, rather than explanation, the audience is more likely to "blame" politicians personally, rather than understand how problems can be remedied. Increased reliance on public opinion polls in news reports may lead to political indifference because polls reduce complex political issues to simple questions. The personalization of the news may also contribute to increased political passivity. As news and campaign coverage becomes more human interest oriented and person centered rather than issue centered, people may develop uninformed and egocentric views of the political world, and, therefore, avoid political participation.

① necessity of simplifying complex political issues
② how television makes people more indifferent to politics
③ possibility of utilizing television as a tool to analyze reality
④ importance of social networks to promote political participation

주요 구문 분석

Television has been accused / of reducing the public's political interest.
(분석) 수동태의 해석은 원래 능동태 구조를 먼저 이해해야 한다. accuse는 「accuse A of B」의 구문으로 쓰여 'A를 B라고 비난하다'의 뜻이다. 이것을 수동태로 전환한 것이므로 '비난받는다'고 해석해야 한다.

134 밑줄 친 부분에 들어갈 말로 가장 적절한 것은?

There is a(n) _____ between the situation today with regard to computers and the situation in Germany in 1492, when the Gutenberg printing press was developed. A new technology has vastly reduced the costs of delivering books directly to masses of people. The people, however, were illiterate. Computer technology today is entering a world populated by those who are illiterate in using computer — those who have not yet learned to use a computer. In the 1970s, as the computerization of society began to take observable form in different occupations and in everyday activities, a concept of computer literacy began to develop. The concept is still developing and refers to the need for individuals to have both the technical skills and attitudes to function in a computerized society.

① contention
② difference
③ analogy
④ interaction

주요 구문 분석

Computer technology today / is entering a world (populated / by those (who are illiterate in using computer) / — those (who have not yet learned to use a computer)).
(분석) entering은 현재분사이며 진행형을 의미하는데, enter가 타동사이므로 뒤에 목적어가 바르게 나왔다. populated는 과거분사로, 앞의 world를 수식하게 해석해야 한다. 영어에서 대시(—)는 부연설명이나 강조할 때 쓰인다. 여기서는 앞의 those ~ computer를 다시 구체적으로 설명하는 것이므로 주의해서 해석해야 한다.

133 난이도 ★★☆

해석

텔레비전은 대중들의 정치적 관심을 줄인다는 비난을 받아왔다. 그 증거 중 일부는 정황적이다: 대부분의 경우, 텔레비전의 정치 캠페인 관여 이후로, 그리고 TV에 방송되는 정치 광고에 소비되는 양이 증가하면서 투표율이 감소해왔다. 텔레비전을 정치적 무관심과 연결시키는 다른 이유들은 구조화 효과이다. 텔레비전은 정치적인 문제들을 단순화시키고 설명보다는 예시를 제시하기 때문에, 시청자는 문제가 어떻게 해결될 수 있는지 이해하기보다는, 개인적으로 정치인들을 '비난할' 가능성이 더 높다. 뉴스 리포트에 나타나는 여론 조사에 대한 증가된 의존성은 정치적 무관심으로 이어질 수 있는데 여론 조사는 복잡한 정치적 이슈를 간단한 질문으로 줄이기 때문이다. 뉴스의 개인화 또한 증가된 정치적 수동성의 원인이 될 수 있다. 뉴스와 캠페인 보도가 이슈 중심적이라기보다는 더 인간적인 관심에 초점을 맞추고, 인간 중심적이 되어감에 따라, 사람들은 정치 세계에 대해 정보가 없고 자기중심적인 시각을 발전시키게 되고, 그리하여 정치적 참여를 피할 수도 있다.

① 복잡한 정치적 이슈를 단순화하는 일의 필요성
② 어떻게 텔레비전은 사람들로 하여금 정치에 더 무관심해지게 만드는가
③ 현실을 분석하는 도구로 텔레비전을 이용하는 일의 가능성
④ 정치 참여를 촉진하는 사회적 네트워크의 중요성

해설

중심 소재는 텔레비전과 정치이다. 첫 문장이 주제문으로 텔레비전이 대중들의 정치에 대한 관심을 줄인다고 한 뒤 이에 대한 구체적인 증거를 들어 설명한다. 텔레비전이 정치 캠페인에 관여한 이후로, 그리고 TV 정치 광고에 소비되는 양이 증가하면서 투표율이 감소해왔다고 글쓴이 설명한다. 그 후, 이에 대한 이유로 복잡한 정치적 이슈를 단순화하여 텔레비전 시청을 통해 청중이 정치인에 대한 인간적인 관심과 개인에 중심을 맞추고 또한 복잡한 정치 문제를 간단한 질문으로 줄인 여론 조사로 정치적 무관심이 증가한다고 말한다. 이렇게 보도에서 정치 문제가 아닌 인간에 중심을 두어 대중은 자기중심적인 시각을 가짐으로써 정치에 무관심해지고 있다는 근거를 제시한다. 따라서 글의 주제로 가장 적절한 것은 ② '어떻게 텔레비전은 사람들로 하여금 정치에 더 무관심해지게 만드는가'이다.

어휘

- be accused of ~로 비난받다
- voter turnout 투표율
- indifference 무관심
- reliance 의존
- personalization 개인화
- passivity 수동성
- egocentric 자기중심적인
- uniformed 정보가 없는
- circumstantial 정황의
- involvement 관여
- remedy 해결하다
- public opinion poll 여론 조사
- contribute to ~의 원인이 되다
- coverage (뉴스의) 보도
- promote 촉진하다

정답 ②

134 난이도 ★☆☆

해석

컴퓨터와 관련된 오늘날의 상황과 구텐베르크 인쇄기가 발명되었던 1492년 독일의 상황 사이에는 유사성이 있다. 새로운 기술은 많은 사람들에게 책을 직접 배송하는 비용을 엄청나게 절감했다. 하지만 사람들은 글을 몰랐다. 오늘날 컴퓨터 기술은 컴퓨터를 사용할 줄 모르는 사람들이 — 아직 컴퓨터 사용법을 배우지 못한 사람들이 — 사는 세상으로 진입하고 있다. 1970년대에, 사회의 컴퓨터화가 다양한 직업과 일상 활동에서 눈에 보이는 형태를 띠기 시작하면서, 컴퓨터 사용 능력이라는 개념이 발달하기 시작했다. 이 개념은 여전히 발달하고 있으며 개인이 컴퓨터화된 사회에서 제 역할을 할 수 있는 전문 기술과 태도를 모두 갖춰야 할 필요성을 가리킨다.

① 논쟁
② 차이
④ 상호작용

해설

컴퓨터가 발명된 현대와 인쇄기가 발명된 1492년의 독일을 비교하는 글이다. 1492년 독일에서는 인쇄술이 발명되었는데도 사람들이 글을 읽을 줄 몰랐던 것처럼, 현재에도 컴퓨터가 발명되어 널리 활용되는데도 컴퓨터 사용법을 배우지 못한 사람들이 여전히 남아있다고 설명하므로, 두 시대는 유사성이 있다고 말할 수 있다. 따라서 정답은 ③ '유사성'이다.

어휘

- with regard to ~에 관해서
- masses of 많은
- populate 거주하다
- occupation 직업
- function 제 역할을 하다
- difference 차이
- interaction 상호작용
- vastly 대단히
- illiterate 글을 모르는
- observable 눈에 보이는
- computer literacy 컴퓨터 사용 능력
- contention 논쟁
- analogy 유사성

정답 ③

135 다음 문장이 들어갈 가장 적절한 곳은?

> Either that, or they'll signal to the interviewee what you are hoping to hear.

> Deciding whether someone is right for a job is always a little confusing. It's rare for a manager to have all the information he or she needs to make well-informed decisions. But knowing how to ask good questions can make a world of difference. (①) The secret, says psychologist and personnel consultant Kurt Einstein, is understanding the difference between open-ended and close-ended questions. (②) The problem with close-ended questions is that they encourage limited, yes/no answers. (③) Open-ended questions make no prejudgments, and provide greater insights into the candidate. (④)

---

135 난이도 ★★☆

해석

어떤 사람이 일에 적합한지 어떤지를 결정하는 것은 항상 조금은 혼란스럽다. 매니저가 잘 알고 결정을 내리기 위해 필요한 모든 정보를 가지고 있는 일은 드물다. 하지만 좋은 질문을 하는 법을 아는 것은 엄청난 차이를 만들 수 있다. (①) 심리학자이자 인사 컨설턴트인 쿠르트 아인슈타인이 말하기를 비결은 개방형 질문과 폐쇄형 질문 사이의 차이를 이해하는 것이다. (②) 폐쇄형 질문을 할 때 생기는 문제점은 제한적인 예/아니오 식의 답변을 권장한다는 것이다. (③) 그것이거나 아니면 이런 질문이 면접 대상자에게 당신이 듣고 싶어하는 대답을 암시할 수 있다는 것이다. 개방형 질문은 섣부른 판단을 하지 않고, 후보자를 더 잘 파악할 수 있게 통찰력을 준다. (④)

해설

주어진 문장은 어떤 식의 질문은 면접자가 원하는 대답을 암시한다고 했으므로 이 질문이 앞에 나와야 한다. ③의 앞에서는 폐쇄형 질문이 설명되는데, 예/아니오의 단순한 답변을 하게 한다고 하여 주어진 문장이 설명하는 내용이므로 주어진 문장은 ③에 들어가야 한다. 개방형 질문은 질문자가 아닌 후보자를 더 잘 파악할 수 있다고 했으므로 면접자를 위한 질문이 아니기에 ④에는 들어갈 수 없다.

어휘

- signal 암시하다
- confusing 혼란스럽게 하는
- rare 드문
- well-informed 정보에 정통한
- a world of difference 엄청난 차이
- personnel 인사의
- open-ended question 개방형 질문
- close-ended question 폐쇄형 질문
- prejudgment 섣부른 판단
- insight 통찰력
- candidate 후보자

정답 ③

주요 구문 분석

It's rare / for a manager to have all the information (he or she needs to make well-informed decisions).

분석 가주어 It이 왔으므로 진주어인 to부정사를 찾아 먼저 해석하며, It은 해석하지 않는다. for you는 진주어인 to be의 의미상의 주어이므로 주격으로 해석한다. 목적격 관계대명사는 종종 생략되므로 문장 구조 분석을 통해 확인해야 한다. 관계사절이 선행사인 all the information을 수식하도록 해석한다.

136 주어진 글 다음에 이어질 글의 순서로 가장 적절한 것은?

As well as being the legendary home of Robin Hood, the city of Nottingham long had been a center for the manufacture of hosiery.

(A) The uprising soon spread to surrounding communities, forcing the government to call in the military. At one point, more British soldiers were battling the Luddites than were deployed against the French in the Iberian peninsula.

(B) Consequently, desperate to save their livelihoods, the indigent laborers formed secret societies under the banner of an invented character, Ned Ludd — a Robin Hood figure updated for the industrial age. Calling themselves "Luddites," they broke into the hosiery factories and smashed the owners' new machines.

(C) However, by 1812, technological innovations were upending the stocking business as the town's factory owners introduced steam-powered mechanical frames, replacing the labor of skilled artisans. These artisans possessed highly developed — but very particular — skill sets that the marketplace no longer needed.

* hosiery: 양말류(타이츠, 스타킹, 양말의 통칭)

① (B) – (A) – (C)   ② (B) – (C) – (A)
③ (C) – (A) – (B)   ④ (C) – (B) – (A)

주요 구문분석

Consequently, / desperate to save their livelihoods, // the indigent laborers formed secret societies / under the banner of an invented character, / Ned Ludd — / a Robin Hood figure (updated for the industrial age).

분석 동격은 앞에 나온 명사를 다시 설명하거나, 신분이나 의미를 덧붙여 주는 역할을 한다. an invented character에 대한 동격으로 Ned Ludd를 콤마를 사용해서 제시했고, Ned Ludd에 대한 동격으로 a Robin Hood figure로 시작되는 명사구를 대쉬(—)를 사용해서 제시했다. 동격은 '~인' 또는 '~한'으로 해석한다.

136 난이도 ★★☆

해석

Nottingham 시는 로빈 후드의 전설적인 고향일 뿐만 아니라, 오랫동안 양말류 생산의 중심지였다. (C) 그러나, 1812년까지, 도시의 공장 소유주들이 증기를 동력으로 이용하는 기계 프레임을 도입해서 그것이 숙련된 장인의 노동력을 대체하면서, 기술 혁신은 양말류 사업에 큰 영향을 미치고 있었다. 이 장인들은 시장이 더 이상 필요로 하지 않았던, 고도로 개발된 — 그러나 매우 독특한 — 기술을 소유하고 있었다. (B) 그 결과, 그들의 생계를 지키기 위해 필사적이었던 궁핍한 노동자들은 창조된 인물인 Ned Ludd — 산업시대에 맞게 업데이트된 로빈 후드의 모습 — 의 기치 아래 비밀 협회를 형성했다. 그들 스스로를 '러다이트(Luddites)'라고 부르며 그들은 양말류 공장에 침입해서 소유주의 새 기계를 부숴버렸다. (A) 이 폭동은 곧 인근 지역사회로 확산되어 정부가 군대를 소집할 수밖에 없도록 만들었다. 한때는, 이베리아반도에서 프랑스군에 맞서 배치되었던 것보다 더 많은 영국 군인들이 러다이트와 싸우고 있었다.

해설

Nottingham 시는 양말류 생산의 중심지였다는 내용의 주어진 글 다음에는 However로 시작하여 기술 혁신이 양말류 사업에 큰 영향을 미쳤고 그 결과 장인들의 기술을 시장이 더 이상 필요로 하지 않았다는 내용의 (C)가 와야 한다. 그 이후 Consequently로 그러한 변화를 겪은 장인들의 폭력적인 행동이 나온 (B)가 이어져야 한다. (B)의 마지막에서는 공장에 침입해 새 기계를 부수는 행위가 언급되는데 이는 (A)의 폭동(The uprising)과 연결되며 이어서 이러한 폭동을 막기 위해 정부가 군대를 동원했다는 내용이 오는 순서가 가장 적절하다. 그러므로 정답은 ④ (C)-(B)-(A)이다.

어휘

- legendary 전설적인
- manufacture 생산
- uprising 폭동
- call in 소집하다
- deploy 배치하다
- desperate 필사적인
- livelihood 생계
- indigent 궁핍한
- under the banner of ~의 기치 아래
- break into ~에 침입하다
- smash 부수다
- upend 큰 영향을 미치다
- steam-powered 증기를 동력으로 하는
- artisan 장인

정답 ④

137 다음 글의 주제로 가장 적절한 것은?

Today's "digital natives" have grown up immersed in digital technologies and possess the technical aptitude to utilize the powers of their devices fully. But although they know which apps to use or which websites to visit, they do not necessarily understand the workings behind the touch screen. People need technological literacy if they are to understand machines' mechanics and uses. In much the same way as factory workers a hundred years ago needed to understand the basic structures of engines, we need to understand the elemental principles behind our devices. This empowers us to deploy software and hardware to their fullest utility, maximizing our powers to achieve and create.

① various ways to use mobile apps for different purposes
② reasons for involving learners in interaction
③ necessity of the ability to comprehend and use digital technologies
④ how to immerse yourself in a digital world

주요 구문 분석

But / although they know which apps to use / or which websites to visit, // they do not necessarily understand the workings / behind the touch screen.

분석 which apps to use와 which websites to visit는 「의문사+to부정사」로 명사적 용법으로 쓰인다. 모두 know의 목적어로 해석해야 한다. not necessarily는 「부정어+전체의 표현」으로 부분부정이므로 주의해서 해석해야 한다.

138 밑줄 친 부분에 들어갈 말로 알맞은 것은?

Some people believe that you can't change human nature, and so they see the idea of a changing human mind as nothing more than unrealistic hope. But what is human nature? The dictionary says nature is the basic character or main quality of a person or thing — its core. But does the basic character of a person ever change? We can better understand this important question by asking something similar: Does the basic nature of a seed change when it grows into a tree? Not at all. The potentiality to become a tree was already inside the seed. When a seed becomes a tree, it just shows how much of its natural potentiality has been brought out. In the same way, human nature doesn't change, but like a seed with the power to grow, human nature is _____.
We humans can go from a primitive to an enlightened state without changing our true nature.

① not something fixed but a range of possibilities
② not just something we're born with but shaped by society
③ fertile ground with the potentiality to grow ideas
④ the result of how humans and nature interact

주요 구문 분석

Some people believe // that you can't change human nature, // and so they see the idea (of a changing human mind) / as nothing more than unrealistic hope.

분석 believe의 목적어로 that 명사절이 왔다. and는 앞 절과 뒤 절을 대등하게 연결하는 접속사이고, so는 원인과 결과 관계에서 결과를 나타내는 부사의 결합으로 '그래서' 또는 '따라서'로 해석한다. 「see A as B」구문은 'A를 B로 본다'는 의미이므로 해석에 유의해야 한다. nothing more than이나 little more than은 only의 뜻이므로 해석에 유의해야 한다.

137 난이도 ★★☆

해석

오늘날의 '디지털 세대들'은 디지털 기술에 몰입한 채로 성장했고, 자신들의 기기의 힘을 온전히 활용할 수 있는 기술적 소질을 가지고 있다. 하지만 그들이 어떤 앱을 사용해야 하는지 혹은 어떤 웹 사이트를 방문해야 하는지 알고 있을지라도, 터치스크린 뒤에 숨겨진 작동 방식을 반드시 이해하는 것은 아니다. 사람들이 기계의 역학과 용도를 이해하고자 한다면 기술 활용능력이 필요하다. 100년 전 공장 근로자들이 엔진의 기본 구조를 이해할 필요가 있었던 것과 거의 같은 방식으로, 우리는 우리의 기기 뒤에 숨겨진 기본적인 원리를 이해할 필요가 있다. 이것은 우리가 소프트웨어와 하드웨어를 최대한 알맞게 사용할 수 있도록 하며, 성취하고 만들어 낼 수 있는 우리의 능력을 최대로 한다.

① 다양한 목적에 맞는 모바일 앱을 사용하는 다양한 방법
② 학습자를 상호작용에 참여시키는 이유
③ 디지털 기술을 이해하고 사용하는 능력의 필요성
④ 디지털 세계에 스스로를 몰입시키는 방법

해설

디지털 기술이 중심 소재이며 세 번째 문장이 주제문이다. 오늘날의 디지털 시대를 살아가는 디지털 세대들은 디지털 기술을 활용할 수 있는 소질은 가지고 있지만 반드시 기술 활용능력을 가지고 있는 것은 아니라고 말한다. 이후에 People need로 시작하는 주제문에서 기계의 역학과 용도를 이해하려면 기술 활용능력이 필요하다고 말하고 있다. 100년 전 공장 근로자들이 엔진의 기본 구조를 이해할 필요가 있었던 것과 마찬가지로 우리도 디지털 기기의 기본 원리를 이해할 필요가 있다고 말한다. 따라서 글의 주제로 가장 적절한 것은 ③ '기술을 이해하고 사용하는 능력의 필요성'이다.

어휘

- digital native 디지털 세대
- aptitude 소질
- device 기기
- literacy 활용능력
- much the same 거의 같은
- principle 원리
- deploy 알맞게 사용하다
- maximize 최대로 하다
- comprehend 이해하다
- immerse 몰입시키다
- utilize 활용하다
- app 앱(응용프로그램)
- mechanics 역학
- elemental 기본적인
- empower 할 수 있게 하다
- utility 유용
- interaction 상호작용

정답 ③

138 난이도 ★☆☆

해석

일부 사람들은 인간 본성을 바꿀 수 없다고 믿으며, 그래서 그들은 인간의 마음이 변할 수 있다는 생각을 비현실적인 희망에 불과하다고 본다. 하지만 인간 본성이란 무엇인가? 사전에서는 본성을 어떤 사람이나 사물의 기본적인 성격이나 주요한 특성, 즉 핵심이라고 말한다. 그런데 사람의 기본적인 성격은 정말로 변하는가? 이 중요한 질문을 더 잘 이해하기 위해 비슷한 질문을 던져볼 수 있다. 씨앗이 자라서 나무가 될 때, 그것의 본질이 변하는가? 전혀 그렇지 않다. 나무가 될 잠재력은 이미 씨앗 안에 들어 있었다. 씨앗이 나무가 된다는 것은, 그 자연적인 잠재력의 얼마나 많은 부분이 밖으로 드러내졌는지를 단지 보여주는 것이다. 이와 마찬가지로, 인간 본성도 변하는 것이 아니라, 성장할 힘을 지닌 씨앗처럼, 인간 본성은 <u>고정된 것이 아니라 가능성의 범위</u>라고 할 수 있다. 인간은 본래의 본성을 바꾸지 않으면서도 원시적 상태에서 계몽된 상태로 나아갈 수 있다.

② 타고나는 것일 뿐만 아니라 사회에 의해 형성되는 것
③ 아이디어를 키울 수 있는 잠재력을 지닌 비옥한 토양
④ 인간과 자연이 상호작용하는 방식의 결과

해설

글의 중심 소재는 인간 본성이다. 인간 본성의 변화가 가능한가에 대한 질문을 나무의 비유를 들어 설명하고 있다. 따라서 씨앗과 나무의 비유를 이해하면 빈칸의 의미를 유추할 수 있게 된다. 글의 뒷부분에 빈칸이 있으므로 빈칸에는 글의 주제에 해당하는 내용이 결론으로써 등장하게 될 것임을 유추할 수 있다. 첫 문장에서 인간의 본성이 변화할 수 없다는 일부의 의견을 제시한다. 그 이후, 글쓴이는 씨앗과 나무의 비유를 통해 나무로 성장하는 씨앗의 내재적 속성은 변화하지 않으나, 그럼에도 그 씨앗이 갖고 있는 잠재력으로 인하여 그것은 결국 나무로 성장할 수 있게 된다고 주장한다. 따라서 인간 역시 그 본성 자체는 변하지 않으나 그 잠재력의 범위 내에서 인간은 계속하여 성장할 수 있는 것이다. 따라서 빈칸에는 ① '고정된 것이 아니라 가능성의 범위'가 들어가는 것이 적절하다. ②, ③, ④는 모두 언급되지 않은 내용이다.

어휘

- nature 본성; 자연
- character 성격
- potentiality 잠재력
- primitive 원시의
- fixed 고정된
- fertile 비옥한
- unrealistic 비현실적인
- quality 특성
- bring out 드러내다
- enlightened 계몽된
- range 범위
- interact 상호작용하다

정답 ①

DAY 28

DAY 28

139 다음 글의 요지로 가장 적절한 것은?

We're constantly surrounded by death in the media, in the news, and in our own lives. Yet it's often a taboo subject in families, schools, and communities. It is because whether we acknowledge it or not, most of us fear death. Death remains a great mystery, one of the central issues with which religion and philosophy and science have wrestled since the beginning of human history. Even though dying is a natural part of existence, American culture is unique in the extent to which death is viewed as a taboo topic. Rather than having open discussions, we tend to view death as a feared enemy that can and should be defeated by modern medicine and machines. Our language reflects this battle mentality, and thus we say that people "combat" illnesses, or (in contrast) "fall victim" to them after a "long struggle." Euphemistic language also gives us distance from our discomfort with death. People who die are "no longer with us", have "passed", gone "to meet their Maker", "bought the farm", "kicked the bucket", and so on. Dying is one of life's few certainties, but many of us appear to be avoiding discussing it or in denial altogether.

① People are afraid of death because it is still an unknown mystery.
② Death is a part of the life cycle and denying it means denying life as it is.
③ Discussion about death remains a taboo for many people across the United States.
④ Euphemism is used as an alternative to a dispreferred topic such as death.

140 밑줄 친 부분에 들어갈 말로 가장 적절한 것은?

Empathy is a character trait that we value in ourselves and in our friends, colleagues, and the professionals who serve us. The know-how to be empathetic is central to practical wisdom: unless we can understand how others think and feel, it's difficult to know the right thing to do. But empathy has its dark side: too much understanding and sensitivity, too much seeing things from the other's perspective, can _____. Edmund Pellegrino, a scholar of bioethics, explains it like this: "If a physician identifies too closely as co-sufferer with the patient, she loses the objectivity essential to the most precise assessment of what is wrong, of what can be done, and of what should be done to meet those needs. Excessive co-suffering also impedes and may even paralyze the physician into a state of inaction."

① justify doctors' abuse of power
② cloud judgment and paralyze choice
③ lead to a hasty but correct diagnosis
④ decrease doctors' compassion for patients

139 난이도 ★★☆

해석

> 우리는 미디어에서, 뉴스에서, 그리고 우리 삶에서 끊임없이 죽음에 둘러싸여 있다. 그러나 이것은 가족, 학교, 그리고 공동체에서 종종 금기시되는 주제이다. 그것은 우리가 인정하든 안 하든 간에, 우리 대부분은 죽음을 두려워하기 때문이다. 죽음은 인간 역사의 시작 이후로 종교와 철학, 과학이 해결하려고 씨름하는 가장 중요한 쟁점 중의 하나로서 거대한 미스터리로 남아 있다. 죽음이 존재의 자연스러운 일부임에도 불구하고, 죽음을 금기 주제로 바라보는 정도에 있어 미국 문화는 독특하다. 공개적인 논의를 하기보다 우리는 죽음을 현대 의학과 기계로 무찌를 수 있고, 무찔러야 하는 무서운 적으로 보는 경향이 있다. 우리의 언어는 이러한 전투적인 사고방식을 반영하고 있다. 그래서 우리는 사람들이 병과 '싸운다'거나 또는 반대로 '오랜 투쟁' 끝에 병의 '희생물이 되다'라고 말한다. 완곡한 언어는 또한 우리가 가진 죽음에 대한 불편함에 거리감을 준다. 죽은 사람들은 '더 이상 우리와 함께하지 않는다(='죽다'라는 의미)', '지나갔다(='죽다'라는 의미)', '조물주를 만나러' 갔다(='죽다'라는 의미) 혹은 '농장을 마련했다(='죽다'라는 의미)', '들통을 차 버렸다(='죽다'라는 의미)' 등 등이다. 죽음은 삶의 몇 되지 않는 확실한 것 중의 하나이지만, 우리들 중 많은 사람들은 그것을 논의하는 것을 피하거나 또는 전적으로 부정하는 것처럼 보인다.

① 사람들은 죽음이 여전히 미지의 미스터리이기 때문에 두려워한다.
② 죽음은 삶의 주기의 일부이며, 그것을 부정하는 것은 있는 그대로의 삶 자체를 부정하는 것을 의미한다.
③ 죽음에 대한 논의는 미국 전역에 걸쳐 많은 사람들에게 금기로 남아 있다.
④ 완곡 어법은 죽음과 같이 덜 선호되는 주제에 대안으로 사용된다.

해설

중심 소재는 죽음과 미국의 문화이고 두 번째 문장이 글의 주제문으로 죽음은 금기시되는 주제라고 말한다. 이어지는 내용에 따르면 사람들은 죽음을 두려워하기 때문에 죽음에 대한 논의를 금기시한다. 이를 뒷받침하는 두 가지 근거로서, 첫 번째로 죽음에 대해 전투적인 언어를 사용한다는 것, 두 번째로 우리가 죽음에 대해 완곡한 표현을 사용하여 거리를 둔다는 내용이 제시된다. 따라서 글의 내용 전체를 포괄하는 요지가 될 수 있는 선택지는 ③ '죽음에 대한 논의는 미국 전역에 걸쳐 많은 사람들에게 금기로 남아 있다.'이다. ④의 완곡어법은 글에서 언급되는 소재이기는 하나 글 전체의 내용을 포괄할 수 없어 답이 될 수 없다.

어휘

- taboo 금기
- central 가장 중요한
- wrestle 씨름하다
- unique 특별한
- buy the farm 죽다
- reflect 반영하다
- acknowledge 인정하다
- issue 쟁점
- existence 존재
- extent 정도
- kick the bucket 죽다
- dispreferred 덜 선호되는

정답 ③

140 난이도 ★★☆

해석

> 공감은 우리 자신과 우리의 친구, 동료, 그리고 우리에게 서비스를 제공하는 전문가에게서 우리가 소중하게 여기는 성격적 특성이다. 공감을 하기 위한 비결은 실천적 지혜의 핵심이다. 만약 우리가 다른 사람들이 어떻게 생각하고 느끼는지 이해할 수 없다면, 해야 할 올바른 일을 알기 어렵다. 그러나 공감은 어두운 면이 있다. 너무 지나친 이해와 세심함, 다른 사람의 관점에서 과도하게 상황을 보는 것은 <u>판단을 흐리고 선택을 마비시킬</u> 수 있다. 생명 윤리학자인 Edmund Pellegrino는 그것을 다음처럼 설명한다. "만약 의사가 환자와 고통을 함께하는 사람으로서 너무 긴밀하게 공감하면, 그녀(의사)는 무엇이 잘못됐는지, 무엇이 행해질 수 있는지, 그리고 그런 요구를 충족하기 위해 무엇이 행해져야 하는지 가장 정확한 판단을 내리는 데 필수적인 객관성을 잃는다. 과도하게 고통을 함께하는 것은 또한 의사를 방해하고 심지어 어떤 행동도 하지 못하는 상태로 무력하게 만들지도 모른다."

① 의사들의 권력 남용을 정당화할
③ 성급하지만 정확한 진단으로 이어질
④ 환자들에 대한 의사들의 연민을 줄일

해설

글의 중간에 있는 빈칸은 이후의 내용으로 파악할 수 있다. 빈칸 이후의 예시를 보면 의사가 환자와 너무 긴밀하게 공감하면 정확한 판단에 필수적인 객관성을 잃는다고 말한다. 심지어 아무 행동도 하지 못하는 무력한 상태로 될 수 있다는 것을 알 수 있다. 따라서 과도한 공감의 문제점으로 제시된 빈칸에는 ② '판단을 흐리고 선택을 마비시킬'이 가장 적절하다.

어휘

- empathy 공감
- perspective 관점
- physician 의사
- objectivity 객관성
- paralyze 무력하게 하다, 마비시키다
- justify 정당화하다
- cloud 흐리게 하다
- compassion 연민
- sensitivity 세심함
- bioethics 생명 윤리
- identify with ~와 공감하다
- impede 방해하다
- inaction 활동하지 않음
- abuse 남용
- diagnosis 진단

정답 ②

141 다음 글의 주제로 가장 적절한 것은?

In the Los Angeles of the 1940s, it was observed that O_3 was greatly damaging vegetable crops. O_3 is primarily generated in the heavy traffic of urban areas, but its life span of weeks allows it time to spread over wide regions. The US Department of Agriculture reports that ground-level ozone causes more damage to plants than all other air pollutants combined. Estimated crop losses in the United States are 5% to 10%. O_3 damages sensitive crops at 0.05 ppm whereas more resistant crops withstand 0.07 ppm or higher. Worldwide, perhaps 35% of crops grow in areas where O_3 levels exceed 0.05 to 0.07 ppm. If trends continue, by 2025 up to 75% of the world's crops will grow in areas with damaging O_3 levels. Trees are adversely affected too. Many foresters consider O_3 the air pollutant most damaging to forests. In areas with acid precipitation and other air pollutants too, the combination may be more damaging than the effects of any one pollutant alone.

① potential risks of O_3 to human health
② harmful effects of O_3 on plants and trees
③ serious threats of O_3-related air pollutants
④ adverse events that accelerate the spread of O_3

142 밑줄 친 부분에 들어갈 말로 가장 적절한 것은?

Because we live inside our conscious minds, it is often easy to imagine that decisions arise in consciousness and are carried out by orders emanating from that system. We decide, "Hell, let's throw this ball," and we then initiate the signals to throw the ball, shortly after which the ball is thrown. But detailed study of the neurophysiology of action shows otherwise. More than twenty years ago, it was first shown that an impulse to act begins in the brain region involved in motor preparation about six-tenths of a second before consciousness of the intention, after which there is a further delay of as much as half a second before the action is taken. In other words, when we form the conscious intention to throw the ball, areas of the brain involved in throwing have already been _____ more than half a second earlier.

① restored
② damaged
③ activated
④ separated

주요 구문 분석

The US Department of Agriculture reports // that ground-level ozone causes more damage / to plants // than all other air pollutants combined.

분석 비교급 more와 접속사 than이 있으므로 비교급 비교로 해석해야 한다.

주요 구문 분석

More than twenty years ago, / it was first shown // that an impulse (to act) begins / in the brain region (involved in motor preparation) / about six-tenths of a second before consciousness of the intention, / after which there is a further delay (of as much as half a second) // before the action is taken.

분석 가주어-진주어 구문이므로 that절을 먼저 해석하고 보어인 first shown을 가장 나중에 해석한다. after which는 「전치사+관계대명사」로 계속적 용법으로 쓰였으므로 앞의 절을 먼저 해석한 후에 이어서 해석해야 한다. which의 선행사는 앞 절의 내용이다. 참고로 분사는 six-tenths처럼 기수-서수의 형식으로 쓴다. 이때 기수가 one보다 큰 two 이상이면 서수를 복수로 써야 한다.

141　난이도 ★★☆

해석

1940년대의 로스앤젤레스에서는, 오존이 채소 작물에 큰 피해를 주고 있다는 것이 관찰되었다. 오존은 주로 도시 지역의 교통량이 매우 많은 곳에서 발생하지만, 몇 주에 이르는 그것의(오존의) 수명은 넓은 지역으로 확산될 시간을 준다. 미국 농무부는 지상 오존은 다른 모든 대기 오염물질을 합친 것보다 식물에 더 많은 피해를 입힌다고 보고한다. 미국의 예상 농작물 손실은 5%에서 10%이다. 오존은 0.05ppm에도 민감한 작물에 피해를 주는 반면 더 저항력이 높은 작물은 0.07ppm 또는 그 이상을 견딘다. 전 세계적으로, 아마도 작물의 35%는 오존 수준이 0.05에서 0.07ppm을 초과하는 지역에서 자란다. 만약 이러한 추세가 계속된다면, 2025년까지 세계의 농작물 중 75%까지가 해가 되는 수준의 오존이 존재하는 지역에서 자랄 것이다. 나무들 역시 악영향을 받는다. 많은 산림 감독관들은 오존이 숲에 가장 해로운 오염 물질이라고 생각한다. 산성 강수와 다른 대기 오염 물질 역시 있는 지역에서, 그 조합은 단 하나의 오염 물질이 단독으로 끼치는 영향보다 더 피해를 입힐 수 있다.

① 오존이 인간 건강에 끼치는 잠재적인 위험성
② 오존이 식물과 나무에 끼치는 해로운 영향
③ 오존과 관련된 대기 오염 물질의 심각한 위협
④ 오존의 확산을 촉진하는 안 좋은 사건들

해설

중심 소재는 오존으로 오존이 작물에 피해를 준다는 내용으로 시작한다. 이어서 오존의 발생지역, 피해 범위, 오존 지수를 통해서 미래까지 오존이 작물에 악영향을 끼칠 것이라고 설명한다. 이어서 농작물뿐만 아니라 나무들 또한 피해를 준다고 말하며 그 악영향에 관해서 설명하고 있다. 따라서 이 글의 적절한 주제는 ② '오존이 식물과 나무에 끼치는 해로운 영향'이다.

어휘

- crop 작물
- generate 발생시키다
- estimated 예상된
- withstand 견디다
- adversely 불리하게
- combination 조합
- primarily 주로
- pollutant 오염 물질
- resistant 저항하는
- exceed 초과하다
- precipitation 강수
- accelerate 촉진시키다

정답 ②

142　난이도 ★★☆

해석

우리는 우리의 의식적인 정신 속에 살기 때문에, 종종 의식에서 결정이 일어나고 그 시스템에서 나오는 명령에 의해 수행된다고 상상하기 쉽다. 우리는 "제기랄, 이 공을 던지자"라고 결정하고, 그다음 그 공을 던지자는 신호를 개시하고, 그 직후에 공이 던져진다. 그러나 행동의 신경생리학에 대한 상세한 연구는 그렇지 않다는 것을 보여 준다. 20년이 넘는 세월 전에, 행동하고자 하는 충동은 의도가 의식되기 약 0.6초 전에 운동 준비와 관련된 뇌 영역에서 시작되고, 그 후 행동이 취해지기 전에 0.5초만큼의 추가 지연이 있다는 것이 처음 밝혀졌다. 즉, 우리가 공을 던지려는 의식적인 의도를 형성할 때, (공을) 던지는 것에 관련된 뇌의 영역이 이미 0.5초 이상 앞서 활성화되었다.

① 복구되었다
② 손상되었다
④ 분리되었다

해설

우리는 흔히 의식에서 결정이 일어나고 나서 명령에 의해 행동한다고 상상하지만, 실제로는 그렇지 않다는 내용의 글이다. 행동의 신경생리학에 대한 상세한 연구에 따르면, 뇌 부위에서 먼저 의도가 의식되기 약 0.6초 전에 행동하고자 하는 충동이 시작되고, 그 후에 행동이 취해지기 전에도 0.5초만큼의 추가 지연이 있는데, 그것이 의미하는 바가 마지막 문장의 빈칸에 들어갈 말이다. 따라서 빈칸에 들어갈 말로 가장 적절한 것은 ③ '활성화되었다'이다.

어휘

- arise 생기다
- emanate from ~에서 나오다
- shortly 곧
- neurophysiology 신경생리학
- impulse 충동
- motor preparation 운동 준비
- delay 지연
- activate 활성화하다
- carry out ~을 수행하다
- initiate 개시시키다
- detailed 상세한
- otherwise 그렇지 않게
- involved in ~와 관련된
- further 추가적인
- restore 복구하다

정답 ③

143 글의 흐름상 가장 어색한 것은?

Many people make a mistake of only operating along the safe zones, and in the process they miss the opportunity to achieve greater things. ① They do so because of a fear of the unknown and a fear of treading the unknown paths of life. ② Fear is experienced in your mind, but it triggers a strong physical reaction in your body. ③ Those that are brave enough to take those roads less travelled are able to get great returns and derive major satisfaction out of their courageous moves. ④ Being overcautious will mean that you will miss attaining the greatest levels of your potential. You must learn to take those chances that many people around you will not take, because your success will flow from those bold decisions that you will take along the way.

주요 구문 분석

Those (that are brave enough / to take those roads (less travelled)) / are able to get great returns / and derive major satisfaction (out of their courageous moves).

분석 Those who는 '~하는 사람들'로 해석하며 who는 that으로 바꿔 쓸 수 있다. enough가 형용사를 수식할 때는 뒤에서 수식해야 하며 '충분히 ~한'으로 해석한다. to get과 (to) derive는 to부정사가 병렬로 연결된 형태로 이때 뒤에 나오는 to는 생략할 수 있다.

144 밑줄 친 (A), (B)에 들어갈 말로 가장 적절한 것은?

When a company markets internationally, they must conduct research to ensure that their marketing message is translated and communicated correctly. Language is especially important when choosing brand names. Sometimes companies may decide that they want a name that is recognized globally. ___(A)___, they may choose to keep the sound of the brand name similar, even if the meaning to the local language-speaking group may change. However, while this technique might make sense to the company trying to build global awareness, it might be ineffective in attracting foreign local consumers to the product. Even so, most companies try for a similar sounding name, believing it builds up their global presence. ___(B)___, conducting research on this issue may show it is best that a company sacrifices global branding and finds a name that will more effectively build a local market share.

	(A)	(B)
①	Therefore	Yet
②	Therefore	In addition
③	On the contrary	In other words
④	On the contrary	Moreover

주요 구문 분석

Yet, / conducting research (on this issue) may show // it is best / that a company sacrifices global branding // and finds a name (that will more effectively build a local market share).

분석 타동사 show 뒤에 주어와 동사가 나왔으므로 명사절 접속사 that이 생략되었음을 알 수 있다. it은 가주어이므로 진주어 that절을 먼저 해석해야 한다. sacrifices와 finds가 병렬로 바르게 연결되었다.

143 난이도 ★★★

해석

많은 사람들이 안전지대에 따라서만 움직이는 실수를 하고, 그 과정에서 더 위대한 일들을 달성할 기회를 놓친다. ① 그들은 미지의 것에 대한 두려움과 알려지지 않은 삶의 길을 밟는 것에 대한 두려움 때문에 그렇게 한다. ② 두려움은 마음속에서 느껴지지만, 몸에 강한 신체적인 반응을 일으킨다. ③ 잘 다니지 않는 그 길을 택할 만큼 충분히 용감한 사람들은 엄청난 보상을 받을 수 있고 그들의 용감한 행동으로부터 큰 만족감을 끌어낼 수 있다. ④ 지나치게 조심하는 것은 여러분의 잠재력의 최고 수준을 달성하는 것을 놓친다는 것을 의미할 것이다. 여러분은 주변에 있는 많은 사람들이 잡지 않을 그 기회를 잡는 것을 배워야 하는데, 왜냐하면 여러분의 성공은 그 과정에서 여러분이 내릴 그 용감한 결정으로부터 나올 것이기 때문이다.

해설

이 글은 안전지대에서 벗어나서 용기 있게 나아가야 성공할 수 있다는 내용이다. ①은 두려움 때문에 안전지대에만 있다는 의미이고, ③은 안전지대를 벗어나면 큰 보상이 있다고 설명하며, ④는 따라서 안전지대에만 있지 말라고 한다. 그러나 ②는 두려움이 심리적, 신체적으로 모두 영향을 준다는 내용이므로 흐름상 어색하다. 또한 ①의 the unknown paths of life와 ③의 those roads less travelled가 호응하므로 ①과 ③이 연결되는 힌트어로 볼 수 있다. ④와 나머지 글에서도 지나치게 조심하다 보면 더 높은 수준의 성공을 이룰 수 있는 기회를 놓칠 수 있으니 용감한 결정을 하라고 조언하고 있다.

어휘

- operate 움직이다
- achieve 달성하다
- tread 밟다
- trigger 일으키다
- reaction 반응
- derive 끌어내다
- move 행동
- attain 달성하다
- take a chance 기회를 잡다
- bold 용감한
- along the way 그 과정에서
- opportunity 기회
- fear 두려움
- experience 느끼다
- physical 신체의
- return 보상
- satisfaction 만족(감)
- overcautious 지나치게 조심하는
- potential 잠재력
- flow from ~에서 나오다
- take a decision 결정을 내리다

정답 ②

144 난이도 ★★★

해석

어떤 회사가 국제적으로 마케팅을 한다면 그들은 자신들의 마케팅 메시지가 정확하게 번역되어서 전달되는지 확실히 하기 위해 조사를 해야 한다. 브랜드 명을 선택할 때 언어가 특히 중요하다. 때때로 회사는 세계적으로 인지되는 이름이 필요하다고 결정할 수도 있다. (A) 그래서 현지어를 쓰는 집단에게 그 (브랜드 명의) 의미가 변할지라도 그들은 브랜드 명의 소리를 비슷하게 유지하는 것을 선택할 수도 있다. 하지만 세계적인 인지도를 쌓아 올리려는 회사에 이런 방법이 이치에 맞을 수도 있지만, 타국의 현지 소비자들(의 마음)을 제품으로 이끄는 데는 효과가 없을 수도 있다. 그렇다 하더라도 대부분의 회사는 그것(유사하게 소리 나는 이름)이 자신들의 국제적 영향력을 만들어낸다고 믿으며 비슷하게 소리 나는 이름을 얻으려 한다. (B) 그러나 이 문제에 대한 연구를 수행하는 것은 회사가 세계적 브랜드 명을 부여하는 것을 단념하고 현지 시장 점유율을 좀 더 효과적으로 확립해 줄 이름을 찾는 것이 최선임을 보여 줄 수 있을 것이다.

	(A)	(B)
②	그래서	게다가
③	반대로	다시 말해서
④	반대로	더욱이

해설

회사의 효과적인 브랜드 명에 관한 글이다. 빈칸 (A)를 전후로 인과의 논리 관계가 성립한다. 회사는 세계적인 인지도를 줄 수 있는 이름을 원하므로 그에 대한 결과로 의미는 달라지더라도 같은 소리의 브랜드 명을 고수한다. 따라서 (A)에는 Therefore가 적절하다.

빈칸 (B)에는 전후로 역접의 논리 관계가 성립하게 된다. 대부분의 회사가 이러한 국제적 위상을 얻기 위한 이름을 가지려 노력하지만, 실제로는 그것을 포기하고 현지의 시장 점유율을 높이는 새로운 이름을 갖는 것이 더 효과적일 수 있다는 내용이다. 따라서 (B)에는 Yet이 적절하다.

그러므로 (A)와 (B)를 모두 만족하는 ①이 정답으로 적절하다.

어휘

- internationally 국제적으로
- ensure 확실히 하다
- communicate 전달하다
- local 현지의
- awareness 인식
- attract 끌다
- issue 문제
- effectively 효과적으로
- conduct 수행하다
- translate 번역하다
- especially 특히
- make sense 이치에 맞다
- ineffective 효과가 없는
- presence 존재
- sacrifice 단념하다
- market share 시장 점유율

정답 ①

145 주어진 글 다음에 이어질 글의 순서로 가장 적절한 것은?

The interests and activities of psychologists are extremely wide-ranging. People outside psychology often believe that every psychologist is an expert at figuring out people's emotional difficulties and detecting hidden personality quirks.

(A) Some psychologists devote their entire careers to the study of human memory. Others study emotional development. Still others focus on the impact of groups upon individuals. It is probably fair to say that individuals no longer become general psychologists.

(B) Instead, they train to become specialized types of psychologists, such as social psychologists, clinical psychologists, developmental psychologists and so on. One reason for these divisions within psychology has to do with the enormous amount of psychological knowledge that is now available.

(C) This is an erroneous view, for most psychologists do not focus upon these kinds of issues. Psychology is an extremely diverse field, involving many different types of individuals engaged in many different forms of study. Like most sciences, psychology is divided into dozens of relatively distinct fields.

① (A) – (C) – (B) ② (B) – (A) – (C)
③ (C) – (A) – (B) ④ (C) – (B) – (A)

145

난이도 ★★☆

해석

심리학자들의 관심과 활동은 극히 광범위하다. 심리학을 잘 모르는 사람들은 흔히 모든 심리학자가 사람들의 정서적 어려움을 파악하고 숨겨진 성격상의 별난 점을 탐지하는 데 전문가라고 믿는다. (C) 이는 잘못된 견해인데, 왜냐하면 대부분의 심리학자들은 이러한 종류의 문제에 중점을 두지 않기 때문이다. 심리학은 극히 다양한 분야이며, 많은 상이한 형태의 연구에 종사하는 많은 상이한 유형의 사람들이 관련된다. 대부분의 과학처럼, 심리학은 수십 개의 상대적으로 별개의 분야로 나뉜다. (A) 어떤 심리학자들은 자신들의 경력 전체를 인간의 기억력에 대한 연구에 바친다. 다른 이들은 정서 발달을 연구한다. 또 다른 이들은 집단이 개인에게 미치는 영향에 중점을 둔다. 사람들은 더 이상 일반 심리학자가 되지 않는다고 말하는 것이 아마도 옳을 것이다. (B) 그 대신 그들은 사회심리학자, 임상심리학자, 발달심리학자 등등과 같은 전문화된 유형의 심리학자가 되도록 훈련한다. 심리학 내부에서의 이러한 분과의 한 가지 이유는 현재 이용 가능한 심리학적 지식의 방대한 양과 관계가 있다.

해설

주어진 글에서는 모든 심리학자들에 대한 일반인들의 믿음을 언급한다. (C)에서는 이런 믿음을 This로 지칭하면서, 그것이 잘못된 견해이며 심리학은 극히 다양한 분야를 연구하는 사람들이 관련된다는 점을 언급한다. 심리학이 수십 개의 분과로 나뉜다는 내용을 받아서 (A)에서는 심리학의 전문 분야에 관해 한층 구체적으로 부언한다. 그리고 마지막에 언급된 일반 심리학자가 되지 않는다는 내용을 (B)에서 Instead(그 대신)로 받으며, 다양한 전문 분야의 심리학자가 되는 훈련을 받는다고 말하고, 마지막으로 심리학이 이렇게 다양한 분야로 분할될 수밖에 없는 이유를 제시하며 글이 마무리되고 있다. 따라서 글의 순서로 가장 적합한 것은 ③ (C)-(A)-(B)이다.

어휘
- wide-ranging 폭넓은
- figure out 파악하다
- detect 탐지하다
- quirk 별난 점
- devote 헌신하다
- specialize 전문화하다
- clinical 임상의
- division 분과
- have to do with ~와 관계가 있다
- erroneous 잘못된
- relatively 상대적으로
- distinct 별개의

정답 ③

주요 구문 분석

It is probably fair / to say // that individuals no longer become general psychologists.

분석 가주어-진주어 구문이므로 진주어인 to say를 먼저 해석해야 하고, 가주어 It은 해석하지 않는다.

146 밑줄 친 부분에 들어갈 말로 가장 적절한 것은?

Few people will be surprised to hear that poverty tends to create stress: a 2006 study published in the American journal Psychosomatic Medicine, for example, noted that a lower socioeconomic status was associated with higher levels of stress hormones in the body. However, richer economies have their own distinct stresses. The key issue is _____. A 1999 study of 31 countries by American psychologist Robert Levine and Canadian psychologist Ara Norenzayan found that wealthier, more industrialized nations had a faster pace of life, which led to a higher standard of living, but at the same time left the population feeling a constant sense of urgency, as well as being more prone to heart disease. In effect, fast-paced productivity creates wealth, but it also leads people to feel time-poor when they lack the time to relax and enjoy themselves.

① time pressure
② wealth inequality
③ education disparities
④ privacy invasion

주요 구문 분석

In effect, / fast-paced productivity creates wealth, // but it also leads people / to feel time-poor // when they lack the time (to relax and enjoy themselves).

(분석) lead는 to부정사를 목적격보어로 취하는 동사이므로 '목적어가 목적격보어하게 이끌다'로 해석해야 한다. to relax and enjoy themselves는 time을 수식하는 to부정사의 형용사 용법이므로 time을 수식하는 형태로 해석해야 한다. 두 개의 to부정사가 병렬로 연결될 때 뒤의 to는 생략할 수 있다.

146 난이도 ★★★

(해석)

가난이 스트레스를 유발하는 경향이 있다는 것을 듣고 놀랄 사람은 거의 없을 것이다: 예를 들어, 미국의 저널 Psychosomatic Medicine에 발표된 2006년 연구는 더 낮은 사회 경제적 지위가 체내의 더 높은 수치의 스트레스 호르몬과 관련이 있다고 언급했다. 하지만, 더 부유한 국가는 그들만의 뚜렷한 스트레스를 가지고 있다. 핵심 쟁점은 시간 압박이다. 미국 심리학자 Robert Levine과 캐나다 심리학자 Ara Norenzayan이 31개국을 대상으로 한 1999년 연구는 더 부유하고, 더 산업화된 국가들이 더 빠른 삶의 속도를 가지고 있는데, 이것이 더 높은 생활 수준으로 이어졌지만, 동시에 사람들이 지속적인 긴급함을 느끼게 했고 그뿐만 아니라 심장병에 걸리기 더 쉽게 했다는 것을 알아냈다. 사실, 빠른 속도의 생산력은 부를 창출하지만, 그것은 또한 사람들이 긴장을 풀고 즐겁게 지낼 시간이 없을 때 시간이 부족하다고 느끼게 한다.

② 부의 불평등
③ 교육 격차
④ 사생활 침해

(해설)

첫 문장에서는 가난이 스트레스 유발 요인이라는 일반적 통념을 언급한 뒤, 반박/전환의 연결어 However로 시작하는 두 번째 문장에서 부유한 나라의 스트레스 유발 요인을 설명하기 시작한다. 빈칸 이후의 내용을 근거로 삼아 유발 요인이 무엇인지 유추해야 한다. 연구에 따르면, 더 부유한 산업 국가에서는 삶의 속도가 빨라서 사람들이 부유하지만 느긋하게 지낼 시간이 없어서 계속 긴급함을 느끼고 시간이 부족하다고 느낀다고 한다. 따라서 빈칸에 들어갈 말로 가장 적절한 것은 ① '시간 압박'이다.

(어휘)

□ poverty 가난
□ note 언급하다
□ status 지위
□ at the same time 동시에
□ urgency 긴급함
□ time-poor 시간이 부족한
□ enjoy oneself 즐겁게 지내다
□ inequality 불평등
□ invasion 침해
□ publish 발표하다
□ be associated with ~와 관련 있다
□ distinct 뚜렷한
□ constant 지속적인
□ prone to ~당하기 쉬운
□ lack 부족하다
□ pressure 압박
□ disparity 격차

(정답) ①

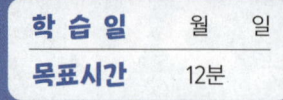

147 다음 글의 제목으로 가장 적절한 것은?

A Harvard Business School study of the effects of CEOs on corporate performance in forty-two industries shows that on average the effect of the CEO accounted for about 14 percent of the difference in performance, ranging from 2 percent in the meat processing industry to 21 percent in telecommunications. A study of forty-six college and university presidents found that the role of the leader was greatly exaggerated, and a study of the effects of mayors on city budgets came to a similar conclusion. Another study of service teams at Xerox found that the way teams were designed accounted for 42 percent of the variance in success; less than 10 percent was attributable to the qualities of their leaders' coaching abilities. On the one hand, any variable such as leadership that accounts for 10 percent of the variation of complex social phenomena is a factor to be reckoned with. On the other hand, these findings hardly support the magical view of causation popularly attributed to leaders!

① Heavy Burden Imposed on the Leader
② The Role of the Leader as a Mediator
③ The Influence of the Leader: Just a Myth
④ Anyone with Enthusiasm Can Be a Leader

148 밑줄 친 부분에 들어갈 말로 가장 적절한 것은?

Historically, _____ were often associated with infectious disease epidemics. The 1918 influenza pandemic caused 40 million deaths globally. The virus may have emerged on the Western Front in the winter of 1916 or 1917, where conditions would have fostered increasing virulence of the disease. Many soldiers had lung irritation from the use of chemical weapons, and were exposed to the elements in conditions that were overcrowded and stressful. Under-nutrition was common in the civilian population, weakening immune response to disease. Demobilisation at the end of the war saw massive population movement, which contributed to global disease spread.

① booms of economy
② changes in climate
③ increases in knowledge
④ periods of conflict

147 난이도 ★★☆

해석

최고 경영자가 42개 산업에서의 기업 실적에 미치는 영향에 대한 하버드 경영대학원의 연구는, 평균적으로 최고 경영자의 영향은 실적 차이의 약 14퍼센트를 차지했고, 그 범위는 육류 처리 산업의 2퍼센트에서 전기 통신의 21퍼센트에 이르렀다는 것을 보여준다. 46개 대학과 대학교 총장에 대한 연구는, 지도자의 역할이 매우 과장되었다는 것을 발견했고, 시장이 도시 예산에 미치는 영향에 대한 연구도 비슷한 결론에 도달했다. Xerox의 서비스 팀에 대한 또 다른 연구는 팀이 기획되는 방식이 성공의 변화의 42퍼센트를 차지한다는 것을 발견했는데, 10퍼센트 미만이 그들 지도자들의 코칭 능력의 자질에 기인했다. 한편으로는, 복잡한 사회 현상의 변화에 있어 10퍼센트를 차지하는 지도력과 같은 변수는 어떤 것이라도 고려되어야 하는 요인이다. 또 한편으로는 이런 연구 결과는 지도자들의 덕분으로 널리 여겨지는 인과관계라는 신비한 견해를 거의 지지하지 않고 있다!

① 지도자에게 부과된 무거운 짐
② 중재자로서의 지도자의 역할
③ 지도자의 영향력: 단순한 신화
④ 열정을 가진 사람이면 누구나 지도자가 될 수 있다

해설

글의 중심 소재는 지도자의 영향력으로 그에 대한 여러 연구 결과가 제시되어 있다. 하버드 경영대학원의 연구는 평균적으로 최고 경영자의 영향은 약 14퍼센트를 차지한다는 것을, 대학과 대학교 총장에 대한 연구는 지도자의 역할이 크게 과장되었다는 것을, 시장이 도시 예산에 미치는 영향에 대한 연구도 비슷한 결론을, Xerox의 서비스 팀에 대한 연구는 지도자의 코칭 능력이 10퍼센트 미만을 차지한다는 것을 각각 보여준다. 마지막 두 문장에서 10%도 고려되어야 하는 요소지만, 그 정도로는 지도자들의 덕분으로 여겨지는 인과관계라는 신비한 견해는 지지받지 못한다고 한다. 따라서 지도자의 능력과 성과 사이의 인과관계는 성립하지 않는다는 내용을 입증하고 있으므로 글의 제목으로 가장 적절한 것은 ③ '지도자의 영향력: 단순한 신화'이다.

어휘

- CEO 최고 경영자
- corporate 회사의
- account for (비율을) 차지하다
- range from A to B 범위가 A에서 B에 이르다
- telecommunication 전기 통신
- exaggerate 과장하다
- mayor 시장
- budget 예산
- conclusion 결론
- variance 변화
- be attributable to ~에 기인하다
- phenomenon 현상
- reckon with ~을 무시할 수 없는 존재로 여기다
- finding 연구 결과
- causation 인과관계
- impose 부과하다
- mediator 중재자
- myth 신화

정답 ③

148 난이도 ★★★

해석

역사적으로, 분쟁 기간은 흔히 전염성 질병 유행과 관련되었다. 1918년 인플루엔자 대유행은 세계적으로 4천만 명의 사망을 초래했다. 바이러스가 1916년이나 1917년 겨울에 서부 전선에서 나타났을 것인데, 그곳의 환경이 그 질병의 독성 증가를 조장했을 것이다. 많은 군인이 화학 무기의 사용으로 폐 염증을 일으켰고 과밀하고 스트레스가 심한 환경 요소에 노출되었다. 영양 부족이 민간인에 흔해서, 질병에 대한 면역 반응을 약화했다. 전후 동원 해제로 대규모 인구 이동이 일어나서, 세계적인 질병 확산의 원인이 되었다.

① 경제 호황
② 기후 변화
③ 지식 증가

해설

주제문을 완성하는 유형의 문제이다. 첫 문장에 요지를 제시하고 이를 뒷받침하는 진술이 이어지는 구조의 글이다. 제1차 세계 대전의 서부 전선에서 겨울철에 질병으로 많은 군인이 고통을 겪었고 민간인은 영양 결핍으로 질병에 대한 면역 체계가 약화되었으며 전쟁이 끝난 후에는 대규모 인구 이동이 일어나 세계적인 질병 확산의 원인이 되었다는 내용이다. 밑줄 친 부분에는 질병이 만연하게 된 원인을 나타내는 ④ '분쟁 기간'이 가장 적절하다. ①, ③은 글에 언급되지 않았고, ②는 겨울철에 유독 질병이 심했다는 내용이 아니라 기후 자체의 변화를 언급하고 있으므로 정답으로 적절하지 않다.

어휘

- infectious 전염성의
- epidemic (전염병의) 유행
- pandemic (전염병의) 대유행
- front (전쟁의) 전선
- foster 조장하다
- virulence 독성
- irritation 염증
- overcrowded 과밀한
- nutrition 영양
- civilian population 민간인
- immune response 면역 반응
- demobilisation 동원 해제
- massive 대규모의

정답 ④

149 글의 흐름상 가장 어색한 문장은?

We usually take time out only when we really need to switch off, and when this happens we are often overtired, sick, and in need of recuperation. ① "Me time" is complicated by negative associations with escapism, guilt, and regret as well as anxiety, stress, and fatigue. ② When we choose me time we give ourselves a free space to try new things, fall in love with a hobby, and really find what makes us come alive. ③ All these negative connotations mean we tend to steer clear of it. ④ Well, I am about to change your perception of the importance of me time, to persuade you that you should view it as vital for your health and wellbeing. Take this as permission to set aside some time for yourself! Our need for time in which to do what we choose is increasingly urgent in an overconnected, overwhelmed, and overstimulated world.

* recuperation: 회복

150 밑줄 친 부분에 들어갈 말로 가장 적절한 것은?

Based on mental hospital admission patterns, one team of researchers concluded that mental illness is at least three times and perhaps as much as twenty times higher among divorced than among married people. Their review observed that every single published study has found higher rates of mental illness in the unmarried group, and indeed the consistent pattern was that divorced and separated people had the highest rates of mental illness, never-married were intermediate, and currently married people had the lowest. In other findings, children who grow up either neglected by parents or rejected by peers have higher rates of psychopathology. The greater rate of suicidal tendencies among socially unattached individuals was documented already in the 19th century by Durkheim, one of the founding fathers of sociology, and that relationship was replicated through the 20th century. The need to _____ is literally a vital matter of life and death, health, welfare, and sanity.

① help
② know
③ belong
④ control

주요 구문 분석

Our need for time (in which to do what we choose) is increasingly urgent / in an overconnected, overwhelmed, and overstimulated world.

[분석] in which는 where 같이 장소를 의미하는 관계대명사이지만 시간도 하나의 공간으로 보아 in which로 수식할 수 있다. 또 「관계대명사+to부정사」의 형태도 가능하다. 원래는 in which we do what we choose가 줄어든 형태로 해석하면 편리하다

주요 구문 분석

Based on mental hospital admission patterns, / one team of researchers concluded // that mental illness is at least three times and perhaps as much as twenty times higher / among divorced / than among married people.

[분석] based on은 독립분사구문 정도로 보고 해석한다. three times와 twenty times라는 배수사가 higher라는 비교급 비교 구문에 쓰여 바르게 쓰였으며 '몇 배만큼 더 ~하다'로 해석해야 한다.

149 난이도 ★★☆

해석

> 정말로 신경을 꺼야 할 때만 우리는 대개 하던 일을 멈추고 잠시 쉬며, 이것이 일어날 때는 종종 우리가 지나치게 지치고, 아프고, 회복이 필요한 때이다. ① "나만의 시간"은 불안, 스트레스, 그리고 피로뿐만 아니라 현실도피, 죄책감, 그리고 후회라는 부정적 연상에 의해 복잡해진다. ② 우리가 나만의 시간을 선택할 때 우리는 스스로에게 새로운 것을 시도하고, 취미와 사랑에 빠지고, 그리고 정말로 우리를 살아 있게 만드는 것을 찾도록 하기 위한 자유로운 공간을 준다. ③ 이 모든 부정적인 어감들은 우리가 그것을 피하려는 경향이 있음을 의미한다. ④ 자, 내가 나만의 시간의 중요성에 대한 여러분의 인식을 막 바꾸려고 하는데, 여러분이 그것을 여러분의 건강과 행복에 필수적인 것으로 간주하도록 여러분을 설득하기 위함이다. 이것을 여러분 자신을 위해 얼마간 시간을 챙겨두게 하는 허가로 삼아라! 우리가 선택한 것을 할 수 있는 시간에 대한 우리의 필요는 지나치게 연결되고, 압도되고, 지나치게 자극을 받는 세상에서 점점 더 시급하다.

해설

Me time(나만을 위한 시간)이 중심 소재인 글이다. ①과 ③에서 me time을 부정적으로 바라보는 사람들의 경향이 있음을 언급하고 ④에서 나를 위한 시간의 중요성을 설득하는 내용으로 이어진다. 하지만 ②에서는 ①과 ③에서의 Me time에 대한 부정적인 경향과 달리 Me time이 갖는 이점을 말하고 있으므로 글의 흐름상 어색하다. ③의 All these negative connotations가 ①에서 언급한 escapism, guilt, regret, overwhelm, stress, fatigue를 받고 있으므로 힌트어가 될 수 있다. 또한 ③의 it도 ①의 Me time을 받는다.

어휘

- take time out (늘 하던 일을 멈추고) 쉬다
- switch off 신경을 끄다
- complicate 복잡하게 만들다
- escapism 현실도피
- regret 후회
- fatigue 피로
- steer clear of ~을 피하다
- perception 인식
- set aside 챙겨두다
- urgent 긴급한
- overwhelmed 압도된
- overstimulated 과도하게 자극된[흥분된]
- overtired 극도로 지친
- association 연상
- guilt 죄책감
- anxiety 불안
- connotation 어감
- be about to 막 ~하려고 하다
- permission 허가
- increasingly 점점 더
- overconnected 지나치게 연결된

정답 ②

150 난이도 ★☆☆

해석

> 정신병원 입원 패턴을 근거로 하여, 한 연구팀은 정신병이 결혼한 사람들 사이에서보다 이혼한 사람들 사이에서 최소 3배, 아마도 많게는 20배 더 높다는 결론을 내렸다. 그들의 논평은 모든 발표된 연구가 결혼하지 않은 집단에서 정신병의 비율이 더 높다는 것을 발견했고, 실제로 일관된 패턴은 이혼한 사람들과 별거하는 사람들이 정신병의 비율이 가장 높고, 결혼한 적이 없는 사람들이 중간이고, 현재 결혼한 상태의 사람이 가장 낮다는 것이었다. 다른 연구 결과에서, 부모에게 방치되거나 아니면 또래에게 거부당한 채 자라는 아이들이 정신병의 비율이 더 높다. 사회적으로 매이지 않은 개인들 사이에서 자살 성향이 더 큰 것은 사회학의 창시자 중 한 명인 Durkheim에 의해 19세기에 이미 문서로 기록되었고, 그 관계는 20세기 동안 복제되었다. 소속의 필요성은 말 그대로 생명과 죽음, 건강, 복지, 그리고 온전한 정신의 필수적인 문제이다.

① 도움을 주는 것의
② 알고자 하는 것의
④ 통제의

해설

빈칸이 있는 마지막 문장이 주제문인 미괄식 구조의 글이다. 정신병은 결혼한 사람들보다 이혼한 사람들에서 최소 3배, 많게 20배 더 높고, 결혼한 적이 없는 사람도 결혼한 상태의 사람보다 높으며, 사회적으로 매이지 않은 개인들 사이에서 자살 성향이 더 크다는 연구 결과를 예로 들어 설명한다. 즉, 정신병은 사회적인 관계가 부족할(소속이 없을) 때 나타난다는 것을 알 수 있다. 따라서, 생명과 죽음, 건강, 복지, 그리고 온전한 정신의 필수적인 문제에 해당하는 빈칸에 들어갈 말로 가장 적절한 것은 ③ '소속의'이다.

어휘

- admission 입원
- divorced 이혼한
- intermediate 중간의
- finding 연구 결과
- peer 또래
- suicidal 자살의
- unattached 매이지[결혼을 하지] 않은
- founding father 창시자
- vital 필수적인
- sanity 온전한 정신
- mental illness 정신병
- consistent 일관된
- currently 현재의
- neglect 방치하다
- psychopathology 정신병
- tendency 성향
- document 문서로 기록하다
- replicate 복제하다
- welfare 복지

정답 ③

DAY 31

151 다음 글의 주제로 가장 적절한 것은?

When the movie industry grew into a major entertainment force in the 1910s, movie moguls predicted that the motion picture would replace vaudeville. However, vaudeville adapted, including silent films as part of the program throughout the 1920s. It was not until the advent of sound in motion pictures that vaudeville was dealt a fatal blow. The larger theaters in the biggest cities, like the Palace Theater in Manhattan, continued to feature live entertainment with motion pictures, but by 1935, the industry had disappeared from the American entertainment scene, never again to reappear. It was not that vaudeville failed to adjust or misread the future, it was simply a victim of forces beyond its control. Evolution in technology and consumer tastes, and better alternatives for the best entertainers victimized vaudeville.

* mogul: 거물, 실력자
* vaudeville: 보드빌: 노래와 춤을 섞은 대중적인 희가극

① how and for what vaudeville disappeared
② evolution of vaudeville through technology
③ ways to facilitate the revival of vaudeville
④ coexistence of movie industry and vaudeville

152 주어진 글 다음에 이어질 글의 순서로 가장 적절한 것은?

Multi-taskers believe they are juggling three balls at once, but in reality, the balls are being independently caught and thrown in rapid succession. It's what researchers refer to as task switching.

(A) However, if you're working on a spreadsheet and a co-worker wants to discuss a business problem, the relative complexity of those tasks makes it impossible to easily jump back and forth. It always takes some time to start a new task and restart the one you quit. How much it takes depends on how complex the tasks are.

(B) It can range from time increases of 25 percent or less for simple tasks to well over 100 percent or more for very complicated tasks. Task switching demands a cost, which few realize they're even paying.

(C) When you switch from one task to another, two things happen. The first is that you decide to switch. The second is that you activate the rules for what you're about to do. Switching between two simple tasks, like watching television and folding clothes, is quick and relatively painless.

① (A) – (B) – (C)
② (A) – (C) – (B)
③ (C) – (A) – (B)
④ (C) – (B) – (A)

주요 구문 분석

It was not until the advent of sound in motion pictures // that vaudeville was dealt a fatal blow.

분석 「It be not until A but B」는 'A가 되고 나서야 (비로소) B했다'는 의미로, A가 먼저 일어나고 B가 나중에 일어난 것이다. 즉, 'B가 일어난 것은 A 이후였다'라는 의미로 해석할 수 있다. 따라서 'vaudevile was dealt a fatal blow가 일어난 것은 the advent of sound in motion pictures 이후였다'라고 해석하면 된다.

주요 구문 분석

Multi-taskers believe // they are juggling three balls at once, // but in reality, / the balls are being independently caught and thrown / in rapid succession.

분석 수동태 문장에서 주어는 동사의 행동을 실행하는 주체가 아니라 동사의 행동을 당하는 대상이다. 따라서 the ball are being caught and thrown은 '공이 잡히고 던져진다'라고 해석해야 한다.

151 난이도 ★★★

해석

영화산업이 1910년대에 주요한 연예계의 동력으로 성장했을 때, 영화계의 거물들은 영화가 보드빌을 대체할 것이라고 예측했다. 하지만, 보드빌은 1920년대 내내 무성영화를 프로그램의 일부로 포함하면서 적응해 나갔다. 보드빌이 치명타를 입은 것은 영화 속에 소리가 등장하고 난 후였다. Manhattan의 Palace Theater 같은 대도시의 더 큰 극장들은 계속해서 영화와 함께 라이브 오락을 크게 다루었지만, 1935년쯤 그 산업은 미국 연예계의 현장에서 사라졌고 다시는 모습을 드러내지 않았다. 보드빌이 적응을 실패하였거나 혹은 미래를 잘못 읽었던 것은 아니었으며, 그것은 그저 자신의 통제권을 넘어선 힘의 희생물일 뿐이었다. 기술과 소비자 취향에서의 발전, 그리고 최고의 연예인들에 대한 더 나은 대안들이 보드빌을 희생시켰다.

① 보드빌은 어떻게, 그리고 무엇 때문에 사라졌는가
② 기술을 통한 보드빌의 발전
③ 보드빌의 부흥을 촉진시킬 방법
④ 영화 산업과 보드빌의 공존

해설

이 글의 중심 소재는 보드빌이며, 보드빌이 언제 미국 연예계에서 자취를 감추었는지, 그리고 그렇게 된 이유가 무엇인지를 설명하는 글이다. 사실상 영화의 등장과 함께 노래와 춤을 섞은 대중적인 희가극인 보드빌은 사라질 것이라고 예측되었는데, 결국 보드빌은 유성영화가 보급되고 나서야 사라지게 되었다고 설명한 후, 글의 후반부에서 보드빌은 자신의 통제를 벗어난 힘의 희생물이었다고 말하고 있다. 따라서 글의 주제로 가장 적절한 것은 ① '보드빌은 어떻게, 그리고 무엇 때문에 사라졌는가'이다.

어휘

- motion picture 영화
- adapt 적응하다
- advent 등장
- deal A a fatal blow A에게 치명타를 날리다
- feature 특별히 다루다
- disappear 사라지다
- adjust 적응하다
- evolution 발전
- taste 취향
- alternative 대안
- victimize 희생시키다
- facilitate 촉진하다
- revival 부흥
- coexistence 공존

정답 ①

152 난이도 ★★★

해석

멀티태스커들은 자신들이 동시에 세 개의 공으로 저글링을 할 수 있다고 믿지만, 사실 그 공들은 빠른 속도로 연달아 개별적으로 잡히고 던져지는 것이다. 이것은 연구자들이 작업 전환이라고 부르는 것이다. (C) 당신이 한 가지 과제에서 다른 과제로 전환할 때는 두 가지 상황이 발생한다. 첫째는 당신이 전환하겠다고 결정하는 것이다. 둘째는 당신이 이제 막 하려고 하는 일의 규칙을 활성화하는 것이다. 텔레비전 보기와 옷 개기 같은 두 가지 단순한 과제 사이의 전환은 신속하고 비교적 쉽다. (A) 하지만, 당신이 스프레드시트를 작업 중일 때 동료가 사업상의 문제에 대해 논의하고 싶어 한다면, 그런 과제의 상대적 복잡성은 (과제 사이를) 손쉽게 오갈 수 없게 만든다. 새로운 과제를 시작하는 것과 당신이 그만둔 과제를 다시 시작하는 데에는 항상 약간의 시간이 걸린다. 시간이 얼마나 걸릴지는 그 과제가 얼마나 복잡한가에 달려 있다. (B) 시간 증가의 범위는 단순한 과제의 경우 25퍼센트 이하에서 아주 복잡한 과제의 경우 100퍼센트 이상을 훨씬 넘어선다. 과제 전환은 대가를 요구하는데, 심지어 대가를 지불하고 있는 것조차 거의 알아차리는 사람이 없다.

해설

주어진 글에서는 작업 전환(task switching)이라는 개념을 소개하고 (C)에서 이를 이어받아 그 개념을 부연 설명한 뒤, 단순한 과제 전환을 예로 든다. 대조의 신호어 However로 시작하는 (A)는 어려운 과제 전환의 예를 제시하고 있으므로 (C) 다음에 오는 것이 문맥상 자연스럽다. 또한 (A)의 뒷부분에서 과제를 전환할 때는 시간이 걸리는데, 그 시간은 과제의 복잡성에 달려있다고 설명했으므로 단순한 과제와 복잡한 과제를 전환할 때 걸리는 시간을 비교하는 (B)가 마지막에 오는 것이 적합하다. 따라서 글의 순서로 가장 적절한 것은 ③ (C)-(A)-(B)이다.

어휘

- multi-tasker 멀티태스커: 여러 작업을 동시에 수행하는 사람
- independently 개별적으로
- in succession 연달아
- rapid 빠른
- refer to A as B A를 B라고 부르다
- relative 상대적인
- complexity 복잡성
- range A from B (범위가) A에서 B 사이다
- complicated 복잡한
- demand 요구하다
- activate 활성화하다
- painless 쉬운

정답 ③

153 다음 글의 주제로 가장 적절한 것은?

When things — material possessions of almost any kind — are recontextualized they often take on both a brand new set of qualities and also a new image. A motorcycle is a transportation commodity that has certain components. On the street or in the showroom it is one thing; in the Guggenheim museum it is reconfigured as art. Placing a dazzling array of products in a specially created atmosphere has the effect of making these products more appealing to many people. We become attracted to things that are grouped or positioned in an aesthetically appealing way. Part of this comes from the importance of display, which has been emphasized by lighting, color and position. In an art gallery, according to Peter Corrigan, this has the effect of "exciting the senses." The same occurs within the confines of the department store: "the most mundane of objects becomes desirable through display." Corrigan implies that something special occurs: a magical-process-involving spectacle seems to kick in at this point.

① qualifications for being considered a good work of art
② necessity of looking at objects using a variety of senses
③ importance of finding out artistic qualities in ordinary objects
④ transformations in quality and image of objects through display

154 밑줄 친 부분에 들어갈 말로 가장 적절한 것은?

Food is neither good nor bad in the absolute, though we have been taught to recognize it as such. The organ of taste is not the tongue, but the brain, a culturally (and therefore historically) determined organ through which the criteria for evaluations are transmitted and learned. Therefore, these criteria vary in space and in time. What in one epoch is judged positively, in another can change meaning; what in one locale is considered a tasty morsel, in another can be rejected as disgusting. Definitions of taste _____.
As there are differing tastes and predilections among different peoples and regions of the world, so do tastes and predilections evolve over the course of centuries.

① depend on one's innate sensory preference
② belong to the cultural heritage of human society
③ are linked to moral codes of interpersonal conduct
④ are seldom negotiated in relation to experiences

주요 구문 분석

When things — material possessions of almost any kind — / are recontextualized // they often take on both a brand new set of qualities and also a new image.
분석 대시(—)는 괄호나 쉼표 대신 사용되어서 특정 부분을 강조하거나 추가 정보를 설명할 때 사용된다. material possessions, of almost any kind가 things에 대한 추가 정보를 제공하고 있으므로 '거의 모든 종류의 물질적 소유물들인 사물들'로 해석해야 한다.

주요 구문 분석

As there are differing tastes and predilections / among different peoples and regions of the world, // so do tastes and predilections evolve / over the course of centuries.
분석 주절에 「so+동사+주어」 형태의 도치가 일어났는데, 주절의 동사가 일반동사인 evolve이기 때문에 조동사 do를 사용했다. 부사절의 내용과 유사하거나 평행한 상황을 강조하는 표현이므로 '주어도 또한(역시) ~하다'로 해석한다.

153

해석

사물 — 거의 모든 종류의 물질적 소유물 — 이 재구성될 때, 그것들은 보통 완전히 새로운 종류의 특성과 새로운 이미지를 둘 다 띤다. 오토바이는 특정 부품을 가지고 있는 운송 상품이다. 거리나 전시장에서 그것은 한 가지 사물이지만, Guggenheim 미술관에서 그것은 예술로 변화된다. 특별히 만들어진 환경에 화려한 일련의 제품들을 두는 것은 이러한 제품을 많은 사람들에게 더 매력적으로 만드는 효과를 가지고 있다. 우리는 미학적으로 매력 있는 방식으로 무리를 이루고 있거나 놓여져 있는 것들에 끌리게 된다. 이것의 일부는 진열의 중요성에서 나오는데 이것은 조명, 색상 및 위치에 의해 강조되어 왔다. Peter Corrigan에 따르면, 미술관에서 이것은 '감각을 즐겁게 하는' 효과를 가지고 있다. 백화점의 영역 내에서도 '가장 일상적인 물건들이 진열을 통해 욕망의 대상이 된다'는 동일한 현상이 발생한다. Corrigan은 특별한 일이 발생한다는, 즉 구경거리가 되도록 하는 마법의 과정이 이 지점에서 시작되는 듯이 보인다고 암시한다.

① 좋은 예술 작품으로 여겨지기 위한 자격
② 다양한 감각을 사용하여 물체를 보는 일의 필요성
③ 평범한 물체에서 예술적인 자질을 찾아내는 일의 중요성
④ 진열을 통한 물체의 특징과 이미지의 변화

해설

중심 소재는 사물과 재구성이고, 첫 번째 문장이 주제문으로 사물이 있는 그대로 있지 않고 재구성될 때, 새로운 종류의 특성과 이미지를 띤다고 한다. 즉 사물은 진열(display)될 때 그것은 조명, 색상, 위치에 의해서 강조되면서 사람들에게 더 매력적으로 보이게 된다는 내용의 글이다. Peter Corrigan은 그것은 보는 사람의 감각을 즐겁게 하는 효과를 가지고 있으며 백화점 내에서도 일상적인 물체가 진열을 통해 욕망의 대상이 되는 마법 같은 과정이 일어난다고 말한다. 따라서 글의 주제로 가장 적절한 것은 ④ '진열을 통한 물체의 특징과 이미지의 변화'이다.

어휘

- possession 소유(물)
- recontextualize 새로운 문맥을 형성하다
- take on (특징을) 띠다
- transportation 운송
- commodity 상품
- component 부품
- reconfigure 변화하다
- dazzling 화려한
- appealing 매력적인
- aesthetically 미적으로
- emphasize 강조하다
- within the confines of ~의 범위 내에서
- mundane 일상적인
- spectacle 구경거리
- kick in 시작되다
- qualification 자격

정답 ④

154

해석

비록 우리가 음식을 이런 것으로 인식하도록 배웠지만, 음식은 절대적으로 좋은 것도 나쁜 것도 아니다. 맛의 기관은 혀가 아니라, 평가를 위한 기준이 전달되고 학습되는 문화적으로 (그리고 따라서 역사적으로) 결정되는 기관인 뇌이다. 따라서 이 기준은 공간과 시간에 따라 다르다. 한 시대에 긍정적으로 평가되는 것이 또 다른 시대에는 의미가 바뀔 수 있다; 한 현장에서 맛있는 요리라고 여겨지는 것이 또 다른 현장에서는 역겹다고 거부될 수 있다. 맛의 정의는 <u>인간 사회의 문화유산에 속한다</u>. 세계의 서로 다른 민족과 지역 사이에서 다양한 취향과 편애가 있는 것처럼, 취향과 편애 역시 수세기에 걸쳐 진화한다.

① 한 사람의 선천적인 감각적 선호에 달려 있다
③ 대인관계에 관련된 행위의 도덕률과 연계된다
④ 경험과 관련하여 좀처럼 협상되지 않는다

해설

우리가 먹는 음식은 절대적으로 좋은 것도 나쁜 것도 아니고, 그것의 좋고 나쁨을 평가하는 기관은 문화적으로 결정된 뇌이기 때문에 그 기준은 공간과 시간에 따라 다르다는 내용의 글이다. 따라서 맛의 정의를 진술하는 빈칸에 들어갈 말로 가장 적절한 것은 ② '인간 사회의 문화유산에 속한다'이다.

어휘

- as such 그와 같은 것으로서
- organ 기관
- transmit 전달하다
- criterion 기준 (pl. criteria)
- evaluation 평가
- vary 다르다
- epoch 시대
- locale 현장
- morsel 맛있는 요리
- disgusting 역겨운
- definition 정의
- predilection 편애
- people 민족
- evolve 진화하다
- innate 타고난
- interpersonal 대인관계에 관련된
- moral code 도덕률
- negotiate 협상하다

정답 ②

DAY 31

학습일 월 일
목표시간 12분

155 주어진 문장으로 시작하여 다음 글을 문맥에 맞게 순서대로 연결한 것은?

> When asked to make a donation, even those who would like to support the charity in some way say no, because they assume the small amount they can afford won't do much to help the cause.

(A) After introducing himself, the researcher asked the residents, "Would you be willing to help by giving a donation?" For half of the residents, the request ended there. For the other half, however, he added, "Even a penny will help."

(B) Based on this reasoning, a researcher thought that one way to urge people to donate would be to inform them that even a small sum would be helpful. To test this hypothesis, he went to door-to-door to request donations for the American Cancer Society.

(C) When he analyzed the results, the researcher found that, consistent with his hypothesis, people in the "even-a-penny-will-help" condition were almost twice as likely as those in the other condition to donate to the cause.

① (A) – (B) – (C)   ② (A) – (C) – (B)
③ (B) – (A) – (C)   ④ (C) – (A) – (B)

문장 분석 및 해설

155 난이도 ★★☆

해석

기부하라는 요청을 받으면 어떤 방식으로든 자선 단체 후원을 원하는 사람들조차 안 한다고 말하는데, 그들이 낼 수 있는 적은 양은 그 목적에 크게 도움이 되지 않을 것이라고 가정하기 때문이다. (B) 이러한 추론에 바탕을 두고, 연구자는 사람들이 기부하도록 촉구하는 한 가지 방법은 그들에게 작은 금액이라도 도움이 된다고 알리는 것이라고 생각했다. 이 가설을 검증하기 위해 그는 미국 암학회를 위한 기부를 요청하러 집집마다 방문했다. (A) 자신을 소개한 뒤 연구자는 주민에게 "기부를 함으로써 기꺼이 도우시겠습니까?"라고 물었다. 주민들의 절반에게는 그 요청이 거기서 끝났다. 하지만 다른 절반에게는 그는 "1페니라도 도움이 될 거예요."라고 덧붙였다. (C) 그가 그 결과를 분석했을 때, 연구자는 그의 가설과 일치하게 "1페니라도 도움이 될 거예요."라는 조건을 받은 사람들은 조직에 기부하라는 다른 조건을 받은 사람들의 가능성에 있어서 거의 두 배였다는 것을 발견했다.

해설

주어진 문장은 사람들이 적은 기부는 도움이 안 될 것이라는 추론에서 기부를 하지 않는다는 내용으로 시작되고 있다. 이러한 추론(this reasoning)을 언급하고 있는 (B)가 그 다음에 이어지는 것이 적절하다. (B)는 작은 도움도 괜찮다고 알리는 것이 좋은 방법이라는 가설과 이를 검증하기 위한 실험에 대해 언급하고 있다. 따라서 그 실험에 대해 자세히 설명하는 (A)가 (B)에 뒤따르는 것이 자연스럽다. 실험을 소재로 한 글에서 마지막은 실험의 결과와 실험에 대한 분석, 또는 해석이 오게 되므로 실험 결과의 분석을 보여 주는 (C)가 마지막에 오는 것이 적절하다. 따라서 ③ (B)–(A)–(C)가 정답이다.

어휘

- donation 기부
- afford ~할 여유가 있다
- resident 주민
- urge 촉구하다
- inform 알리다
- door-to-door 집집마다
- charity 자선 (단체)
- cause 목적
- reasoning 추론
- donate 기부하다
- hypothesis 가설
- consistent 일치하는

정답 ③

주요 구문 분석

When he analyzed the results, // the researcher found // that, / consistent with his hypothesis, / people (in the "even-a-penny-will-help" condition) were almost twice as likely / as those (in the other condition to donate to the cause).

분석 전치사구 consistent with his hypothesis가 콤마로 삽입되어서 '그의 가설과 일치하게도'라는 부연 설명을 하고 있다. found의 목적어로 사용된 that절이 사용되었고, 원급 비교인 as likely as 앞에 배수사인 twice가 왔으므로 해석은 '~의 두 배일 것 같다'로 한다.

156 밑줄 친 부분에 들어갈 말로 가장 적절한 것은?

Most dreaming occurs during REM sleep. REM stands for Rapid Eye Movement, a stage of sleep discovered by Professor Nathaniel Kleitman at the University of Chicago in 1958. He noted that when people are sleeping, they exhibit rapid eye movement, as if they were "looking" at something. Ongoing research by Kleitman concluded that it was during this period of rapid eye movement that people dream, yet their minds are as active as someone who is awake. Interestingly enough, studies have found that along with rapid eye movement, our heart rates increase and our respiration is also elevated — yet our bodies do not move and are basically paralyzed due to a nerve center in the brain that keeps our bodies motionless besides some occasional twitches and jerks. This is why it is difficult to wake up from or scream out during a nightmare. To sum it up, during the REM dream state, _____.

* twitch: 씰룩거림

① you can remember the scenes from the dreams distinctly
② your mind is busy but your body is at rest
③ it takes a while to recover consciousness
④ our body and mind can fully take a rest

157 다음 글의 주제로 가장 알맞은 것은?

All of us know that advertising does more than merely sell products and form consumption patterns: it informs, educates, changes attitudes, and builds images. However, we overlook that its enormous power is abused more often in developing countries by transnational corporations. Advertising in developing countries may facilitate the transfer of consumption patterns of developed countries to developing ones, by introducing needs which may not be appropriate, given the income and demand structure in these countries. Other unfavorable implications can arise for the developing countries as a result of misleading advertising which does not reveal the harmful effects of some products of transnational firms which, although banned in the developed market economies, are available in the developing countries because of insufficient regulation. Furthermore, aggressive advertising campaigns by transnational corporations in developing countries may overshadow domestic enterprises.

① The need for regulation of false international ads
② The rapid growth of developing countries in terms of advertising
③ The changes of consumption patterns in developing countries
④ The bad effects of transnational firms' advertising on developing countries

158 밑줄 친 부분에 들어갈 말로 가장 적절한 것은?

A variety of theoretical perspectives provide insight into immigration. Economics, which assumes that actors engage in utility maximization, represents one framework. From this perspective, it is assumed that _____, i.e., that they make migration decisions based on their assessment of the costs as well as benefits of remaining in a given area versus the costs and benefits of leaving. Benefits may include but are not limited to short-term and long-term monetary gains, safety, and greater freedom of cultural expression. Individual costs include but are not limited to the expense of travel, uncertainty of living in a foreign land, difficulty of adapting to a different language, uncertainty about a different culture, and the great concern about living in a new land. Emotional costs associated with separation from family and friends, and the fear of the unknown also should be taken into account in cost-benefit assessments.

① individuals are subject to cultural bias
② individuals are rational actors
③ everyone has individual standards
④ individuals' preferences can be aggregated

주요 구문 분석

Advertising (in developing countries) may facilitate the transfer (of consumption patterns (of developed countries) (to developing ones)), / by introducing needs (which may not be appropriate, / given the income and demand structure in these countries).
분석 관계대명사 which가 이끄는 관계대명사절은 선행사인 needs를 수식하고 있으므로 '~하는'으로 해석한다. 또한 전치사 given이 이끄는 전치사구는 '~을 고려할 때'로 해석한다.

주요 구문 분석

Emotional costs (associated with separation / from family and friends), / and the fear of the unknown / also should be taken into account / in cost-benefit assessments.
분석 두 개의 명사구가 and로 병렬 구조를 이루어 문장의 주어 역할을 한다. 첫 번째 주어인 emotional costs와 associate가 수동의 관계이므로 과거분사가 사용되었지만, '~와 관련된'으로 해석하는 것이 자연스럽다. 「take A into account」 구문이 수동태로 사용되었기 때문에 '고려되어야 한다'로 해석한다.

157 난이도 ★★★

해석

우리 모두는 광고가 단순히 상품을 팔고 소비 패턴을 형성하는 것 이상의 역할을 한다는 것을 알고 있다: 그것은 알려 주고, 가르쳐 주고, 태도를 변화시키고, 그리고 이미지를 형성한다. 하지만 우리는 개발도상국에서 더욱 자주 다국적 기업들에 의해 광고의 엄청난 힘이 남용되고 있음을 간과하고 있다. 개발도상국들에서의 광고는 이러한 나라들에서의 소득과 수요 구조를 고려해 볼 때, 적절하지 않을 수도 있는 욕구를 소개함으로써 선진국의 소비 패턴이 개발도상국으로 이동하는 것을 용이하게 할 수도 있다. 선진의 시장 경제에서는 금지되어 있지만, 충분치 못한 규제 때문에 개발도상국들에서는 가능한 다국적 회사들의 일부 상품들의 해로운 영향들을 드러내지 않는 호도하는 광고의 결과로 다른 불리한 영향이 개발도상국에게 발생할 수 있다. 게다가, 개발도상국에 있는 다국적 기업들에 의한 공격적인 광고 캠페인은 국내 기업들에 그늘을 드리울지도 모른다.

① 허위 국제 광고의 규제의 필요성
② 광고 측면에서 개발도상국들의 급속한 성장
③ 개발도상국들의 소비 패턴의 변화
④ 다국적 회사들의 광고가 개발도상국들에 미치는 악영향

해설

광고라는 소재와 광고의 일반적인 개념을 첫 두 문장에서 제시하였다. 세 번째 문장이 주제문으로 다국적 기업들이 광고의 엄청난 힘을 남용해 개발도상국에 여러 악영향을 미치고 있음이 설명된다. 이어지는 부연 설명을 통해 그런 악영향들이 구체적으로 제시되고 있다. 따라서 주제로는 ④ '다국적 회사들의 광고가 개발도상국들에 미치는 악영향'이 가장 적절하다. ① 허위 국제 광고, ② 개발도상국의 광고의 급속한 성장은 글에 언급되지 않았으며 ③ 개발도상국의 소비 패턴의 변화가 글의 중심 내용이 아니므로 답이 될 수 없다.

어휘

- overlook 간과하다
- abuse 남용하다
- developing country 개발도상국
- transnational 다국적의
- corporation 기업
- facilitate 용이하게 하다
- transfer 이동
- developed country 선진국
- appropriate 적절한
- implication 영향
- arise 발생하다
- ban 금지하다
- regulation 규제
- aggressive 공격적인
- overshadow 그늘을 드리우다
- domestic 국내의

정답 ④

158 난이도 ★★★

해석

다양한 이론적 관점은 이민에 대한 통찰력을 제공한다. 행위자들이 효용 극대화에 관여한다고 가정하는 경제학은 하나의 틀을 나타낸다. 이러한 관점에서, <u>개인은 합리적인 행위자라고</u>, 즉 주어진 지역에 남아서 얻는 편익뿐만 아니라 비용에 비해 떠나서 얻는 비용과 편익에 대한 평가에 기초하여 이주 결정을 내린다고 가정한다. 편익은 단기 및 장기 통화 이득, 안전 및 문화적 표현의 더 큰 자유를 포함할 수 있지만 이에 국한되지는 않는다. 개별 비용은 여행 비용, 외국 땅에서 사는 불확실성, 다른 언어에 적응하는 어려움, 다른 문화에 대한 불확실성, 그리고 새로운 땅에서 사는 것에 대한 큰 우려를 포함하지만 이에 국한되지는 않는다. 가족 및 친구와의 이별, 그리고 미지의 공포와 관련된 감정적 비용도 비용 편익 평가에서 고려해야 한다.

① 개인은 문화적 편견의 대상이라고
③ 모두가 각각의 기준이 있다고
④ 개인의 선호도는 집계될 수 있다고

해설

중심 소재는 이민과 경제학이다. 이민 역시 경제의 관점으로 볼 때 개인의 성격이 빈칸에 들어가야 한다. 빈칸 뒤에서는 대표적인 경제 행위인 비용과 편익을 평가하며 이주를 결정한다고 말한다. 따라서 이 모든 것을 근거로 빈칸의 내용을 추론할 때, ② '개인은 합리적인 행위자이다'가 들어가는 것이 적합하다. 문화적 편견이나 개인적 기준, 혹은 개인의 선호도에 대한 언급은 전혀 없으므로 ①, ③, ④는 답이 될 수 없다.

어휘

- theoretical 이론적인
- perspective 관점
- immigration 이민
- engage in ~에 관여하다
- utility 효용
- maximization 극대화
- decision 결정
- assessment 평가
- given 주어진
- monetary 통화의
- uncertainty 불확실성
- foreign 외국의
- adapt 적응하다
- take ~ into account ~을 고려하다
- bias 편견
- be subject to ~의 대상이다
- rational 합리적인
- aggregated 집계된

정답 ②

159 주어진 글 다음에 이어질 글의 순서로 가장 적절한 것은?

Nature is timed to the alternating rhythm of light and dark produced by Earth's rotation.

(A) The loss of rhythmic light and dark exposure will only worsen their condition. Simply moving the patient to a bed that is near a window and darkening the room at night can significantly improve mental state.

(B) Birds sing, and blossoms open and close in tune with this twenty-four-hour cycle. Daylight also sets the pace for the activity of our mind. When deprived of regular intervals of dark and light, the mind can lose its bearings.

(C) This is especially true with elderly people. For example, some older people whose brain function is fine at home can become confused when hospitalized where artificial light is always on.

① (B) – (A) – (C) ② (B) – (C) – (A)
③ (C) – (A) – (B) ④ (C) – (B) – (A)

160 글의 흐름상 가장 어색한 문장은?

Too many officials in troubled cities wrongly imagine that they can lead their city back to its former glories with some massive construction project — a new stadium or light rail system, a convention center, or a housing project. With very few exceptions, no public policy can slow the tide of urban change. ① We mustn't ignore the needs of the poor people who live in the Rust Belt, but public policy should help poor people, not poor places. ② Shiny new real estate may dress up a declining city, but it doesn't solve its underlying problems. ③ There are notable benefits of investing in real estate for passive income purposes. ④ The hallmark of declining cities is that they have too much housing and infrastructure relative to the strength of their economies. With all that supply of structure and so little demand, it makes no sense to use public money to build more supply. The folly of building-centric urban renewal reminds us that cities aren't structures; cities are people.

159 난이도 ★★☆

해석

자연은 지구 자전에 의해 만들어진 빛과 어둠이 번갈아 일어나는 리듬에 맞춰져 있다. (B) 이 24시간의 주기에 맞춰 새는 노래하고 꽃은 피고 진다. 햇빛은 또한 우리 정신 활동의 속도를 정한다. 어둠과 빛의 규칙적인 간격을 잃게 되면, 정신은 방향을 잃을 수 있다. (C) 이는 노인들에 있어 특히 그러하다. 예를 들어, 집에서는 뇌 기능이 정상인 어떤 노인들은 인공 조명이 언제나 켜져 있는 곳에 입원하면 혼란스러워할 수 있다. (A) 주기적인 빛과 어둠에 노출되는 것의 상실은 그들의 상태를 악화시킬 뿐일 것이다. 단지 창가에 있는 침대로 환자를 옮기고 밤에는 방을 어둡게 하는 것만으로도 정신 상태를 상당히 호전시킬 수 있다.

해설

자연은 낮과 밤의 주기에 맞춰져 있다는 내용 뒤에는 이에 대한 구체적인 예시인 (B)의 내용이 뒤따르게 된다. (B)에서 어둠과 빛의 규칙적인 간격을 잃게 되면 혼란이 있을 수 있다는 것에 대한 설명을 (C)에서 노인들의 예를 들어 자연의 리듬이 인간에게도 적용되는 것을 설명하고 있다. (A)의 'their condition'에서 their가 (C)의 elderly people을 뜻하고 있음을 알 수 있다. 또한 (C)의 hospitalized가 (A)의 patient로 연결된다. 따라서 ② (B)-(C)-(A)의 순서가 자연스럽다.

어휘

- time 시간을 맞추다
- Earth's rotation 지구 자전
- mental state 정신 상태
- in tune with ~와 맞추어
- interval 간격
- lose one's bearings (정신적으로) 방향을 잃다
- hospitalize 입원시키다
- alternate 번갈아 일어나다
- exposure 노출
- blossom 꽃
- cycle 주기
- artificial 인위적인

정답 ②

160 난이도 ★★☆

해석

곤란을 겪는 도시의 너무 많은 공무원들은 새로운 경기장 또는 경전철 시스템, 컨벤션 센터, 주택단지 개발과 같은 대규모 건설 사업을 통해 그들의 도시를 이전의 영광으로 되돌릴 수 있다고 그릇되게 상상하고 있다. 거의 예외 없이 어떤 공공정책도 도시 변화의 흐름을 늦출 수는 없다. ① 우리는 러스트 벨트에 사는 가난한 사람들의 요구를 무시하지 말고 공공정책이 가난한 지역을 돕는 것이 아닌 가난한 사람들을 돕도록 해야 한다. ② 반짝이는 새로운 부동산은 쇠퇴하는 도시를 꾸밀 수는 있지만, 그러나 이것이 근본적인 문제를 해결하지는 못한다. ③ 불로소득 목적으로 부동산에 투자하는 것에는 주목할 만한 이점이 있다. ④ 쇠퇴하는 도시의 특징은 그들이 경제력에 비해서 너무 많은 주택과 기반시설을 가지고 있다는 것이다. 건축물의 그 모든 공급과 너무 적은 수요로 인해 더 많은 공급을 만들어내기 위해 공공 자금을 사용하는 것은 의미가 없다. 건물 중심의 도시 재생의 어리석음은 우리에게 도시는 구조물이 아니라 사람이라는 것을 상기시킨다.

해설

흔히들 대규모의 건설 프로젝트가 도시 재생에 도움이 된다고 생각하는데, 도시 재생을 위한 공공정책은 건설보다 사람에 중점을 두어야 한다는 내용의 글이다. ①에서는 가난한 지역이 아닌 가난한 사람을 도와야 한다고 말하고 ②에서는 부동산도 근본적인 문제를 해결하지 못한다고 말하고, ④에서는 쇠퇴하는 도시의 특징은 너무 많은 기반시설을 가지고 있다는 것이라 말한다. 마지막으로 건물 중심의 도시 재생은 어리석으며 도시는 구조물이 아닌 사람이라고 말하며 글을 마치고 있다. 하지만 ③은 불로소득의 목적으로 부동산에 투자하는 것의 이점을 이야기하므로 글의 전체 흐름과 관계가 없다.

어휘

- glory 영광
- convention center 컨벤션 센터: 회의·전시 장소나 숙박 시설이 집중된 지역 또는 종합 빌딩
- exception 예외
- tide 흐름, 조수
- Rust Belt 러스트 벨트(특히 미국 북부의 사양화된 공업 지대)
- dress up 꾸미다, 가장하다
- passive income 불로소득
- hallmark 특징
- renewal 재생

정답 ③

161 다음 글의 제목으로 가장 적절한 것은?

People typically consider the virtual, or imaginative, nature of cyberspace to be its unique characteristic. Although cyberspace involves imaginary characters and events of a kind and magnitude not seen before, less developed virtual realities have always been integral parts of human life. All forms of art, including cave drawings made by our Stone Age ancestors, involve some kind of virtual reality. In this sense, cyberspace does not offer a totally new dimension to human life. What is new about cyberspace is its interactive nature and this interactivity has made it a psychological reality as well as a social reality. It is a space where real people have actual interactions with other real people, while being able to shape, or even create, their own and other people's personalities. The move from passive imaginary reality to the interactive virtual reality of cyberspace is much more radical than the move from photographs to movies.

① Cyberspace: The Whole New Reality
② What Makes Cyberspace Unique?
③ Cyberspace as an Alternative to Reality
④ From Imagination to Virtual Reality

162 밑줄 친 부분에 들어갈 말로 가장 적절한 것은?

The ability to select the best tool for a job and use that tool properly has a great deal to do with how easy the job is to accomplish and how successful the results are. Just as a plumber needs different tools to fix that leak under your sink and a computer technician needs different tools to be able to analyze and solve computer problems, executives and managers need more than one tool in their toolboxes to be able to use the one that's best in a given situation. Management speaker and business consultant Ken Blanchard, coauthor of *The One Minute Manager* and numerous other bestselling books, promotes a theory of situational leadership that is applicable here: true leaders _____. Good leaders recognize that there is nearly always more than one way to accomplish a goal and no single "best" style of leadership, and they use the right tool for the issue or people involved. In the same way, the successful organizations of the twenty-first century will be those that are most able to achieve a balance of competition and collaboration.

① remain flexible and open-minded
② put others' interest above their own
③ make themselves increasingly unnecessary
④ try their best to find an only solution

161   난이도 ★★★

해석

사람들은 보통 사이버 스페이스의 가상적 또는 상상적 특성을 그것만의 독특한 특징으로 여긴다. 사이버 스페이스는 가공의 인물들과 이전에 볼 수 없었던 종류와 규모의 일들을 포함하지만, 덜 발달된 가상 현실은 항상 인류의 삶에 필수적인 부분이었다. 우리의 석기 시대 조상이 그린 동굴 벽화를 포함한 모든 형태의 예술은 일종의 가상 현실을 포함한다. 이런 의미에서 사이버 스페이스는 인간의 삶에 완전히 새로운 차원을 제공하는 것은 아니다. 사이버 스페이스의 새로운 점은 그것의 상호 작용적인 성격이며 이러한 상호 작용성은 그것을 사회적 현실뿐만 아니라 심리적인 현실로 만들었다. 그곳은 진짜 사람들이 다른 진짜 사람들과 실제로 상호 작용하면서 그들 자신과 다른 사람들의 성격을 형성하거나 심지어 창조할 수 있는 공간이다. 수동적인 가공의 현실에서 상호 작용적인 사이버 스페이스의 가상 현실로의 이동은 사진에서 영화로의 이동보다 훨씬 더 급진적이다.

① 사이버 스페이스: 완전히 새로운 현실
② 무엇이 사이버 스페이스를 독특하게 만드는가?
③ 현실의 대안으로서의 사이버 스페이스
④ 상상에서부터 가상 현실까지

해설

중심 소재는 사이버 스페이스이고 일반적인 견해에 대한 진술로 시작하여 이를 반박하는 내용이 이어지는 형태의 글이다. 사이버 스페이스의 가상적인 특성만이 독특한 특징으로 여겨졌으나, 이러한 가상 현실은 이전부터 존재했다고 설명하며, 이를 독특하게 만드는 것은 바로 그 공간에서 사람들이 상호작용을 할 수 있는 점이라고 설명하고 있다. 따라서 정답은 ② '무엇이 사이버 스페이스를 독특하게 만드는가?'이다.

어휘

- typically 보통
- imaginative 상상의
- magnitude 규모
- interactive 상호작용적인
- radical 급진적인
- virtual 가상의
- nature 특성
- integral 필수의
- passive 수동적인
- alternative 대안

정답 ②

162   난이도 ★★★

해석

어떤 일에 가장 좋은 도구를 선택해서 그 도구를 적절하게 사용하는 능력은 그 일이 성취하기가 얼마나 쉬운지, 그리고 그 결과가 얼마나 성공적인지와 큰 관계가 있다. 배관공이 싱크대 밑의 누수를 고치기 위해 여러 가지 도구를 필요로 하고 컴퓨터 기술자가 컴퓨터 문제를 분석하고 해결할 수 있기 위해 여러 가지 도구를 필요로 하는 것과 마찬가지로, 임원과 관리자는 주어진 상황에서 가장 좋은 것을 사용할 수 있기 위해 도구 상자에서 한 가지 도구 이상의 것을 필요로 한다. 〈The One Minute Manager〉와 다른 수많은 베스트셀러의 공동 저자인 경영 연사이자 비즈니스 컨설턴트인 켄 블랜차드는 여기에 적용할 수 있는 상황적 리더십 이론을 지지한다: 진정한 지도자는 <u>유연하고 열린 마음을 유지한다</u>. 거의 항상 하나의 목표를 달성하기 위한 한 가지 이상의 방법이 있고 단 하나의 '가장 좋은' 스타일의 지도력은 없다는 것을 좋은 지도자들은 인정하며, 그들은 관련된 문제나 사람들에게 맞는 도구를 사용한다. 똑같은 방식으로, 21세기의 성공적인 조직들은 경쟁과 협업의 균형을 가장 잘 성취할 수 있는 조직들일 것이다.

② 다른 사람들의 이익을 그들 자신의 이익 위에 둔다
③ 그들 스스로를 점점 더 불필요하게 만든다
④ 유일한 해결책을 찾기 위해 최선을 다한다

해설

이 글은 어떤 일이든 상황에 맞는 적절한 도구를 선택해서 사용해야 큰 성취를 얻을 수 있다는 내용이다. 빈칸이 글의 중간에 있으므로 빈칸 뒤에서 답의 근거를 찾으면 된다. 빈칸이 있는 문장의 주어는 true leaders이고 뒤 문장의 주어도 Good leaders이므로 뒤 문장을 요약한 내용을 찾도록 한다. 빈칸 뒤에서 좋은 지도자는 하나의 목표를 달성하는 데 한 가지 이상의 방법이 있고 단 하나의 가장 좋은 지도력은 없다는 것을 인정하고 관련된 문제나 사람들에게 맞는 도구를 사용해야 한다고 주장한다. 따라서 빈칸에 들어갈 말로 가장 적절한 것은 ① '유연하고 열린 마음을 유지한다'이다. ④는 글의 요지와 정반대이므로 답이 될 수 없다.

어휘

- have ~ to do with ... …와 ~ 관계가 있다
- plumber 배관공
- leak 누수
- executive 임원
- numerous 수많은
- applicable 적용 가능한
- collaboration 협업
- fix 고치다
- analyze 분석하다
- toolbox 도구 상자
- promote ~을 지지하다
- involved 관련된

정답 ①

163 주어진 문장이 들어갈 위치로 가장 적절한 곳은?

> Conversely, a virtual world cannot be long sustained by a mere handful of adherents.

Scholars of myth have long argued that myth gives structure and meaning to human life; that meaning is amplified when a myth evolves into a world. (①) A virtual world's ability to fulfill needs grows when lots and lots of people believe in the world. (②) Consider the difference between a global sport and a game I invent with my nine friends and play regularly. My game might be a great game, one that is completely immersive, one that captures all of my group's time and attention. (③) If its reach is limited to the ten of us, though, then it's ultimately just a weird hobby, and it has limited social function. (④) For a virtual world to provide lasting, wide-ranging value, its participants must be a large enough group to be considered a society. When that threshold is reached, psychological value can turn into wide-ranging social value.

주요 구문 분석

Conversely, / a virtual world cannot be long sustained / by a mere handful of adherents.

분석 수동태 문장에서 주어는 동사의 행동을 실행하는 주체가 아니라 동사의 행동을 당하는 대상이지만, 자연스러운 해석을 위해 직역하지 않고 능동형으로 해석하기도 한다. 즉, cannot be sustained는 직역하면 '지속되어질 수 없다'이지만 '지속될 수 없다'로 해석하는 것이 자연스럽다.

164 다음 글의 제목으로 가장 적절한 것은?

Palm oil is among the cheapest of biofuels and consequently has been pursued aggressively in some countries, to the great detriment of the local environment. In fact, 87% of the deforestation in Malaysia between 1985 and 2000 was due to the creation of palm oil plantations. The net result is that although biofuels were encouraged as alternative energy sources for environmental reasons, the reality is that the environmental consequences of biofuel usage have been so bad that British syndicated columnist George Monbiot has declared unequivocally, "The decision by governments in Europe and North America to pursue the development of biofuels is, in environmental terms, the most damaging they have ever taken." I feel for the respective governments and the individuals most responsible for the well-intentioned but ultimately damaging decisions.

① Biofuels for the Environment? No Way!
② Environmental Achievements of Palm Oil
③ Biofuels as an Alternative Energy Source
④ Why Governments Encourage Biofuel Usage

주요 구문 분석

Palm oil is / among the cheapest of biofuels // and consequently has been pursued aggressively / in some countries, / to the great detriment of the local environment.

분석 형용사 cheap의 최상급인 cheapest가 사용되었다. 최상급은 셋 이상의 대상 중에서 가장 정도가 심하다는 것을 의미하므로 '가장 싼'으로 해석한다. 또한 최상급 앞에 전치사 among은 비교 대상의 범위를 나타내며 '~ 중에'로 해석한다.

163 난이도 ★★☆

해석

신화를 연구하는 학자들은 신화가 인간의 삶에 체계와 의미를 부여한다고 오랫동안 주장해 왔다; 그 의미는 하나의 신화가 하나의 세계로 진화할 때 확대된다. (①) 욕구를 충족시킬 수 있는 가상 세계의 능력은 수많은 사람이 그 세상의 존재를 믿을 때 커진다. (②) 반대로, 가상 세계는 단지 소수의 지지자들에 의해서는 오래 지속될 수 없다. 전 세계적인 스포츠와 내가 9명의 친구들과 만들어서 정기적으로 하는 게임 사이의 차이를 고려해 보라. 나의 게임은 훌륭한 게임이고 완전히 실감 나는 게임이며, 내 집단의 시간과 관심을 모두 사로잡는 게임일 수 있다. (③) 하지만 그것의 범위가 우리 10명으로 제한된다면, 그것은 궁극적으로 그저 이상한 취미일 뿐이고, 제한된 사회적 기능을 가진다. (④) 가상 세계가 지속적이고 광범위한 가치를 제공하기 위해서는, 그것의 참여자들이 하나의 사회로 여겨질 정도로 충분히 큰 집단이어야만 한다. 그 기준점에 도달했을 때, 심리적 가치는 광범위한 사회적 가치로 변할 수 있다.

해설

주어진 문장이 '반대로(Conversely)'라는 신호어로 시작되므로, 이 앞에는 가상 세계를 다수의 사람이 믿을 때 어떤 현상이 일어나는지에 대한 설명이 나올 것을 예상할 수 있고, 이 뒤에는 소수의 사람이 지지하는 가상 세계에 대한 부연 설명이나 예시가 등장할 것으로 예상할 수 있다. ②의 앞에서는 다수의 사람이 믿어줄 때 가상 세계의 능력이 향상된다고 했고 ②의 뒤에서는 다수가 열광하는 스포츠와 소수가 즐기는 게임을 비교하며 가상 세계가 오래 지속되려면 다수의 사람들의 지지가 필요하다는 설명이 이어진다. 따라서 주어진 문장이 들어갈 위치로 가장 적절한 곳은 ②이다.

어휘

- conversely 반대로
- sustain 지속시키다
- adherent 지지자
- myth 신화
- amplify 확대하다
- fulfill 충족하다
- regularly 정기적으로
- capture 사로잡다
- weird 이상한
- provide 제공하다
- wide-ranging 광범위한
- threshold 기준점
- virtual 가상의
- mere 단순한
- scholar 학자
- structure 구조
- evolve 진화하다
- invent 만들다
- immersive 실감 나는
- ultimately 궁극적으로
- function 기능
- lasting 지속적인
- participant 참여자
- psychological 심리적인

정답 ②

164 난이도 ★★☆

해석

야자유는 바이오 연료 중 가장 값이 싼 것 중 하나이어서, 결과적으로 지역 환경에 큰 손해를 입히면서까지, 일부 국가에서 적극적으로 추구되어 왔다. 사실, 1985년에서 2000년 사이 말레이시아에서의 삼림 벌채의 87%는 야자유 농장 조성 때문이었다. 최종 결과는 바이오 연료가 환경적인 이유 때문에 대체 에너지원으로 장려되었지만, 현실은 바이오 연료 사용의 환경적 영향이 너무 심해서 영국의 특약 칼럼니스트 조지 몬비오는 "유럽과 북미의 정부가 바이오 연료의 개발을 추구하고자 한 그 결정은, 환경적인 면에서, 그들이 지금까지 해왔던 것 중 가장 해롭다."라고 명백히 선언했다. 좋은 의도였지만 궁극적으로 해로운 결정에 가장 큰 책임이 있는 각 정부와 개인들이 나는 안됐다고 생각한다.

① 환경을 위한 바이오 연료? 절대 안 돼!
② 야자유의 환경적 성취
③ 대체 에너지원으로서의 바이오 연료
④ 정부가 바이오 연료 사용을 장려하는 이유

해설

중심 소재는 바이오 연료이고 글의 도입부에서 중심 소재인 야자유를 언급하며 바이오 연료로서 적극적으로 장려되어왔다고 일반적 진술을 한다. 그러나 환경적 이유로 대체 에너지원으로 장려된 의도와 달리 삼림 벌채와 같은 환경에 해로운 결정을 끼치게 되었다고 언급한다. 따라서 글의 제목으로 가장 적절한 것은 ① '환경을 위한 바이오 연료? 절대 안 돼!'이다.

어휘

- palm oil 야자유
- consequently 결과적으로
- detriment 손해
- plantation 농장
- encourage 장려하다
- usage 사용
- syndicated columnist (통신사 배급용 칼럼을 집필하는) 특약 칼럼니스트
- unequivocally 명백하게
- respective 각각의
- biofuel 바이오 연료
- aggressively 적극적으로
- deforestation 삼림 벌채
- net result 최종 결과
- alternative 대체의
- feel for ~을 불쌍히 여기다
- achievement 성취

정답 ①

165 다음 글들을 문맥에 맞게 올바른 순서로 연결한 것은?

(A) Sound therapy goes beyond recorded music: *The International Journal of Arts Medicine* reports that infants in intensive care unit go home three days sooner, eat better and gain more weight if the staff talks and sings to them.

(B) Music has long been appreciated for its calming effects, but new research shows it also may have the power to restore and keep us healthy.

(C) Soothing sounds, from Tibetan chants to Beethoven symphonies, are being given scientific credit for preventing colds, easing labor pain and even boosting antiaging hormones. One recent study found that surgery patients who listened to comforting music recovered more quickly and felt less pain than those who did not.

① (A) – (B) – (C) ② (A) – (C) – (B)
③ (B) – (A) – (C) ④ (B) – (C) – (A)

165 난이도 ★★☆

해석

(B) 음악은 진정 효과가 있는 것으로 오랫동안 인정받아 왔지만 새로운 연구는 음악이 회복과 건강 유지의 효과 또한 있을 수 있다는 것을 보여준다. (C) 티벳 성가에서 베토벤의 교향곡에 이르기까지 진정을 시켜주는 음악은 감기를 예방하고, 분만통을 경감하며, 노화 방지 호르몬의 생성까지 촉진시켜 주는 것으로 과학적인 인정을 받고 있다. 한 최근의 연구는 진정 효과가 있는 음악을 들은 수술 환자들이 그렇지 않은 환자들보다 더 빨리 회복했고 고통을 덜 느꼈다는 것을 밝혀냈다. (A) 소리 요법은 녹음된 음악을 넘어선다. 〈The International Journal of Arts Medicine〉에 따르면 중환자실에 있는 유아들은 간호사가 그들에게 말을 걸어 주고 노래를 불러주면 3일 먼저 퇴원하고, 더 잘 먹고, 체중이 더 많이 증가한다.

해설

음악에 대한 진정 효과가 처음 언급된 (B)가 글의 첫 시작임은 쉽게 파악할 수 있다. 이후 진정 효과(calming effects)를 넘어 회복과 건강 유지의 기능도 있다고 말한다. 이 restore and keep이 (C)의 Soothing(= calming) sounds로 연결되어 이에 대한 구체적인 예시가 제시된다. 감기 예방, 노화 방지, 호르몬 생성 등의 치료 효과를 예시로 든다. (C)의 예시들은 바로 음악 치료에 해당하므로 (A)의 Sound therapy에 연결되는 것이 자연스럽다. 따라서 정답은 ④ (B)-(C)-(A)이다.

어휘

- appreciate 인정하다
- restore 회복시키다
- chant 성가
- ease 덜어 주다
- boost 증가시키다
- comfort 안심시키다
- calm 진정시키다
- soothe 진정시키다
- credit 인정
- labor pain 분만통
- antiaging 노화 방지의
- recover 회복하다

정답 ④

주요 구문 분석

Soothing sounds, / from Tibetan chants to Beethoven symphonies, / are being given scientific credit / for preventing colds, / easing labor pain / and even boosting antiaging hormones.

분석 수동태 문장에서 주어는 동사의 행동을 실행하는 주체가 아니라 동사의 행동을 당하는 대상이라서 주는 것이 아니라 주어지는 것을 의미하는데, 자연스러운 해석을 위해 '받는'으로 해석한다. 또한 「be -ing」의 진행형 시제를 사용했기 때문에 '~하는 중이다'로 해석한다. 전치사 for의 목적어로 동명사 preventing, easing, boosting이 and로 병렬 구조를 이루고 있으며, 각각 '~하기' 또는 '~하는 것'으로 해석한다.

166 주어진 문장이 들어갈 위치로 가장 적절한 것은?

Because punishment is usually administered by a particular person, it may be effective only when that person is present.

Punishment is obviously widely used in the United States, suggesting that our culture is tolerant of or encourages its use. So, does punishment work? Research indicates that it is effective in some circumstances but not in others. (①) One aspect is timing. Punishment is most effective when it occurs in close proximity to the behavior. (②) A verbal reprimand delivered as the child touched the toy was more effective than a prior warning or a reprimand following the action. (③) Also, the effectiveness may be limited to the situation in which it is given. (④) This probably accounts for the fact that when their parents are absent, children may engage in activities that their parents earlier had punished.

166 난이도 ★★☆

해석

처벌은 미국에서 명백히 널리 사용되고 있는데, 우리 문화가 그것의 사용을 용인하거나 조장한다는 것을 시사한다. 그렇다면, 처벌은 효과가 있을까? 연구는 그것이 어떤 상황에서는 효과가 있고 다른 상황에서는 효과가 없다는 것을 나타낸다. (①) 한 가지 측면은 시기이다. 처벌은 그것이 행동에 매우 근접하여 일어날 때 매우 효과적이다. (②) 아이가 장난감에 손을 댔을 때 하는 말로 하는 꾸짖음은 사전 경고나 행동에 뒤따르는 꾸지람보다 더 효과적이었다. (③) 또한 효과는 주어지는 상황에 제한될 것이다. (④) 처벌은 보통 특정한 사람에 의해 가해지기 때문에, 그 사람이 있을 때만 효과적일 것이다. 이것은 아마도 부모가 없을 때 아이들이 이전에 부모에게 처벌받았던 활동을 할 수도 있다는 사실을 설명해준다.

해설

첫 번째 문장에서 중심 소재인 처벌을 제시한 후, 이어서 처벌이 효과를 나타내기 위한 두 가지 조건을 설명하는 구조의 글이다. 주어진 문장은 처벌이 효과적으로 되려면 처벌을 가하는 사람이 곁에 있어야 한다는 내용이다. 따라서 일단 첫 번째 조건으로 제시된 시기에 관한 언급이 끝나는 부분인 ③ 앞까지는 주어진 문장이 들어갈 수 없다. ③ 다음 문장은 두 번째 조건인 상황을 언급하고 있는데, 주어진 문장의 내용은 그것에 관한 사례에 해당한다. 그리고 ④ 다음 문장의 This가 가리키는 바는 주어진 문장의 '처벌을 가하는 사람이 곁에 있어야 효과가 있다는 것'이다. 따라서 ④에 들어가는 것이 가장 적절하다.

어휘

- punishment 처벌
- administer 가하다
- particular 특정한
- effective 효과적인
- present 있는
- tolerant of ~을 용인하는
- indicate 나타내다
- circumstances 상황
- proximity 근접
- reprimand 꾸지람
- prior 사전의
- account for ~을 설명하다
- absent (그 장소에) 없는

정답 ④

주요 구문 분석

A verbal reprimand (delivered // as the child touched the toy) was more effective / than a prior warning or a reprimand (following the action).

분석 reprimand를 과거분사인 delivered가 뒤에서 수식하며 as the child touched the toy는 delivered를 수식하는 시간의 부사절이다. than 뒤에 a prior warning과 a reprimand가 or로 대등하게 연결되었고 following은 after와 의미가 같다. following the action이 reprimand를 수식한다.

167 다음 글의 제목으로 가장 적절한 것은?

Biodiversity as a whole forms a shield protecting each of the species that together compose it, ourselves included. What will happen if, in addition to the species already extinguished by human activity, say, 10 percent of those remaining are taken away? Or 50 percent? Or 90 percent? As more and more species vanish or drop to near extinction, the rate of extinction of the survivors accelerates. In some cases the effect is felt almost immediately. When a century ago the American chestnut, once a dominant tree over much of eastern North America, was reduced to near extinction by an Asian fungal blight, seven moth species whose caterpillars depended on its vegetation vanished, and the last of the passenger pigeons plunged to extinction. As extinction mounts, biodiversity reaches a tipping point at which the ecosystem collapses. Scientists have only begun to study under what conditions and when this catastrophe is most likely to occur.

* blight: 마름병

① Evaluation Criteria of Biodiversity in Ecosystem
② How Environmental Change Affects Species Extinction
③ Chain of Extinction in Biodiversity Loss
④ Ecological Collapse Already Well Underway

168 밑줄 친 부분에 들어갈 말로 가장 적절한 것은?

There is a contrast principle in human perception that affects the way we see the difference between two things that are presented one after another. For example, each student in the psychophysics laboratory takes a turn sitting in front of three buckets of water — one cold, one at room temperature, and one hot. After placing one hand in the cold water and one in the hot water, the student is told to place both in the lukewarm water simultaneously. Then something surprising happens. Even though both hands are in the same bucket, the hand that was in the cold water feels as if it is now in the hot water, while the one that was in the hot water feels as if it is in cold water. The point is that the same thing can be made to seem very different, depending on the nature of the event that _____ it.

① precedes
② follows
③ concedes
④ improves

167 난이도 ★★☆

해석

생물 다양성은 전체로서 그것을 함께 구성하는 종들 각각을 보호하는 방패막을 형성하며, 우리 자신들도 포함된다. 인간의 활동에 의해 이미 멸종된 종들에다가 추가로, 그러니까, 남아있는 10퍼센트의 종들이 제거된다면 무슨 일이 일어날까? 혹은 50퍼센트는? 혹은 90퍼센트는? 더욱더 많은 종들이 사라지거나 멸종에 가깝게 그 수가 줄어든다면, 생존자의 멸종률은 가속화된다. 몇몇 경우에 그 효과는 거의 즉시 느껴진다. 한때 대부분의 동북 아메리카 대륙의 지배적인 나무였던 미국 밤나무가 한 세기 전에 아시아의 균류에 의한 마름병으로 거의 멸종에 가깝게 수가 줄어들었을 때, 애벌레가 이것의 초목에 의존하는 7종의 나방들이 사라졌고, 나그네 비둘기의 마지막 개체도 멸종할 정도로 급락했다. 멸종이 증가함에 따라, 생물 다양성은 생태계가 무너지는 티핑 포인트에 도달한다. 과학자들은 어떤 조건들 하에 그리고 언제 이 대재앙이 발생할 가능성이 높은지에 대한 연구를 시작했을 뿐이다.

① 생태계에서의 생물 다양성의 평가 기준
② 환경적 변화가 종의 멸종에 어떻게 영향을 주는가
③ 생물 다양성의 손실에서 발생하는 연쇄 멸종
④ 이미 상당히 진행 중인 생태적 붕괴

해설

첫 번째 문장에서 생물 다양성이라는 글의 소재를 제시하고 있다. 그 이후에는 이러한 생물 다양성의 상태에서 몇몇 종들이 멸종하게 되면 어떻게 될지를 가정하는 질문이 계속해서 이어진다. 그리고 이에 대한 답변이 등장하는데 다양한 생물들이 유기적으로 연관되어 있으므로, 일부 종들이 멸종되면 남아있는 종들 역시 연쇄 멸종할 수 있음을 저자는 진술하고 있다. 이후에 이어지는 미국 밤나무의 예시는 이를 재진술하기 위한 것으로 볼 수 있다. 따라서 이 글의 제목으로는 ③ '생물 다양성의 손실에서 발생하는 연쇄 멸종'이 적합하다.

어휘

- biodiversity 생물 다양성
- shield 방패막
- compose 구성하다
- take away 제거하다
- vanish 사라지다
- extinction 멸종
- accelerate 가속화하다
- chestnut 밤나무
- fungal 균류에 의한
- moth 나방
- caterpillar 애벌레
- vegetation 초목
- passenger pigeon 나그네 비둘기
- plunge 급락하다
- mount 증가하다
- tipping point 티핑 포인트: 작은 변화들이 어느 정도 기간을 두고 쌓여, 작은 변화가 하나만 더 일어나도 갑자기 큰 영향을 초래할 수 있는 상태가 된 단계
- catastrophe 대재앙
- evaluation 평가
- criterion 기준
- collapse 붕괴
- underway 진행 중인

정답 ③

168 난이도 ★★☆

해석

인간의 지각에는 차례로 제시되는 두 가지 사이의 차이를 알아내는 방식에 영향을 미치는 대조 원칙이 있다. 예를 들어, 정신 물리학 실험실에 있는 각각의 학생들은 순서대로 세 개의 물통 — 차가운 물, 실온의 물, 그리고 뜨거운 물 — 앞에 앉는다. 한 손은 차가운 물에 넣고 또 한 손은 뜨거운 물에 넣은 후, 그 학생은 미지근한 물에 두 손을 동시에 넣으라는 지시를 받는다. 그때 놀라운 일이 생긴다. 비록 두 손이 같은 물통에 있지만, 차가운 물에 있었던 손은 지금 마치 뜨거운 물에 있는 것처럼 느껴지는 반면에, 뜨거운 물에 있었던 손은 마치 찬물에 있는 것처럼 느껴진다. 요점은 동일한 사건이 앞서는 사건의 특성에 따라 매우 달라 보이게 만들어질 수 있다는 것이다.

② 뒤따르는
③ 양보하는
④ 개선하는

해설

실험이라는 예시를 통해 앞의 경험에 따라 뒤에 같은 것을 경험하더라도 다르게 인식할 수 있음을 알 수 있다. 지금은 같은 미지근한 물에 담궈진 손들이 이전에 차가운 물에 있었던 손은 뜨겁게 느껴지는 반면에 뜨거운 물에 있었던 손은 차갑게 느껴진다. 즉 동일한 경험이라 할지라도 이전의 선행 경험과 그 경험이 '대조'되어 다르게 인식되기도 한다는 내용이다. 따라서 빈칸에는 동일한 사건이 선행되는 경험에 따라 다르게 인식된다는 내용이므로 ① '앞서는'이 적합하다.

어휘

- principle 원칙
- perception 지각
- present 제시하다
- one after another 차례로
- psychophysics 정신 물리학
- take a turn 순서대로 하다
- room temperature 실온
- lukewarm 미지근한
- simultaneously 동시에
- precede ~에 앞서다
- follow 뒤따르다
- concede 양보하다
- improve 개선하다

 ①

169 다음 글의 요지로 가장 적절한 것은?

Music is used to mold customer experience and behavior. A study was conducted that explored what impact it has on employees. Results from the study indicate that participants who listen to rhythmic music were inclined to cooperate more irrespective of factors like age, gender, and academic background, compared to those who listened to less rhythmic music. This positive boost in the participants' willingness to cooperate was induced regardless of whether they liked the music or not. When people are in a more positive state of mind, they tend to become more agreeable and creative, while those on the opposite spectrum tend to focus on their individual problems rather than giving attention to solving group problems. The rhythm of music has a strong pull on people's behavior. This is because when people listen to music with a steady pulse, they tend to match their actions to the beat. This translates to better teamwork when making decisions because everyone is following one tempo.

① The steady rhythm of music can lead employees to be more cooperative.
② Playing music at work can improve productivity and employee engagement.
③ Music contributes to reducing stress and eliminating negative emotions.
④ Listening to music influences your heart rate and working efficiency.

주요 구문 분석

Results from the study indicate // that participants (who listen to rhythmic music) were inclined to cooperate more / irrespective of factors like age, gender, and academic background, / compared to those (who listened to less rhythmic music).

분석 indicate의 목적어로 that이 이끄는 명사절이 왔다. 명사절의 주어인 participants는 who가 이끄는 관계사절의 수식을 받고 있어서, '~하는'이나 '~한'으로 해석한다. compared의 의미상 주어는 participants이고 수동의 관계이기 때문에 '참가자들을 비교했을 때'로 해석해야 한다.

---

170 밑줄 친 부분에 들어갈 말로 가장 적절한 것은?

Two of the three authors of the U.S. Declaration of Independence were scientists (Jefferson and Franklin) and the third (Adams) a philosopher. Why is it, then, that only one or two of the subsequent U.S. presidents (after Jefferson) were scientists? One answer to this is to see how governments have treated great thinkers and scientists through history. Many people have heard of what happened to Socrates, who was condemned for having taught young people how to use critical discourse. Fewer people are aware, perhaps, that some of the great scientists of the twentieth century were kicked out of Germany by the Nazi government. More examples include important early scientists and philosophers of science who suffered at the hands of powerful people who were threatened by what these scientists had found through careful observation of the real world. So, although science has been at the center of some of the great changes in human history, it has not usually _____. In the rare instances where it has (in the United States in 1776), amazing things have happened in the long run.

① got much support from the industrial sector
② held a very solid place in the academic world
③ acquired any reputation among the public
④ had a good relationship with political leadership

주요 구문 분석

Many people have heard of // what happened to Socrates, (who was condemned / for having taught young people how to use critical discourse).

분석 전치사 of의 목적어로 의문사 what이 이끄는 명사절이 왔다. 의문사 what이 명사절의 주어이기 때문에 '무엇'으로 해석하지 않고 '~하는 것'으로 해석해야 한다. 또한 선행사와 관계대명사절 사이를 콤마로 분리한 관계대명사 계속적 용법은 앞부분을 먼저 해석하고 관계대명사절을 나중에 해석하면 된다.

169 난이도 ★★☆

해석

음악은 사용자의 경험과 행동을 형성하는 데 사용된다. 음악이 직원들에게 어떤 영향을 주는지 탐구하는 한 연구가 수행되었다. 연구의 결과는 리드미컬한 음악을 들은 참가자들이, 덜 리드미컬한 음악을 들은 참가자들과 비교했을 때, 나이, 성별, 그리고 학문적 배경과 같은 요인들과 관계없이 더 협력하는 경향이 있었다는 것을 나타낸다. 참가자들의 기꺼이 협력하고자 하는 마음의 긍정적인 증가는 그들이 음악을 좋아하는지 아닌지에 관계없이 유발되었다. 사람들이 더 긍정적인 마음의 상태일 때, 그들은 더 상냥하고 창의적으로 되는 경향이 있는 반면에, 반대의 범위에 있는 사람들은 그룹의 문제를 해결하는 데에 집중하는 것보다 그들 개인의 문제에 집중하는 경향이 있다. 음악의 리듬은 사람의 행동에 강한 영향력이 있다. 이것은 사람들이 규칙적인 리듬의 음악을 들을 때, 그들의 행동을 비트에 맞추는 경향이 있기 때문이다. 이것은 모두가 하나의 박자를 따르기 때문에 결정을 내릴 때 더 나은 팀워크로 변한다.

① 음악의 규칙적인 리듬은 직원들을 더 협력하도록 이끌 수 있다.
② 직장에서 음악을 트는 것은 생산성과 직원 참여를 증진시킬 수 있다.
③ 음악은 스트레스를 줄이고 부정적인 감정을 제거하는 데 도움이 된다.
④ 음악을 듣는 것은 당신의 심박동수와 업무 효율에 영향을 준다.

해설

실험을 통해 결과를 도출하여 결론을 끌어가는 유형의 문제이다. 이런 문제들은 결론이 대부분 마지막 문장에서 등장하는 미괄식 형태로 되어 있다. 이 글의 경우 마지막 두 문장이 주제문인데, 규칙적인 리듬이 있는 음악을 함께 들을 경우, 그 음악의 박자가 직원들의 동일하고 일치된 행동을 끌어냄으로써 팀 협동성을 증진시켰다는 결론을 도출하고 있다. 따라서 정답은 ① '음악의 규칙적인 리듬은 직원들을 더 협력하도록 이끌 수 있다.'이다. 생산성의 향상이나 업무 효율성에 대한 언급은 없으므로 ②나 ④는 답이 될 수 없다. 협력하고자 하는 마음의 긍정적 증가를 언급했을 뿐 스트레스나 부정적인 감정 제거에 대해서는 언급하지 않았으므로 ③은 요지로 적절하지 않다.

어휘

- mold 형성하다
- customer 사용자
- rhythmic 리드미컬한
- cooperate 협력하다
- irrespective of ~와 관계없이
- willingness 기꺼이 하는 마음
- induce 유발하다
- agreeable 상냥한
- opposite 반대의
- spectrum 범위
- steady 규칙적인
- pulse 리듬
- tempo 박자
- efficiency 효율

정답 ①

170 난이도 ★★☆

해석

미국 독립 선언문의 세 저자 중 두 명이 과학자였고(제퍼슨과 프랭클린) 세 번째는 철학자였다(애덤스). 그렇다면 왜 이후의 미국 대통령(제퍼슨 다음) 중 오직 한두 명만 과학자였을까? 이에 대한 한 가지 대답은 역사적으로 정부가 위대한 사상가와 과학자를 어떻게 대해왔는지를 살펴보는 것이다. 많은 사람이 소크라테스에게 어떤 일이 일어났는지를 들었는데, 그는 젊은이들에게 비판적 담론을 사용하는 방법을 가르친 것 때문에 유죄 선고를 받았다. 아마도 20세기의 위대한 과학자 중 일부가 나치 정부에 의해 독일에서 추방되었다는 것을 아는 사람은 더 적을 것이다. 더 많은 사례로는 현실 세계에 관한 주의 깊은 관찰을 통해 과학자들이 발견한 것에 의해 위협받는 권력자들의 손에 고통받았던 중요한 초기 과학자와 과학 철학자들이 포함된다. 그래서 비록 과학이 인간 역사의 일부 위대한 변화의 중심에 있었다 하더라도, 그것은 보통 정치 지도층과 좋은 관계를 맺지 못했다. 과학이 (1776년 미국에서) 그렇게 한 드문 경우에는 결국 놀라운 일들이 일어났다.

① 산업 부문으로부터 많은 지원을 받지
② 학술계에서 매우 확고한 위치를 차지하지
③ 대중 사이에서 어떤 명성을 얻지

해설

첫 문장에서 화제를 도입하고 그다음 문장에서 주제와 관련된 질문을 던진 후 뒷받침 진술을 전개하는 구조의 글이다. 미국 역대 대통령 중 과학자 출신이 희소한 이유를 소크라테스, 나치 정부에 의해 추방된 독일 과학자들, 권력층의 손에 고통받은 과학자들을 예로 들면서 모두 정치계로부터의 탄압 때문이라고 설명하고 있다. 빈칸이 있는 문장에 not이 쓰였다는 것을 고려하면, 이러한 과학계와 정치계의 적대적인 관계를 나타내는 ④ '정치 지도층과 좋은 관계를 맺지'가 가장 적절하다.

어휘

- the U.S. Declaration of Independence 미국 독립 선언문
- philosopher 철학자
- subsequent 이후의, 후속적인
- condemn 유죄 판결을 내리다
- discourse 담론
- aware 알고 있는
- kick out ~을 쫓아내다
- threaten 위협하다
- observation 관찰
- rare 드문
- in the long run 결국
- industrial 산업의
- sector 부문
- academic 학술의
- reputation 명성

정답 ④

171 다음 글의 주제로 가장 적절한 것은?

All innovations represent some break from the past — the light-bulb replaced the gas lamp, the automobile replaced the horse and cart, the steamship replaced the sailing ship. By the same token, however, all innovations are built from pieces of the past — Edison's system drew its organizing principles from the gas industry, the early automobiles were built by cart makers, and the first steamships added steam engines to existing sailing ships. Robert Fulton's 1807 steamship, for example, had profound impacts on the shipping industry, but his ideas were decidedly evolutionary in their origins. The original idea for a steamship had first been proposed in 1543, and commercial efforts had been underway since 1707. The components of both the steam engine and the ship's design drew from a continuous and incremental line of technological predecessors, each improving on the last.

① Why can innovation be separated from the past?
② Who can come up with innovative ideas?
③ How can innovation be derived from the old?
④ What's the worst obstacle to technological innovation?

주요 구문 분석

By the same token, / however, / all innovations are built / from pieces of the past.
분석 By the same token은 앞에서 언급한 근거, 이유, 상황 등이 뒤에 오는 내용에도 동일하게 적용되는 경우에 사용되는 전치사구이며, '마찬가지로', '동일하게' 등으로 해석한다.

172 주어진 글 다음에 이어질 글의 순서로 가장 적절한 것은?

We all have set patterns in life. We like to label ourselves as this or that and are quite proud of our opinions and beliefs.

(A) Each adventure is a chance to have fun, learn something, explore the world, expand your circle of friends and experience, and broaden your horizons. Shutting down to adventure means exactly that — you are shut down.

(B) We also like to read a particular newspaper, watch the same sorts of TV programs or movies, go to the same sort of shops every time, eat the sort of food that suits us, and wear the same type of clothes.

(C) All these are fine. But if we cut ourselves off from all other possibilities, we become boring, rigid, hardened — and thus likely to get knocked about a bit. You have to see life as a series of adventures.

① (A) – (B) – (C)   ② (A) – (C) – (B)
③ (B) – (A) – (C)   ④ (B) – (C) – (A)

주요 구문 분석

Each adventure is a chance (to have fun, / learn something, / explore the world, / expand your circle of friends / and experience, and broaden your horizons).
분석 to부정사가 앞에 나온 명사인 a chance를 수식하고 있으므로 '~할, ~하는'으로 해석한다. 등위접속사 and로 to부정사들이 연결될 때 뒤쪽의 to를 생략하는 경향이 있으므로 구조를 정확하게 파악해야 한다. to have, (to) learn, (to) explore, (to) expand and (to) broaden이 병렬 구조를 이루고 있고, '~하기', '~하는 것'으로 해석한다.

171 난이도 ★★★

해석

> 모든 혁신은 과거로부터의 어떤 단절을 나타낸다 — 전구가 가스등을 대체했고, 자동차가 말과 수레를 대체했으며, 증기선이 범선을 대체했다. 하지만 마찬가지로 모든 혁신은 과거의 단편들로부터 만들어진다 — 에디슨의 시스템은 그것의 구성 원리를 가스 산업으로부터 끌어왔고, 초기의 자동차들은 수레 제작자들에 의해 만들어졌으며, 최초의 증기선은 기존의 범선에 증기 기관을 추가했다. 예를 들어, Robert Fulton의 1807년 증기선은 해운 산업에 지대한 영향을 미쳤지만, 그의 아이디어는 그것들의 기원에서 명백히 진화적이었다. 증기선에 대한 최초의 아이디어는 1543년 처음 제안되었고, 상업적 활동은 1707년 이래로 진행되었다. 증기 기관과 그 선박의 설계 모두의 구성 요소는 지속적이고 점증적인 기술의 전신에서 끌어왔는데, 각각은 직전의 것을 개량했다.

① 왜 혁신은 과거로부터 분리될 수 있는가?
② 누가 혁신적인 아이디어를 제시할 수 있는가?
③ 어떻게 혁신이 옛것으로부터 나올 수 있는가?
④ 무엇이 기술 혁신에 최악의 장애물인가?

해설

두 번째 문장이 이 글의 주제문이다. 모든 혁신이 과거로부터의 어떤 단절을 나타낸다는 말로 글이 시작되지만, 두 번째 문장에서부터는 however를 사용하여 흐름을 반전시켜 혁신은 또한 기존의 것을 바탕으로 하여 그것에 뭔가 새로운 것을 추가하여 만들어지게 된다는 것을 전구, 자동차, 그리고 증기선을 예로 들면서 설명하고 있다. 이후에는 증기선이라는 혁신이 이전 것에 대한 연속적이고 점증적인 개량의 결과라는 점을 설명하고 있다. 따라서 글의 주제로 ③ '어떻게 혁신이 옛것으로부터 나올 수 있는가?'가 가장 적절하다.

어휘

- represent 나타내다
- replace 대체하다
- sailing ship 범선
- profound 지대한
- decidedly 단연
- component 구성 요소
- predecessor 전신
- obstacle 장애물
- automobile 자동차
- steamship 증기선
- by the same token 마찬가지로
- shipping industry 해운 산업
- underway 진행 중인
- incremental 점증적인
- innovation 혁신

정답 ③

172 난이도 ★★★

해석

> 우리는 모두 삶에서 정해진 패턴을 가지고 있다. 우리는 우리 자신에게 이것 또는 저것으로 이름 붙이기를 좋아하고 우리의 의견이나 신념에 대해 매우 자랑스러워한다. (B) 우리는 또한 특정한 신문을 읽고, 같은 종류의 텔레비전 프로그램이나 영화를 보고, 매번 같은 종류의 가게에 가고, 우리에게 맞는 종류의 음식을 먹고, 같은 종류의 옷을 입기를 좋아한다. (C) 이 모든 것은 괜찮다. 그러나 우리가 우리 자신을 모든 다른 가능성으로부터 고립시킨다면, 우리는 지루하며, 완고하고, 경직되게 된다 — 그래서 약간 방황하게 될 가능성이 있다. 당신은 삶을 일련의 모험으로 보아야 한다. (A) 각각의 모험은 재미를 느끼고, 무언가를 배우고, 세상을 탐험하고, 교우 관계와 경험을 확장시키며 당신의 시야를 넓히는 기회이다. 모험을 멈추는 것은 정확히 — 당신이 멈추는 것을 의미한다.

해설

정해진 일상에 안주하기보다 삶에서 모험을 시도하라는 주장의 글이다. 주어진 문장에서 우리는 모두 삶에서 정해진 패턴을 가지고 있다고 말한 후 (B)에서 정해진 패턴의 구체적인 예시로 모두 특정한 신문을 읽고, 똑같은 종류의 TV 프로그램이나 영화를 보고, 매번 똑같은 종류의 가게에 가고, 우리에게 맞는 종류의 음식을 먹고, 똑같은 종류의 옷을 입기를 좋아한다고 설명한다. 그리고 (C)에서 이러한 예시들은 All these로 받고, 이렇게 정해진 패턴이 있다는 것은 괜찮다고 언급한다. 그러나 But 이후 내용이 전환되어 자신을 다른 모든 가능성으로부터 고립시키지 말고 삶을 일련의 모험(a series of adventures)으로 봐야 한다고 말한다. 그리고 이것을 (A)에서 Each adventure로 연결하여, 각각의 모험이 어떠한 기회인지에 대해, 그리고 모험을 멈추는 것이 무슨 의미인지에 대해 언급한다. 그러므로 주어진 글 다음에 이어질 글의 순서는 ④ (B)-(C)-(A)가 가장 적절하다.

어휘

- horizon 시야
- label 이름을 붙이다
- rigid 완고한
- knock about 방황하다
- shut down 멈추다
- cut off 고립시키다
- hardened 경직된

정답 ④

173. 다음 글의 제목으로 가장 적절한 것은?

By late November, fields in the Imperial Valley, near California-Mexico border, should be bursting with ripe melons ready for shipment to markets around U.S. Instead, 95% of this fall's crop has been lost and much of the rest lies rotting on the vine. Total crop losses in Imperial County and nearby Riverside County have already reached $90 million. The agent of disaster is a very tiny insect known to scientists as the poinsettia strain of the sweet-potato whitefly but to farmers as the Superbug. Millions of these voracious insects have spread over the Imperial Valley, massing on the undersides of leaves and sucking plants dry, weakening or killing them in the process. Farmers first noticed the flies getting worse in July, and by September swarms of them looked like white clouds. They covered windshields and got stuck between people's teeth. Farm workers had trouble inhaling and eventually had to wear masks.

① Difficulties of Melon Crop
② Invasion of Voracious Insects
③ Fruit Growing in the Imperial Valley
④ Discovery of New Insects

174. 다음 밑줄 친 문장 중 전체 흐름과 관계없는 것은?

A number of college students may be in doubt about their choice of major. These students can benefit by exploring other options. An education major might come to prefer engineering, or a sociology major might find ancient history more interesting. ① One principle for a college student to follow is to be an expert in his or her own major. ② Another motivation for considering other subjects is that few professional careers are based on education in just one field. ③ So, the more varied a student's background, the better. ④ Some students may protest that they cannot take courses outside their majors and still graduate on the expected date. The fact is, however, that within their college requirements there are lots of opportunities for taking interesting courses outside their major, any of which might suit them better.

주요 구문 분석

Millions of these voracious insects have spread over the Imperial Valley, / massing on the undersides of leaves and sucking plants dry, / weakening or killing them in the process.

분석 분사구문은 「접속사+주어+동사」로 이루어진 부사절이 축약된 형태이므로 주절과 분사구문의 의미 관계를 통해서 생략된 접속사의 의미를 파악하고 해석해야 한다. 주절은 수백만의 곤충들이 퍼졌다는 내용이고, 분사구문은 무리를 짓고, 나무의 즙을 빨고, 나무를 약하게 하거나 죽인다는 내용이므로, 주절의 행동이 일어날 때 분사구의 행동이 함께 일어나는 부대상황이다. 따라서 분사구문을 '~하면서', 또는 '그리고 ~하다'로 해석해야 한다.

주요 구문 분석

So, / the more varied a student's background, / the better.

분석 「The 비교급, the 비교급」 구문에서 동사가 be동사인 경우에 be동사는 생략된다. varied가 보어이고 background 뒤에 be동사인 is가 생략되었으므로 이를 포함해서 해석해야 한다. the better는 the better it is를 줄인 것으로 '더 좋다' 정도로 해석한다.

173 난이도 ★★☆

해석

11월 말이면, 캘리포니아와 멕시코의 국경 근처에 있는 임페리얼 밸리의 들판은 미국 전역의 시장에 배송될 준비가 된 잘 익은 멜론으로 가득 차 있어야 한다. 대신, 올가을 수확물의 95퍼센트는 유실되었고 남은 수확물의 대부분이 덩굴에서 썩어가고 있다. 임페리얼 카운티와 인근 리버사이드 카운티의 전체 수확물 소실량은 이미 9천만 달러에 달했다. 재앙의 요인은 과학자들에게는 고구마 가루이의 포인세티아 종으로 알려졌지만 농부들에게는 슈퍼버그로 알려진 아주 작은 곤충이다. 수백만 마리의 이 게걸스러운 곤충이 임페리얼 밸리 전역에 퍼졌고, 잎의 뒷면에 집단으로 모여 식물의 즙을 빨아 바짝 말려서, 그 과정에서 식물을 약하게 만들거나 죽게 했다. 농부들은 7월에 그 해충이 심해진 것을 처음 알아챘고, 9월에는 그 해충의 떼가 하얀 구름처럼 보였다. 그것들은 자동차의 앞 유리를 뒤덮었고 사람들의 이 사이에 끼었다. 농부들은 숨 쉬는 데 어려움을 겪었고 결국 마스크를 써야 했다.

① 멜론 수확의 어려움
② 게걸스러운 곤충의 공격
③ 임페리얼 밸리에서 자라는 과일
④ 새로운 벌레의 발견

해설

글의 중심 소재는 임페리얼 밸리에 닥친 재앙이고, 주제문은 네 번째 문장으로 슈퍼버그가 재앙의 원인이라고 주장한다. 지문의 전반부에서 임페리얼 밸리의 멜론 수확량이 급감했고 수확물 손실액도 이미 9천만 달러에 달했다고 설명한 뒤, 피해의 원인이 슈퍼버그라고 말한다. 그런 다음, 슈퍼버그가 번져가는 과정과 피해 상황에 대해 부연 설명한다. 따라서 글의 제목으로는 ② '게걸스러운 곤충의 공격'이 가장 적절하다. ①은 이 글이 멜론 수확의 어려움 자체가 아니라 그것이 어려워진 원인에 초점을 두기 때문에 답으로 적절하지 않다.

어휘

- burst with ~로 가득 찬
- ripe 잘 익은
- shipment 배송
- rot 썩다
- vine 덩굴
- agent 요인
- strain 종류
- whitefly 가루이
- Superbug 슈퍼버그
- voracious 게걸스러운
- mass 집단으로 모이다
- suck ~ dry ~의 즙을 빨아서 바짝 말리다
- weaken 약하게 만들다
- swarm (곤충의) 떼
- windshield 자동차의 앞 유리
- inhale 숨을 들이마시다
- invasion 공격

정답 ②

174 난이도 ★★☆

해석

많은 대학생들이 전공 선택에 관해 불확실할 수 있다. 이러한 학생들은 다른 선택들을 탐구함으로써 이익을 얻을 수 있다. 교육 전공자가 공학을 더 선호하게 될 수도 있고, 사회학 전공자가 고대사가 더 흥미롭다는 것을 발견하게 될 수도 있다. ① 대학생이 따라야 할 한 가지 원칙은 자신이 전공하는 그 분야에서 전문가가 되는 것이다. ② 다른 과목을 고려하는 또 하나의 동기는 단지 한 분야의 교육에만 기반을 둔 전문 직업이 거의 없다는 것이다. ③ 그래서 학생의 배경이 더 다양할수록, 더 좋다. ④ 어떤 학생들은 그들의 전공 이외의 과목을 들으면서 예상했던 날짜에 졸업하는 것은 불가능하다고 항의할 수도 있다. 그러나 사실은 그들의 대학(졸업) 요건 내에서 그들의 전공 이외의 어떤 것이든 그들에게 더 잘 맞을 수도 있는 흥미로운 과목을 들을 기회가 많다는 것이다.

해설

이 글에서 저자는 한 분야의 교육에만 기반을 둔 전문 직업은 적다고 말하면서 다양한 분야를 경험하라고 말하고 있다. ②에서는 다른 분야도 공부해야 하는 이유를 언급하고, ③은 배경이 다양해야 한다고 했으며, ④에서는 그 점에서 불리한 점이 있을 수 있다고 했다. 그런데 ①은 자신이 전공하는 그 한 분야에서 전문가가 되어야 한다고 말하고 있다. 이것은 다양한 분야를 경험하라는 이 글과는 반대되는 주장이므로 글의 흐름에 어울리지 않는다.

어휘

- be in doubt 불확실하다
- benefit 이익을 얻다
- explore 탐구하다
- engineering 공학
- sociology 사회학
- ancient history 고대사
- principle 원칙
- expert 전문가
- motivation 동기 (부여)
- protest 항의하다
- take course 수강하다
- graduate 졸업하다
- suit 맞다

정답 ①

175 글의 흐름상 가장 어색한 것은?

Sibling rivalry is natural, especially between strong-willed kids. As parents, one of the dangers is comparing children unfavorably with each other, since they are always looking for a competitive advantage. ① The issue is not how fast a child can run, but who crosses the finish line first. ② A boy does not care how tall he is; he is vitally interested in who is tallest. ③ Children systematically measure themselves against their peers on everything from skateboarding ability to who has the most friends. ④ How many friends a child has is important because they can help him in a difficult situation. They are especially sensitive to any failure that is talked about openly within their own family. Accordingly, parents who want a little peace at home should guard against comparative comments that routinely favor one child over another. To violate this principle is to set up even greater rivalry between them.

175 난이도 ★★☆

해석

형제간의 경쟁은 특히 의지가 강한 아이들 사이에서는 자연스러운 것이다. 부모로서, 위험 중 하나는 아이들을 서로 호의적이지 않게 비교하는 것인데, 왜냐하면 그들은 항상 경쟁 우위를 찾기 때문이다. ① 문제는 아이가 얼마나 빨리 달릴 수 있는지가 아니라, 누가 먼저 결승선을 통과하느냐이다. ② 소년은 자신이 키가 얼마나 큰지 신경 쓰지 않는다; 그는 누가 가장 큰지에 매우 관심이 있다. ③ 아이들은 스케이트보드 타는 능력에서부터 누가 가장 많은 친구를 가지고 있는지에 이르기까지 모든 것에 대해 그들 자신을 그들의 또래와 비교해서 체계적으로 평가한다. ④ 아이가 얼마나 많은 친구를 가지고 있는가는 중요한데 어려운 상황에서 그들이 그를 도울 수 있기 때문이다. 그들은 특히 가정 안에서 공개적으로 말해지는 어떠한 실패에도 민감하다. 따라서, 가정에서 작은 평화를 원하는 부모들은 일상적으로 한 아이를 다른 아이보다 편애하는 비교 발언에 대해 경계해야 한다. 이 원칙을 위반하는 것은 그들 사이에 더 큰 경쟁을 만드는 것이다.

해설

형제간의 경쟁에 관한 글이다. 아이들은 특히 의지가 강한 아이들 사이에서 경쟁은 자연스러운 것이라고 주장하며, 그들은 항상 경쟁 우위를 찾는다고 말한다. 자신이 큰지 작은지가 아니라, 누가 가장 큰지, 자신의 능력이 아니라 누가 가장 잘하는지를 또래와 비교해서 체계적으로 평가한다고 말한다. 그래서 가족 내에서도 평화를 이루기 위해서는 어느 한 쪽을 편애하는 발언을 하지 말아야 하는데, 그런 말은 아이들 사이에 더 큰 경쟁을 만들기 때문이라고 말한다. 그런데 ④는 바로 앞 문장에서 아이들이 경쟁하는 내용의 예시로 들었던 '누가 가장 많은 친구를 가지고 있는가'라는 내용을 상세하게 설명하는 것이고 경쟁이 아니라 도움에 관한 문장으로 전체 맥락상 흐름에 적합하지 않다.

어휘

- sibling 형제
- strong-willed 의지가 강한
- advantage 우위
- peer 또래
- guard 경계하다
- principle 원칙
- rivalry 경쟁
- competitive 경쟁의
- vitally 매우
- sensitive 민감한
- routinely 일상적으로

정답 ④

주요 구문 분석

As parents, / one of the dangers is comparing children unfavorably with each other, // since they are always looking for a competitive advantage.

분석 동사 is의 보어로 사용된 동명사 comparing은 '~하는 것' 또는 '~하기'로 해석한다. 이 문장에서 look for는 '~을 찾고 있는 중이다'로 해석해야 한다.

176 주어진 문장이 들어갈 위치로 가장 적절한 것은?

The only drawback is that hydrogen is still more expensive than other energy sources such as coal, oil and natural gas.

When hydrogen is used as a fuel source, the only end product created is water, which can be recycled to produce more hydrogen. (①) Thus, the use of hydrogen provides a clean and abundant energy source, capable of meeting most of the future's high energy needs. (②) Researchers are helping to develop technologies to generate hydrogen in mass quantities and cheaper prices in order to compete with the traditional energy sources. (③) For example, biological hydrogen production by photosynthetic organisms like cyanobacteria or microalgae only requires the use of a simple solar reactor and optimal growing conditions. (④) Moreover, modern technologies of genetic engineering studies have greatly enhanced the hydrogen-producing capabilities in these photosynthetic organisms, making this hydrogen producing system even more practical.

176   난이도 ★★☆

해석

수소가 연료 자원으로 사용될 때, 만들어지는 유일한 최종 산출물은 물이며, 이 물은 더 많은 수소를 생산하는 데 재활용될 수 있다. (①) 그러므로, 수소의 이용은 깨끗하고 풍부한 에너지원을 제공해서, 미래의 높은 에너지 수요를 대부분 충족시킬 수 있다. (②) 유일한 결점은 수소가 석탄이나 석유, 천연 가스와 같은 다른 에너지원보다 훨씬 더 비싸다는 것이다. 연구자들은 전통적인 에너지원들과 경쟁하기 위해 대량으로 그리고 더 싼 가격으로 수소를 생성할 수 있는 기술의 개발을 돕고 있다. (③) 예를 들어, 청록색 세균이나 미세 조류 같은 광합성 유기체에 의한 생물학적 수소 생산은 단지 단순한 태양 반응기의 사용과 최적의 성장 환경만을 필요로 한다. (④) 게다가, 현대의 유전 공학 연구 기술은 이 광합성 유기체들의 수소 생산 능력을 크게 향상시켰고, 이 수소 생산 장치를 훨씬 더 실용적으로 만들었다.

해설

수소 연료의 장점과 단점을 제시하고 현대 기술을 통한 보완책을 설명하는 글이다. 주어진 문장에서는 다른 에너지원들에 비해 비싼 수소 연료의 유일한 단점을 설명하고 있으므로 앞에서 수소 연료의 장점이 나오고 뒤에는 단점인 가격에 대한 부연 설명이 이어져야 하는 것을 유추할 수 있다. ②의 앞에서는 수소 연료의 장점을 설명하고 있고, 이후에는 싼 수소 연료를 개발하는 내용이 나온다. 따라서 주어진 문장은 ②에 들어가는 것이 가장 적절하다.

어휘

- drawback 결점
- end product 최종 산출물
- meet 충족시키다
- quantity 양
- photosynthetic 광합성의
- cyanobacteria 청록색 세균
- optimal 최적의
- enhance 향상시키다
- hydrogen 수소
- abundant 풍부한
- generate 생성하다
- compete with ~와 경쟁하다
- organism 유기체
- microalgae 미세 조류
- genetic engineering 유전 공학
- practical 실용적인

정답 ②

주요 구문 분석

When hydrogen is used / as a fuel source, // the only end product created is water, / which can be recycled / to produce more hydrogen.

분석 콤마로 선행사와 관계대명사절 사이가 분리되어 있는 경우, 관계대명사 계속적 용법이 사용된 것이며, 선행사에 대한 부가 설명을 덧붙이는 역할을 한다. 이 경우에 앞부분을 먼저 해석하고 관계대명사절은 이어서 해석하는 것이 자연스럽다. 따라서 '~은 물이며, 이 물은 재활용될 수 있다'로 해석한다.

DAY 36

177 주어진 글 다음에 이어질 글의 순서로 가장 적절한 것은?

You might argue that we need a mind because the mind stores memories, makes plans and autonomously sparks completely new images and ideas. It doesn't just respond to outside stimuli.

(A) Thus a memory of some prior lion attack might spontaneously pop up in a man's mind, setting him thinking about the danger posed by lions. He then gets all the tribespeople together and they brainstorm novel methods for scaring lions away.

(B) For example, when a man sees a lion, he doesn't react automatically to the sight of the predator. He remembers that a year ago a lion ate his aunt. He imagines how he would feel if a lion tore him to pieces.

(C) He contemplates the fate of his orphaned children. That's why he flees. Indeed, many chain reactions begin with the mind's own initiative rather than with any immediate external stimulus.

① (A) – (C) – (B)　　② (B) – (A) – (C)
③ (B) – (C) – (A)　　④ (C) – (B) – (A)

178 밑줄 친 부분에 들어갈 말로 가장 적절한 것은?

Although praise is one of the most powerful tools available for improving young children's behavior, it is equally powerful for improving your child's _____. Preschoolers believe what their parents tell them in a very profound way. They do not yet have the cognitive sophistication to reason analytically and reject false information. If a preschool boy consistently hears from his mother that he is smart and a good helper, he is likely to incorporate that information into his self-image. Thinking of himself as a boy who is smart and knows how to do things is likely to make him endure longer in problem-solving efforts and increase his confidence in trying new and difficult tasks. Similarly, thinking of himself as the kind of boy who is a good helper will make him more likely to volunteer to help with tasks at home and at preschool.

① creativity　　② endurance
③ self-esteem　　④ independence

주요 구문 분석

Thus / a memory (of some prior lion attack) might spontaneously pop up / in a man's mind, / setting him thinking / about the danger (posed by lions).

분석 분사구문은 주절과 분사구의 의미 관계를 통하여 생략된 접속사의 의미를 파악해야 한다. 주절은 이전의 기억이 떠오른다는 것이고, 분사구는 그가 생각하게 만든다는 것이므로 주절의 행동이 일어날 때 분사구의 행동이 함께 일어나는 부대상황이다. 따라서 '~하면서', 또는 '그리고 ~하다'로 해석하는 것이 자연스럽다.

주요 구문 분석

Thinking of himself as a boy (who is smart / and knows how to do things) / is likely to make him endure longer / in problem-solving efforts / and increase his confidence / in trying new and difficult tasks.

분석 사역동사 make의 목적어가 him이고, endure와 increase가 and로 병렬구조를 이루어 목적격보어의 역할을 하고 있다. 목적어와 목적격보어가 능동의 관계이므로 동사원형을 사용했고, '그가 견디고 증가시킨다'로 해석한다.

177 난이도 ★★☆

해석

여러분은 정신이 기억을 담고, 계획을 세우고, 완전히 새로운 이미지와 아이디어들을 자체적으로 유발하기 때문에 우리에게 정신이 필요하다고 주장할 수도 있다. 그것(정신)은 단지 외부 자극에만 반응하는 것은 아니다. (B) 예를 들어, 한 남자가 사자를 볼 때, 그는 포식자를 보고 자동적으로 반응하지 않는다. 그는 1년 전에 사자가 그의 숙모를 잡아먹었던 것을 기억한다. 그는 사자가 그를 갈기갈기 찢으면 기분이 어떨지를 상상한다. (C) 그는 고아가 된 자기 자녀의 운명을 생각해 본다. 그래서 그는 도망친다. 실제로 많은 연쇄 반응은 어떤 즉각적인 외부 자극보다는 정신 자체의 주도로 시작된다. (A) 따라서 이전의 어떤 사자의 공격에 대한 기억이 한 사람의 마음에 저절로 떠올라, 그가 사자에 의해 제기되는 위험에 대해 생각하게 할 수 있다. 그리고 나서 그는 모든 부족민들을 불러 모으고, 그들은 사자를 겁주어 쫓아 버리기 위한 새로운 방법들을 생각해낸다.

해설

주어진 글의 마지막에 정신이 단순하게 외부 자극에만 반응하는 것이 아니라고 언급한다. 그러므로 이어지는 글은 내적 동기에 의해 정신 활동이 이루어지는 것에 관한 예시가 나올 것이라는 유추가 가능하다. (B)에서 For example을 통해, 그에 대한 예시가 등장한다. 여기에서는 두려움의 대상으로 사자라는 외부 자극이 등장하지만 '과거'에 대한 기억이라는 내적 자극을 통해 정신 활동이 시작되고 있음을 알 수 있다. (B)에서 처음 등장한 a man은 (C)의 He로 연결되며 (C)에서는 앞에서 언급된 과거의 기억이 현재와 미래에 대한 예측으로 이어지는 것을 알 수 있다. 결과를 나타내는 연결어 Thus로 시작하는 (A)에서는 (B), (C)의 내용을 요약한 후, 이에 대한 대책을 강구하는 것으로 결론짓는다. 따라서 정답은 ③ (B)-(C)-(A)이다.

어휘

- autonomously 자체적으로
- respond to ~에 반응하다
- prior 이전의
- pop up 떠오르다
- tribespeople 부족민
- scare away 겁을 주어 쫓아 버리다
- predator 포식자
- contemplate 생각하다
- initiative 주도
- spark 유발하다
- stimulus 자극 (pl. stimuli)
- spontaneously 저절로
- pose 제기하다
- brainstorm 생각해내다
- sight 봄
- tear 찢다
- orphaned 고아가 된
- immediate 즉각적인

정답 ③

178 난이도 ★☆☆

해석

비록 칭찬은 어린아이들의 행동을 개선하는 데 사용할 수 있는 가장 강력한 도구 중 하나이지만, 그것은 아이의 자존감을 향상시키는 데에도 똑같이 강력하다. 미취학아동들은 그들의 부모가 그들에게 하는 말을 매우 뜻깊게 여긴다. 그들은 분석적으로 추론하고 잘못된 정보를 거부할 수 있는 인지적 정교함을 아직 가지고 있지 않다. 만약 미취학 소년이 그의 어머니로부터 그가 똑똑하고 좋은 조력자라는 것을 계속 듣는다면, 그는 그 정보를 그의 자아상으로 통합시킬 가능성이 있다. 스스로를 똑똑하고 일을 어떻게 하는지 아는 소년으로 생각하는 것은 그가 문제해결 노력에 있어 더 오래 견디도록 하고 새롭고 어려운 일을 시도하는 것에 있어 그의 자신감을 증가시킬 가능성이 있다. 마찬가지로, 자신을 좋은 조력자인 그런 부류의 소년으로 생각하는 것은 그가 집에서와 유치원에서 일을 자발적으로 돕게 할 가능성을 더 크게 만들 것이다.

① 창의성
② 인내심
④ 독립성

해설

어린아이의 행동 개선에 칭찬은 긍정적 영향력이 많은데, 그중 한 가지에 관해 설명하는 글이다. 빈칸 이후에 제시되는 설명을 읽고 내용을 유추해 빈칸을 채우면 된다. 아이들은 아직 분석력이나 인지적 정교함이 부족한데, 칭찬을 계속 받으면 이를 믿고 자신이 똑똑하고 좋은 조력자라는 긍정적인 자아상을 만들게 되고 따라서 자발적으로 일을 도우려고 노력할 가능성이 커진다고 한다. 따라서 빈칸에는 아이가 자신에 대한 좋은 평가를 내리게 된다는 내용이 들어가면 된다. 정답은 ③ '자존감'이다.

어휘

- available 이용가능한
- preschooler 미취학아동
- incorporate 통합시키다
- reason 추론하다
- reject 거부하다
- creativity 창의성
- self-esteem 자존감
- improve 향상시키다
- profound 뜻깊은
- cognitive 인지적인
- analytically 분석적으로
- endure 견디다
- endurance 인내
- independence 독립심

정답 ③

179 다음 글의 요지로 가장 적절한 것은?

If human beings paid attention to all the sights, sounds, and smells, their ability to codify and recall information would be swamped. Instead, they simplify the information by grouping it into broad verbal categories. For example, human eyes have the extraordinary power to discriminate some ten million colors, but the English language reduces these to no more than four thousand color words, of which only eleven basic terms are commonly used. That is why a driver stops at all traffic lights whose color he categorizes as red, even though the lights vary slightly from one to another in their hues of redness. Categorization allows people to respond to their environment in a way that has great survival value. If they hear a high-pitched sound, they do not enumerate the long list of possible causes of such sounds; a human cry of fear, a scream for help, a policeman's whistle, and so on. Instead they become alert because they have categorized high-pitched sounds as indicators of possible danger.

① Human beings always take in a variety of information from their surroundings.
② Human beings are sensitive to a high-pitched noise, because it is a sign of possible danger.
③ Human beings group information into broad verbal categories for survival.
④ Human beings develop their senses by categorizing the information from their environment.

180 밑줄 친 부분에 들어갈 말로 가장 적절한 것은?

Brands that fail to grow lose their innovation and competitiveness. Think about the person you knew who was once on the fast track at your company, who is either no longer with the firm or, worse yet, whose career appears to be at a standstill. Assuming he or she did not make an ambitious move, more often than not, this individual has failed to embrace the advances in his or her industry. Think about the impact personal computing technology had on the first wave of executive leadership exposed to the technology. Those who embraced the technology were able to integrate it into their work styles and excel. Those who were resistant many times found few opportunities to advance their careers and in many cases ultimately took early retirement for failure to _____.

① invent new personal computers
② stay innovative and develop technology
③ work together with coworkers
④ see and exploit potential opportunities

주요 구문 분석

Categorization allows people / to respond to their environment / in a way (that has great survival value).
분석 동사 allow의 목적어로 people이, 목적격보어로 to respond가 쓰였다. 또한, 관계대명사 that이 이끄는 관계사절이 선행사인 way를 꾸며주고 있으므로 '~한 방식' 또는 '~한 방법'으로 해석한다.

주요 구문 분석

Those (who embraced the technology) / were able to integrate it / into their work styles / and excel.
분석 주어는 Those이고, 동사 were와 excel이 and로 병렬구조를 이루고 있다. 선행사와 관계대명사 사이에 특별한 구분이 없이 관계대명사 한정적 용법으로 사용되었을 경우에는 관계대명사절을 먼저 해석한 후 명사를 해석해야 하므로 '기술을 포용한 사람들'로 해석한다.

179 난이도 ★★☆

해석

> 만약 인간이 보고, 듣고, 냄새 맡는 모든 것에 관심을 기울인다면, 정보를 분류하고 기억하는 능력은 무력하게 될 것이다. 대신, 인간은 정보를 광범위한 언어적 범주로 분류함으로써 정보를 단순화한다. 예를 들어, 인간의 눈은 약 천만 가지 색을 구별할 수 있는 특별한 능력을 가지고 있지만, 영어는 단 4천 가지 이하의 색깔을 나타내는 단어로 줄이고, 그 중 단 11개의 기본적인 단어만 일반적으로 사용된다. 그것이 비록 교통 신호의 색깔이 빨강의 색조에 따라 서로 약간씩 다르지만, 운전자가 빨간색으로 범주화한 모든 교통 신호에 멈추는 이유이다. 범주화는 사람들이 생존적 가치가 큰 방식으로 자신의 환경에 반응할 수 있게 한다. 사람들은 아주 높은 소리를 듣게 되면, 그러한 소리의 원인이 될 만한 긴 목록을 열거하지 않는다; 공포에 질린 사람의 비명, 구조를 원하는 비명, 경찰의 호각소리 등이. 대신 그들은 경계하게 되는데, 인간은 높고 날카로운 소리를 잠재적 위험의 신호로 범주화하기 때문이다.

① 인간은 주변에서 항상 다양한 정보를 받아들인다.
② 인간은 아주 높은 소리에 민감한데, 그것이 잠재적 위험의 신호이기 때문이다.
③ 인간은 생존을 위해 정보를 광범위한 언어적 범주로 분류한다.
④ 인간은 환경에서 얻은 정보를 범주화함으로써 자신의 감각을 발달시킨다.

해설

두 번째 문장인 Instead, they simplify the information by grouping it into broad verbal categories.가 바로 주제문으로 인간은 정보를 광범위한 언어적 범주로 분류함으로써 정보를 단순화시킨다는 내용이다. 또한, 지문의 중반부에 있는 이러한 인간의 정보의 범주화가 생존적 가치가 큰 방식으로 실행된다는 설명을 이 주제문과 종합하면 ③ '인간은 생존을 위해 정보를 광범위한 언어적 범주로 분류한다'가 가장 적절한 글의 요지임을 알 수 있다. ②는 한 사례일 뿐 글의 요지는 될 수 없다.

어휘

- codify 분류하다
- simplify 단순화하다
- verbal 언어의
- extraordinary 특별한
- no more than 단지
- high-pitched 아주 높은
- alert 경계하는
- indicator 신호
- swamp 무력하게 하다
- group 분류하다
- category 범주
- discriminate 구별하다
- hue 색조
- enumerate 열거하다
- categorize 범주화하다

정답 ③

180 난이도 ★★☆

해석

> 성장에 실패한 브랜드는 그들의 혁신성과 경쟁력을 잃어버린다. 한때 여러분의 회사에서 출세 가도에 있었는데 더 이상 회사에 있지 않거나, 더 나쁘게는, 그의 경력이 정체된 것처럼 보이는 여러분이 알던 사람을 생각해보라. 그 사람이 야심 찬 행동을 하지 않았다고 가정하면, 대개 이 사람은 자기 업계에서 발전을 포용하는 데 실패했다. 개인용 컴퓨터 사용 기술이 이 기술에 노출된 첫 물결의 경영 지도자에게 미친 영향을 생각해보라. 기술을 포용한 이들은 그것을 그들의 작업 스타일에 흡수하여 탁월할 수 있었다. 여러 번 기술에 저항한 이들은 자기 경력을 발전시키기 위한 기회를 거의 찾을 수 없었고, 많은 경우 이들은 결국 혁신성을 유지하고 기술을 발전시키는 데 실패하여 이른 은퇴를 했다.

① 새로운 개인 컴퓨터를 창안하는 데
③ 동료와 함께 일하는 데
④ 잠재적 기회를 포착하고 이용하는 데

해설

첫 문장에서 주제를 제시하고, 뒤이어 부연 설명과 구체적인 예시를 보여준 다음 마지막 문장에서 주제 혹은 결론을 재진술하는 구조의 글이다. 따라서 마지막 문장이 주제와 같은 맥락이 되도록 빈칸을 완성하면 된다. 성장하지 못하면 혁신과 경쟁력을 잃게 되므로, 직원은 발전을 포용하지 못하면 경력이 정체되고 경영자는 새 기술을 포용하지 못하면 결국 이른 퇴직을 하게 된다고 주장했다. 즉 브랜드/개인/경영자의 발전/승진은 혁신성과 기술 발전이 서로 밀접한 관련이 있다는 내용이다. 따라서 빈칸에 들어갈 말로 가장 적절한 것은 ② '혁신성을 유지하고 기술을 발전시키는 데'이다.

어휘

- innovation 혁신성
- fast track 출세 가도
- assume 가정하다
- more often than not 대개
- advance 발전
- expose 노출하다
- excel 탁월하다
- ultimately 결국
- invent 창안하다
- update 새롭게 하다
- potential 잠재적인
- competitiveness 경쟁력
- at a standstill 정체된
- ambitious 야심 찬
- embrace 포용하다
- executive leadership 경영 지도자
- integrate 흡수하다
- resistant 저항하는
- retirement 은퇴
- innovative 혁신적인
- exploit 이용하다
- opportunity 기회

정답 ②

DAY 37

181 다음 글의 주제로 가장 적절한 것은?

Automation is the use of automated machines to perform certain tasks and services. It appears everywhere in our lives, so many places, in fact, that it would be impossible to list all of the ways that these machines have changed our lives. Most of all, they have helped increase production. We can produce more things more quickly, and often of better quality. On the other hand, as the quality of products increases along with the ease of attaining them, people are beginning to only expect more without appreciating what they already have. They are also becoming more and more reliant on machines to such an extent that society might have a great deal of trouble functioning if anything ever happened to its machines. If all the computers in the world stopped working, many people would not be able to do their jobs and might even have trouble surviving.

① the pros and cons of automation
② the importance of computers in our lives
③ the ways that automation has helped society
④ the increase of product quality throughout the world

182 다음 빈칸에 들어갈 말로 가장 적절한 것은?

Emotional exchanges that we might avoid in private life become common in public life, though for the most part they're _____. For example, a customer assumes the right to express hostility toward a flight attendant, who because of his or her job is not able to yell back. In fact, airlines pay flight attendants to listen to rude and angry customers; it is as much a part of their job as smiling and saying "bye-bye" when you walk off the plane. As consumers of emotional labor, we feel outraged when a service worker yells back. Customers demand not only polite service but service with the appropriate emotional stance, whether it is infinite patience or sympathy regarding a problem, or service with a smile. A customer will often complain to a supervisor if a service employee expresses anger.

① one-sided
② mutual
③ official
④ informal

주요 구문 분석

It appears everywhere in our lives, // so many places, (in fact), // that it would be impossible / to list all of the ways (that these machines have changed our lives).

분석 so ~ that은 결과를 나타내는 부사절 접속사이므로 '너무 ~해서 ...하다'로 해석한다. that절에는 가주어 it과 진주어 to list를 주의해서 해석하는 데 먼저 진주어를 해석하고 나중에 '불가능할 것이다'로 마무리해야 하며, 가주어 it은 해석하지 않는다.

주요 구문 분석

For example, / a customer assumes the right (to express hostility / toward a flight attendant), (who / because of his or her job / is not able to yell back).

분석 to express가 명사인 the right를 꾸며주는 to부정사의 형용사 용법으로 사용되어서, '~할' 또는 '~하는'으로 해석한다. a flight attendant를 선행사로 하는 관계대명사 안에 because of his of her job이라는 전치사구가 삽입되어서 '~ 때문에'라는 이유를 표현하고 있다.

181

난이도 ★☆☆

해석

자동화는 어떤 과업이나 서비스를 수행하기 위해 자동화된 기계들을 사용하는 것이다. 이것이 우리 생활 곳곳에서, 사실은, 너무나 많은 장소에서 나타나서 이 기계들이 우리 생활을 바꾸어 놓은 방식들을 모두 나열하는 것이 불가능할 것이다. 무엇보다, 자동화된 기계들은 생산이 증가하도록 도왔다. 우리는 더 많은 제품을 더 빨리, 종종 더 나은 품질로 생산할 수 있다. 반면에, 물건을 소유하기가 용이해짐과 더불어 품질이 향상됨에 따라, 사람들은 이미 가진 것에 감사하지 않고 단지 더 많은 것을 의존하기 시작하고 있다. 그들은 또한 기계에 무슨 일이라도 생기면, 사회가 기능을 하는 데 아주 큰 어려움을 겪을지도 모를 정도로 점점 더 기계에 의지하고 있다. 세상의 모든 컴퓨터가 작동을 멈춘다면, 많은 사람들은 일을 할 수 없게 될 것이고 심지어 생존에 어려움을 겪을지도 모른다.

① 자동화의 장단점
② 우리 생활에 있어서 컴퓨터의 중요성
③ 자동화가 사회에 도움이 된 방법들
④ 전 세계 생산품 품질의 향상

해설

지문의 첫 두 문장을 통해 중심 소재인 자동화(automation)에 관해 설명하는 글인 것을 알 수 있다. 세 번째 문장과 이후의 부연 설명을 통해 자동화의 장점이 설명되고, 전환의 접속부사로 시작하는 다섯 번째 문장을 통해 자동화의 단점이 설명되고 있다. 따라서 ① '자동화의 장단점'이 글의 주제로 가장 적합하다.

어휘

☐ automation 자동화
☐ along with ~와 함께
☐ attain 얻다
☐ reliant 의존하는
☐ a great deal of 많은
☐ throughout 도처에
☐ quality 품질
☐ ease 용이함
☐ appreciate 감사하다
☐ to an extent ~의 정도로
☐ pros and cons 장단점

정답 ①

182

난이도 ★★☆

해석

우리가 사적인 삶에서는 회피할지도 모르는 정서적 교환이 대부분의 경우 일방적임에도 불구하고 공적인 삶에서는 일반적인 것이 된다. 예를 들어, 승객은 항공기 승무원에게 적대감을 표현할 권리를 갖는데 그 승무원은 직업 때문에 되받아 고함칠 수 없다. 사실 항공사는 무례하고 화를 내는 승객의 말을 들어주라고 승무원들에게 보수를 준다; 그런 일은 당신이 비행기에서 내릴 때 '안녕히 가세요'라고 미소를 지으며 말하는 것만큼이나 그들의 업무의 많은 부분이다. 감정 노동의 소비자로서 우리는 서비스 제공자가 맞받아 고함치면 격분한다. 고객들은 정중한 서비스뿐만 아니라 그것이 문제에 대한 무한한 인내심이나 공감이든 혹은 미소를 띤 서비스이든 간에 적절한 정서적 태도를 지닌 서비스도 요구한다. 고객은 서비스 직원이 화를 표현하면 관리자에게 종종 항의할 것이다.

② 상호적
③ 공식적
④ 일상적

해설

감정의 교환이 공적인 자리에서 어떤 식으로 이루어지는지를 설명하는 글이다. 이 글에서는 화를 내는 권리를 갖는 고객과 그 화풀이를 받아들여야만 하는 항공사 승무원을 예로 들고 있다. 이와 같은 공적인 자리에서의 감정 교환은 고객이 화를 내도 승무원은 고객에게 되받아칠 수 없어 일방적으로 발생하게 되므로 빈칸에는 일방적임을 의미하는 ① '일방적'이 가장 적절하다.

어휘

☐ private life 사생활
☐ hostility 적대감
☐ yell back 되받아 소리치다
☐ emotional labor 감정 노동
☐ stance 태도
☐ one-sided 일방적인
☐ assume (권력·책임을) 갖다
☐ flight attendant 비행기 승무원
☐ walk off 떠나 버리다
☐ outrage 격분시키다
☐ supervisor 관리자
☐ mutual 상호 간의

정답 ①

183 다음 글의 제목으로 가장 적절한 것은?

Investigators have studied prejudice as a pattern of learned attitudes and behaviors. There is nothing in a person's genetics to make them predisposed toward bigotry. A person is not born prejudice, and really many prejudices are formed against groups with which a person has never had any contact. They acquire prejudiced views by observing and listening to others, particularly one's parents and other elders. Cultural influences such as movies and television may also create or perpetuate stereotypes. The ways in which women, ethnic groups, and racial minorities are represented in the media and by the entertainment industry have been the target of much discussion and criticism. Cognitive theories have proposed that stereotypes are unavoidable because they help people categorize and make sense of a complex and diverse society.

① Culture Materials
② What Forms Prejudice
③ Helping People Understand Cognitive Theories
④ Targeting Ethnic Groups

184 다음 중 빈칸에 들어갈 말로 알맞은 것은?

According to a new study, the natural tendency of the human brain to reduce life's uncertainties saps everyday experience of its poignancy. In the experiment, study participants watched an abridged version of *Rudy*, an uplifting film about a determined football player. The subjects then read two stories about what happened to Rudy later in life; half were told which story was true, while the other half were left in the dark. Even though both stories had happy endings, the group that found out the truth felt less cheerful than the group left wondering. In other words, _____. Researchers chalk up their results to what they call the "pleasure paradox." The urge to understand events may reduce the joy we take in them. "A wonderful thing about the human mind is its ability to make sense of a complex world," says Timothy D. Wilson, a lead author of the study. When we confront negative experiences, our knack for finding meaning helps us cope. But on the flip side, Wilson says, we rationalize positive experiences; as they come to seem more predictable, they lose their emotional intensity.

① the more people knew, the more pleasure they felt
② the more pleasure people had, the less understanding they had
③ the less people knew, the more pleasure they felt
④ the less pleasure people had, the more understanding they had

주요 구문 분석

The ways (in which women, ethnic groups, and racial minorities are represented / in the media and by the entertainment industry) / have been the target (of much discussion and criticism).

분석 「전치사+관계대명사」가 이끄는 관계대명사절이 방법을 나타내는 선행사 The way를 꾸며주고 있으므로 '~하는 방법'으로 해석하면 된다. 명사 women, ethnic groups, racial minorities가 접속사 and를 사용해서 병렬 구조로 연결되어 있다.

주요 구문 분석

In other words, / the less people knew, // the more pleasure they felt.

분석 「the+비교급, the+비교급」 구문이므로 '더 ~할수록, 더 …하다'라고 해석한다. the less는 동사 knew를 수식하는 부사이고, the more는 명사 pleasure를 수식하고 있으므로 pleasure와 반드시 함께 연결되어 사용되어야 하며, 각각 '더 적게'와 '더 많은 기쁨을'로 해석한다.

183 난이도 ★★★

해석

연구자들은 학습된 태도나 행동의 형태로서 편견을 연구해 왔다. 사람의 유전자에는 심한 편견의 경향을 가지게 만드는 것이 아무것도 없다. 사람은 편견을 가지고 태어나지 않는데, 정말로 많은 편견들이 전혀 교류를 해 보지도 않은 집단을 향해 형성된다. 사람들은 다른 사람들, 특히 자신의 부모나 다른 어른들을 관찰하고 그들의 이야기를 들으면서 편견을 가진 시각을 가지게 된다. 영화와 텔레비전 같은 문화적 영향 또한 고정관념을 유발하거나 지속되게 할 수 있다. 여성, 소수 민족, 그리고 인종적 소수자들이 대중매체와 연예 산업을 통해 표현되는 방식은 많은 토론과 비판의 대상이 되어 왔다. 인지학 이론들은 인간이 복잡하고 다양한 사회를 범주화하고 이해하도록 도와주기 때문에 고정관념은 불가피하다는 것을 제시해 왔다.

① 문화 자료
② 편견을 만드는 것
③ 대중의 인지학 이론 이해 도와주기
④ 소수 민족을 겨냥하기

해설

지문의 첫 문장인 Investigators have studied prejudice as a pattern of learned attitudes and behaviors를 글의 주제문으로 볼 수 있다. 즉, 편견이 학습된 태도나 행동이라는 말로, 이후의 문장들을 보면 사람은 편견을 가지고 태어나는 것이 아니고 부모나 어른들을 통해 학습된다고 설명하고 있다. 또한, 영화나 텔레비전 같은 매체를 통해서도 편견이 학습된다고 설명한다. 따라서 ② '편견을 만드는 것'이 글의 제목으로 가장 적절하다.

어휘

- prejudice 편견
- genetics 유전적 특징[현상]
- predispose A to B A가 B의 경향을 가지게 하다
- bigotry 심한 편견
- perpetuate 지속되게 하다
- stereotype 고정관념
- ethnic 민족의
- racial 인종의
- minority 소수 집단
- cognitive 인지의

정답 ②

184 난이도 ★★★

해석

한 새로운 연구에 의하면 삶의 불확실성을 줄이고자 하는 인간의 뇌의 타고난 성향은 감동적인 순간의 일상의 경험을 약화시킨다. 실험에서 실험 참가자들은 의지가 단호한 미식축구 선수에 관한 희망을 주는 영화인 〈Rudy〉의 요약판을 감상했다. 그 다음 그 실험 대상자들은 인생의 후반기에 Rudy에게 일어났던 일에 관한 두 가지 이야기를 읽었다. 실험 대상자들 중 절반은 어느 이야기가 진실인지 들었던 반면, 나머지 절반은 모르는 상태였다. 비록 두 이야기 모두 행복한 결말이었지만, 그 진실을 알았던 실험 대상자들은 궁금해하는 실험 대상자들보다 덜 즐거워했다. 다시 말하면, 사람들이 아는 것이 적을수록 더 많은 즐거움을 느꼈다. 연구원들은 그들의 연구 결과를 소위 'pleasure paradox(즐거움의 역설)' 때문이라고 여겼다. 사건을 이해하려는 욕구는 우리가 그것을 받아들이는 즐거움을 감소시킬지도 모른다. 이 연구의 책임 저자인 Timothy D. Wilson은 "인간 정신에 관한 놀라운 것은 복잡한 세계를 이해할 수 있는 능력이다"라고 말한다. 우리가 부정적인 경험에 직면할 때, 의미를 찾아내는 우리의 요령은 우리로 하여금 극복하도록 돕는다. 그러나 또 다른 면에서 우리는 긍정적인 경험을 합리화 한다고 Wilson은 말한다; 그 경험들이 좀 더 예측이 가능해지면 그 경험들은 감정적 강렬함을 잃는다.

① 사람들은 많이 알수록 더 많은 기쁨을 느끼게 됐다
② 사람들은 많이 기쁠수록 더 적게 알게 됐다
④ 사람들이 덜 기쁠수록 더 많이 알게 됐다

해설

실험의 결과를 분석하여 재진술하는 In other words로 시작하는 문장을 완성하는 문제이다. "비록 두 이야기 모두 행복한 결말로 끝났지만 그 이야기의 진실을 알았던 실험 대상자들보다 진실을 몰랐던 실험 대상자들이 더 즐거워했다."라는 앞의 내용을 통해 적게 알수록 기쁨이 더 크고 많이 알수록 기쁨이 적게 되는 것임을 알 수 있다. 그리고 결론의 문장인 마지막 문장을 보면 '경험들이 예측 가능해지면 그 경험들은 감정적 강렬함을 잃는다'고 언급하고 있다. 이 두 가지를 미루어 보면 빈칸에는 ③ '사람들이 아는 것이 적을수록 더 많은 즐거움을 느꼈다'가 들어가야 함을 알 수 있다.

어휘

- sap 약화시키다
- poignancy 감동적인 순간
- abridge 요약하다
- uplifting 희망을 주는
- determined 단호한
- leave ~ in the dark ~에게 알리지 않다
- chalk up A to B A를 B 때문이라 여기다
- make sense of ~을 이해하다
- confront 직면하다
- knack 요령
- cope 대처하다
- on the flip side 또 다른 이면에
- rationalize 합리화하다
- intensity 강렬함

정답 ③

185 글의 흐름으로 보아 주어진 문장이 들어가기에 가장 적절한 곳은?

> But the most powerful computer on the planet can't drive a truck.

You can appreciate the power of your visual system by comparing human abilities to those of computers. When it comes to math, science, and other traditional "thinking" tasks, machines beat people — no contest. (①) Five dollars will get you a calculator that can perform simple calculations faster and more accurately than any human can. (②) With fifty dollars you can buy chess software that can defeat more than 99 percent of the world's population. (③) That's because computers can't see, especially not in complex, ever-changing environments like the one you face every time you drive. (④) Tasks that you take for granted — for example, walking on a rocky shore where footing is uncertain — are much more difficult than playing top-level chess.

주요 구문 분석

That's because computers can't see, / especially not in complex, ever-changing environments / like the one (you face every time you drive).

분석 「That's because S+V」의 구조로 '그것은 S가 V하기 때문이다'로 해석되며 앞에서 언급된 내용에 대한 원인, 이유를 설명하는 표현이다. the one은 앞에 언급된 environment를 받는 대명사이며, 바로 뒤에 주어와 동사가 이어졌으므로 목적격 관계대명사의 생략으로 판단할 수 있다. 따라서 '당신이 마주하는 환경'으로 해석할 수 있다.

185

난이도 ★★☆

해석

여러분들은 인간의 능력과 컴퓨터의 능력을 비교함으로써 여러분들의 시각 체계 능력의 진가를 알 수 있다. 수학이나 과학, 기타 전통적으로 '사고를 요하는' 일에 관한 한 기계가 사람을 이긴다 — 경쟁이 안 된다. (①) 5달러를 지불하면 여러분들은 그 어떤 인간이 할 수 있는 것보다 더 빨리, 그리고 더 정확하게 간단한 계산을 할 수 있는 계산기를 살 수 있다. (②) 50달러가 있으면 여러분들은 전 세계 인구의 99퍼센트 이상을 이길 수 있는 체스 소프트웨어를 구입할 수 있다. (③) 그러나 지구상에서 가장 강력한 컴퓨터도 트럭을 운전하지는 못한다. 그것은 운전할 때마다 여러분들이 마주치는 환경처럼 특히 복잡하고 계속 변하는 환경을 컴퓨터가 볼 수 없기 때문이다. (④) 예를 들어 발 디딜 곳이 확실하지 않은 바위투성이 해변을 걷는 것처럼 여러분들이 당연하게 여기는 일들이 최고 수준의 체스를 두는 것보다 훨씬 더 어렵다.

해설

주어진 문장이 역접의 의미를 나타내는 접속사 But으로 시작하고 있으므로 이 문장이 들어갈 자리의 앞뒤 내용은 서로 상반되어야 할 것이다. 본문을 보면 첫 문장에서 인간의 능력과 컴퓨터의 능력을 비교한다고 전제한 후, ③ 앞에서는 컴퓨터 능력의 우수함을 말하고 있고, ③ 뒤에서는 컴퓨터 능력의 한계를 말하고 있다. 따라서 주어진 문장이 들어갈 자리로는 ③이 가장 적절하다.

어휘

- planet 지구
- appreciate 진가를 알다
- compare A to B A와 B를 비교하다
- when it comes to ~에 관한 한
- beat 이기다
- calculator 계산기
- accurately 정확하게
- defeat 이기다
- every time ~할 때마다
- take A for granted A를 당연하게 여기다
- footing 발을 디딤

정답 ③

186 밑줄 친 부분에 들어갈 말로 가장 적절한 것은?

Confidence in the Newtonian picture was shattered in the early years of the 20th century, thanks to two revolutionary new developments in physics: relativity theory and quantum mechanics. Relativity theory, discovered by Einstein, showed that Newtonian mechanics does not give the right results when applied to very massive objects, or objects moving at very high velocities. Quantum mechanics, conversely, shows that the Newtonian theory does not work when applied on a very small scale, to subatomic particles. Both relativity theory and quantum mechanics especially the latter, are strange and radical theories, making claims about the nature of reality which conflict with common sense, and which many people find hard to accept or even understand. Their emergence _____, which continues to this day.

① caused considerable conceptual upheaval in physics
② made physics be more in accordance with common sense
③ signified a shift of focus from physics to other disciplines
④ was hindered by existing theories and mechanics

주요 구문 분석

Their emergence caused considerable conceptual upheaval in physics, / which continues / to this day.

분석 선행사가 앞 문장 전체인 경우에는 관계대명사 which를 쓰고, 보통 관계대명사 앞에 콤마를 사용해서 선행사와 관계대명사를 분리하는 계속적 용법으로 사용된다. 관계대명사 계속적 용법은 앞부분을 먼저 해석하고 관계사절을 해석해야 하므로 '그것들의 등장이 ~을 초래했고, 그것은 계속되고 있다'로 해석해야 한다.

186 난이도 ★★★

해석

뉴턴적 묘사에 대한 신뢰는 20세기 초에 물리학에서의 혁명적인 두 개의 새로운 발전 — 상대성 이론과 양자 역학 — 으로 인해 산산이 부서졌다. 아인슈타인에 의해 발견된 상대성 이론은 뉴턴의 역학이 매우 거대한 물체 또는 매우 빠른 속도로 움직이는 물체에 적용되었을 때 올바른 결과를 주지 않는다는 것을 보여주었다. 반대로 양자 역학은 뉴턴의 이론이 아원자입자에 이르는 매우 작은 규모에 적용되었을 때, 유효하지 않다는 것을 보여준다. 상대성 이론과 양자 역학 둘 다, 특히 후자는 낯설고 급진적인 이론들로, 상식과 충돌하고 많은 사람들이 수용하기는커녕 이해하기조차 힘든 현실의 본질에 대하여 주장하는 것이다. 그것들의 등장은 물리학에서 상당한 개념적 대변동을 초래하였고, 그것은 오늘날까지 계속되고 있다.

② 물리학을 상식과 더 부합되도록 만들었고
③ 물리학으로부터 다른 학문 분야로의 중점의 이동을 나타냈고
④ 기존의 이론과 역학에 의해 방해받았고

해설

첫 번째 문장에서 뉴턴 이론, 상대성 이론, 양자 역학이라는 소재가 제시되고, 상대성 이론과 양자 역학에 의해 뉴턴의 이론이 유효하지 않다는 주제를 말하고 있다. 그런 다음, 20세기 초에 새로운 이론인 상대성 이론과 양자 역학이 등장하면서 기존의 뉴턴 역학의 신뢰가 붕괴되었다는 내용이 나온다. 글의 결론 부분에서는, 비록 이러한 이론들이 난해함과 급진성으로 인해 이해되는 데 어려움을 겪고 있음에도 불구하고 이 두 가지 새로운 이론이 물리학, 혹은 과학 분야에서 혁명적 변화를 가져왔다는 내용으로 연결되어야 글의 논리 전개가 자연스럽다. 따라서 빈칸에는 ① '물리학에서 상당한 개념적 대변동을 초래하였고'가 오는 것이 적합하다.

어휘

□ shatter 산산이 부수다
□ revolutionary 혁명적인
□ relativity theory 상대성 이론
□ quantum mechanics 양자 역학
□ massive 거대한
□ velocity 속도
□ conversely 반대로
□ scale 규모
□ subatomic particle 아원자 입자
□ the latter 후자
□ radical 급진적인
□ common sense 상식
□ emergence 등장
□ upheaval 대변동
□ in accordance with ~와 부합되어
□ signify 나타내다
□ discipline 학문 분야
□ hinder 방해하다

정답 ①

187. 다음 글의 주제로 가장 적절한 것은?

Many decisions that you make will turn out to be wrong in the fullness of time. When you made the decision or commitment, it was probably a good idea, based on the circumstances of the moment. But now the situation may have changed, and it is time to zero-base the decision making. You can usually tell if you are in a zero-based-thinking situation because of the stress that it causes. Whenever you are involved in something that, knowing what you now know, you wouldn't get into again, you experience ongoing stress, aggravation, irritation, and anger. Sometimes people spend an enormous amount of time trying to make a business or personal relationship succeed. But if you zero-base this relationship, the correct solution is often to get out of the relationship altogether. The only real question is whether or not you have the courage to admit that you were wrong and take the necessary steps to correct the situation.

① to return to the starting point of a decision after an aha moment
② to make a quick decision in a new relationship
③ to spend enough time in understanding situations
④ to change decisions after consulting with others

188. 밑줄 친 부분에 들어갈 말로 가장 적절한 것은?

In the American family the husband and wife usually share important decision making. When the children are old enough, they participate as well. Foreign observers are frequently amazed by the _____ of American parents. The old rule that "children should be seen and not heard" is rarely followed, and children are often allowed to do what they wish without strict parental control. The father seldom expects his children to obey him without question, and children are encouraged to be independent at an early age. Although some people believe that American parents carry this freedom too far, most of people think that a strong father image would not suit the American value of equality and independence. Because Americans stress the importance of independence, young people are expected to break away from their parental family by the time they have reached their late teens or early twenties. Indeed, not to do so is often regarded as a failure.

① rigor
② persistence
③ stringency
④ permissiveness

주요 구문 분석

The only real question is // whether or not you have the courage (to admit // that you were wrong / and take the necessary steps to correct the situation).

분석 '~인지 아닌지'를 뜻하는 whether or not이 사용된 명사절이 be동사의 보어로 사용되었다. have의 목적어인 the courage가 to admit과 (to) take의 수식을 받고 있으므로 '~하는', '~할'로 해석한다. 또한 that이 이끄는 명사절이 to admit의 목적어 자리에 왔으므로 명사절은 '~하는 것'으로 해석한다.

주요 구문 분석

The old rule [that "children should be seen and not heard"] / is rarely followed, // and children are often allowed to do // what they wish / without strict parental control.

분석 The old rule의 구체적인 내용을 설명하는 동격의 that절이 사용되었으므로 '~라는' 또는 '~인'으로 해석하는 것이 자연스럽다. 또한, to do의 목적어로 사용된 what이 이끄는 명사절은 '~하는 것'으로 해석한다.

187 난이도 ★★☆

해석

당신이 하는 많은 결정들은 마침내 때가 되었을 때 결과적으로 잘못되었다고 밝혀질 것이다. 당신이 결정이나 공약을 했을 때, 그것은 아마도 그 순간의 상황에 기초한 좋은 생각이었을 것이다. 하지만 지금, 상황은 바뀌었을 것이고, 의사 결정을 백지 상태로 되돌려야 할 때이다. 당신은 보통 그것이 유발하는 스트레스 때문에 당신이 백지 상태로 되돌려 결정하는 상황에 있는지를 알 수 있다. 당신이 지금 알고 있는 것을 안다면, 다시 빠져들지 않을 어떤 일에 관여할 때마다, 당신은 계속되는 스트레스, 악화, 짜증, 그리고 화를 경험한다. 종종 사람들은 엄청난 양의 시간을 사업 또는 사람 간의 관계를 성공하게 만들려고 노력하는 데 사용한다. 하지만 만약에 당신이 이 관계를 백지 상태로 되돌린다면, 올바른 해결책은 종종 그 관계에서 완전히 벗어나는 것이다. 유일한 실제 의문은 당신이 잘못되었다는 것과 문제를 수정하기 위해 필수적인 과정을 밟을 것이라는 점을 인정할 용기를 당신이 가지고 있는지 없는지이다.

① 깨달음의 순간 후에 결정의 시작점으로 돌아가기
② 새로운 관계 속에서 빠른 결정 내리기
③ 상황을 이해하는 데 충분한 시간 보내기
④ 다른 사람과 상담한 후에 결정 바꾸기

해설

우리가 하는 결정들은 그 결정을 내릴 때의 상황에 기초한 생각이었고, 이후에 상황이 바뀌어 처음 결정이 잘못되었다는 것을 알게 되면 다시 백지 상태로 되돌려 결정하라고 말한다. 따라서 글의 주제로 가장 적절한 것은 ① '깨달음의 순간 후에 결정의 시작점으로 돌아가기'이다. ②, ③, ④는 모두 언급되지 않았으므로 답이 될 수 없다.

어휘

- turn out ~가 되다
- in the fullness of time 마침내 때가 되었을 때
- commitment 공약
- circumstance 상황
- zero-base 백지 상태로 되돌려 결정하다
- be involved in ~에 관여되다
- aggravation 악화
- irritation 짜증
- altogether 완전히
- admit 인정하다
- aha moment 아하 하는 깨달음의 순간

정답 ①

188 난이도 ★★☆

해석

미국의 가정에서는 남편과 아내가 보통 중요한 결정을 함께 한다. 아이들이 충분히 자랐을 때는, 이들도 함께 참여한다. 외국인 목격자들은 미국 부모들의 관대함에 종종 놀라워한다. "아이들이 보이는 데 있어야(어른들과 한 자리에 있어야) 하고 떠들어서는 안 된다"는 오랜 규범은 거의 지켜지지 않으며, 아이들은 종종 엄격한 부모의 통제를 받지 않고 그들이 원하는 것을 하도록 허용된다. 아버지는 자식이 이의 없이 자신에게 복종하는 것을 별로 기대하지 않고 아이들은 이른 나이에 독립심을 기르도록 장려된다. 비록 일부 사람들은 미국 부모들이 자유를 너무 많이 주는 것이라고 생각하지만, 대부분의 사람들은 엄격한 아버지상이 평등과 독립이라는 미국의 가치에는 어울리지 않는다고 생각한다. 미국인들이 독립의 중요성을 강조하기 때문에, 젊은 사람들은 10대 후반이나 20대 초반이 되는 시점에 부모의 가정으로부터 벗어나도록 기대된다. 실제로, 그렇게 하지 않는 것은 종종 실패로 여겨진다.

① 엄격함
② 지속성
③ 엄중함

해설

첫 두 문장이 주제문으로 아이들이 가정의 중요한 의사 결정에 직접 참여하도록 허락된다고 설명하고 있다. 빈칸 이후의 문장에서는 구체적인 예시를 들어 미국의 아버지들이 복종을 기대하지 않고, 대다수의 사람들은 미국적인 가치에 어울리는 부모상은 엄격함보다는 자유와 평등의 가치를 중시하는 사람이라고 설명한다. 따라서 빈칸에는 ④ '관대함'이 가장 적절하다.

어휘

- rarely 거의 ~ 않는
- parental 부모의
- seldom 거의 ~ 않는
- obey 복종하다
- without question 이의 없이
- equality 평등
- independence 독립
- break away 벗어나다
- regard A as B A를 B로 여기다
- rigor 엄격함
- stringency 엄중함
- permissiveness 관대함

정답 ④

189 다음 글의 흐름상 가장 어색한 문장은?

Leadership, guidance, and facilitation from competent and caring adults are critical. ① This means that adults should appropriately scaffold opportunities for the youth to learn, be challenged, and be supported through success and failure. ② Adolescents appear to benefit in numerous ways from an approach to autonomy that allows them to assert a moderate degree of influence within the context of a positive parent-adolescent relationship. ③ In doing this, they must take into account the biological and neurological developmental levels of the youth, the complexity of the activity, and how much experience the youth have had with the activity. ④ For example, early adolescents or adolescents with limited experience with the task will need more guidance and supervision than older adolescents or those with previous experience with the task. Research suggests that both too little and too much adult-imposed structure is related to poorer outcomes than moderate levels of adult-imposed structure.

190 주어진 문장이 들어갈 위치로 가장 적절한 것은?

2016 법원직 9급

However, elevated levels and/or long term exposure to air pollution can lead to more serious symptoms and conditions affecting human health.

A variety of air pollutants have been known or suspected to have harmful effects on human health and the environment. In most areas of Europe, these pollutants are principally the products of combustion from space heating, power generation or from motor vehicle traffic. (①) Pollutants from these sources may not only prove a problem in the immediate vicinity of these sources but travel long distances. (②) Generally if you are young and in a good state of health, moderate air pollution levels are unlikely to have any serious short term effects. (③) This mainly affects the respiratory and inflammatory systems, but can also lead to more serious conditions such as heart disease and cancer. (④) People with lung or heart conditions may be more susceptible to the effects of air pollution.

주요 구문 분석

Research suggests // that both too little and too much adult-imposed structure / is related to poorer outcomes / than moderate levels of adult-imposed structure.

분석 suggest의 목적어 자리에 that이 이끄는 명사절이 와서 '~하는 것'으로 해석해야 한다. 명사절의 주어는 등위상관접속사 both A and B의 구조인데, too little과 too much를 하나의 개념 상태로 보고 단수 취급하였다. '너무 부족한 그리고 너무 많은'으로 해석하는 것이 자연스럽다.

주요 구문 분석

Pollutants (from these sources) may not only prove a problem / in the immediate vicinity of these sources, / but travel long distances.

분석 「not only A but (also) B」의 등위상관접속사 구문으로, 동사 prove와 travel이 병렬 관계를 이루고 있다. 'A뿐만 아니라 B도'라는 의미이므로 '~로 입증될 수 있을 뿐 아니라 ~을 여행할 수 있다'로 자연스럽게 해석한다.

189

난이도 ★★☆

해석

유능하고 자상한 어른들로부터의 지도, 안내, 촉진은 대단히 중요하다. ① 이것은 청소년들이 성공과 실패를 통해서 배우고, 도전받고, 후원받을 기회의 발판을 어른들이 적절하게 만들어야 한다는 것을 의미한다. ② 청소년들은 긍정적인 부모-청소년 관계라는 맥락 내에서 적당한 정도의 영향력을 주장하도록 해주는 자율성에 대한 접근법으로부터 수많은 방식으로 유익을 얻는 것처럼 보인다. ③ 이것을 행함에 있어서, 그들은 청소년들의 생물학적, 신경학적 발달 수준, 활동의 복잡성, 청소년들이 그 활동에 대해 가진 경험의 양을 고려해야만 한다. ④ 예를 들면, 초기의 청소년들 또는 그 과제에 제한적인 경험을 가진 청소년들은 더 나이 든 청소년들 또는 그 과제에 이전의 경험이 있던 청소년들보다 더 많은 안내와 관리를 필요로 할 것이다. 연구에 따르면 어른에 의해 시행되는 너무 부족한 그리고 너무 많은 구성은 어른에 의해 시행되는 적정한 수준의 구성보다 더 나쁜 결과와 관련된다는 것을 보여 준다.

해설

첫 문장을 통해 파악할 수 있는 이 글의 요지는 청소년들은 어른들의 적절한 지도, 안내, 도움을 필요로 한다는 것이다. 이후에는 이러한 일을 행할 때 어른들이 각 청소년들에 대해 고려해야 할 사항으로 배움의 기회, 생물학적이나 신경학적 발전단계, 경험의 유무와 정도를 제시하는 내용이 이어지고 이후 그에 따른 예시가 이어진 후, 마지막 문장에서는 결과를 말하고 있다. 그러나 ②는 청소년들이 긍정적 부모 관계로부터 자율성을 유익한 방식으로 얻을 수 있다는 내용을 담고 있으므로 글의 흐름상 어색하다.

어휘

- guidance 안내
- facilitation 촉진
- competent 유능한
- critical 대단히 중요한
- appropriately 적절하게
- scaffold 발판을 만들다
- adolescent 청소년
- autonomy 자율
- assert 주장하다
- take ~ into account ~을 고려하다
- neurological 신경학의
- developmental 발달상의
- supervision 관리
- impose 시행하다

정답 ②

190

난이도 ★★☆

해석

다양한 대기 오염물질은 환경과 인간의 건강에 해로운 영향을 끼치는 것으로 알려지거나 의심받아 왔다. 유럽의 대부분 지역에서 이들 오염물질은 주로 난방, 발전소, 또는 자동차 연소의 산물이다. (①) 이들 원천으로부터 나온 오염물질은 그 원천의 인접지에서 문제로 입증될 수 있을 뿐 아니라 먼 거리를 이동할 수 있다. (②) 일반적으로 당신이 젊고 건강한 상태라면 보통의 대기 오염 수치는 어떤 단기적인 영향을 주지 않을 것이다. (③) 그러나 대기 오염의 높은 수치와 장기간의 노출은 사람의 건강에 영향을 주는 더 심각한 증상과 질환으로 이어질 수 있다. 이것은 주로 호흡기와 염증성 체계에 영향을 끼치지만 또한 심장병과 암 같은 더 심각한 질환으로 이어질 수 있다. (④) 폐와 심장 질환을 가진 사람은 대기 오염의 영향에 더 민감할 수 있다.

해설

대기 오염물질이 인간에게 끼치는 악영향에 대해 설명한 글이다. 주어진 문장의 However를 볼 때, 그 앞의 내용은 이와 반대되는 내용이어야 한다. 또한 주어진 문장에서는 대기 오염물질이 더 심각한 증상과 질환(more serious symptoms and conditions)으로 이어질 수 있다고 했으므로 앞에는 대기 오염물질이 심각한 영향을 주지 않는다는 내용이 와야 함을 유추할 수 있다. 따라서 대기 오염물질이 젊고 건강한 사람에게는 단기적인 영향을 주지 않는다는 내용 다음인 ③의 자리가 가장 적절하다.

어휘

- elevated 높은
- condition 질환
- pollutant 오염물질
- principally 주로
- combustion 연소
- immediate vicinity 인접지
- moderate 보통의
- respiratory 호흡기의
- inflammatory 염증을 일으키는
- susceptible 민감한

정답 ③

191 다음 글의 요지로 가장 적절한 것은?

An Ass and a Fox went into partnership and sallied out to forage for food together. They hadn't gone far before they saw a Lion coming their way, at which they were both dreadfully frightened. But the Fox thought he saw a way of saving his own skin, and went boldly up to the Lion and whispered in his ear, "I'll manage that you shall get hold of the Ass without the trouble of stalking him, if you'll promise to let me go free." The Lion agreed to this, and the Fox then rejoined his companion and contrived before long to lead him by a hidden pit, which some hunter had dug as a trap for wild animals, and into which he fell. When the Lion saw that the Ass was safely caught and couldn't get away, it was to the Fox that he first turned his attention, and he soon finished him off, and then at his leisure proceeded to feast upon the Ass.

① Friendship is a single soul dwelling in two bodies.
② Nothing changes your opinion of a friend so surely as success — yours or his.
③ Friendship is like money, easier made than kept.
④ Betray a friend, and you'll often find you have ruined yourself.

192 글의 흐름상 가장 어색한 것은?

You can make bad quality wine from good quality grapes, but you cannot certainly make good quality wine from bad quality grapes. What happens in the vineyard is crucial. ① To start with, you need well-drained, not necessarily over-fertile soil in order to make the vine's roots dig deep into the soil. ② After the grapes are picked, either by hand or by machine, they are taken to the winery. ③ The vineyard needs plenty of exposure to the sun in cool climate areas. ④ There needs to be enough rain, or in some cases, irrigation. With too little water, the grape skins become too tough and they fail to ripen.

191 난이도 ★★★

해석

당나귀와 여우가 협력해서 함께 먹이를 찾아 힘차게 떠났다. 그들은 얼마 가지 못해서 사자가 그들 쪽으로 다가오는 것을 보았는데, 그들은 모두 사자를 몹시 무서워했다. 하지만 여우는 자신이 무사히 빠져 나갈 방법을 알아냈다고 생각했고, 대담하게 사자에게 다가가서 "저를 그냥 보내주신다고 약속해 주신다면, 당나귀를 쫓아다니는 수고없이 그를 잡을 수 있도록 제가 애써보겠습니다"라고 귀에 속삭였다. 사자가 이에 동의했고, 그러자 여우는 친구와 다시 합류했고 곧 그를 숨겨진 구덩이로 용케 이끌었는데, 그것은 어떤 사냥꾼이 야생 동물들을 잡을 덫으로 파둔 것이었고, 그곳으로 당나귀는 떨어졌다. 당나귀가 틀림없이 붙잡혀서 달아날 수 없다는 것을 사자가 알았을 때, 먼저 자신의 관심을 돌린 것은 바로 여우였으며, 여우를 빨리 죽여 버렸고, 그러고 나서 느긋하게 당나귀를 포식했다.

① 우정은 두 개의 몸속에 거주하는 하나의 영혼이다.
② 너의 성공이나 친구의 성공만큼 확실히 친구에 대한 너의 의견을 바꿔주는 것은 없다.
③ 친구란 돈과 같아서 만들기는 쉬워도 지키기는 어렵다.
④ 친구를 배신해 보라, 그러면 종종 너 자신도 망치는 것을 보게 될 것이다.

해설

당나귀와 여우가 함께 길을 가다 사자를 만났을 때, 여우가 당나귀를 배신하게 된다. 여우는 사자에게 당나귀를 쉽게 잡도록 해줄 테니 자신을 살려달라는 거래를 제안하고 이를 실행한다. 하지만, 당나귀가 여우에 속아 빠져나가지 못하게 되자 사자는 여우를 먼저 죽였다는 이야기이다. 따라서 글의 요지로 가장 적절한 것은 ④ '친구를 배신해 보라, 그러면 종종 너 자신도 망치는 것을 보게 될 것이다'이다.

어휘

- ass 당나귀
- sally out 힘차게 떠나다
- dreadfully 몹시
- save one's own skin 무사히 빠져나가다
- boldly 대담하게
- contrive to 용케 ~하다
- dig 파다
- at one's leisure 느긋하게
- dwell 거주하다
- go into partnership 협력하다
- forage for ~을 찾다
- frightened 겁먹은
- whisper 속삭이다
- pit 구덩이
- finish off ~을 죽이다
- feast upon ~을 포식하다
- ruin 망치다

정답 ④

192 난이도 ★★★

해석

질 좋은 포도로 질이 안 좋은 포도주를 만들 수도 있지만, 질이 낮은 포도로는 좋은 품질의 포도주를 분명 만들 수 없다. 포도밭에서 일어나는 일은 극히 중요하다. ① 우선, 포도나무의 뿌리가 땅속으로 깊이 파고들어 가게 만들기 위해, 반드시 비옥할 필요는 없으나, 배수 시설이 잘 된 땅이 필요하다. ② 손이나 기계로 포도를 딴 다음에, 포도를 포도주 양조장으로 보낸다. ③ 포도밭은 서늘한 기후의 지역에서는 태양에 많이 노출될 필요가 있다. ④ 충분한 양의 비가 필요하거나, 어떤 경우에는, 관개할 필요가 있다. 물이 너무 적으면, 포도 껍질이 너무 질겨지고 포도가 익지 않는다.

해설

지문의 전반부를 통해 글의 주제를 파악하고 나머지 문장 중 주제에서 벗어난 것을 골라야 한다. 첫 번째 문장과 두 번째 문장을 통해 좋은 품질의 포도를 수확하기 위해서는 포도밭이 중요하다는, 즉 포도밭의 조건이라는 주제를 파악할 수 있다. 이후 포도밭의 조건들이 나열되는데 손이나 기계로 포도를 딴 다음에 포도를 포도주 양조장으로 보낸다는 ②는 포도밭의 조건에 대한 설명과는 전혀 관련이 없다. 따라서 정답은 ②이다.

어휘

- vineyard 포도밭
- to start with 우선
- not necessarily 반드시 ~는 아닌
- vine 포도나무
- exposure 노출
- tough 질긴
- crucial 극히 중요한
- drain 배수하다
- fertile 비옥한
- winery 포도주 양조장
- irrigation 관개
- ripen 익다

정답 ②

193 다음 글의 제목으로 가장 적절한 것은?

There are over 30,000 different kinds of spiders in the world. Spiders live in all different kinds of climates and environments from blazing deserts to damp caves and towering mountain tops. What enables spiders to survive in such diverse environments? Silk. Every spider is born with the ability to produce silk. This wondrous tool of survival is used by spiders to catch their dinner and escape from danger. Spiders adapt the use of their silk according to the situation they find themselves in. For example, to catch an insect in a web, they make the web out of two different kinds of silk. The outer part of the web which is attached to a tree, flower or pole is rigid and strong so it does not break. On the other hand, the middle part of the web is flexible so that when an insect flies into it, it will stretch rather than break. This center silk can stretch up to four times its original length. When spiders are in danger, they can escape by flying through the air at the end of an instantly made silk dragline. The dragline is sticky and easily attached to a solid surface.

① Spiders' Silk for Survival
② The Life Cycle of Spiders
③ The Danger of Spiders
④ The Types of Spiders

주요 구문 분석

What enables spiders to survive / in such diverse environments?

분석 의문사 What이 문장의 주어로 사용되어서 '무엇'으로 해석해야 한다. 동사 enable의 목적어 spiders와 목적격보어 survive의 관계가 능동이기 때문에 to survive가 되었으므로 '거미가 살아남게 하다'로 해석한다.

194 다음 빈칸에 들어갈 말로 가장 적절한 것은?

Hitting baseballs or playing musical instruments requires intricate control of muscles carrying out complex tasks in a series of steps. Yet they occur automatically in experienced players, outside of awareness. These tasks require a part of the mind that we cannot be fully aware of, but one that still exerts critical influences on thoughts and actions. Creativity also appears to originate from unconscious mental processes; solutions to difficult problems may appear to pop out of nowhere after an incubation period in the unconscious. Intuitive feelings or hunches are based on a perceived ability to sense something without reasoning. Acting without good reason might seem like a dubious life strategy; however, we encounter many fuzzy situations where choices must be made with very limited information. If our source of intuition _____, following hunches would seem to constitute strategy far superior to random choices.

① has a connection with reasoning
② is actually an experienced unconscious
③ takes the form of a disguised consciousness
④ simply remains the target for all others to aim

주요 구문 분석

Intuitive feelings or hunches are based / on a perceived ability (to sense something) / without reasoning.

분석 「be based on」은 수동태 표현으로 쓰여서 '~에 근거하다', '~을 기초로 하다'라는 상태를 표현한다. 이 때 전치사 on은 반드시 함께 사용되어야 한다. 또한 명사 ability 뒤에 오는 to sense는 to부정사의 형용사 용법으로 사용되어서 '~할', '~한'의 의미를 가지기 때문에 '감지하는 능력'으로 해석한다.

193 난이도 ★★☆

해석

세계에는 3만 종 이상의 다양한 거미가 있다. 거미는 불타는 듯한 사막에서부터 습기 찬 동굴과 높이 솟은 산 정상에 이르기까지 다양한 종류의 기후와 환경에서 산다. 무엇이 거미가 그런 다양한 환경 속에서 살아남게 할 수 있는가? 거미줄이다. 모든 거미는 거미줄을 생산할 수 있는 능력을 가지고 태어난다. 이 놀라운 생존 도구는 저녁거리를 잡고 위험으로부터 피하기 위해 거미에 의해 사용된다. 거미는 거미줄의 용도를 자신들이 처한 상황에 맞게 조정한다. 예를 들면, 거미집으로 곤충을 잡기 위해서 거미는 두 가지 종류의 거미줄로 거미집을 만든다. 나무, 꽃 또는 기둥에 들러붙은 거미집의 바깥쪽 부분은 단단하고 강해서 끊어지지 않는다. 반면, 거미집의 가운데 부분은 곤충이 날아올 때 끊어지기보다는 늘어날 수 있도록 신축성이 있다. 이 중심부 거미줄은 원래 길이의 네 배까지 늘어날 수 있다. 거미는 위험에 처하면, 즉시 만들어진 거미줄 드래그라인의 끝에 매달려 공중으로 날아서 도망갈 수 있다. 그 드래그라인은 끈적거리고 단단한 표면에 쉽게 들러붙는다.

① 생존을 위한 거미의 거미줄
② 거미의 생활 주기
③ 거미의 위험성
④ 거미의 유형들

해설

이 글의 중심 소재는 거미이고, 주제문은 질문과 답으로 구성된 세 번째와 네 번째 문장이다. 즉, 다양한 기후와 환경에서 거미의 생존을 가능하게 하는 것은 바로 거미줄이라는 것이다. 그 이후로 거미가 생존을 위해 거미줄을 어떻게 이용하는지, 거미줄의 특징은 무엇인지 등이 상세하게 설명된다. 따라서 글의 제목으로 가장 적절한 것은 ① '생존을 위한 거미의 거미줄'이다. ②, ③, ④에 대해서는 글에 언급되지 않았다.

어휘

- climate 기후
- blazing 불타는 듯한
- damp 습기 찬
- towering 높이 솟은
- diverse 다양한
- silk 거미줄
- wondrous 놀라운
- adapt 맞추다
- insect 곤충
- web 거미집
- rigid 단단한
- flexible 신축성 있는
- length 길이
- instantly 즉각
- dragline 드래그라인: 거미가 이동할 때나 자신을 보호할 때 사용하는 거미줄의 일종
- sticky 끈적거리는
- solid 단단한

정답 ①

194 난이도 ★★☆

해석

야구를 하거나 악기를 연주하는 것은 일련의 단계로 복잡한 작업을 수행하는 근육의 복잡한 통제를 필요로 한다. 그러나 그것은 인식의 범위를 넘어 경험 많은 선수에게서는 자동적으로 일어난다. 이러한 과제는 우리가 충분히 인식할 수는 없는 마음의 일부분을, 그러나 생각과 행동에 여전히 결정적인 영향을 미치는 마음의 일부분을 필요로 한다. 창의성 또한 무의식적인 정신 과정에서 비롯되는 것처럼 보인다; 어려운 문제에 대한 해결책은 무의식의 잠복기 후에 난데없이 튀어나오는 것처럼 보일 수 있다. 직관적 감정이나 예감은 추론 없이 무언가를 감지하는 인지된 능력을 기초로 한다. 타당한 이유 없이 행동하는 것은 의심스러운 삶의 전략처럼 보일 수도 있다; 그러나, 우리는 매우 제한적인 정보를 가지고 선택이 이루어져야 하는 많은 모호한 상황을 우연히 만난다. 만약 우리의 직관의 근원이 실제로 경험한 무의식이라면, 예감을 따르는 것이 무작위 선택보다 훨씬 더 나은 전략을 구성하는 것처럼 보일 것이다.

① 추론과 연관성을 가지고 있다면
③ 위장한 의식의 형태를 띠고 있다면
④ 그저 다른 사람들이 추구하는 목표로 남는다면

해설

글의 앞부분에서 '경험이 많은' 야구선수나 악기 연주자에게 있어서는 그들의 행동이 마치 무의식적으로 나타나는 것처럼 보인다고 언급함으로써 이러한 무의식이 사실상 이전의 경험에 의해 자동적으로 발현되는 것임을 설명하고 있다. 다시 말해 우리가 생각하는 창의성이나 직관적 감정, 예감 등이 무의식적인 상태에서 나오는 것처럼 보일 수도 있지만, 사실상 이것은 이전의 경험을 기반으로 하고 있음을 의미한다. 마지막 빈칸이 있는 문장은 글의 결론에 해당하는 것으로서, 만약 우리의 직관이나 예감이 앞의 가정대로 축적된 경험의 결과로 무의식적으로 일어나는 것이라면 이를 따르는 것이 사실상 최상의 전략일 수 있다는 내용이다. 따라서 빈칸에 가장 적절한 것은 ②이다.

어휘

- musical instrument 악기
- intricate 복잡한
- carry out ~을 수행하다
- a series of 일련의
- automatically 자동적으로
- awareness 인식
- be aware of ~을 인식하다
- exert (영향력 등을) 미치다
- originate from ~에서 비롯되다
- pop out of nowhere 난데없이 튀어나오다
- incubation 잠복
- intuitive 직관의
- hunch 예감
- perceived ability 인지된 능력
- reasoning 추론
- dubious 수상한
- strategy 전략
- fuzzy 모호한
- constitute 구성하다
- superior to ~보다 더 나은

정답 ②

195 주어진 문장이 들어가기에 가장 적절한 곳은?

> In contrast, our weaker relationships are often with people who are more distant both geographically and demographically.

Mark Granovetter examined the extent to which information about jobs flowed through weak versus strong ties among a group of people. (①) He found that only a sixth of jobs that came via the network were from strong ties, with the rest coming via medium or weak ties; and with more than a quarter coming via weak ties. (②) Strong social ties can make us more inclined to associate with like-minded people; our closest friends are often those who are most like us. (③) This means that they might have information that is most relevant to us, but it also means that it is information to which we may already be exposed. (④) Their information is more novel, and, thus, even though we talk to these people less frequently, we have so many weak ties that they end up being a sizable source of information, especially of information to which we don't otherwise have access.

주요 구문 분석

He found // that only a sixth of jobs (that came via the network) / were from strong ties, / with the rest coming via medium or weak ties.

분석 「with+목적어+목적격보어」의 형태로 주절의 상황과 동시에 벌어지는 상황이나 상태를 표현하는 with 분사구문이 사용되었다. 목적어 the rest와 목적격보어 come의 관계가 능동이기 때문에 현재분사 coming이 사용되었고 '~가 …한 채/~하면서/~하고' 등으로 해석한다.

195 난이도 ★★☆

해석

마크 그라노베터는 사람들 집단 사이에서 약한 유대 관계 대 강한 유대 관계를 통해 흘러들어오는 직업에 대한 정보의 정도를 조사했다. (①) 그는 관계망을 통해 오는 직업의 6분의 1만이 강한 유대 관계로부터 오며 나머지는 중간이나 약한 유대 관계를 통해 온다는 것을 발견했다; 그리고 4분의 1 이상이 약한 유대 관계로부터 온다. (②) 강한 유대 관계는 우리가 생각이 비슷한 사람들과 친해지는 경향이 더 강해지도록 만들 수 있다; 우리의 가장 친한 친구들은 종종 우리와 가장 비슷한 사람들이다. (③) 이것은 그들이 우리와 가장 관련 있는 정보를 가지고 있을지 모른다는 것을 의미하지만 또한 이는 그것이 우리가 이미 접하고 있을지도 모르는 정보라는 것을 의미한다. (④) 대조적으로, 우리의 더 약한 인간관계는 종종 지리적으로나 인구통계학적으로나 둘 다 더 먼 사람들을 상대로 한다. 그들의 정보는 더 새로우며, 결과적으로 우리가 이러한 사람들과 덜 빈번하게 말은 하지만, 우리는 매우 많은 약한 유대 관계를 가지고 있어서 결국 그것이 정보, 특히 우리가 그렇지 않다면 접근하지 못하는 정보의 상당히 큰 원천이 된다.

해설

주어진 문장은 대조의 접속부사(In contrast)로 시작해서 더 약한 인간관계에 대해 설명한다. 주어진 문장 앞에는 약한 관계와 반대되는 강한 관계에 대해 언급해야 하고, 주어진 문장 뒤에는 약한 관계에 대한 자세한 설명이 나와야 한다는 것을 추론할 수 있다. 글의 첫 두 문장에서 약한 유대 관계와 강한 유대 관계를 통한 정보의 정도 차이가 있다고 언급한 뒤에 ②와 ③에서 강한 유대 관계에 대해 설명한다. 이에 비해 ④에서는 앞과 반대되는 새롭고 약한 유대 관계에 대해 설명한다. 따라서 주어진 문장은 ④에 들어가는 것이 적절하다.

어휘

- distant 먼
- geographically 지리적으로
- demographically 인구통계학적으로
- extent 정도
- tie 유대 관계
- associate with ~와 친해지다
- relevant 관련 있는
- novel 새로운
- sizable 상당한 크기의
- end up 결국 ~가 되다
- otherwise 그렇지 않으면

정답 ④

196 주어진 글 다음에 이어질 글의 순서로 가장 적절한 것은?

It is not that difficult to make an ant farm. You need a large glass jar, a soda can, a sponge, some dirt, ants, fabric, and black paper. Place the soda can in the center of the jar as a first step.

(A) You can slide the paper off to observe the ants. It may take a while before you see tunnels. Don't forget to feed the ants some crumbs every few days!

(B) Fill the space between the can and the jar with lightly packed dirt, and put a piece of moist sponge on top of the can. Keep the sponge moist by pouring a little water on it from time to time.

(C) Then, put the ants on the dirt. Cover the top of the jar with fabric and secure it tightly with a rubber band so the ants can't escape. Wrap the black paper around the jar and tape them together.

① (B) – (A) – (C)   ② (B) – (C) – (A)
③ (C) – (A) – (B)   ④ (C) – (B) – (A)

주요 구문 분석

Don't forget to feed the ants some crumbs / every few days!

분석 기억동사 forget의 목적어로 to부정사가 오면 '~할 것을'이라는 미래적 의미를 나타내고, 동명사가 오면 '~한 것을'이라는 과거적 의미를 나타낸다. to feed라는 to부정사가 목적어로 왔기 때문에 미래에 '(먹이를) 주는 것'으로 해석해야 한다.

---

196   난이도 ★★★

해석

개미 농장을 만드는 것은 그리 어렵지 않다. 당신은 큰 유리병, 음료수 캔, 스펀지, 약간의 흙, 개미, 천, 그리고 검은 종이가 필요하다. 첫 단계로 병의 가운데에 음료수 캔을 놓아라. (B) 병과 캔 사이의 공간을 느슨하게 다져진 흙으로 채워 넣어라, 그리고 음료수 캔 위에 축축한 스펀지 조각을 올려놓아라. 가끔씩 스펀지에 약간의 물을 부어 줌으로써 스펀지의 물기를 유지시켜라. (C) 그 다음에, 개미를 흙 위에 놓아라. 병 위를 천으로 덮고 개미가 탈출하지 못하도록 그것을 고무줄로 단단히 고정시켜라. 검은 종이로 병을 둘러싸고, 테이프로 붙여라. (A) 당신은 개미를 관찰하기 위해서 그 종이를 벗겨낼 수 있다. 당신이 개미굴을 보기까지 시간이 좀 걸릴 것이다. 며칠에 한 번씩 개미에게 빵 부스러기를 주는 것을 잊지 마라!

해설

제시문에서 개미 농장을 만들기 위한 준비물을 나열하고, 만드는 순서를 설명하기 시작한다. 제시문의 마지막 문장에서 캔과 병에 대한 언급이 나오고, (B)에서 캔과 병을 가지고 어떻게 해야 하는지 설명이 이어지기 때문에 (B)가 먼저 이어진다. 다음으로 (B)에서 흙을 먼저 채워 넣었고 그 위에 개미를 놓으라고 했으므로 (C)가 와야 한다. 이어서 (C)의 마지막 문장에 the black paper를 받는 말로 (A)의 첫 문장 the paper가 이어주고 있다. 따라서 적절한 순서는 ② (B) – (C) – (A)이다.

어휘

- dirt 흙
- step 단계
- feed 먹이를 주다
- every few days 며칠에 한 번씩
- secure 고정하다
- escape 탈출하다
- tape 테이프로 붙이다
- fabric 천
- observe 관찰하다
- crumb 부스러기
- moist 축축한
- rubber band 고무줄
- wrap 싸다

정답 ②

197 밑줄 친 부분에 들어갈 말로 가장 적절한 것은?

Most people of average intelligence can figure out the expected conventional response to a given problem. For example, when asked "What is one-half of 13?" most of us immediately answer six and one-half. That's because we tend to think reproductively. When confronted with a problem, we sift through what we've been taught and what has worked for us in the past, select the most promising approach, and work toward the solution. The mark of genius is the willingness to explore all the alternatives, not just the most likely solution. Reproductive thinking fosters rigidity. This is why we often fail when we're confronted with a new problem that appears on the surface to be similar to others we've solved, but is, in fact, significantly different. Interpreting a problem through your past experience will inevitably lead you astray. If you think the way you've always thought, _____.

① you'll get only what you've always gotten
② you'll get accustomed to thinking differently
③ you'll get the most promising approach toward solutions
④ you'll have explored some other alternatives

198 주어진 문장이 들어갈 위치로 가장 적절한 것은?

However, among the first to point out that these competitive factors can change were researchers Roy Baumeister and Andrew Steinhilber.

One dynamic that can change dramatically in sport is the concept of the homefield advantage, in which perceived demands and resources seem to play a role. (①) Under normal circumstances, the home ground would appear to provide greater perceived resources (fans, home field, and so on). (②) For example, the success percentage for home teams in the final games of a playoff or World Series seems to drop. (③) Fans can become part of the perceived demands rather than resources under those circumstances. (④) This change in perception can also explain why a team that's struggling at the start of the year will often welcome a road trip to reduce perceived demands and pressures.

주요 구문 분석

If you think the way (you've always thought), // you'll get only // what you've always gotten.

분석 선행사가 방법을 의미하는 the way일 때 관계부사로 how가 사용되지만, the way how로 함께 사용되지 않고, the way나 how 중 하나가 단독으로 사용되며, '~하는 방법(방식)'으로 해석한다. 또한, 주절의 동사 get의 목적어로 what이 이끄는 명사절이 사용되었으므로 '~가 …하는 것'으로 해석한다.

주요 구문 분석

However, / among the first (to point out // that these competitive factors can change) / were researchers Roy Baumeister and Andrew Steinhilber.

분석 전치사구 among the first가 문두에 오면서 「전치사구+동사+주어」의 순서로 도치가 일어났다. 전치사구를 강조하는 용법이긴 하지만, 주어부터 해석하는 것이 자연스럽다.

197 난이도 ★★☆

해석

평균 지능을 가진 대부분의 사람들은 주어진 문제에 대한 예상되는 관습적 반응을 알아낼 수 있다. 예를 들어, "13의 절반은 얼마인가요?"라는 질문을 받았을 때, 우리 대부분은 즉시 6과 1/2이라고 대답한다. 그것은 우리가 복제하여 사고하는 경향이 있기 때문이다. 어떤 문제에 직면했을 때, 우리는 우리가 배워 온 것과 과거에 우리에게 효과 있었던 것을 꼼꼼하게 추려내고, 가장 유망한 접근법을 선택하여, 그 해결책을 향해 나아간다. 천재의 징표는 가장 그럴듯한 해결책이 아닌, 모든 대안들을 살피려는 자발성이다. 복제하는 사고는 경직성을 낳는다. 이것이 우리가 해결했던 다른 것들과 표면상으로는 유사하게 보이는, 그러나 사실은, 상당히 다른 어떤 새로운 문제에 직면했을 때 우리가 자주 실패하는 이유이다. 어떤 문제를 과거의 경험을 통해 해석하는 것은 필연적으로 여러분이 길을 잃게 만들 것이다. 만약 여러분이 항상 생각해 온 방식으로 생각한다면, <u>여러분은 항상 얻었던 것만 얻을 것이다</u>.

② 여러분은 다르게 생각하는 데 익숙해질 것이다
③ 여러분은 해결책을 향해 가장 유망한 접근법을 얻을 것이다
④ 여러분은 다른 대안들을 살필 것이다

해설

글의 마지막에 빈칸이 있으므로 주제문을 완성하는 유형이다. 첫 문장에서 대부분의 사람들이 주어진 문제에 대해 '예상되는 관습적' 반응을 알아낼 수 있다고 했으므로 마지막 문장에서도 생각해온 방식으로 생각한다면 '예상되는 관습적인 대답을 얻는다'는 내용이 들어가야 한다. 또한 세 번째 문장에서 '우리는 복제하여 사고하는 경향이 있다'라고 설명한 뒤, 중반부에서 '복제하는 사고방식은 경직성(rigidity)을 낳는다'라는 말로 그 부정성을 암시하고 이유를 제시한다. 따라서 빈칸에 들어갈 가장 적절한 말은 ① '여러분은 항상 얻었던 것만 얻을 것이다'이다.

어휘

- intelligence 지능
- conventional 관습적인
- be confronted with ~에 직면하다
- sift through 꼼꼼하게 추려내다
- promising 유망한
- willingness 자발성
- foster 낳다
- interpret 해석하다
- get accustomed to ~에 익숙해지다
- figure out 알아내다
- reproductively 복제하여
- work 효과가 있다
- approach 접근법
- alternative 대안
- rigidity 경직성
- astray 길을 잃은

정답 ①

198 난이도 ★★☆

해석

스포츠에서 극적으로 바뀔 수 있는 한 가지 역학은 홈 이점이라는 개념으로, 여기에서는 인식된 부담(자신의 팀이 보는 앞에서는 꼭 이겨야 한다는 부담)과 자원이 역할을 하는 것처럼 보인다. (①) 일반적인 상황에서, 홈그라운드는 인식된 자원(팬, 홈 경기장 등)을 더 많이 제공하는 것처럼 보인다. (②) <u>하지만, 연구원 Roy Baumeister와 Andrew Steinhilber는 이러한 경쟁력이 있는 요소들이 바뀔 수도 있다고 처음으로 지적한 사람 중 하나였다.</u> 예를 들어, 챔피언 결정전이나 (미국 프로 야구) 월드 시리즈의 결승전에서 홈 팀들의 성공률은 떨어지는 것처럼 보인다. (③) 그러한 상황에서 팬들은 자원보다는 인식된 부담의 일부가 될 수 있다. (④) 이러한 인식의 변화는 왜 연초에 고전하는 팀이 인식된 부담과 압박을 줄이기 위해 길을 떠나는 것(원정 경기를 가는 것)을 흔히 반기는지를 또한 설명할 수 있다.

해설

스포츠 역학을 홈 이점이라는 개념을 통해 설명하는 글이다. 주어진 문장은 역접의 연결어(However)로 시작하므로 앞뒤 문맥이 전환되거나 어색한 곳을 찾아야 한다. 또한 these competitive factors를 통해 주어진 문장 앞에 경쟁력이 있는 요소들이 나와야 한다는 것을 유추할 수 있다. ② 앞에서는 일반적인 상황에서 홈그라운드는 인식된 자원(팬, 홈 경기장 등)을 더 많이 제공하는 것으로 보인다고 언급한다. 즉, 홈 경기장이 홈 이점으로 역할을 하는 것으로 여겨진다고 말한다. 하지만 ② 뒤에서는 주요 경기에서 홈 팀들의 성공률이 떨어지는 예시를 들고 있어서 문맥이 어색하다. 따라서 주어진 문장이 ②에 들어가는 것이 가장 적절하다. 또한 ② 앞에서 언급된 perceived resources(fans, home field, and so on)을 주어진 문장에서 these competitive factors로 받아 이어지는 것이 자연스럽다.

어휘

- point out 지적하다
- factor 요소
- dramatically 극적으로
- perceive 인식하다
- circumstance 상황
- playoff 챔피언 결정전
- competitive 경쟁력이 있는
- dynamic 역학
- advantage 이점
- demand 부담
- final game 결승전
- perception 인식

정답 ②

DAY 40

199 다음 글의 제목으로 가장 적절한 것은?

Thought stopping, a term invented by Richard Rawson, a professor of UCLA, who works with recovering drug addicts, is a definitive decision not to respond to the pull of a reward: Encounter a stimulus, and shut off the action it provokes. "Think of it like television," says Rawson. "Change the channel." Turning off a thought has to be almost immediate. "You're not helpless about this; you can make a decision, but you have to make the decision quickly," said Rawson. The more seconds you spend thinking about what to do in the face of an urge, the greater the chance that you'll ultimately give in to it. Once you begin to debate "Should I or shouldn't I?" you've lost the battle. Experience a cue, switch off the associated thought. No ambiguity, no maybes. Don't waste time in debate; don't struggle with your response. Just get it out of your working memory. Internalize a response to urges that is absolute, even rigid, leaving no room for doubt.

① Academic Efforts Toward the Birth of a New Term
② A Way to Deal with Urges: Thought Stopping
③ No Resisting Urges and No Wasting Time
④ Shutting Thoughts Off: Turning the TV Off

200 밑줄 친 부분에 들어갈 말로 가장 적절한 것은?

Any social scientist knows the possible costs of tampering with behaviors that arise from intrinsic motivations, as ironic effects often stem from incentivizing such behaviors. In an early demonstration, Lepper, Greene, and Nisbett showed that rewarding children for their performance — "overjustifying" their interest — undermined those children's intrinsic motivation to do well. Relatedly, Titmuss argued that paying for blood donation would undermine the social utility of the act. More generally, "crowding out" intrinsic motivation through external incentives carries the risk that incentivizing behaviors that are socially motivated may move those behaviors from the social realm into the economic realm, with sometimes unexpected — and detrimental — results. Indeed, presenting people whose charitable behavior is motivated by altruistic impulses with self-interested appeals can make them feel _____.

① invaluable
② encouraging
③ alienated
④ indispensable

199 난이도 ★★☆

해석

사고 중지는 마약 중독의 회복에 대해 연구하는 UCLA의 교수, 리차드 로손에 의해 만들어진 용어로, 보상의 끌어당기는 힘에 반응하지 않게 하는 확고한 결정이다: 자극을 마주하고, 자극이 유발하는 행동을 차단하라. "그것을 마치 텔레비전처럼 생각해라,"라고 로손이 말한다. "채널을 바꾸어라." 생각을 끄는 것은 거의 즉각적이어야 한다. "당신은 이것에 무력하지 않다; 당신이 결정할 수 있지만, 빠르게 결정해야 한다."라고 로손이 말했다. 당신이 충동에 직면하여 무엇을 할지 생각하느라 더 많은 시간을 쓸수록, 당신이 궁극적으로 충동에 굴복할 가능성이 더 커진다. 일단 당신이 "해야 하나 하지 말아야 하나?"에 대해 생각하기 시작한다면, 당신은 전투에서 지는 것이다. 단서를 경험하고, 관련된 생각을 차단하라. 애매모호함도 없고, 아마도라는 것도 없다. 고민에 시간을 버리지 마라; 당신의 반응과 고군분투하지 마라. 단지 그것을 당신의 작동 기억에서 빼내라. 의심에 대한 여지를 남기지 않으면서 절대적이고 심지어 엄격한 충동에 대한 응답을 억제하라.

① 새로운 용어 출현을 위한 학문적 노력
② 충동을 다루는 법: 사고 중지
③ 충동을 억제하지 말고 시간을 낭비하지 마라
④ 생각 차단하기: 텔레비전 끄기

해설

리처드 로손의 사고 중지라는 용어를 소개하고 충동을 멈추기 위해서는 고민하지 말고 생각 자체를 즉시 멈춰야 한다고 설명하는 글이다. 따라서 글의 제목으로 가장 적절한 것은 ② '충동을 다루는 법: 사고 중지'이다. ③은 충동을 억제하라는 글의 내용과 반대되는 내용이고, ④의 텔레비전 끄기는 하나의 예시일 뿐이므로 지엽적인 내용이라 답이 될 수 없다.

어휘

- term 용어
- drug 마약
- definitive 확정적인
- provoke 유발하다
- urge 충동
- debate 곰곰이 생각하다; 고민
- associated 관련된
- internalize 억제하다
- rigid 엄격한
- resist 억제하다
- recover 회복시키다
- addict 중독
- stimulus 자극
- in the face of ~에 직면하여
- give in ~에 굴복하다
- cue 단서
- ambiguity 애매모호함
- absolute 절대적인
- room 여지

정답 ②

200 난이도 ★★☆

해석

사회학자라면 누구나 내재적 동기에서 생겨난 행동을 조작하는 것이 가져올 수 있는 대가를 알고 있는데, 아이러니한 결과가 그런 행동을 유인하는 것에서 종종 일어나기 때문이다. 초기의 증명에서, 레페르, 그린, 니스벳은 성과에 대해 아이들에게 보상을 하는 것이 — 그들의 흥미에 '외적 동기를 부여하는 것'이 — 그 아이들의 잘하려는 내재적 동기를 훼손했다는 것을 보여주었다. (이와) 관련해서, 티트머스는 헌혈에 대해 돈을 지급하는 것은 그 행동의 사회적 유용성을 해칠 것이라고 주장했다. 더 일반적으로, 외부 장려책을 통해 내재적 동기가 '설 자리를 잃게 만드는 것'은 사회적으로 동기가 부여된 행동을 장려하는 것이 그 행동을 사회적 영역으로부터 경제적 영역으로 이동시켜 때때로 예기치 못한 — 그리고 해로운 — 결과를 낳을 수 있다. 실제로, 이타적 충동으로 자선 행동의 동기가 부여된 사람들에게 이기적인 매력을 제시하는 것은 그들이 (마음이) 멀어진 기분이 들게 할 수 있다.

① 귀중한
② 고무적인
④ 절대 필요하다는

해설

첫 문장에 핵심 소재인 내재적 동기를 제시하고, 장려책을 통해 이것을 조작하려고 했을 때 어떤 결과가 일어나는지를 두 연구 결과를 사례로 제시하며 분석하는 구조의 글이다. 이후 실험 결과는 모두 장려책이 동기를 훼손하고 해로운 결과를 낳았다고 말한다. 빈칸 문장은 Indeed로 시작하여 앞 내용을 강조하거나 상세화하므로 내재적 동기를 훼손하는 것(이기적 매력을 제시하는 것)은 부정적인 결과를 가져온다는 내용이 되어야 한다. 따라서 빈칸에 들어갈 말은 ③ '(마음이) 멀어진'이 가장 적절하다. ①, ②, ④는 글의 내용에 비추어 볼 때, 각각 정반대의 취지를 나타내는 valueless, discouraging, unnecessary가 되어야 하므로 정답으로 적절하지 않다.

어휘

- tamper with ~을 조작하다
- stem from ~에서 일어나다
- demonstration 증명
- overjustify (이미 내적으로 동기 부여된 행동에) 외적 동기를 부여하다
- undermine 훼손시키다
- utility 유용성
- crowd out ~가 설 자리를 잃게 만들다
- external 외적인
- realm 영역
- charitable 자선의
- impulse 충동
- invaluable 귀중한
- indispensable 필수적인
- intrinsic 내재적인
- incentivize 유인하다
- relatedly 관련된 사항으로
- incentive 장려책
- detrimental 해로운
- altruistic 이타적인
- self-interested 이기적인
- alienate 멀어지게 만들다

정답 ③

201 다음 글의 제목으로 가장 적절한 것은?

It's all about survival! Plants have evolved to use biological warfare to repel predators — poisoning, paralyzing, or disorienting them — or to reduce their own digestibility to stay alive and protect their seeds, enhancing the chances that their species will endure. These chemical defensive strategies are remarkably effective at keeping predators away, and even sometimes at getting animals to do what they wish. Because their initial predators were insects, plants developed some lectins that would paralyze any unfortunate bug that tried to dine on them. Obviously, there are physiologic differences between insects and mammals, but both are subject to the same effects. Although most of you won't be paralyzed by a plant compound within minutes of eating it, it is clear that a single peanut (a lectin) can have the potential to kill certain people.

* lectin: 렉틴(주로 식물에서 추출되는 단백질)

① Complex Road of Botanical Evolution
② Chemical Defensive Strategies of Plants
③ Structural Vulnerability of Plants
④ Innate Immune System of Mammals

주요 구문 분석

Although most of you won't be paralyzed / by a plant compound / within minutes of eating it, // it is clear that a single peanut (a lectin) / can have the potential to kill certain people).

(분석) 주절에 「가주어 it+be동사+보어(형용사/분사/명사)+진주어(명사절/to부정사)」 구문이 사용되었다. 이 경우, 진주어를 찾아서 주어로 해석하고 가주어 it은 해석하지 않는다. 보어가 형용사 clear이고, 접속사 that이 이끄는 명사절이 진주어이므로 '(that절) 하는 것은 확실하다'로 해석해야 한다.

202 밑줄 친 부분에 들어갈 말로 가장 적절한 것은?

A four-year study conducted by the Infant Testing Center in San Francisco, California, suggests that babies feel more comfortable around other babies than strange adults. According to the study, babies benefit by being with their fellow infants daily. Whereas a baby might show fear of an adult stranger, he or she is likely to smile and reach out for an unfamiliar infant. By the time babies are one year old, they have begun to form friendships of a sort. The above findings, based on observation of 100 babies aged three months to three years, might prove interesting to working parents who must find day care for their babies. Family care in a private home, with several babies together, is probably the _____ way to care for babies under three. Dr. Benjamin Spock, a well-known pediatrician and author of books about babies, supports the idea. He says that family day care is sounder in theory than hiring a housekeeper or a babysitter.

① precarious
② cheapest
③ reckless
④ ideal

주요 구문 분석

The above findings, (based on observation of 100 babies (aged three months to three years)), / might prove interesting / to working parents (who must find day care for their babies).

(분석) 과거분사인 based가 주어인 The above findings를 수식하고 있고, 전치사구 안에서 과거분사인 aged가 100 babies를 수식하고 있다. 불완전자동사 prove의 주격보어로 형용사 interesting이 사용되었으므로, 주어인 The above findings의 상태에 대한 부연 설명으로 이해해야 하고, '~한 것으로 드러나다/판명되다'로 해석하는 것이 자연스럽다.

201 난이도 ★★☆

해석

중요한 것은 생존이다! 식물들은 포식자들을 쫓아내기 위해 생물전 — 그들을 중독시키거나, 마비시키거나, 혼란시킴 — 을 이용하거나 살아남고 자신들의 씨앗을 보호하기 위해 자신들이 소화될 가능성을 줄이기 위해 발전해왔고, 자신들의 종이 지속될 가능성을 높였다. 이 화학적인 방어 전략들은 포식자들을 쫓아내는 데에, 그리고 심지어 때로는 식물이 원하는 대로 동물이 행동하게 만드는 데에 대단히 효과적이다. 초기의 포식자는 곤충들이었기 때문에, 식물은 자신을 먹으려고 하는 불운한 벌레들을 마비시키는 렉틴을 발달시켰다. 분명히, 곤충과 포유류 사이에는 생리학적인 차이가 존재하지만, 둘 다 같은 효과에 영향을 받는다. 비록 대부분의 사람들은 식물 화합물을 먹고 몇 분 이내에 그것에 의해 마비되지는 않겠지만, (렉틴의) 매우 적은 양이 어떤 사람을 죽일 잠재력을 가질 수 있다는 것은 확실하다.

① 식물 진화의 복잡한 길
② 식물의 화학적인 방어 전략
③ 식물의 구조적 취약성
④ 포유류의 타고난 면역체계

해설

처음 두 문장이 주제문으로 식물은 살아남기 위해 중독, 마비, 혼란 등의 전략으로 포식자를 쫓아내고 포식자가 자신들을 소화할 가능성을 줄이는 방식으로 자신들의 씨앗을 보호해왔고 종들이 지속될 가능성을 높였다고 언급한다. 그런 다음 식물의 이런 자기 보호 전략에 대해 포식자인 곤충과 인간을 예시로 들어 자세히 설명한다. 따라서 이 글의 제목으로 가장 적절한 것은 ② '식물의 화학적인 방어 전략'이다. ① 식물 진화, ③ 식물의 구조적 취약성, ④ 포유류의 면역체계는 글에 언급되지 않았으므로 정답이 될 수 없다.

어휘

- evolve 발달시키다
- biological warfare 생물전
- repel 쫓아내다
- predator 포식자
- poison 중독시키다
- paralyze 마비시키다
- disorient 혼란시키다
- digestibility 소화 가능성
- enhance 높이다
- endure 지속되다
- unfortunate 불운한
- dine 먹다
- obviously 분명히
- physiologic 생리학적인
- mammal 포유류
- be subject to ~에 영향을 받다
- compound 화합물
- peanut 매우 적은 양
- botanical 식물의
- vulnerability 취약성

정답 ②

202 난이도 ★★☆

해석

캘리포니아의 샌프란시스코에 있는 유아 시험 센터에 의해 수행된 한 4년간의 연구는 아기들이 낯선 어른들보다 다른 아기들 주위에서 더 편안하게 느낀다는 것을 시사한다. 연구에 따르면, 아기들은 매일 또래의 유아와 함께 있음으로써 이로움을 얻는다. 남자 아기이든 혹은 여자 아기이든 낯선 어른에게는 두려움을 보일 수도 있지만 생소한 갓난아기에게는 웃거나 손을 뻗칠 가능성이 높다. 아기가 한 살이 되는 시점에 그들은 일종의 우정을 형성하기 시작했다. 3개월부터 3살까지 100명의 아기들의 관찰에 근거한 위의 결과는 아기들을 위해 보육원을 찾아야 하는 일하는 부모들에게 흥미로운 것으로 드러날지도 모른다. 몇몇의 아기들과 함께 일반 가정집에서 가정 보육을 하는 것이 아마 세 살 미만의 아기들을 돌보는 이상적인 방법일 것이다. 잘 알려진 소아과 의사이자 아기들에 대한 책들의 저자인 Benjamin Spock 박사는 이러한 생각을 지지한다. 그는 가정 보육이 가사 도우미나 아기 돌보미를 고용하는 것보다 이론적으로 더 믿을 만하다고 말한다.

① 위험한
② 가장 값싼
③ 무모한

해설

빈칸 문장이 주제문이다. 빈칸 앞에 제시된 실험에서 아기들은 낯선 어른들보다 다른 아기들과 함께 있을 때 더 편안함을 느낀다는 것과 아이들이한 살이 되는 시점에 우정을 형성한다고 설명한다. 그리고 이런 사실들이 일하는 엄마에게 흥미롭게 될 것이라 말한다. 이를 근거로 세 살 미만의 아이들이 가정집에서 몇 명의 아이들과 같이 보육되는 것이 가장 '이상적인'방법임을 알 수 있으므로 빈칸에는 ④ '이상적인'이 가장 적절하다. 빈칸 뒤에서는 Benjamin 박사가 이를 지지한다고 한 뒤 어른들인 가사 도우미나 아기 돌보미보다 가정 보육이 더 이론적으로 믿을 만하다는 추가적인 설명이 더해졌다.

어휘

- conduct 수행하다
- strange 낯선
- benefit 이익을 얻다
- fellow 동년배의
- whereas ~하는 반면
- day care 보육원
- family care 가정 보육
- pediatrician 소아과 의사
- sound 믿을 만한
- precarious 위험한
- reckless 무모한
- ideal 이상적인

정답 ④

203 주어진 글 다음에 이어질 글의 순서로 가장 적절한 것은?

2015 지방직 9급

The ability of organisms to reproduce their own kind is the one characteristic that best distinguishes living things from nonliving matter.

(A) In a strict sense, the adage applies only to asexual reproduction, the creation of genetically identical offsprings by a single parent, without the participation of sperm and egg. For example, the amoeba has duplicated its chromosomes, the structures that contain most of the organism's DNA.

(B) After doubling, identical chromosomes were allocated to opposite sides of the parent cell. When the parent cell divides, the resulting two daughter amoebas will be genetically identical to each other and to the original parent.

(C) Only amoebas produce more amoebas, only people make more people, and only maple trees produce more maple trees. These simple facts of life have been recognized for thousands of years and are summarized by the age-old saying "Like begets like."

* chromosome: 염색체

① (A) – (B) – (C) ② (A) – (C) – (B)
③ (C) – (A) – (B) ④ (C) – (B) – (A)

204 다음 글의 제목으로 가장 적절한 것은?

For many years, leadership was viewed as a combination of personality traits, such as self-confidence, intelligence, and dependability. A consensus on which traits were most important was difficult to achieve, however, and attention turned to styles of leadership behavior. In the last few decades, several styles of leadership have been identified. The authoritarian leader holds all authority and responsibility, with communication usually moving from top to bottom. This leader assigns workers to specific tasks and expects orderly, precise results. At the other extreme is the laissez-faire leader, who waives responsibility and allows subordinates to work as they choose with a minimum of interference. Communication flows equally among group members. The democratic leader holds final responsibility but also delegates authority to others, who participate in determining work assignments. In this leadership style, communication is active both upward and downward.

* laissez-faire: 자유방임주의

① The Recent Trends of Leadership
② Importance of Communication in Leadership
③ Several Styles of Leadership
④ Several Features of Good Leadership

주요 구문 분석

The ability of organisms (to reproduce their own kind) / is the one characteristic (that best distinguishes living things / from nonliving matter).

분석 명사인 The ability를 to reproduce가 형용사 용법으로 수식하고 있으므로 '~하는', '~할'로 해석해야 한다. 또한, 보어인 the one characteristics를 관계대명사 that이 수식하고 있어서 '~하는', '~할'로 해석한다. 관계사절의 best는 부사 well의 최상급으로 '가장 잘'로 해석한다.

주요 구문 분석

The authoritarian leader holds all authority and responsibility, / with communication usually moving from top to bottom.

분석 「with + 목적어 + 목적격보어」의 형태로 주절의 상황과 동시에 벌어지는 상황이나 상태를 표현하는 with 분사구문이 사용되었다. 목적어 communication과 목적격보어 move의 관계가 능동이기 때문에 현재분사 moving이 사용되었고 '~가 …한 채/~하면서/~하고' 등으로 해석해야 한다.

203 난이도 ★★☆

해석

자신의 종을 재생산하는 생물의 능력은 살아있는 것을 살아있지 않은 것으로부터 가장 잘 구별 짓는 한 특징이다. (C) 아메바만이 더 많은 아메바를 생산하고, 사람만이 더 많은 사람을 생산하며, 그리고 단풍나무만이 더 많은 단풍나무를 생산한다. 생명체의 이 단순한 사실은 수천 년 동안 인정받았고 오랜 격언, '부전자전'으로 요약된다. (A) 엄밀한 의미에서, 이 격언은 단지 정자와 난자의 개입 없이 한쪽 부모에 의해 유전적으로 동일한 후손의 창조인, 무성생식에만 적용된다. 예를 들어, 아메바는 이 생물체의 DNA의 대부분을 포함하는 구조체인 자신의 염색체를 복제해 왔다. (B) 두 개가 된 후에 동일한 염색체는 부모 세포의 반대편에 할당되었다. 부모 세포가 나뉠 때, 그 결과로 나타나는 두 딸 아메바는 서로와 그리고 원래의 부모와 유전적으로 동일할 것이다.

해설

주어진 문장은 생물체의 특징이 자신의 종을 재생산하는 능력이라고 설명한다. 여기서 제시된 일반적인 개념은 (C)에서 아메바, 사람, 단풍나무가 예시로 설명된다. 이후 이것을 '부전자전'이라는 격언으로 마무리한다. (C)의 마지막에 나온 "Like begets like"는 (A)에서 the adage로 이어받는다. 하지만 기존의 일반적인 생각과는 달리 엄밀한 의미에서 이 사실은 무성생식을 하는 아메바에게만 적용된다고 말하며 아메바의 생식을 예로 든다. 그리고 (A)의 후반부에 언급된 'duplicated its chromosomes'를 (B)에서 'After doubling, identical chromosomes ~'로 이어받아 아메바의 생식과정을 설명한다. 따라서 글의 순서로 가장 적합한 것은 ③ (C)-(A)-(B)이다.

어휘

- organism 생물(체)
- adage 격언
- reproduction 생식
- offspring 후손
- egg 난자
- allocate 할당하다
- summarize 요약하다
- characteristic 특징
- asexual 무성(無性)의
- genetically 유전적으로
- sperm 정자
- duplicate 복제하다
- maple tree 단풍나무

정답 ③

204 난이도 ★★☆

해석

오랫동안, 리더십은 자신감, 지성, 신뢰성과 같은 성격적 특성이 결합된 것으로 생각되었다. 하지만 어떤 특징이 가장 중요한 것인가에 대한 의견 일치가 이루어지기는 힘들었으며, 리더십 행동의 유형이 주목을 받게 되었다. 지난 수십 년간, 몇 가지 유형의 리더십이 확인되었다. 권위주의형 리더는 모든 권한과 책임을 가지며, 의사소통은 보통 상의하달식으로 이루어진다. 이 리더는 구체적인 임무에 직원들을 선임하고 잘 정돈되고 정확한 결과물을 기대한다. 이와 극히 대조적으로 방임주의형 리더는 책임을 회피하고 최소한의 간섭 하에 부하 직원들이 선택하는 대로 일을 할 수 있도록 해 준다. 의사소통은 집단 구성원들 사이에서 동등하게 이루어진다. 민주주의형 리더는 최종 책임을 지지만 다른 사람들에게도 권한을 위임하여, 그들이 업무 할당 결정에 참여한다. 이런 유형의 리더십 아래에서는, 의사소통이 위아래 쌍방향으로 활발하게 이루어진다.

① 리더십의 최근의 추세
② 리더십에 있어 의사소통의 중요성
③ 몇 가지 유형의 리더십
④ 좋은 리더십의 몇 가지 특징들

해설

글의 중심 소재는 리더십이고 세 번째 문장이 주제문으로 몇 가지 리더십 행동의 유형이 있다고 말한다. 이후 리더십의 형태로 '권위주의형 리더(authoritarian leader)', '방임주의형 리더(laissez-faire leader)'와 '민주주의형 리더(democratic leader)'가 나열식으로 설명되고 있다. 따라서 이 글의 제목으로 ③ '몇 가지 유형의 리더십'이 가장 적절하다.

어휘

- trait 특성
- dependability 신뢰성
- decade 10년
- authoritarian 권위주의의
- orderly 질서 있는
- extreme 극단
- subordinate 부하
- delegate 위임하다
- assignment 할당
- self-confidence 자신감
- consensus 의견의 일치
- identify 확인하다
- assign A to B B에 A를 선임하다
- precise 정확한
- waive 회피하다
- interference 간섭
- participate in ~에 참가하다
- feature 특징

정답 ③

205 밑줄 친 부분에 들어갈 말로 가장 적절한 것은?

Wisdom implies making the best use of available resources or prevailing circumstances to the maximum advantage to oneself by using the best of our judgement. In the present day world, when everybody wants to reach out for the moon, the most fundamental problem of economic planning is that the means are limited, ends are unlimited, and means have alternative uses. It is wise, therefore, to use the available means in such a way that first of all our necessary requirements are satisfied, then, if possible, such of the comforts as are commensurate with our status and resources should be procured. Only after that should we think of luxuries, and we can do that only if we manage it by stretching our resources within reasonable limits. Therefore, it has rightly been said that "wisdom lies in _____."

① cutting one's coat according to one's cloth
② cheerfully accepting whatever life throws at you
③ learning the right lessons from hard experiences
④ honestly admitting what we know and what we don't

주요 구문 분석

Only after that / should we think of luxuries, // and we can do that // only if we manage it / by stretching our resources / within reasonable limits.

분석 부사구 Only after that이 강조되어 문두로 나가면서 「동사+주어」로 도치가 일어나야 해서 조동사 should가 주어 we의 앞에 쓰였고, '~하고 나서야, …하다'로 해석해야 한다.

205

해석

지혜는 최선의 판단을 사용하여 가용 자원 또는 지배적인 상황을 자신에게 최대한 이익이 되도록 최선으로 활용하는 것을 함축한다. 모든 이가 불가능한 것을 바라는 현 세계에서, 경제 계획의 가장 근본적인 문제는 수단은 제한되어 있는데, 목적은 무한하며, 수단은 대안적인 쓰임새가 있다는 것이다. 따라서, 무엇보다도 우리의 필수적인 요구를 충족시키고, 그다음에 가능하다면 우리의 지위와 자원이 비례하는 그런 즐거움이 획득되는 방식으로 가용 수단을 사용하는 것이 현명하다. 그 이후에야 우리는 사치를 생각해야 하며, 우리가 우리의 자원을 합당한 한계 내에서 펼침으로써 그것을 관리할 때에만 우리는 그렇게 할 수 있다. 따라서 '지혜는 자신이 가진 천에 맞게 코트를 자르는 것'에 있다고 말한 것은 적절하다.

② 인생이 당신에게 던지는 것은 무엇이든 쾌활하게 받아들이는 것
③ 힘든 경험으로부터 올바른 교훈을 배우는 것
④ 솔직하게 우리가 아는 것과 모르는 것을 인정하는 것

해설

첫 문장에서 지혜란 무엇인가라는 글의 주제를 제시하고 뒷받침 진술을 한 후 마지막 문장에서 다시 한 번 주제를 재진술하는 양괄식 구조의 글이다. 지혜는 가용 자원을 주어진 상황에 맞게 최대한 유익하도록 활용하기 위한 판단으로, 목표 달성을 위한 수단이 제한적이고 또 여러 다른 목표를 위해 대안적으로 사용될 수도 있으므로 이 수단을 지혜롭게 사용하는 것이 중요하다는 내용이다. 밑줄 친 부분에는 이러한 글의 핵심 내용을 비유적으로 표현하는 ① '자신이 가진 천에 맞게 코트의 길이를 자르는 것'이 적절하다. ②, ③, ④는 모두 지혜의 일면을 언급하고 있지만 글에서 다룬 내용과는 무관하므로 정답으로 적절하지 않다.

어휘

□ imply 함축하다   □ prevailing 지배적인
□ circumstance 상황
□ reach out for the moon 불가능한 것을 바라다
□ commensurate 비례하는   □ procure 획득하다
□ luxury 사치(품)

정답 ①

206 주어진 글 다음에 이어질 글의 순서로 가장 적절한 것은?

Anthropologist Brian Hare has done experiments with dogs, where he puts a piece of food under one of two cups, placed several feet apart. The dog knows that there is food to be had, but has no idea which of the cups holds the prize.

(A) This difference is in their cooperations with humans. Hare explains that primates are very good at using the cues of the same species. But they are not good at using human cues when you are trying to cooperate with them.

(B) In contrast, dogs pay attention to humans, when humans are doing something very human. Dogs aren't smarter than chimps, but they just have a different attitude toward people, and they are really interested in humans.

(C) Then, Hare points at the right cup, taps on it, and looks directly at it. What happens? The dog goes to the right cup virtually every time. Yet when Hare did the same experiment with chimpanzees, the chimps couldn't get it right. A dog will look at you for help, and a chimp won't.

① (A) – (C) – (B) ② (B) – (C) – (A)
③ (C) – (A) – (B) ④ (C) – (B) – (A)

206 난이도 ★★★

해석

인류학자 Brain Hare가 개에 대한 실험을 했는데, 그 실험에서 그는 음식 조각을 서로 몇 피트 떨어져 있는 두 컵 중 한 컵 아래에 둔다. 개는 먹을 음식이 거기에 있다는 것을 알지만 어느 컵에 그 상(음식)이 있는지는 모른다. (C) 그리고 나서 Hare는 맞는 컵을 가리키고, 그것을 두드리고, 그것을 똑바로 쳐다본다. 무슨 일이 일어나나? 개는 거의 매번 맞는 컵으로 간다. 그러나 Hare가 침팬지로 같은 실험을 했을 때, 침팬지들은 그것을 올바로 알아채지 못했다. 개는 도움을 받기 위해 당신을 쳐다보겠지만, 침팬지는 그러지 않을 것이다. (A) 이 차이는 그들의 인간과의 협동에 있다. Hare는 영장류가 같은 종이 주는 단서를 이용하는 데 아주 능숙하다고 설명한다. 그러나 그들은 당신이 그들과 협동하려고 할 때 인간이 주는 단서를 이용하는 데는 능숙하지 않다. (B) 그에 반해서, 개들은 인간이 매우 인간다운 어떤 행동을 하고 있을 때 인간에게 주목한다. 개들이 침팬지보다 영리하지는 않지만, 그들은 그저 인간을 향한 다른 태도를 갖고 있고, 그들은 인간에게 관심이 정말 많다.

해설

개에 대한 실험 과정을 설명하고 있는 주어진 문장 다음에는 개에 대한 실험의 결과를 설명하는 (C)가 연결되는 것이 자연스럽다. (C)에서는 개에 대한 실험이 침팬지에 대한 실험으로 확장되어 설명되는데, 이러한 실험으로 판명된 두 동물의 차이를 (A)에서 This difference로 받아 구체적인 설명을 한다. (A)에서 영장류와 인간과의 협동을 설명하고 (B)에서는 이와 대조적으로 개와 인간과의 관계 설명으로 이어진다. 따라서 ③ (C)−(A)−(B)가 올바른 순서이다.

어휘

- anthropologist 인류학자
- have no idea 전혀 모르다
- cooperation 협동
- primate 영장류
- species 종
- tap 두드리다
- experiment 실험
- prize 상
- human 인간; 인간적인
- cue 단서
- attitude 태도
- virtually 거의

정답 ③

주요 구문 분석

The dog knows // that there is food to be had, / but has no idea // which of the cups holds the prize.

분석 두 개의 동사가 but에 의해 병렬 구조를 이루고 있다. 첫 번째 절의 동사 know의 목적어로 명사절이 왔고, 두 번째 절의 동사는 '~을 모르다'라는 의미의 관용구인 have no idea인데, 목적어 자리에 의문사 which가 이끄는 간접의문문이 사용되었다. 문맥상 정해진 cups들 중에서 선택하는 것이기 때문에 what이 아닌 which가 왔고, 해석은 '어느', 또는 '어떤'이라고 하면 된다.

207 밑줄 친 부분에 들어갈 말로 가장 적절한 것은?

As we know very well, many people associate lying with looking away. We conducted a series of experiments where participants were told to tell a series of lies to others in recorded interviews. The recordings were used in our communication seminars where viewers were asked to judge who was lying and who wasn't. What we discovered was contrary to a popular belief about liars. Approximately 30% of the liars constantly looked away when they lied and the viewers spotted these lies around 80% of the time, with women having a better catch rate than men. The other 70% of the liars maintained strong eye contact with their victim, assuming they were less likely to get caught if they did the opposite of what people expected. They were right. Lie-catching dropped to an average of 25%, with men scoring a dismal 15% success and women 35%. Women's more intuitive brains were better than men's in detecting voice changes, pupil dilatation and other cues that gave the liar away. This shows that _____ _____ and you need to observe other gestures as well.

① keeping an eye contact is gender specific
② gaze alone is not a reliable signal of lying
③ lying is not about truth but about attitudes
④ you use your body more actively while lying

주요 구문 분석

The other 70% of the liars maintained strong eye contact with their victim, / assuming // they were less likely to get caught // if they did the opposite of // what people expected.

분석 분사구문은 「접속사+주어+동사」의 부사절이 축약된 형태이므로 주절과 분사구문의 관계를 통해서 생략된 접속사의 의미를 파악하고 해석해야 한다. 주절은 70퍼센트의 거짓말쟁이들이 시선 맞추기를 유지했다는 것이고, 분사구문은 잡힐 가능성이 더 낮다고 추정했다고 했으므로 주절의 행동이 일어날 때 분사구의 행동이 함께 일어나는 부대상황이다. 따라서 '~하면서', 또는 '그리고 ~하다'로 해석한다.

208 글의 흐름상 가장 어색한 문장은?

There are several reasons why support may not be effective. One possible reason is that receiving help could be a blow to self-esteem. A recent study by Christopher Burke and Jessica Goren at Lehigh University examined this possibility. ① According to Burke and Goren, support is especially likely to be seen as threatening if it is in an area that is self-relevant or self-defining — that is, in an area where your own success and achievement are especially important. ② Receiving help with a self-relevant task can make you feel bad about yourself, and this can undermine the potential positive effects of the help. ③ However, when you ask for help you create an opportunity for others to share information, and this creates a positive impression. ④ For example, if your self-concept rests, in part, on your great cooking ability, it may be a blow to your ego when a friend helps you prepare a meal for guests because it suggests that you're not the master chef you thought you were.

주요 구문 분석

Receiving help with a self-relevant task / can make you feel bad about yourself, // and this can undermine the potential positive effects (of the help).

분석 동명사 Receiving이 주어로 사용된 경우 '~하는 것은' 또는 '~하기는'이라고 해석한다. 사역동사 make의 목적어로 you, 목적격보어로 feel이 사용되었는데, 이 때 목적어와 목적격보어가 능동의 관계이므로 목적격보어로 원형부정사가 사용되었고, '목적어가 목적격보어하다'로 해석하면 된다. 따라서 '~을 받는 것은 당신이 …하게 느끼도록 만든다'로 해석한다.

207 난이도 ★★★

해석

우리가 매우 잘 알다시피, 많은 사람이 거짓말하는 것과 시선을 돌리는 것을 결부시킨다. 우리는 녹화된 인터뷰에서 참가자들이 다른 사람들에게 일련의 거짓말을 하라고 명령받은 일련의 실험을 수행했다. 그 녹화물은 시청자들이 누가 거짓말을 하고 누가 하지 않는지를 구별하도록 요청받은 의사소통 세미나에서 사용되었다. 우리가 발견한 것은 거짓말쟁이에 대한 대중적인 믿음과 상반되었다. 거짓말쟁이의 대략 30퍼센트는 거짓말을 할 때 끊임없이 다른 곳을 보았으며 시청자들은 실험의 약 80퍼센트 가량 이러한 거짓말들을 파악했고, 여성들이 남성들보다 더 높은 적중률을 거두었다. 다른 70퍼센트의 거짓말쟁이들은 사람들이 예상한 것과 정반대의 행동을 하면 잡힐 가능성이 더 낮다고 추정하여 피해자와 강력한 시선의 맞춤을 유지했다. 그들이 맞았다. 거짓말을 포착하는 비율은 평균 25퍼센트로 떨어졌으며 남자들은 형편없는 15퍼센트의 성공을 거두었고 여성들은 35퍼센트 성공했다. 거짓말쟁이를 알려주는 목소리의 변화, 동공의 확장과 다른 신호를 여성의 더 직관적인 두뇌가 남성의 두뇌보다 더 잘 감지했다. 이것은 시선 하나만으로는 거짓말의 신뢰할 만한 신호가 아니며 다른 몸짓도 관찰해야 한다는 것을 보여준다.

① 시선을 계속 맞추는 것은 특정한 성별에 달려 있으며
③ 거짓말에서 중요한 것은 사실이 아니며 태도이며
④ 여러분은 거짓말을 하는 동안 몸을 더 활동적으로 움직이며

해설

전통적으로 시선을 돌리는 것을 거짓말하는 것과 연결시킨다는 일반적인 전제가 먼저 제시된다. 이후 실험에서 70퍼센트의 사람들이 거짓말을 할 때 시선을 맞추었으며, 시선 외에 다른 신호를 더 잘 감지하는 여자들이 이런 거짓말을 잘 파악했다는 내용이 앞서 나오므로 빈칸에 들어갈 말로 ② '시선 하나만은 거짓말의 신뢰할 만한 신호가 아니며'가 가장 적절하다. 특히 거짓말을 감지하는 데 여성이 더 좋은 수행을 보였다는 것과 시선을 계속 맞추는 것은 무관하므로 ①은 답이 아니다.

어휘
- associate A with B A를 B와 결부시키다
- conduct 수행하다
- tell 구별하다
- contrary to ~와 상반되는
- approximately 대략
- constantly 끊임없이
- spot 파악하다
- opposite 정반대의 것
- dismal 형편없는
- intuitive 직관적인
- detect 감지하다
- pupil 동공
- dilatation 확장
- give ~ away 누설하다

정답 ②

208 난이도 ★★★

해석

도움이 효과적이지 않을 수 있는 여러 가지 이유가 있다. 한 가지 가능한 이유는 도움을 받는 것이 자존감에 타격을 줄 수 있다는 것이다. Lehigh 대학교의 Christopher Burke와 Jessica Goren에 의한 최근 한 연구가 이 가능성을 조사했다. ① Burke와 Goren에 따르면, 도움이 자기 관련 또는 자체 규정하는 분야에 있을 경우, 즉 자신의 성공과 성취가 특히 중요한 분야에 있을 경우에는, 위협적인 것으로 간주될 가능성이 특히 많았다. ② 자기 관련 과제에 대한 도움을 받는 것은 스스로에 대해 부정적으로 느끼도록 만들 수 있고, 이것이 도움의 잠재적 긍정 효과를 저해할 수 있다. ③ 하지만, 여러분이 도움을 청할 때, 여러분은 다른 사람이 정보를 공유할 기회를 만들고 이것이 긍정적인 인상을 만들어낸다. ④ 예를 들어, 만약 여러분의 자아 개념이 부분적으로 굉장한 요리 능력에 달려 있다면, 한 친구가 여러분이 손님들 식사를 준비하는 걸 도와줄 때 여러분의 자아에 타격을 줄 수도 있는데, 그것이 여러분 자신이 스스로 생각하고 있던 마스터 쉐프가 아니라는 것을 암시하기 때문이다.

해설

도움이 자존감에 타격을 주기 때문에 효과적이지 않을 수도 있다는 요지의 글이다. 이어지는 문장들은 모두 이를 뒷받침하고 있다. ①에서는 도움이 위협적으로 보일 수 있는 상황을 설명하고 ②에서는 앞 내용을 이어받아 자신의 성공이나 성취가 중요한 영역에서 도움을 받으면 스스로를 부정적으로 느낄 수 있다는 내용이 나온다. 마지막으로 ④에서 이에 대한 예시로, 자신의 자아 개념이 달려 있는 요리 영역에서 도움을 받는다면, 스스로를 훌륭한 요리사라고 생각했었기 때문에, 그 도움이 오히려 자아에 타격을 줄 수 있다고 설명한다. 그러나 ③은 다른 사람에게 도움을 청할 때 긍정적인 인상을 만들어낸다는 내용이므로 글의 전체 흐름과 어울리지 않는다.

어휘
- support 도움
- effective 효과적인
- blow 타격
- self-esteem 자존감
- threatening 위협적인
- self-relevant 자기 관련
- self-defining 자체 규정
- that is 즉
- achievement 성취
- undermine 저해하다
- potential 잠재적
- positive 긍정적인
- effect 효과
- impression 인상
- self-concept 자기개념
- rest on ~에 달려 있다
- ego 자아
- suggest 암시하다

정답 ③

209 다음 글의 내용을 가장 잘 표현한 속담은?

We are particularly attracted to people who have attitudes similar to our own, who like what we like, and who dislike what we dislike. The more significant the attitude, the more important the similarity. For example, it would not make much difference if the attitudes of two people toward food or furniture differed, but it would be of great significance if their attitudes toward children or religion or politics were very disparate. Marriages between people with great dissimilarities are more likely to end in divorce than are marriages between people who are very much alike. Generally, we maintain balance with ourselves by liking people who are similar to us. It is psychologically uncomfortable to like people who do not like what we like. Our attraction for similarity enables us to achieve psychological balance or comfort. The person who likes what we like in effect tells us that we are right to like what we like.

① A straw shows which way the wind blows.
② All cats are grey in the dark.
③ Birds of a feather flock together.
④ Do to others as you would be done by.

210 밑줄 친 부분에 들어갈 말로 가장 적절한 것은?

Strong negative feelings are part of being human. Problems occur when we too heavily try to control or avoid these feelings. A helpful way of coping with strong negative feelings is to take them for what they are — messages from your mind and body intended to keep you safe. You can set yourself up for growth in your emotional awareness and resilience to stress and pain by asking yourself, "What am I feeling right now and why does it make sense?" rather than, "Why is this happening and what can I do to stop it?" For instance, if you are intensely dreading a work presentation, trying to avoid your anxiety will likely reduce your confidence and increase your fear. Instead, try to _____ your uneasiness; you are merely worried about public speaking just like many other people. This approach helps you decrease the intensity of your anxiety and stress, increasing your confidence and making the presentation much easier.

① embrace
② control
③ prevent
④ soothe

주요 구문 분석

We are particularly attracted / to people (who have attitudes similar to our own), (who like what we like), and (who dislike what we dislike).
분석 people을 선행사로 하는 주격 관계대명사 who로 시작되는 세 개의 관계대명사절이 and를 사용하여 병렬 연결되어 있다. 이 때 관계대명사절은 선행사를 수식하는 역할을 하고 있으므로 해석은 '~하는 사람들' 또는 '~한 사람들'로 해석해야 한다.

주요 구문 분석

A helpful way (of coping with strong negative feelings) / is to take them for what they are / — messages (from your mind and body) (intended to keep you safe).
분석 대시(—)는 앞에 있는 말을 보충할 때 강조하는 형식으로 붙여 쓴다. 대시(—) 뒤에 messages ~는 앞의 what they are를 다시 설명하며 보충하는 말이다. 즉 what they are = messages from ~이라는 뜻이 된다.

209 난이도 ★★☆

해석

우리는 특히 우리 자신과 유사한 태도를 가지고, 우리가 좋아하는 것을 좋아하며, 우리가 싫어하는 것을 싫어하는 사람들에게 끌린다. 그 태도가 중요할수록, 그 유사성은 더 중요해진다. 예를 들면, 만약 음식이나 가구에 대한 두 사람의 태도가 다르다면 큰 차이가 생기지 않겠지만, 만약 아이나 종교나 정치에 대한 그들의 태도가 대단히 다르다면 아주 중요한 일일 것이다. 커다란 차이점이 있는 사람들 사이의 결혼은 매우 유사한 사람들 사이의 결혼에 비해 결국 이혼으로 끝날 가능성이 더 크다. 일반적으로, 우리는 자신과 유사한 사람들을 좋아함으로써 자기 자신과의 균형을 유지한다. 우리가 좋아하는 것을 좋아하지 않는 사람들을 좋아하는 것은 심리적으로 불편하다. 유사성에 대한 우리의 끌림은 우리가 심리적 균형이나 위안을 얻을 수 있게 만든다. 우리가 좋아하는 것을 좋아하는 사람은 사실상 우리가 좋아하는 것을 좋아하는 것이 옳다고 우리에게 말하는 셈이다.

① 짚 하나가 바람이 불어가는 방향을 보여준다(한 잎으로 가을이 왔음을 안다).
② 어둠 속에서 고양이는 모두 잿빛으로 보인다(한 꺼풀 벗기면 다 같다).
③ 날개가 같은 새들이 함께 모인다(유유상종).
④ 남들이 자신에게 해주기 바라는 대로 남들에게 행하라.

해설

글의 중심 소재는 유사성이고 주제문은 첫 문장이다. 비슷한 사람끼리 서로 끌린다고 주장한 뒤, 몇 가지 예시를 통해 어떤 경우에 서로의 차이가 크게 문제가 되지 않고 어떤 경우에는 서로의 차이가 큰 문제인지 설명한다. 그리고 나서 심리적 균형과 위안 때문에 비슷한 사람들끼리 서로 끌린다고 말한다. 따라서 글의 내용을 가장 잘 표현한 속담은 ③ '날개가 같은 새들이 함께 모인다(유유상종).'이다.

어휘

- attract 끌다
- attitude 태도
- significant 중요한
- significance 중요성
- religion 종교
- disparate 다른
- dissimilarity 차이점
- psychologically 심리적으로
- attraction 끌림
- in effect 사실상
- feather 깃털
- flock 무리를 짓다; 떼

정답 ③

210 난이도 ★★☆

해석

강한 부정적인 감정은 인간이 되는 것의 일부이다. 이러한 감정을 통제하거나 피하려고 너무 심하게 노력하면 문제가 생긴다. 강한 부정적인 감정에 대처하는 데 유용한 방법은 그것을 있는 그대로 받아들이는 것이다 — 당신을 안전하게 지켜주기 위한 의도로 당신의 몸과 마음이 보내는 메시지. 당신은 "이런 일이 왜 생기고 나는 그것을 막기 위해 무엇을 할 수 있을까?"라고 묻기보다 "지금 내 기분은 어떤가 그리고 어째서 그것이 말이 되는가?"라고 스스로 물어봄으로써 스트레스와 고통에 대한 당신의 정서적 인식과 회복력을 성장시키기 위해 준비할 수 있다. 예를 들어, 당신이 업무 프레젠테이션을 몹시 두려워한다면, 불안을 피하려고 애쓰는 것이 당신의 자신감을 감소시키고 두려움을 증가시킬 수도 있다. 그 대신, 당신의 불안을 받아들이려고 노력하라; 다른 많은 사람들처럼 당신은 그저 사람들 앞에서 말하기를 불안해하는 것일 뿐이다. 이런 접근 방식은 당신의 불안과 스트레스 강도를 줄이도록 도와주어, 자신감을 기르고 프레젠테이션을 훨씬 더 쉽게 해 줄 것이다.

② 통제하려고
③ 막으려고
④ 누그러뜨리려고

해설

글의 중심 소재는 부정적 감정(불안)에 대처하기이며, 주제문은 세 번째 문장으로 부정적 감정을 있는 그대로 받아들이라고 설명한다. 이후에 예시를 들어 불안을 피하려고 하면 오히려 자신감이 줄어들고 두려움이 커질 수 있다고 한 뒤, 빈칸이 있는 문장에서 주제를 재진술한다. 불안은 누구나 겪는 감정일 뿐이라고 생각하고, 있는 그대로 받아들이면 오히려 불안과 스트레스가 줄어든다는 것이다. 따라서 빈칸에 들어갈 가장 적절한 말은 ① '받아들이려고'이다. ②, ③은 주제와 오히려 대조되는 내용이므로 답이 될 수 없다.

어휘

- negative 부정적인
- occur 생기다
- cope with ~에 대처하다
- awareness 인식
- resilience 회복력
- intensely 몹시
- dread 두려워하다
- anxiety 불안
- reduce 감소시키다
- confidence 자신감
- uneasiness 불안
- intensity 강도
- embrace 받아들이다
- soothe 누그러뜨리다

정답 ①

211 다음 글의 제목으로 가장 적절한 것은?

Ethics begins with our being conscious that we choose how we behave. For instance, we can either tell the truth or tell a lie. These two possibilities are presented to us as options. We are capable of doing either one because we can control our actions. A stone, however, does not face these kinds of options because it cannot distinguish between different courses of action. A stone can behave only in the way an outside force makes it behave. Unlike a stone, a person can start an action by himself or herself. The difference, then, is that a stone is not conscious of possibilities, whereas human beings are conscious that they face genuine alternatives.

① Opposing Forces: Human Beings and Nature
② Influences of Outside Forces
③ Differences in Valuable Stones
④ Being Human: Awareness of Choice

212 밑줄 친 부분에 들어갈 말로 가장 적절한 것은?

Researchers have long supposed that memory for the past can _____. The Swiss neurologist Edouard Claparede provided a famous example in his study of a patient with Korsakoff's syndrome, a disease resulting in amnesia. This patient had great difficulty remembering new events that occurred after the onset of the disease. Claparede suspected, however, that the patient had residual memory abilities that did not recollect past events consciously. To test this possibility, Claparede hid a pin in his hand and gave the patient a painful pinprick on shaking hands. When Claparede next met the patient, she refused to take his offered hand. When asked for an explanation, the patient could not provide a reason for her refusal to shake hands. When pressed, she said that people sometimes hide pins in their hands as a type of practical joke. Clearly the patient formed some type of memory of the original event, but this memory was not recollected as a personal experience.

① be distorted by misleading post-event information
② retain unlimited amounts of information indefinitely
③ influence present behavior without conscious recollection
④ be of no use when explaining present behavior

주요 구문 분석

The difference, then, is // that a stone is not conscious of possibilities, // whereas human beings are conscious // that they face genuine alternatives.

[분석] is의 보어 자리에 that이 이끄는 명사절이 왔고, 그 명사절 안에 whereas가 이끄는 부사절이 포함되어 있다. 접속사 whereas는 서로 다르거나 대조적인 두 사실이나 상황 등을 비교할 때 사용되며, '~한 반면' 또는 '~인 데 반하여'로 해석된다.

주요 구문 분석

This patient had great difficulty / remembering new events (that occurred after the onset of the disease).

[분석] 「have difficulty (in) -ing」의 형태로 '~하는 데 어려움을 겪다'라는 의미를 표현하므로, '기억하는 것에 어려움을 겪다'로 해석해야 한다. 또한 선행사 new events를 수식하는 that이 이끄는 관계대명사절은 '~한' 또는 '~하는'으로 해석한다.

211 난이도 ★★★

해석

> 윤리는 우리가 자신이 어떻게 행동할지를 선택한다는 것을 아는 데에서 출발한다. 예를 들어, 우리는 진실을 말할 수도 있고 거짓을 말할 수도 있다. 이 두 가지 가능성은 우리에게 선택 사항으로 제시된다. 우리의 행동을 조절할 수 있기 때문에, 우리는 둘 중 하나를 할 수 있다. 하지만, 돌멩이는 여러 가지 행동의 과정들을 구별할 수 없기 때문에, 이런 종류의 선택에 직면하지 않는다. 돌멩이는 외부의 힘이 그것을 움직이게 만드는 방식으로만 행동할 수 있다. 돌멩이와는 달리, 사람은 자기 스스로 행동을 시작할 수 있다. 따라서 차이점은 돌멩이는 가능성을 의식하지 못하는 반면, 인간은 자신이 진정한 양자택일의 기회를 마주한다는 것을 의식한다는 것이다.

① 대립적인 힘: 인간과 자연
② 외부 힘의 영향
③ 가치 있는 돌의 차이점
④ 인간이 되는 일: 선택의 자각

해설

지문의 첫 문장이 주제문으로 인간은 선택을 할 수 있다는 점에서 다른 사물과 차이가 있다는 것이 저자의 의견이다. 이후 돌멩이와 사람을 비교하며 돌멩이는 행동을 선택하지 못한다는 데 비해 인간은 선택을 의식할 수 있다고 말한다. 따라서 ④ '인간이 되는 일: 선택의 자각'이 글의 제목으로 가장 적합하다.

어휘

- ethics 윤리
- behave 행동하다
- distinguish 구별하다
- alternative 양자택일
- awareness 자각
- conscious 알고 있는
- be capable of ~할 수 있다
- genuine 진짜의
- opposing 대립하는

정답 ④

212 난이도 ★★★

해석

> 연구원들은 오랫동안 과거에 대한 기억이 <u>의식적 회상 없이 현재의 행동에 영향을 미칠 수 있다</u>고 가정해 왔다. 스위스의 신경학자 Edouard Claparede는 기억 상실의 결과를 가져오는 질환인 코르사코프 증후군을 앓고 있는 한 환자에 대한 그의 연구에서 한 가지 유명한 사례를 제시했다. 이 환자는 그 질환의 발병 이후에 일어난 새로운 일을 기억하는 데 대단한 어려움을 겪고 있었다. 하지만 Claparede는 그 환자가 의식적으로 과거의 사건을 기억해내지 않는 잔여 기억 능력을 갖고 있다고 의구심을 품었다. 이 가능성을 검증하기 위해, Claparede는 자신의 손에 핀을 하나 숨겼고 악수를 하자마자 그 환자에게 핀에 찔리는 고통을 겪게 했다. Claparede가 다음에 그 환자를 만났을 때, 그녀는 그가 내민 손을 잡기를 거부했다. 설명해 달라고 요청받았을 때, 그 환자는 자신이 악수하는 것을 거절한 이유를 제시할 수 없었다. 다그침을 받자, 그녀는 사람들이 때때로 일종의 장난으로 그들의 손에 핀을 숨긴다고 말했다. 분명히 그 환자는 그 원래의 사건에 대한 어떤 형태의 기억을 형성했지만, 이 기억은 개인의 경험으로서 회상되지 않았다.

① 사건 후의 현혹적인 정보에 의해 왜곡될
② 무한정하게 무제한적인 양의 정보를 보유할
 현재의 행동을 설명할 때 아무 소용이 없을

해설

빈칸이 첫 번째 문장에 있을 경우에는 주로 글 전체의 주제를 묻는 경우가 많은데 이 글에서도 역시 주제에 관해 묻고 있다. 기억 상실증 환자라도 자신이 겪은 일이 무의식적으로 기억되어 현재의 행동에 영향을 준다는 내용의 글이다. 기억 상실증 환자를 대상으로 실험해 봤을 때, 어떤 사건을 개인적 경험으로서 회상하지는 못했지만 대신 그 사건에 대한 어떤 형태의 기억을 형성하여 자신의 위험을 파악하고 피하는 행동을 했다는 결과가 나왔다. 따라서 과거의 기억을 의식적으로 회상할 수는 없어도 그것이 현재의 행동에 영향을 미칠 수는 있다는 내용의 ③이 빈칸에 적절하다.

어휘

- neurologist 신경학자
- amnesia 기억 상실(증)
- suspect 의심하다
- recollect 회상하다
- refusal 거절
- distort 왜곡하다
- indefinitely 무한정하게
- syndrome 증후군
- onset 발병
- residual 잔여의
- pinprick 핀으로 콕 찌름
- practical joke (못된) 장난
- retain 보유하다
- of no use 소용이 없는

정답 ③

213 글의 흐름상 가장 어색한 것은?

Over-optimism about what can be achieved within a certain time frame is a problem. So work on it. Make a practice of estimating the amount of time needed alongside items on your 'things to do' list, and learn by experience when tasks take a greater or lesser time than expected. Give attention also to fitting the task to the available time. ① There are some tasks that you can only set about if you have a significant amount of time available. ② There is no point in trying to gear up for such a task when you only have a short period available. ③ When you have tasks that require a significant amount of time to complete, it is desirable to collaborate with colleagues to improve the quality of the tasks. ④ So schedule the time you need for the longer tasks and put the short tasks into the spare moments in between.

주요 구문 분석

When you have tasks (that require a significant amount of time to complete), // it is desirable to collaborate with colleagues / to improve the quality of the tasks.
(분석) 주어로 it이 사용되고 뒤에 to부정사가 나오면 가주어, 진주어 구문일 가능성이 높다. 가주어 구문은 주로 「주어+동사+보어」의 2형식 문장에서 사용되는데, 이 경우 가주어 자리에 진주어를 넣어서 '(to부정사)하는 것은 (보어)하다'로 해석하고, 가주어 it은 해석하지 않는다.

214 다음 글의 주제로 가장 적절한 것은?

The few good jobs that are becoming available in the new high-tech global economy are in the knowledge sector. It is naive to believe that large numbers of displaced blue and white collar workers will be retrained to be physicists, computer scientists, high-level technicians, molecular biologists, business consultants, lawyers, accountants, and the like. To begin with, the discrepancy in educational levels between those needing jobs and the kind of high-tech jobs available is so wide that no retraining program could hope to adequately upgrade the educational performance of workers to match the kind of limited professional employment opportunities that exist. Charles F. Albrecht, Jr. says that a large majority of the workers being displaced by the new information and telecommunication technologies will not have the skill bank or the capacity to be retrained. The hard reality, says Albrecht, is that the thought processes and initiatives that are necessary to manage these machines and make them work are beyond their grasp.

① types of jobs that require lifelong education
② necessity of enhancing the educational levels of all workers
③ difficulty of retraining laid-off workers into the knowledge sector
④ resistance of workers to the high-tech society

주요 구문 분석

To begin with, / the discrepancy in educational levels (between those needing jobs / and the kind of high-tech jobs available) / is so wide // that no retraining program could hope / to adequately upgrade the educational performance of workers / to match the kind of limited professional employment opportunities (that exist).
(분석) 「so+형용사/부사+that+S+V」의 구문은 '너무 ~해서 …하다'라는 결과를 의미한다. that절의 동사 hope의 목적어로 사용된 to upgrade는 '~하는 것을' 또는 '~하기를'이라고 해석한다.

213

난이도 ★★☆

해석

어떤 특정 기간 내에 성취될 수 있는 것에 대한 지나친 낙관주의는 문제가 된다. 그러므로 그것을 개선하려고 노력하라. '해야 할 일' 목록에 있는 항목과 동시에 필요한 시간의 양을 추산하는 것을 습관화하고, 과제가 언제 예상보다 더 많은 시간 또는 더 적은 시간이 걸리는지 경험을 통해 배워라. 이용할 수 있는 시간에 과제를 맞추는 것에도 주의를 기울여라. ① 이용할 수 있는 상당한 양의 시간이 있어야만 시작할 수 있는 몇몇 과제가 있다. ② 이용할 수 있는 짧은 시간밖에 없을 때 그런 과제를 위한 준비를 하려고 애쓰는 것은 무의미하다. ③ 끝내는 데 상당한 양의 시간을 요구하는 일이 있으면, 과제의 질을 개선하기 위해 동료들과 협력하는 것이 바람직하다. ④ 그러므로 시간이 더 오래 걸리는 과제를 위해 필요한 시간을 계획하고 그사이의 남는 시간에 시간이 짧게 걸리는 과제를 배치하라.

해설

해야 할 일이 무엇인지, 그 일에 얼마나 시간이 소요될지를 파악해서 시간이 오래 걸리는 과제를 우선적으로 배치하고 그사이에 상대적으로 시간이 적게 드는 과제를 배치하라는 내용이다. 소요 시간이 긴 과제의 경우 협업이 필요하다는 ③은 흐름상 어색하다.

어휘

- over-optimism 지나친 낙관주의
- time frame 기간
- work on (해결이나 개선을 위해) 노력하다
- estimate 추산하다
- amount 양
- alongside ~와 함께
- task 과제
- attention 주의
- fit 맞추다
- available 이용 가능한
- significant 상당한
- there is no point in ~하는 것은 무의미하다
- gear up for ~을 위한 준비를 하다
- require 요구하다
- desirable 바람직한
- collaborate 협력하다, 협업하다

정답 ③

214

난이도 ★★☆

해석

새로운 첨단 기술의 세계 경제에서 얻을 수 있게 되는 몇 안 되는 좋은 일자리는 지식 분야에 있다. 많은 수의 해고된 육체 근로자들과 사무직 근로자들이 재훈련을 받아 물리학자, 컴퓨터 과학자, 고급 기술자, 분자 생물학자, 비즈니스 컨설턴트, 변호사, 회계사 등이 될 것이라고 믿는 것은 순진하다. 우선, 직업을 필요로 하는 사람들과 이용 가능한 첨단 기술 직업의 종류 사이의 교육 수준 차이가 너무 커서, 어떤 재교육 프로그램도 존재하는 제한적인 직업 고용 기회의 종류에 맞도록 근로자의 교육적 성과를 적절히 향상시키기를 바랄 수 없다. Charles F. Albrecht, Jr.는 새로운 정보와 통신 기술에 의해 대체되는 대다수의 근로자들은 기술 자산이나 재교육을 받을 능력을 갖추지 못할 것이라고 말한다. Albrecht의 말에 따르면, 냉혹한 현실은 이런 기계를 관리하고 그것이 작동하게 만드는 데 필요한 사고 과정과 계획은 그들의 이해 수준을 넘어선다는 것이다.

① 평생 교육을 필요로 하는 직업의 유형
② 모든 근로자들의 교육 수준을 향상하는 일의 필요성
③ 해고된 근로자들을 지식분야로 재교육시키는 일의 어려움
④ 첨단 기술 사회에 대한 근로자들의 저항

해설

두 번째 문장이 주제문으로, 저자는 새로운 첨단 기술의 세계 경제에서 새로운 정보와 통신 기술로 인해 해고된 육체 및 사무직 근로자들이 재교육을 통해 지식 근로자가 되는 것이 매우 어렵다고 설명한다. 마지막 문장에서 그 이유가 첨단 기술의 직업은 높은 교육 수준을 요구하며 사실상 그것은 기존의 해고된 근로자들이 이해할 수 있는 수준을 넘어서기 때문이라고 말한다. 따라서 이러한 내용을 포괄하는 글의 주제로 가장 적절한 것은 ③ '해고된 근로자들을 지식분야로 재교육시키는 일의 어려움'이다.

어휘

- sector 분야
- naive 순진한
- displaced 해고된
- physicist 물리학자
- molecular biologist 분자 생물학자
- accountant 회계사
- and the like 기타 등등
- discrepancy 차이
- adequately 적절하게
- capacity 능력
- initiative 계획
- beyond one's grasp ~의 이해 수준을 넘어서는
- laid-off 일시 해고된
- resistance 저항

정답 ③

215 다음 빈칸에 들어갈 말로 가장 적절한 것은?

Kinesiologists suggest play is the manner in which we approach, embrace, and experience the activity. Play requires an attitude of doing something for its own sake, in contrast to all forms of instrumental or utilitarian orientations toward the world. This means that while at play, we are giving priority to its intrinsic values and ends over the payoffs that might potentially come from our participation in the activity. To put this in a different way, at play _____. For example, a playlike encounter with soccer is experienced as utterly absorbing. Even if extrinsic rewards and goals were of concern when the activity started, they recede into the background as we take great pleasure in just embodying our soccer skills. In those moments, soccer is lived as "good for nothing" and as an activity that we like for what it is and allows us to feel. At play we simply let go.

* kinesiologist: 운동과학자

① we accept others as they are
② the doing is what really counts
③ observing is required at any time
④ several values continue to conflict

주요 구문 분석

This means // that / while at play, / we are giving priority to its intrinsic values and ends / over the payoffs (that might potentially come from our participation in the activity).

분석 동사 means의 목적어 자리에 접속사 that이 이끄는 명사절이 왔으므로 '~한다는 것을'로 해석한다. 「give priority to A over B」에서 전치사 over는 '~보다' 또는 '~에 비해'라는 뜻이라서 'B보다 A를 더 우선시하다'로 해석한다.

216 주어진 문장 다음에 이어질 글의 순서로 가장 적절한 것은?

> Organisms are born with pre-existing behavior systems and tendencies that constrain how learning occurs and what changes one may expect from a training procedure.

(A) Wood carving is most successful if it is in harmony with the pre-existing grain and knots of the wood. In a similar fashion, learning is most successful if it takes into account the pre-existing behavior structures of the organism.

(B) As the carving proceeds, the piece of wood comes to look more and more like the final product. But the process is not without limitation since the sculptor has to take into account the direction and density of the wood grain and any knots the wood may have.

(C) These limitations were described elegantly in an analogy by Rachlin who compared learning to sculpting a wooden statue. The sculptor begins with a piece of wood that has little resemblance to a statue.

① (B) – (A) – (C) ② (B) – (C) – (A)
③ (C) – (A) – (B) ④ (C) – (B) – (A)

216 난이도 ★★☆

해석

유기체들은 어떻게 학습이 발생하는지 그리고 개인이 훈련 과정에서 어떤 변화를 기대할 수 있을지를 제한하는 기존의 행동 체계와 경향성을 가지고 태어난다. (C) 이러한 제약은 학습을 나무 조각상을 조각하는 것에 비유한 Rachlin에 의한 비유에서 품격 있게 묘사되었다. 조각가는 조각상과는 거의 닮지 않은 나뭇조각으로 시작한다. (B) 조각이 진행됨에 따라, 나뭇조각은 더욱더 완성품과 비슷해 보이게 된다. 하지만 그 과정이 제한이 없는 것은 아닌데 왜냐하면 조각가는 나무가 가지고 있을 나무의 결과 모든 옹이의 방향과 밀도를 고려해야 하기 때문이다. (A) 나무 조각하기는 기존에 존재하던 나무의 결과 옹이와 조화를 이룰 때 가장 성공적이다. 같은 방식으로, 학습은 그것이 유기체의 기존에 존재하던 행동구조를 고려할 때 가장 성공적이다.

해설

주어진 문장에서 유기체들은 학습의 발생 과정과 교육을 통한 변화 기대를 제한하는 기존의 행동 체계 및 경향이 있다고 했는데, 이것을 이어받아 (C)에서 이러한 제약을 나무 조각상을 조각하는 것에 비유해 설명하고 있다. 조각가가 조각상처럼 보이지 않는 나뭇조각으로 작업을 시작한다는 내용을 (B)에서 '조각이 진행되면서'라고 이어받아, 나뭇조각이 점차 조각상과 비슷해진다고 설명하지만, 나무의 결과 모든 옹이의 방향과 밀도를 고려해야 한다고 말한다. (A)에서 나무 조각에 관한 결론을 주어진 글에서 언급된 유기체의 학습과 관련지으면서, 유기체의 행동구조를 고려할 때 가장 성공적인 학습을 할 수 있다고 설명한다. 따라서 글의 순서로 가장 적절한 것은 ④ (C)–(B)–(A)이다.

어휘

- organism 유기체
- tendency 경향(성)
- constrain 제한하다
- grain 결
- knot 옹이
- in a similar fashion 같은 방식으로
- take ~ into account ~을 고려하다
- proceed 진행하다
- density 밀도
- analogy 비유
- have a resemblance to ~와 닮다
- statue 조각상

정답 ④

주요 구문 분석

Organisms are born / with pre-existing behavior systems and tendencies (that constrain // how learning occurs // and what changes one may expect / from a training procedure).

분석 관계대명사 that이 이끄는 관계대명사절의 동사인 constrain의 목적어로 의문사 how와 what이 이끄는 두 개의 간접의문문이 사용되었다. how는 방법을 묻는 의문사이므로 '어떻게'로 해석하고, what은 의문형용사로 바로 뒤에 오는 changes를 수식해서 '무엇'이 아니라 '어떤 변화'로 해석한다.

217 다음 글의 제목으로 가장 적절한 것은?

Recent theorists have argued that works are made out of other works: made possible by prior works which they take up, repeat, challenge, transform. This notion sometimes goes by the fancy name of 'intertextuality'. A work exists between and among other texts, through its relations to them. To read something as literature is to consider it as a linguistic event that has meaning in relation to other discourses: for example, as a poem that plays on possibilities created by previous poems or as a novel that puts on stage and criticizes the political rhetoric of its day. Also, Shakespeare's sonnet "My mistress' eyes are nothing like the sun" takes up the metaphors used in the tradition of love poetry and denies them ('But no such roses see I in her cheeks') — denies them as a way of praising a woman. The poem has meaning in relation to the tradition that makes it possible.

① Literature as Interrelated Constructs
② A Good Metaphor Denies the Tradition
③ The Interdependency of Poems and Novels
④ Literature: The Integration of Existing Texts

218 밑줄 친 부분에 들어갈 말로 가장 적절한 것은?

An interesting study about facial expressions was recently published by the American Psychological Association. Fifteen Chinese people and fifteen Scottish people took part in the study. They viewed emotion emojis that were randomly altered on a computer screen and then categorized the facial expressions as happy, sad, surprised, fearful, or angry. The responses allowed researchers to identify the expressive facial features that participants associated with each emotion. The study found that the Chinese participants relied more on the eyes to tell facial expressions, while the Scottish participants relied on the eyebrows and mouth. People from different cultures perceive happy, sad, or angry facial expressions in different ways. That is, facial expressions are not the "_____."

① mirror of our innermost emotions
② important part of nonverbal communication
③ visible display of the personality
④ universal language of emotions

217 난이도 ★★☆

(해석)

최근의 이론가들은 작품은 다른 작품으로부터 만들어진다고, 즉 그들이 받아들이고, 반복하고, 의심하고, 변형한 이전 작품들에 의해 가능하게 된다고 주장해왔다. 이 개념은 때때로 '상호텍스트성'이라는 화려한 이름으로 통한다. 하나의 작품은 다른 텍스트와의 관계를 통해서 다른 텍스트들 사이에 존재한다. 어떤 것을 문학으로 읽는 것은 그것을 다른 담론과 관련하여 의미를 가지는 언어적 사건으로 간주하는 것이다: 예를 들어 이전의 시에 의해 만들어진 가능성을 이용하는 시로서, 또는 당대의 정치적 발언을 무대에 올리고 비판하는 소설로서 말이다. 또한 셰익스피어의 소네트 〈My mistress' eyes are nothing like the sun〉은 연애시의 전통에 사용된 은유를 받아들이고 또 그 은유를 부인하는데('하지만 나는 그녀의 뺨에서 그런 장미를 보지 못하네'), 여성을 칭찬하는 방식으로 그 은유를 거부한다. 그 시는 그것을 가능하게 하는 전통과 관련하여 의미가 있다.

① 상호 관련된 구성체로서의 문학
② 좋은 은유는 전통을 거부한다
③ 시와 소설의 상호의존성
④ 문학: 기존 텍스트의 통합

(해설)

첫 문장이 주제문으로 문학 작품은 개별적으로 존재하는 것이 아니라 다른 작품과의 관계, 즉 '상호텍스트성(intertextuality)' 속에서 영향을 받으면서 존재한다는 내용의 글이다. 글의 중반부터는 셰익스피어의 소네트를 예로 들어, 연애시의 전통 속에서 사용된 은유를 어떻게 받아들이고 어떻게 부인하는지를 설명하고 있다. 따라서 글의 제목으로 가장 적절한 것은 ① '상호 관련된 구성체로서의 문학'이다.

(어휘)

- theorist 이론가
- take up 받아들이다
- transform 변형하다
- fancy 화려한
- literature 문학
- linguistic 언어적인
- play on ~을 이용하다
- metaphor 은유
- interrelated 상호 관련된
- integration 통합
- prior 이전의
- repeat 반복하다
- notion 개념
- intertextuality 상호텍스트성
- in relation to ~와 관련하여
- discourse 담론
- rhetoric 발언
- deny 부인하다
- construct 구성체

 ①

218 난이도 ★★☆

(해석)

표정에 관한 흥미로운 연구가 미국 심리학회에서 최근 발표됐다. 15명의 중국인과 15명의 스코틀랜드인이 이 연구에 참여했다. 그들은 컴퓨터 화면에서 무작위로 바뀌는 감정 이모티콘을 보고 그 표정을 행복한, 슬픈, 놀란, 두려운 또는 화난 것으로 분류했다. 그 반응으로 인해 연구자들은 참가자들이 각각의 감정과 연관 짓는 (감정을) 표현하는 얼굴의 특징을 확인할 수 있었다. 그 연구는 중국인 참가자들이 표정을 구별하기 위해 눈에 좀 더 의존하는 반면, 스코틀랜드인 참가자들은 눈썹과 입에 의존했다는 것을 알아냈다. 다른 문화 출신의 사람들은 행복한, 슬픈, 혹은 화난 표정을 다른 방식으로 인식한다. 즉, 표정은 '감정의 보편적인 언어'가 아니다.

① 우리의 가장 내밀한 감정의 거울
② 비언어적 의사소통의 중요한 부분
③ 성격의 가시적 표현

(해설)

한 가지 연구를 소개하고 빈칸이 포함된 마지막 문장에서 연구의 결과를 요약해주는 구조의 글이다. 중국인과 스코틀랜드인을 대상으로 표정 이모티콘이 나타내는 감정을 구별하기 위해 각 이모티콘의 이목구비에서 어느 부분을 중점적으로 보는지 확인한 결과, 양국의 실험 참가자들이 다른 대답을 했다고 한다. 문화가 다르면 표정을 다르게 인식한다는 것이다. 그러므로 빈칸에는 표정이란 문화나 국가를 초월한 보편적인 표현 방식이 아니라는 내용이 들어가야 한다. 따라서 정답은 ④ '감정의 보편적인 언어'이다.

(어휘)

- facial expression 표정
- association 협회
- emoji 이모티콘
- alter 바꾸다
- identify 확인하다
- participant 참가자
- perceive 인식하다
- nonverbal 비언어적인
- display 표현
- universal 보편적인
- psychological 심리학의
- take part in ~에 참가하다
- randomly 무작위로
- categorize 분류하다
- expressive (감정을) 표현하는
- associate 연관 짓다
- innermost 가장 내밀한
- visible 가시적인
- personality 성격

 ④

219 다음 글에서 전체 흐름과 관계없는 문장은?

Though efficiency is a great virtue, it is not the only economic goal of interest to the society. Economic fairness is also crucial. Fairness refers to the distribution of income and wellbeing, as well as to the ways that government treats its citizens. ① Most people would regard as unfair a market equilibrium in which some individuals are super-rich while others are dying of extreme poverty. ② In such a circumstance, most people would regard it as fair for the government to tax the super-rich in order to provide basic resources for the poor. ③ Fairness to the future, therefore, involves the idea that the living generation must be protectors of the earth's resources for the generations that will come later. ④ Indeed, a solid 63 percent of Americans agree that "It is the responsibility of government to take care of people who can't take care of themselves."

220 밑줄 친 (A), (B)에 들어갈 말로 가장 적절한 것은?

When people think about the development of cities, rarely do they consider the critical role of vertical transportation. __(A)__, each day, more than 7 billion elevator journeys are taken in tall buildings all over the world. Efficient vertical transportation can expand our ability to build taller and taller skyscrapers. Antony Wood, a Professor of Architecture at the Illinois Institute of Technology, explains that advances in elevators over the past 20 years are probably the greatest advances we have seen in tall buildings. Indeed, the race to build ever taller skyscrapers has sparked fierce competition among lift manufacturers to build faster, more efficient, safer, more comfortable and more economical elevators. __(B)__, elevators in the Jeddah Tower in Jeddah, Saudi Arabia, under construction, will reach a height record of 660m and elevators in CTF Finance Center in Guangzhou, China, under construction, will travel with a speed record of 20m/s.

	(A)	(B)
①	In fact	For example
②	Instead	As a result
③	Besides	In other words
④	In contrast	On the other hand

주요 구문 분석

Indeed, / a solid 63 percent of Americans agree // that [it is the responsibility of government to take care of people (who can't take care of themselves.)]

분석 주어로 It이 사용되고 뒤에 to부정사가 있으면 가주어 – 진주어 구문일 가능성이 높다. 가주어 구문은 주로「주어+동사+보어」의 2형식 문장에서 사용되는데, 가주어 자리에 진주어를 넣어 해석하고 It은 해석하지 않는다. 또한, 관계대명사절에 주어가 없고, 선행사가 people이기 때문에 관계대명사절의 의미상 주어는 people이며, 목적어도 people이므로 재귀대명사 themselves가 사용되었고, '자기 자신'으로 해석한다.

주요 구문 분석

When people think about the development of cities, // rarely do they consider the critical role (of vertical transportation).

분석 부정부사 rarely가 절의 맨 앞으로 나오면서「동사+주어」의 어순으로 도치되었다. '좀처럼 ~하지 않는'이라는 의미이므로 자연스러운 해석을 위해 '거의 ~하지 않는다'로 해석한다.

219 난이도 ★★☆

해석

효율성이 큰 미덕이긴 하지만, 그것이 사회가 관심을 가져야 하는 유일한 경제적 목표는 아니다. 경제적 공평성 또한 중요하다. 공평성이란 정부가 시민들을 대우하는 방식뿐 아니라 소득과 복지의 분배를 말한다. ① 대부분의 사람들이 어떤 이들은 엄청나게 부유한 반면 다른 이들은 극도의 빈곤으로 죽어가는 시장의 균형 상태를 불공평한 것으로 간주할 것이다. ② 그런 상황에서 대부분의 사람들은 정부가 가난한 사람들에게 기본적인 자원을 제공하고자 엄청난 부자들에게 과세하는 것이 공평하다고 여길 것이다. ③ <u>그러므로 미래에 대한 공평함은 현 시대를 살고 있는 세대는 다음에 올 세대를 위해 지구 자원의 보호자가 되어야만 한다는 생각을 포함한다.</u> ④ 사실, 확고한 63퍼센트의 미국인들은 "자기 자신을 돌볼 수 없는 사람들을 돌보는 것이 정부의 책임이다."라는 데 동의한다.

해설

이 글의 주제문은 두 번째 문장으로써, 경제적 공평성에도 사회가 관심을 가져야 한다는 것이다. 빈부격차를 줄이기 위하여 정부가 소득 분배의 역할을 올바르게 해야 한다는 것이 이 글의 요지이다. 그런데 ③은 미래에 대한 공평함을 얘기하므로 주제문의 내용에서 벗어난다. 따라서 정답은 ③이다.

어휘

- efficiency 효율성
- goal 목표
- crucial 중요한
- wellbeing 복지
- poverty 빈곤
- virtue 미덕
- fairness 공평
- distribution 분배
- equilibrium 균형 상태
- solid 확고한

정답 ③

220 난이도 ★☆☆

해석

사람들은 도시 발전에 대해 생각할 때, 수직 운송 수단의 중요한 역할을 거의 고려하지 않는다. (A) <u>실제로는</u> 매일 70억 회 이상의 엘리베이터 이동이 전 세계 높은 빌딩에서 이루어진다. 효율적인 수직 운송 수단은 점점 더 높은 고층 건물을 만들 수 있는 우리의 능력을 확장시킬 수 있다. 일리노이 공과대학의 건축학과 교수인 안토니 우드는 지난 20년간의 엘리베이터의 발전은 아마도 우리가 높은 건물에서 봐 온 가장 큰 발전이라고 설명한다. 정말, 더 높은 고층 건물을 지으려는 경쟁은 더 빠르고, 더 효율적이고, 더 안전하고, 더 편하고 더 경제적인 엘리베이터를 지으려고 하는 엘리베이터 제조사 사이에 더 심한 경쟁을 유발시켰다. (B) <u>예를 들어,</u> 건설 중인 사우디아라비아 제다의 제다 타워에 있는 엘리베이터는 660미터라는 기록적인 높이에 이를 것이고, 건설 중인 중국 광저우의 CTF 파이낸스 센터에 있는 엘리베이터는 초속 20m의 빠른 속도로 이동할 것이다.

	(A)	(B)
②	대신에	결과적으로
③	게다가	다시 말해서
④	대조적으로	반면에

해설

(A) 빈칸 앞에서는 사람들이 도시 발전에 대해 생각할 때 수직 운송 수단의 중요한 역할을 거의 고려하지 않는다고 말하고 빈칸 뒤에서는 엘리베이터와 같은 수직 운송 수단은 점점 더 높은 고층 건물을 만들 수 있는 우리의 능력을 확장시킬 수 있다고 했으므로 빈칸에는 앞에 한 말에 반대되는 내용을 강조할 때 쓰는 강조의 연결어 In fact가 적절하다.

(B) 빈칸 앞에서는 엘리베이터의 발전은 가장 큰 발전이라고 말하고 빈칸 뒤에서는 사우디 아라비아의 제다 타워를 예시로 들어 구체적으로 설명하고 있으므로 빈칸에는 예시의 연결어 For example이 적절하다.

따라서 이 두 가지를 모두 충족하는 ①이 정답이다.

어휘

- critical 중요한
- transportation 운송 수단
- expand 확장하다
- spark 유발하다
- manufacturer 제조사
- height 높이
- vertical 수직의
- efficient 효율적인
- skyscraper 고층 건물
- lift 엘리베이터
- under construction 건설 중인
- fierce 심한

정답 ①

DAY 44

221 다음 글의 제목으로 가장 적절한 것은?

In 1798 the economist T. Robert Malthus wrote in his famous "An Essay on the Principle of Population" that unchecked population growth would result in "gigantic inevitable famine" leading to the extinction of civilization. Within a few years, however, Malthus realized that this prediction lacked a basis in evidence, and his later writing on population was not so dire. Modern demographers also discount the idea that famine has been an important constraint on human population growth. Rapid population growth and overcrowding obviously produce problems, but the worldwide famine Malthus feared has failed to materialize. Nonetheless, this theory is occasionally resurrected to explain famine and poverty. For instance, administrators in the British Raj of the nineteenth century argued against famine relief as expensive and futile meddling with the natural order of the Indian subcontinent. As this example illustrates, intractable poverty and shortage of land suitable for farming are often wrongly blamed on population growth.

① Population Growth: The Scapegoat for Famine
② The More Mouths, the More Food Consumed
③ Famine and Poverty: Who Can Alleviate Them?
④ Why Population Growth Should Be Always Checked

주요 구문 분석

Modern demographers also discount the idea [that famine has been an important constraint / on human population growth].

(분석) the idea의 구체적인 내용을 설명하는 동격의 that절이 사용되었다. 동격의 that절은 '~라는' 또는 '~인'으로 해석한다. 전치사 on은 영향을 받는 대상을 표현하고 있으므로 '~에 대한' 또는 '~에 대해'로 해석한다.

222 다음 빈칸에 들어갈 가장 적절한 것은?

Karl von den Steinen, a German physician, ethnologist, explorer, and author of important anthropological work, reports that the Indians of Brazil strongly believe, as do some other indigenous peoples, that _____.
According to the natives, people who dream of any activities or occurrences such as war, hunting or love affairs really have seen or experienced the things they dreamt. They imagine that their soul or shadow visits the places where the activities happen and is involved in them as a true participant, indistinguished from common daytime activities. Thus, though they distinguish dream experiences and daytime experiences they interpret both as true experiences, as true perceptions of real incidents and activities. For this reason, the natives strongly deny fantasy might be the origin of dreams; they simply cannot imagine the illusory and unreal character of dreams.

① the illusion would filter out all bad dreams and spirits
② dreaming is one of the most important ways to accumulate authentic power
③ dream experiences do not differ from everyday experiences
④ dream contents are unconscious manifestations of subconscious mental turmoil

주요 구문 분석

Karl von den Steinen, (a German physician, / ethnologist, / explorer, / and author of important anthropological work), reports // that the Indians of Brazil strongly believe, // as do some other indigenous peoples, // that dream experiences do not differ / from everyday experiences.

(분석) 주어인 Karl von den Steinen 뒤에 콤마를 사용하여 삽입된 명사구들은 주어를 부연 설명하는 동격의 명사구라서 '~인'으로 해석하는 것이 자연스럽다. 접속사 as가 절 앞으로 나오면서 「동사 + 주어」의 어순으로 도치되었으며 '주어가 ~한 것처럼'으로 해석한다.

221 난이도 ★★☆

해석

1798년 경제학자 T. Robert Malthus는 자신의 유명한 '인구 원리에 관한 에세이'에 억제되지 않은 인구 증가는 문명의 소멸로 이어지는 '대규모의 불가피한 기근'을 초래할 것이라고 썼다. 그러나 몇 년 안에 Malthus는 이 예측이 증거가 부족하다는 것을 깨달았고, 인구에 대한 그의 나중 글은 그렇게 심각하지 않았다. 현대의 인구통계학자들 또한 기근이 인간의 인구 성장에 중요한 제약이 되어왔다는 생각을 경시한다. 급속한 인구 성장과 인구 과밀은 분명히 문제를 야기하지만, Malthus가 두려워했던 전 세계적인 기근은 현실화되지 않았다. 그럼에도 불구하고, 이 이론은 때때로 기근과 빈곤을 설명하기 위해 부활된다. 예를 들어, 19세기 영국의 인도 통치의 행정가들은 인도 아(亞)대륙의 자연 질서에 대한 값비싸고 쓸데없는 간섭이라고 주장하며 기근 구호를 반대했다. 이 예가 분명히 보여주듯, 다루기 힘든 빈곤과 농사에 적합한 땅의 부족은 흔히 인구 성장의 탓으로 잘못 여겨진다.

① 인구 성장: 기근의 희생양
② 입이 더 많을수록 소비되는 더 많은 음식
③ 기근과 빈곤: 누가 그것을 완화시킬 수 있을까?
④ 인구 성장이 항상 억제되어야 하는 이유

해설

T. Robert Malthus는 억제되지 않고 계속 증가하는 인구 성장이 전 세계적인 엄청난 기근을 초래하여 문명의 소멸로 이어질 것이라는 예측을 했지만, 그러한 두려움이 실제 현실화 되지는 않았다는 내용의 글이다. 인구 성장과 인구 과밀이 분명 문제를 일으키기는 하지만 세계적인 기근을 초래 하여 문명의 소멸로 이어지지는 않았으며, 그럼에도 불구하고 그 이론이 기근과 가난을 설명하기 위해 때때로 부활된다고 글의 후반부에서 설명하고 있다. 그리고 마지막 문장에서 다루기 힘든 가난과 농사에 적합한 땅의 부족은 흔히 인구 성장의 탓으로 잘못 여겨진다고 말하고 있으므로 글의 제목으로 가장 적절한 것은 ① '인구 성장: 기근의 희생양'이다.

어휘

- unchecked 억제되지 않은
- inevitable 불가피한
- extinction 소멸
- demographer 인구통계학자
- overcrowding 인구 과밀
- administrator 행정가
- meddling 간섭
- suitable 적합한
- alleviate 완화시키다
- blame on ~에게 책임을 지게 하다
- gigantic 엄청난
- famine 기근
- dire 대단히 심각한
- constraint 제약
- resurrect 부활하다
- futile 쓸 데 없는
- intractable 아주 다루기 힘든
- scapegoat 희생양
- check 억제하다

정답 ①

222 난이도 ★★☆

해석

독일의 의사, 민족학자, 탐구가, 중요한 인류학적 저술의 저자인 칼 폰 덴 스타이넨은, 브라질 인디언이 다른 일부 토착 원주민들이 그러하듯이, 꿈에서의 경험이 일상에서의 경험과 다르지 않다고 강하게 믿는다고 말한다. 이 원주민들에 의하면, 전쟁이나, 사냥, 사랑 행위 등의 행동이나 사건을 꿈꾸는 사람은 그들이 꿈꾼 것들을 실제로 보거나 경험한다. 그들은 영혼이나 그림자가 활동들이 일어나는 곳을 방문하고 그 활동들에 일상적인 낮의 활동과 구별되지 않는 진정한 참여자로 관여한다고 상상한다. 따라서, 비록 그들은 꿈에서의 경험과 낮의 경험을 구별하지만 둘 다 실제의 경험, 실제의 사건과 행동의 인식으로 해석한다. 이런 이유로, 원주민들은 환상이 꿈의 원천이 될 수 있다는 것을 강력하게 부인한다; 그들은 단순히 꿈의 환상과 비실제적인 인물을 상상하지 못한다.

① 환상이 모든 나쁜 꿈과 영혼들을 걸러줄 것이라고
② 꿈꾸는 것은 진정한 힘을 축적하는 가장 중요한 방법 중의 하나라고
④ 꿈의 내용은 잠재의식적인 정신적 혼란의 무의식적 표현이라고

해설

빈칸에 적절한 표현을 찾아 주제문을 완성하는 유형의 문제이다. 빈칸 뒤에 주제문을 뒷받침하는 내용이 이어지는데, 이 뒷받침 내용을 통해 빈칸의 내용을 유추할 수 있다. 브라질 인디언들은 꿈에서의 경험과 일상의 낮의 경험을 둘 다 실제의 경험, 실제의 사건과 활동들로 인식한다고 설명하고 있으므로 빈칸에는 ③ '꿈에서의 경험이 일상에서의 경험과 다르지 않다'가 들어가는 것이 적절하다.

어휘

- ethnologist 민족학자
- indigenous 토착의
- participant 참가자
- interpret 해석하다
- incident 사건
- illusory 환상
- accumulate 축적하다
- content 내용물
- manifestation 표현
- turmoil 혼란
- anthropological 인류학의
- occurrence 사건
- indistinguished 구별되지 않는
- perception 인식
- origin 원천
- filter out ~을 걸러내다
- authentic 진정한
- unconscious 무의식적인
- subconscious 잠재의식적인

정답 ③

DAY 45

223 주어진 문장 다음에 이어질 글의 순서로 가장 적절한 것은?

It is common to assume that creativity concerns primarily the relation between actor(creator) and artifact(creation).

(A) In this society, it is the view we blend into our own activity, including creative activity. This outside perspective is essential for creativity because it gives new meaning and value to the creative act and its product.

(B) However, from a sociocultural standpoint, the creative act is never "complete" in the absence of a second position — that of an audience. While the actor or creator him/herself is the first audience of the artifact being produced, this kind of distantiation can only be achieved by internalizing the perspective of others on one's work.

(C) This means that, in order to be an audience to your own creation, a history of interaction with others is needed. We exist in a social world that constantly confronts us with the "view of the other."

* artifact: 창작물

① (B) – (A) – (C)   ② (B) – (C) – (A)
③ (C) – (A) – (B)   ④ (C) – (B) – (A)

224 주어진 글 다음에 이어질 글의 순서로 가장 적절한 것은?

What's happening when we're actually doing two things at once? It's simple; We've separated them.

(A) Likewise, if we were walking from cliff to cliff on a single-rope bridge, we'd likely stop talking. We can do two things at once, but we can't focus effectively on two things at once.

(B) Our brain has channels, and as a result we're able to process different kinds of data in different parts of our brain. This is why we can talk and walk at the same time. There is no channel interference.

(C) But we're not really focused on both activities. One is happening in the foreground and the other in the background. If we were trying to explain on the cell phone how quantum mechanics differ from classical mechanics, we'd stop walking.

① (B) – (A) – (C)   ② (B) – (C) – (A)
③ (C) – (A) – (B)   ④ (C) – (B) – (A)

(주요 구문분석)

It is common / to assume // that creativity concerns primarily the relation (between actor(creator) and artifact(creation)).
(분석) 대명사는 앞에 나온 것을 다시 쓰기 위한 장치이다. 다만 it이 주어인 경우 가주어일 수 있으니 진주어를 찾아야 한다. It은 가주어이고 to assume이 진주어이므로 to assume을 주어로 해서 해석해야 한다.

(주요 구문분석)

If we were trying to explain on the cell phone // how quantum mechanics differ / from classical mechanics, // we'd stop walking.
(분석) 현실에 없는 상황이나 사실과 반대되는 상황을 표현하는 가정법 과거가 사용되었다. 가정법 과거를 사용할 때 if절의 동사가 be동사이면 주어와 상관없이 항상 were로 써야 한다. 가정법이 사용된 문장은 자연스러운 해석을 위해 일반 조건문처럼 '~라면, …했을 것이다'로 해석한다.

223

난이도 ★★☆

해석

창조성은 주로 행위자(창작자)와 창작물(창작) 사이의 관계와 관련이 있다고 가정하는 것이 일반적이다. (B) 그러나, 사회 문화적 관점에서 볼 때, 창작 행위는 제2의 자리가 ― 관객의 자리 ― 부재한 상황에서는 결코 '완전'하지 않다. 행위자나 창작자 자신은 만들어지고 있는 창작물의 첫 번째 관객이지만, 이런 거리두기는 자신의 작품에 대한 다른 사람의 관점을 속에 내면화하는 것으로서만 이루어진다. (C) 이것은 자신의 창작 활동에 관객이 되기 위해서는 다른 사람들과 상호 작용하는 역사가 필요하다는 것을 의미한다. 우리는 '다른 이의 관점'을 끊임없이 마주하는 사회에서 살고 있다. (A) 이 사회에서, 그것은 창조적 활동을 포함해서 우리가 우리 자신의 활동에 통합시키게 되는 관점이다. 이러한 외부 관점은 창작 행위와 그 결과물에 새로운 의미와 가치를 부여하기 때문에 창조성에는 필수적이다.

해설

주어진 문장에서 창조성은 주로 행위자(창작자)와 창작물(창작) 사이의 관계와 관련이 있다고 가정하는 것이 일반적이라고 언급한다. (B)의 However를 통해 이러한 일반적인 자신의 작품에 대한 생각에 대해 반박하며, 창작 행위는 관객이 부재하다면 완전하지 않기에 다른 사람의 관점을 내면화해야 한다고 말한다. 여기서 다른 사람의 관점을 내면화한다는 것을 (C)의 이것(this)으로 연결하여 다른 사람과 상호 작용 하는 것이 필요하다는 것을 의미한다고 말한다. 이후 (C)의 in a social world를 (A)에서 In this society로 받아 부연 설명하고 있다. 그러므로 주어진 문장 다음에 이어질 글의 순서는 ② (B)-(C)-(A)가 가장 적절하다.

어휘

- assume 가정하다
- concern 관련 있다
- perspective 관점
- sociocultural 사회 문화적인
- standpoint 관점
- distantiation 거리두기
- internalize 내면화하다
- confront 마주하다

정답 ②

224

난이도 ★★☆

해석

우리가 실제로 두 가지 일을 동시에 하고 있을 때 무슨 일이 일어나고 있을까? 그것은 간단하다; 우리는 그것들을 분리했다. (B) 우리의 뇌는 채널이 있고, 결과적으로 우리는 뇌의 다른 부분에서 다른 종류의 데이터를 처리할 수 있다. 그런 이유로 우리는 말을 하면서 동시에 걸을 수가 있다. 채널 간섭은 전혀 없다. (C) 하지만 우리는 두 가지 활동 모두에 진실로 집중할 수는 없다. 한 가지 활동은 (뇌의) 전면에서 일어나고 있고 또 다른 활동은 (뇌의) 후면에서 일어나고 있다. 만약 우리가 양자역학이 고전역학과 어떻게 다른지를 전화 통화를 하면서 설명하려고 시도하고 있다면 우리는 걸음을 멈출 것이다. (A) 마찬가지로, 우리가 벼랑 사이에 놓인 외줄 다리 위를 걷고 있다면 우리는 아마 말하는 것을 멈출 것이다. 우리는 두 가지 일을 동시에 할 수는 있지만, 두 가지 일에 동시에 효과적으로 집중할 수는 없다.

해설

주어진 글에서는 우리가 두 가지 일을 분리해서 처리한다고 설명한다. (B)는 우리 뇌가 어떻게 분리되어 두 가지 일을 처리하는지를 설명하고 있으므로 주어진 글 다음에 바로 오는 것이 적절하다. (B)의 마지막에서 뇌의 채널 사이에 간섭은 없다고 주장한 뒤, But으로 시작하는 (C)에서 글이 전환되어 우리가 두 가지 활동에 제대로 집중하지는 못한다고 설명하며 한 가지 예시를 든다. Likewise로 시작되는 (A)는 (C)와 유사한 내용의 예시를 추가로 보여주면서 우리가 두 가지 활동에 효과적으로 집중하지 못한다는 주장을 재진술한다. 따라서 글의 순서로 가장 적절한 것은 ② (B)-(C)-(A)이다.

어휘

- cliff 벼랑
- effectively 효과적으로
- process 처리하다
- interference 간섭
- foreground 전면
- background 후면
- quantum mechanics 양자역학
- classical mechanics 고전역학

정답 ②

225 밑줄 친 부분에 들어갈 말로 가장 적절한 것은?

Why do you care how a customer reacts to a purchase? Good question. By understanding post-purchase behavior, you can understand the influence and the likelihood of whether a buyer will repurchase the product and whether she will keep it or return it. You'll also determine whether the buyer will encourage others to purchase the product from you. Satisfied customers can become unpaid ambassadors for your business, so customer satisfaction should be on the top of your to-do list. People tend to believe the opinions of people they know. People trust friends over advertisements any day. They know that advertisements are paid to tell the "good side" and that they're used to persuade them to purchase products and services. By _____, you have the ability to avoid negative word-of-mouth advertising.

① continually monitoring your customer's satisfaction after the sale
② regularly inspecting a product to identify any possible defects
③ examining how consumer choices are influenced by economic conditions
④ investigating the methods through which individuals establish trust.

주요 구문 분석

By understanding post- purchase behavior, / you can understand the influence and the likelihood of // whether a buyer will repurchase the product // and whether she will keep it or return it.

분석) 전치사 of의 목적어로 의문사 whether가 이끄는 두 개의 명사절이 and로 병렬 구조를 이루고 있다. whether는 불확실한 행동에 대한 가능성을 나타내는 접속사이므로 '~인지 (아닌지)'로 해석해야 한다.

225 난이도 ★★☆

해석)

왜 당신은 고객이 구매품에 어떻게 반응하는지에 대해 신경 쓰는가? 좋은 질문이다. 구매 후 행동을 이해함으로써, 당신은 그 영향력과 구매자가 제품을 재구매할지 그리고 그녀가 제품을 가질지 또는 반품할지의 가능성을 이해할 수 있다. 당신은 구매자가 다른 사람들에게 당신으로부터 제품을 구매하도록 권장할지 여부도 또한 알아낼 것이다. 만족한 고객은 당신의 사업을 위한 무급 대사가 될 수 있으므로, 고객 만족이 할 일 목록의 최상단에 있어야 한다. 사람들은 그들이 아는 사람들의 의견을 믿는 경향이 있다. 사람들은 언제든 광고보다 친구를 더 신뢰한다. 그들은 광고에는 '좋은 면'을 말하기 위해 돈이 쓰이고 그리고 그것들이 제품과 서비스를 구매하도록 그들을 설득하는 데 사용된다는 것을 알고 있다. <u>판매 후 고객의 만족을 지속적으로 모니터함</u>으로써, 당신은 부정적인 입소문 광고를 피할 수 있는 능력을 가진다.

② 있을 수 있는 결함을 찾아내기 위해 제품을 정기적으로 검사함
③ 경제 상태에 따라 어떻게 소비자의 선택이 영향을 받는지 검토함
④ 사람들이 신뢰를 구축하는 방법을 조사함

해설)

첫 문장에서 글의 topic인 고객의 구매 이후 반응을 신경 쓰는 이유에 대해 질문을 던지고, 이후 몇 가지 이유를 제시한다. 특히 세 번째 이유인 고객이 내는 입소문에 관해 자세히 설명한 뒤, 빈칸이 있는 마지막 문장에서 결론을 내린다. 즉, 빈칸에는 부정적인 입소문을 피하는 방법이 들어가야 하는데, 이는 곧 첫 문장의 질문과 같은 맥락으로, 고객의 반응을 살펴보는 것이다. 따라서, 빈칸에 들어갈 말로 가장 적절한 것은 ① '판매 후 고객의 만족을 지속적으로 모니터함'이다.

어휘)

- react 반응하다
- likelihood 가능성
- unpaid 무급의
- satisfaction 만족
- monitor 추적 관찰하다
- word-of-mouth 구두의
- purchase 구매, 구매하다
- encourage 권하다, 장려하다
- ambassador 대사
- persuade 설득하다
- avoid 피하다

정답) ①

226 주어진 글 다음에 이어질 글의 순서로 가장 적절한 것은?

There is nothing magical about what a machine can do for you. Every machine makes some kind of trade-off that helps you in some way.

(A) A car jack is an example. If you tried to lift a car without a machine, you wouldn't be able to supply enough force.

(B) Recall that work is equal to force times distance. Some machines decrease the force required to do a task.

(C) But when you use a car jack, the task becomes much easier. The jack decreases the required force by increasing the distance over which the force is applied.

① (A)-(B)-(C) ② (A)-(C)-(B)
③ (B)-(A)-(C) ④ (B)-(C)-(A)

226

난이도 ★★☆

해석

어떤 기계가 당신을 위해 해줄 수 있는 것에는 마술적인 것은 없다. 모든 기계는 어떤 식으로 당신을 돕는 일종의 균형을 만든다. (B) 일은 힘 곱하기 거리와 같다는 것을 떠올려 보아라. 어떤 기계들은 어떤 일을 할 때 필요한 힘을 줄여준다. (A) 자동차 잭이 한 예이다. 만일 당신이 어떤 기계도 없이 차를 들어 올리려 한다면, 당신은 충분한 힘을 공급하지 못할 것이다. (C) 그러나 당신이 자동차 잭을 사용하면 그 일은 훨씬 더 쉬워진다. 잭은 힘이 적용되는 거리를 늘림으로써 필요한 힘을 줄인다.

해설

주어진 문장에서는 기계가 사람을 돕는 일종의 균형을 만든다는 일반적 진술을 하고 (B)에서 이에 대해 자세히 설명하기 시작한다. 일은 힘과 거리를 곱한 것과 같으며, 어떤 기계들은 일에 필요한 힘을 줄여준다는 것이다. 뒤이어 (A)에서 자동차 잭을 이것의 예시로 들어 기계 없이 차를 들어 올리려고 하면 충분한 힘을 공급하지 못한다고 말한다. 그와 대조적으로 (C)에서는 자동차 잭이라는 기계를 사용하면 일이 더 쉬워진다고 설명한다. 따라서 글의 순서로 가장 적절한 것은 ③ (B)-(A)-(C)이다.

어휘

- magical 마술의
- jack 잭(무거운 것을 드는 기구)
- force 힘
- equal 같은
- task 일
- trade-off 균형
- lift 들어 올리다
- recall 떠올리다
- require 필요로 하다
- apply 적용하다

정답 ③

주요 구문 분석

The jack decreases the required force / by increasing the distance (over which the force is applied).

분석 「전치사 by+동명사」는 수단이나 방법을 의미하므로 '~함으로써'라고 해석하면 된다. 또한, 「전치사+관계대명사」가 이끄는 절은 전치사의 의미를 직역하지 않고, 일반 관계절처럼 해석해야 자연스럽다. 즉, over which the force is applied는 '힘이 ~에 적용되는'이라는 의미이지만, 전치사의 의미를 빼고 선행사와 바로 연결해서 '힘이 적용되는 거리'로 해석해야 한다.

227 다음 글의 요지로 가장 알맞은 것은?

Americans are used to being admonished for their self-destructive fondness for cheese-flavored snacks and La-Z-Boys. But citizens of developing countries are also becoming victims of the perils of the First World's fat-rich diet and couch-potato ways. At last week's 8th International Congress on Obesity, held in Paris, researchers warned that the planet's expanding waistlines threaten to become the curse of the next millennium. "We used to consider obesity a problem of industrialized, rich countries, but now it has become a world pandemic," says Arnaud Basdevant, a member of the meeting's lead committee. Researchers blame the trend — and the attendant rise in the incidence of heart disease and diabetes — on the Third World's increasing affluence and more calorie-laden diets. As a result, the World Health Organization has estimated that 300 million people will be obese by 2025, an increase of 50 million from today.

① Obesity has been a long-lasting problem the vast majority of industrialized countries have had.
② The World Health Organization is inventing ways to decrease the incidence of heart disease.
③ Obesity has developed into a world-wide problem and prosperity is to blame for it.
④ Because people avoid calorie-laden diets, developing countries are relatively free from obesity.

228 다음 글의 제목으로 가장 적절한 것은?

Schwartz discusses the significance of common research methods that utilize a Happiness Scale. He sides with the opinion of psychologists David Myers and Robert Lane, who independently conclude that the current abundance of choice often leads to depression and feelings of loneliness. Schwartz draws particular attention to Lane's assertion that Americans are paying for increased affluence and freedom with a substantial decrease in the quality and quantity of community. What was once given by family, neighborhood and workplace now must be achieved and actively cultivated on an individual basis. The social fabric is no longer a birthright but has become a series of deliberated and demanding choices. Schwartz also discusses happiness with specific products. For example, he cites a study by Sheena Iyengar of Columbia University and Mark Lepper of Stanford University, who found that when participants were faced with a smaller rather than larger array of chocolates, they were actually more satisfied with their tasting.

① Utility of Decisions
② American Affluence
③ Paradox of Choice
④ Happiness Scale

주요 구문 분석

But / citizens (of developing countries) are also becoming / victims of the perils (of the First World's fat-rich diet and couch-potato ways).

분석 이 문장에는 of가 총 3번 쓰였는데, citizens와 victims 뒤의 of는 소유 또는 소속의 의미를 나타내는 반면, perils 뒤의 of는 동격의 of이므로 '~이라는'으로 해석해야 자연스럽다.

주요 구문 분석

What was once given by family, neighborhood and workplace / now must be achieved / and actively cultivated / on an individual basis.

분석 what이 이끄는 명사절이 문장의 주어이고 명사절 내에서 what이 주어 역할을 하고 있다. 동사부인 was ~ workplace를 먼저 해석하고 What은 '~하는 것'으로 마지막에 해석해야 한다.

문장 분석 및 해설

227
난이도 ★★☆

해석

미국인들은 치즈 맛 간식과 안락의자에 대한 자기 파괴적인 선호를 하는 것에 대해 훈계받는 것에 익숙하다. 그러나 개발도상국의 국민들 또한 제1세계(미국, 유럽)의 고지방 식단과 오랜 시간 가만히 소파에 앉아 TV를 보는 생활방식이라는 위험의 희생양이 되고 있다. 지난 주 파리에서 열린 제8차 세계비만학회에서 연구자들은 지구의 늘어나는 허리둘레가 다음 새 천년의 저주가 될 우려가 있다고 경고했다. "우리는 비만을 부유한 산업화된 국가들의 문제로 여기곤 했지만 이제 그것은 전 세계의 유행병이 되었다"라고 그 회의의 지도 위원의 일원인 Arnaud Basdevant는 말한다. 연구자들은 그런 추세와 심장병과 당뇨의 발병률의 부수적인 증가에 대해 제3세계의 증가하는 풍요와 더 고열량으로 가득 찬 식생활을 탓한다. 그 결과, 세계보건기구(WHO)는 2025년에는 오늘날보다 5천만 명 증가한 3억 명의 사람들이 비만이 될 것이라고 추정했다.

① 비만은 대다수의 선진공업국가들이 겪고 있는 고질적인 문제이다.
② 세계보건기구는 심장병 발병을 줄이는 방법을 고안 중이다.
③ 비만은 전 세계적인 문제로 발전했고 풍요가 그 원인이다.
④ 사람들이 칼로리가 높은 식단을 피하므로 개발도상국들은 상대적으로 비만이 없다.

해설

지문의 네 번째 문장에서 인용문이 주제문이다. 선진국의 국민들뿐만 아니라 개발도상국의 국민들마저도 지방이 많이 함유된 식단과 게으른 삶의 방식의 희생양이 되고 있다고 말하고 나서 주제문에서 비만이 전 세계의 유행병이 되었다고 언급한 뒤 그 이유가 풍요라고 설명한다. 따라서 글의 주제로는 ③ '비만은 전 세계적인 문제가 되었고 풍요가 그 원인이다.'가 적합하다.

어휘

- admonish 훈계하다
- fondness 선호
- developing country 개발도상국
- victim 희생양
- peril 위험
- couch-potato 소파에서 TV를 보며 시간을 보내는 사람
- obesity 비만
- waistline 허리둘레
- threaten ~의 우려가 있다
- pandemic 유행병
- attendant 수반되는
- incidence 발병률
- diabetes 당뇨병
- -laden ~로 가득 찬
- blame A on B A를 B의 탓으로 돌리다

정답 ③

228
난이도 ★★☆

해석

Schwartz는 행복 척도를 이용하는 평범한 연구 방법들의 중요성을 논한다. 그는 심리학자 David Myers와 Robert Lane의 견해를 지지하는데, 이들은 현재 선택의 다양성이 우울증이나 외로운 감정을 종종 초래한다고 독자적으로 결론짓는다. Schwartz는 미국인들이 증가된 풍요로움과 자유에 대해 공동체의 질과 양이 상당히 감소하는 것으로 대가를 치른다는 Lane의 주장에 특히 주목한다. 한때 가족, 이웃 그리고 직장에 의해 주어지던 것이 이제는 개인적인 차원에서 달성되고 적극적으로 일궈져야 한다. 사회 구조는 더 이상 타고난 권리가 아니라 신중히 생각되고 어려운 일련의 선택들이 되었다. Schwartz는 특정 상품들로 행복을 논하기도 한다. 예를 들어, 그는 참가자들이 초콜릿이 더 다양할 때보다 덜 다양할 때 시식에 실제로 더 만족했다는 것을 알아낸 콜롬비아 대학의 Sheena Iyengar와 스탠퍼드 대학의 Mark Lepper의 연구를 인용한다.

① 결정의 유용성
② 미국의 풍요
③ 선택의 역설
④ 행복 척도

해설

글의 중심 소재는 선택이고 주제문은 두 번째 문장으로 현재의 다양한 선택 가능성이 오히려 우울증이나 외로움을 불러일으키는 역설적인 상황이라고 주장한다. 그러고 나서 학자들의 두 가지 주장을 예시로 이를 부연 설명한다. 풍요로움과 자유가 증가하는 대신 공동체의 질과 양이 감소해서 한때 사회가 제공했던 것을 개인이 힘들게 선택해야 하는 사회가 되었다고 말한다. 이후 초콜릿 시음 실험의 경우에 선택의 폭이 넓을 때보다 선택의 폭이 좁을 때 오히려 더 만족했다고 한다. 따라서 이 글의 제목으로 가장 적절한 것은 ③ '선택의 역설'이다. ①은 글에서 언급되지 않았고 ②, ④는 주제를 설명하는 과정에서 언급된 지엽적인 내용이므로 제목이 될 수 없다.

어휘

- significance 중요성
- utilize 이용하다
- side with ~의 편을 들다
- psychologist 심리학자
- abundance 풍부(함)
- assertion 주장
- pay for A with B A에 대해 B로 대가를 치르다
- affluence 풍요로움
- substantial 상당한
- cultivate 기르다
- fabric 구조
- birthright 타고난 권리
- deliberate 신중히 생각하다
- demanding 어려운
- an array of 다양한
- tasting 시식

정답 ③

229 글의 흐름상 가장 어색한 것은?

Increasing attention has been drawn to the problems faced by women in science, engineering and technology(SET). ① Women are unequally represented in SET and their career progression is not comparable to their male colleagues. ② They often face discrimination, being employed on a less secure footing and receiving lower grants than their male colleagues. ③ This reflects widespread sexism in our society. ④ There are less women in SET because of the widespread acceptance of a stereotyping of scientists and engineers as male from school to university level. Another serious problem is that a lack of self-confidence is often a feature of young women aspiring to be scientists or engineers.

230 밑줄 친 부분에 들어갈 가장 적절한 것은?

Today, _____.
Remarriage and marriage rates are declining even as the rates of divorce remain stuck at historic highs and childbearing outside marriage becomes more common. Many women see single motherhood as a choice and a right to be exercised if a suitable husband does not come along in time. Women want to be fettered by children, even to the point of going through artificial insemination to achieve motherhood. But they are increasingly ambivalent about the ties that bind them to a husband and about the necessity of marriage as a condition of parenthood. As the bearers and nurturers of children and increasingly as the sole breadwinners for families, women continue to be engaged in personally rewarding and socially valuable pursuits. They are able to demonstrate their feminine virtues outside marriage.

① most people do not want marriage
② women are taking over the role of husbands
③ marriage and motherhood are coming apart
④ women in professional careers are facing problems

주요 구문 분석

Increasing attention has been drawn / to the problems (faced by women in science, engineering and technology(SET)).
분석 faced ~ technology(SET)은 the problems를 뒤에서 수식하는 분사구이다. 분사는 형용사와 같은 역할을 하므로 분사구를 '~하는'으로 먼저 해석하면 된다.

주요 구문 분석

But / they are increasingly ambivalent / about the ties (that bind them to a husband) / and about the necessity (of marriage / as a condition of parenthood).
분석 형용사(ambivalent)를 보어로 취하는 2형식 문장 뒤에 about이 이끄는 2개의 전치사구가 and를 통해 병렬 구조로 연결되어 있다.

229 난이도 ★★☆

해석

> 과학, 공학 그리고 기술 분야(SET)에 종사하는 여성들이 직면하는 문제들에 점점 더 많은 관심이 집중되어 왔다. ① 여성들은 과학, 공학 그리고 기술 분야에서 불공평하게 표현되었으며, 그들의 직장에서의 승진은 남성 동료들에 비교가 되지 않는다. ② 그들은 종종 차별을 마주하게 되어, 남성 동료들보다 덜 안정적인 지위로 고용되고 더 적은 보조금을 받는다. ③ <u>이것은 우리 사회에서 널리 퍼진 성차별을 반영한다.</u> ④ 학교에서 대학 수준에 이르기까지 과학자와 공학자는 남자라는 일반적인 고정 관념의 널리 퍼진 수용 때문에 과학, 공학 그리고 기술 분야에는 여성들이 적다. 또 다른 심각한 문제는 자신감의 결여가 종종 과학자나 공학자가 되기를 열망하는 젊은 여성들의 특징이라는 것이다.

해설

이 글은 과학, 공학, 기술 계통에서 여성들이 직면하고 있는 차별 문제에 대해 이야기하고 있다. ①은 이에 대한 구체적인 예시로 남성 동료들에 비해 승진을 하지 못한다는 얘기를 하고 있다. ② 또한 차별에 대한 구체적인 예시로 남자 동료보다 지위가 불안정하고 보조금도 적다고 언급하고 있다. ④는 과학, 공학, 기술 계통에서 여성들이 더 적은 이유에 대한 설명으로 과학자와 공학자는 남성 직업이라는 고정관념이 사회에 널리 퍼져있다고 말하고 있다. 따라서 사회에 대한 일반적인 통념을 설명하는 ③의 문장은 흐름상 어울리지 않는다.

어휘

- attention 관심
- unequally 불공평하게
- career progression 직장에서의 승진
- comparable 비교할 만한
- discrimination 차별
- grant 보조금
- sexism 성차별
- lack 결여
- face 직면하다
- represent 표현하다
- colleague 동료
- footing 지위
- widespread 널리 퍼진
- acceptance 수용
- aspire 열망하다

정답 ③

230 난이도 ★★★

해석

> 오늘날, <u>결혼과 모성은 분리되고 있다</u>. 심지어 이혼율이 사상 최고치에 머물고 혼외 출산이 더욱 흔해지면서 재혼율과 결혼율은 감소하고 있다. 적당한 남편이 제때에 나타나지 않으면, 많은 여성은 편모가 되는 것을 선택 사항과 행사할 수 있는 권리로 고려하게 된다. 여성들은 엄마가 되기 위해 인공 수정을 받을 정도로 아이에게 구속당하기를 바란다. 그러나 자신을 남편과 묶어 주는 끈(결혼)과 부모가 되는 조건으로서 결혼의 필요성에 대해 여성들은 점점 더 양가적인 태도를 취한다. 자녀들을 낳고 양육하는 사람으로서, 그리고 점점 가족을 위해 홀로 벌이를 하는 사람으로서, 여성들은 개인적으로 보람 있고 사회적으로 가치가 있는 일에 계속 종사하게 된다. 그들은 결혼 이외의 일에서 자신들의 여성적 장점을 보여 줄 수 있다.

① 대부분의 사람들이 결혼을 원하지 않는다
② 여성들이 남편의 역할을 떠맡고 있다
④ 전문직 여성들이 문제에 직면하고 있다

해설

지문의 첫 문장에 빈칸이 있는 경우 지문의 주제문과 직결된다. 첫 문장 이후에서 결혼율은 감소하고 여성들은 점점 결혼의 필요성에 대해서는 양가적인 태도를 보이지만, 싱글맘이나 인공 수정의 예를 통해 알 수 있듯이 아이를 갖는 것에 대해서는 관심이 증가하고 있는 현실 상황을 잘 설명해 주고 있다. 따라서 빈칸에는 결혼과 모성이 분리되어 가고 있다는 ③이 들어가는 것이 가장 적절하다.

어휘

- childbearing 출산
- come along 나타나다
- insemination 수정
- bearer 낳는 사람
- sole 단 하나의
- pursuit 일
- come apart 분리되다
- see A as B A를 B로 보다
- fetter 구속하다
- ambivalent 양가적인
- nurturer 양육자
- breadwinner 가족 부양자
- demonstrate 보여주다

정답 ③

231 다음 글의 주제로 가장 적절한 것은?

The deeper science drills into the substrata of behavior, the harder it becomes to preserve the vanity that we are unique among Earth's creatures. We're the only species with language, we told ourselves, until gorillas and chimps mastered sign language. We're the only ones that use tools then but that's if you don't count otters smashing mollusks with rocks or apes stripping leaves from twigs and using them to fish termites. What does, or ought to, separate us from others then is our highly developed sense of morality, a primal understanding of good and bad, of right and wrong, of what it means to suffer not only our own pain — something anything with a rudimentary nervous system can do — but also the pain of others. That quality is the distilled essence of what it means to be human.

① Morality as the distinctive character of men
② The difference between men and apes
③ Animals and their sign languages
④ The creativity of human minds

232 다음 글에 이어질 순서로 가장 적절한 것은?

With almost routine ways now available to test DNA samples for the presence of specific mutant genes, there is increased anxiety that an individual's genetic heritage may be vulnerable to unwanted prying.

(A) Broad privacy laws must, therefore, be enacted to prohibit genetic tests from being performed without the informed consent of the individual involved.

(B) The DNA from a single human hair, for example, may be sufficient to alert a prospect employer or health insurer to an individual's genetic predisposition to disease.

(C) But even with such laws, additional dilemmas will be raised when individuals do not realize the significance of the proposed genetic screening.

* predisposition: (병에 걸리기 쉬운) 소인

① (A) – (B) – (C)   ② (B) – (A) – (C)
③ (B) – (C) – (A)   ④ (C) – (A) – (B)

주요 구문 분석

The deeper science drills into the substrata of behavior, // the harder it becomes to preserve the vanity (that we are unique among Earth's creatures).

분석 「the+비교급, the+비교급」 구문이므로 '더 ~할수록, 더 …하다'라고 해석하면 된다. 여기서 The deeper는 동사 drills를 수식하는 부사로, the harder는 becomes의 형용사 보어이므로 각각 '더 깊이'와 '더 힘들어'라고 해석하면 된다. 또한 that ~ creatures는 the vanity의 동격절이므로 '~라는'으로 해석하면 자연스럽다.

주요 구문 분석

With almost routine ways / now available / to test DNA samples / for the presence of specific mutant genes, // there is increased anxiety [that an individual's genetic heritage may be vulnerable to unwanted prying].

분석 「with+명사+형용사/분사」 구문은 주절의 배경 혹은 원인을 설명하고 있으므로 '~가 …하기 때문에'라고 해석하면 자연스럽다. that ~ prying은 increased anxiety의 내용을 설명하는 동격절이므로 '~라는'이라고 해석한다.

231 난이도 ★★☆

해석

과학이 행동의 근본에 대해 더 깊이 연구할수록, 우리가 지구상의 생물 중 유일한 존재라는 허영심을 유지하기가 더 힘들어진다. 고릴라와 침팬지가 수화를 배우기 전까지 우리는 언어를 가진 유일한 종이라고 스스로에게 말해 왔다. 우리는 도구를 사용하는 유일한 존재였지만 그것은 돌멩이를 이용해 조개를 깨뜨리는 수달이나 나뭇가지의 잎을 떼어 내 흰개미를 잡는 데 사용하는 유인원을 고려하지 않는 경우에만 그러하다. 그렇다면 우리를 다른 것들과 구별 짓거나 구별 지어야 하는 것은 우리의 고도로 발달된 도덕성, 즉 선과 악, 옳고 그름, 그리고 자신의 고통 — 기초 신경 체계를 가진 어떤 동물이라도 가능한 — 뿐 아니라 타인의 고통까지도 느끼는 것이 무엇을 의미하는지에 관한 근본적인 이해심이다. 이 특징이 인간임이 무엇을 의미하는가에 대한 정제된 본질이다.

① 인간의 독특한 특징으로서의 도덕성
② 인간과 유인원의 차이점
③ 동물과 그들의 수화
④ 인간 정신의 독창성

해설

글의 중심 소재는 인간과 동물을 구분 짓는 특징이다. 전반부에서는 인간과 동물을 구분 짓는 특징이 언어나 도구의 사용이라 여겨왔지만, 수화를 배우거나 도구를 사용하는 동물들 때문에 이런 믿음을 유지하기 어렵다고 말한다. 그런 다음, 주제문인 What does ~ others 문장을 통해 인간만이 가진 진정한 특징이란 바로 도덕성이라고 주장한다. 따라서 글의 주제로 가장 적절한 것은 ① '인간의 독특한 특징으로서의 도덕성'이다.

어휘

- drill into 파고들다
- preserve 유지하다
- vanity 허영심
- otter 수달
- ape 유인원
- twig 작은 나뭇가지
- morality 도덕성
- rudimentary 기초의
- distilled 정제된
- substratum 근본 (pl. substrata)
- unique 유일한
- sign language 수화
- mollusk 패류
- strip 벗기다
- termite 흰개미
- primal 근본적인
- nervous 신경의
- distinctive 독특한

정답 ①

232 난이도 ★★☆

해석

특정한 돌연변이 유전자의 존재 여부를 알기 위해 DNA 샘플을 테스트하는 거의 일상화된 방법이 오늘날 사용 가능하기 때문에, 개인의 유전적 유산이 원하지 않은 엿보기에 취약할 수 있다는 우려가 증가된다. (B) 예를 들어, 사람의 머리카락 한 가닥에서 추출된 DNA는 미래의 고용주나 건강보험업자들에게 개인의 유전적 질병 소인에 대해 주의를 환기시키기에 충분할 수도 있다. (A) 그러므로, 당사자의 사전 동의 없이 유전자 테스트가 시행되는 것을 금지하기 위해 광범위한 개인정보 보호법이 제정되어야 한다. (C) 하지만 아무리 그런 법이 있다고 해도, 개인이 제안된 유전자 스크리닝의 중요성을 깨닫지 못할 때 부가적인 딜레마가 생겨날 것이다.

해설

주어진 문장에서는 오늘날 DNA 샘플 테스트(유전자 테스트) 방법이 개인의 유전 정보를 타인에게 노출할 (vulnerable to unwanted prying) 위험이 있다고 지적한다. 그 구체적인 예시로 (B)에서는 미래의 고용주나 건강보험업자들이 개인의 유전적 질병 소인에 관한 정보를 알게 될 수도 있다고 말한다. (A)에서는 (B)의 an individual을 the individual로 받고, 그러므로 (therefore) (B)에서 언급한 상황을 예방하기 위해 법을 제정해야 한다고 설명한다. (C)에서는 (A)의 Broad privacy laws를 such laws로 받아, 개인정보 보호법을 제정하더라도 다른 문제가 발생할 수 있다고 주장한다. 따라서 글의 순서로 가장 적절한 것은 ② (B)-(A)-(C)이다.

어휘

- routine 일상적인(일)
- anxiety 우려
- vulnerable 취약한
- pry 엿보다
- enact 제정하다
- sufficient 충분한
- prospect 미래의
- mutant gene 돌연변이 유전자
- heritage 유산
- unwanted 원치 않는
- privacy laws 개인정보 보호법
- informed consent (고지에 입각한) 사전 동의
- alert 주의를 환기하다
- insurer 보험회사
- genetic screening 유전자 스크리닝: 개인의 유전병 발견 및 예방을 위한 검사

정답 ②

233 다음 글의 내용을 가장 잘 표현한 속담은?

A certain young Man used to play with a Cat; he grew so deeply in love with it that he spent every moment with it and that he could rest neither night nor day for the excess of his passion. At last he prayed to Venus, the goddess of beauty, to pity him, and relieve his pain. The good-natured goddess was propitious, and heard his prayers; before he rose up from kneeling, the Cat, which he held in his arms, was transformed into a beautiful girl. The youth was transported with joy, and married her that very day. At night they went to bed, and as the new bride lay beside her loving husband, she unfortunately heard a mouse behind the hangings, and sprung from his arms to pursue it. Venus was offended to see her sacred rites profaned by such an indecent behaviour. Perceiving that her new convert, though a woman in outward appearance, was a Cat in her heart and that her manners and person might be agreeable to each other, she made her return to her old form again.

① Walls have ears.
② The grass is greener on the other side of the fence.
③ Beauty is in the eye of the beholder.
④ Nature exceeds nurture.

234 밑줄 친 부분에 들어갈 말로 가장 적절한 것은?

As national cultures become more homogeneous, campaigns that succeed in one country usually succeed in others. The transference of such knowledge from country to country is one of multinational companies' key commercial strengths. And globalization means creative costs can be amortized — though the savings from amortization are generally far less than novitiate global advertisers expect. But while the benefits are clear, the mechanics are complicated. The world is not nearly as homogeneous as the protagonists of globalization like to claim. Almost everything changes as you move from country to country: landscape, architecture, language, laws, traditions, people's clothes, and often the product formulation and its packaging. Advertisements can be, and are, made without mentioning these differences, but many end up fairly monotonous in consequence. Hence the creation of truly effective multinational campaigns _____.

① makes global advertisements easy to understand
② allows audiences to engage in a variety of activities
③ demands a great deal of inter-country discussion and coordination
④ gives people the opportunity to ponder on what we have in common

---

주요 구문 분석

A certain young Man used to play with a Cat; // he grew so deeply in love with it // that he spent every moment with it // and that he could rest neither night nor day / for the excess of his passion.

분석 영어의 세미콜론은 우리말로 '즉, 그리고, 그 결과' 등으로 자연스럽게 해석할 수 있다. 세미콜론 이후에는 결과의 부사절 접속사가 사용되어 「so+형용사/부사+that+S+V」의 구조로 '너무 ~해서 …하다'라고 해석된다. 이때 두 개의 that절이 and를 통해 병렬 구조로 연결되어 있으므로 둘 다 so의 결과로 해석하면 된다.

주요 구문 분석

The world is not nearly as homogeneous / as the protagonists of globalization like to claim.

분석 부정의 원급 비교 구문이 사용되었고, 앞의 as는 homogeneous를 수식하는 부사이며 뒤의 as는 비교 대상 절을 이끄는 접속사이다. not nearly as A as B는 'B만큼 A하지는 전혀 않다', 즉 '~할 만큼 거의 …한 것은 아니다'라는 의미로 해석된다.

233 난이도 ★★★

해석

어떤 젊은 남자가 한 고양이와 놀아주곤 했다; 그는 고양이와 너무 깊이 사랑에 빠지게 되어서 그것과 모든 순간을 같이 보냈고 자신의 과도한 열정 때문에 밤에도 낮에도 쉴 수가 없었다. 마침내 그는 미의 여신인 비너스에게 자신을 불쌍히 여겨서 고통을 덜어달라고 기도를 올렸다. 마음씨가 고운 여신은 자비로웠고, 그의 기도를 들어 주었다; 그가 무릎을 꿇고 있다가 일어서기 전에, 그가 팔에 안고 있던 고양이가 아름다운 여자로 변신했다. 그 젊은이는 기뻐 어쩔 줄 몰랐고, 바로 그날 그녀와 결혼했다. 밤에 그들은 침대로 갔고, 새 신부가 사랑하는 신랑 옆에 누웠을 때, 안타깝게도 그녀는 커튼 뒤의 쥐 소리를 들었고, 그의 품에서 벌떡 일어나서 그것을 쫓아갔다. 비너스는 자신의 성스러운 의식이 그런 꼴사나운 행동으로 모독되는 것을 지켜보고 기분이 상했다. 그녀의 새로운 개종자가 외관은 여성이지만 내면은 고양이었고, 그녀의 거동과 성품이 서로 일관되어야 한다고 이해한 비너스는 그녀를 예전의 모습으로 다시 돌아가게 했다.

① 낮말은 새가 듣고, 밤말은 쥐가 듣는다.
② 남의 떡이 커 보인다.
③ 제 눈에 안경이다.
④ 교육이 천성을 바꾸지는 못한다.

해설

고양이를 사랑한 한 청년이 비너스 여신의 도움으로 고양이를 여자로 바꾸고 결혼한다. 그러나 첫날밤 쥐소리를 들은 여자가 남자의 품을 벗어나 고양이의 천성을 감추지 못하고 뒤쫓아감으로써 결국 고양이라는 타고난 천성은 감출 수가 없었다는 내용이다. 따라서 이 글은 타고난 성격이나 성품의 영향력이 환경이나 교육보다 훨씬 더 크다는 메시지를 던져 주므로 이 글의 내용을 가장 잘 표현한 속담은 ④ '교육이 천성을 바꾸지는 못한다.'이다.

어휘

- fond of ~을 좋아하는
- excess 과도함
- passion 열정
- pity 불쌍히 여기다
- relieve 덜어주다
- good-natured 마음씨가 고운
- propitious 자비로운
- kneel 무릎을 꿇다
- transform 변신시키다
- transport 기뻐 어쩔 줄 모르게 하다
- hanging 커튼
- spring 벌떡 일어나다
- pursue 뒤쫓다
- offend 기분을 상하게 하다
- sacred 신성한
- rite 의식
- profane 모독하다
- indecent 꼴사나운
- convert 개종자
- person 성품
- agreeable 일관되는
- nurture 교육

정답 ④

234 난이도 ★★★

해석

국가 문화가 더 동질적으로 되어감에 따라, 한 나라에서 성공하는 광고는 보통 다른 나라들에서 성공한다. 나라에서 나라로 그런 지식의 이동은 다국적 기업의 핵심적인 상업적 장점 중 하나이다. 그리고 세계화는 창작 비용이 분할 상환될 수 있다는 것을 의미한다 — 분할 상환으로 인한 절약이 세계의 풋내기 광고주들이 기대하는 것보다 일반적으로 훨씬 더 적음에도 불구하고. 그러나 이득이 분명한 반면에, 그 구조는 복잡하다. 세계는 세계화의 주창자들이 주장하기 좋아하는 것만큼 동질적인 것은 아니다. 거의 모든 것은 여러분이 나라 사이를 이동함에 따라 변한다: 풍경, 건축, 언어, 법, 전통, 사람들의 의복, 그리고 흔히 제품 공식화와 그것의 포장. 광고는 이런 차이를 거론하지 않고 만들어질 수 있고 만들어지지만, 많은 것이 결과적으로 정말 단조롭게 끝난다. 따라서 진정으로 효과적인 다국적 광고의 창작은 국가 간의 많은 논의와 조정을 요구한다.

① 전 세계 광고를 이해하기 쉽게 만든다
② 청중이 다양한 활동에 참여할 수 있도록 한다
④ 사람들에게 우리가 공통적으로 가지고 있는 것에 대해 숙고할 기회를 준다

해설

중심 소재는 다국적 광고이고 세계화로 인해 국가 문화가 더 동질적으로 변함에 따라 다국적 기업이 상업적으로 성공할 수 있는 조건이 마련되었다고 언급한 뒤에 But부터 이득은 분명하지만 구조는 복잡하다고 설명한다. 다섯 번째 문장이 주제문으로 세계는 세계화 주창자들이 주장하는 것만큼 동질적이지는 않고 차이점이 분명히 존재하기 때문에, 다국적 기업이 광고를 만들 때는 나라들의 차이를 고려하지 않으면 정말 단조롭게 끝나는 결과로 이어지게 된다는 내용의 글이다. 따라서 빈칸에 들어갈 말로 가장 적절한 것은 ③ '국가 간의 많은 논의와 조정을 요구한다'이다.

어휘

- homogeneous 동질의
- campaign 광고
- transference 이동
- commercial 상업의
- strength 장점
- amortize (빚 등을) 분할 상환하다
- saving 절약
- novitiate 풋내기
- mechanics 구조
- complicated 복잡한
- protagonist 주창자
- architecture 건축
- formulation 공식화
- packaging 포장
- end up 결국 ~가 되다
- monotonous 단조로운
- in consequence 결과적으로
- hence 따라서
- coordination 조정
- ponder 숙고하다

정답 ③

235 다음 주어진 문장이 들어갈 가장 적절한 곳은?

> Of course, even if we know the context in detail, we still might not be able to decipher the meaning of the nonverbal behavior.

Like verbal communication, nonverbal communication exists in a context, and that context determines to a large extent the meanings of any nonverbal behaviors. (①) A wink of the eye to an attractive person on a bus means something completely different from a wink of an eye to signify a lie. (②) Similarly, the meaning of a given bit of nonverbal behavior depends on the verbal behavior it accompanies or is close to in time. (③) Pounding the fist on a table during a speech in support of a politician means something quite different from the same fist pounding in response to news of a friends' death. (④) In attempting to understand and analyze nonverbal communication, however, it is essential that full recognition be taken of the context.

235

난이도 ★★★

해석

언어적 대화처럼 비언어적 대화도 문맥 속에 존재하고 그 문맥은 상당한 정도로 모든 비언어적 행위들의 의미를 결정한다. (①) 버스에서 매력적인 사람에게 윙크하는 것은 거짓말임을 나타내기 위해 윙크하는 것과는 완전히 다른 것을 의미한다. (②) 마찬가지로 하나의 주어진 비언어적 행위의 의미는 곧 그에 수반되거나 조만간 다가올 언어적 행위에 좌우된다. (③) 어떤 정치인을 지지하는 연설 중에 연단을 주먹으로 치는 것은 친구가 죽었다는 소식에 똑같이 주먹을 치는 것과 완전히 다른 것을 뜻한다. (④) 물론 우리가 문맥을 상세히 알고 있다 할지라도 그 비언어적 행위의 의미를 파악하는 것이 여전히 불가능할지 모른다. 그렇지만 비언어적 대화를 이해하고 분석하려고 시도할 때, 그 문맥에 대한 완전한 인식이 반드시 필요하다.

해설

비언어적 대화에서 문맥을 인식하는 것의 중요성에 대한 글이다. ④ 앞까지는 비언어적 대화가 문맥 속에 존재한다는 내용과 예시가 이어지고 있고 ④ 뒤에서도 비언어적 대화를 이해하는 데 문맥을 인식하는 것이 필요하다고 동일한 입장을 나타내고 있다. 그런데 ④에 순접의 연결어가 아니라 역접의 연결어 however가 있어서 자연스럽게 연결되지 않는다. 따라서 문맥을 상세히 알고 있더라도 비언어적 행위의 의미를 파악하는 것이 어려울 수 있다는 내용의 주어진 문장이 ④에 들어가야 however와 자연스럽게 이어지므로 정답은 ④이다.

어휘

- context 문맥
- decipher 뜻을 파악하다
- determine 결정하다
- attractive 매력적인
- accompany 수반하다
- in time 조만간
- fist 주먹
- recognition 인식
- in detail 상세히
- nonverbal behavior 비언어적 행위
- to a large extent 상당한 정도로
- signify 나타내다
- close (공간적, 시간적으로) 근접한
- pound 쾅쾅 치다
- analyze 분석하다

정답 ④

주요 구문 분석

Of course, / even if we know the context in detail, // we still might not be able to decipher the meaning (of the nonverbal behavior).

분석 even if는 양보절을 이끄는 부사절 접속사로 가정적 상황에만 사용하며 '(설령) ~라고 할지라도'라고 해석한다. 또한 주절에 쓰인 두 개의 조동사 중 might는 가능성이나 약한 추측을 나타내서 '~일지도 모른다'라고 해석하며 be able to는 '~할 수 있다'라는 의미이다.

236 밑줄 친 부분에 들어갈 말로 가장 적절한 것은?

Nothing is trash by nature. Anthropologist Mary Douglas brings back and analyzes the common saying that dirt is "_____." Dirt is relative, she emphasizes. "Shoes are not dirty in themselves, but it is dirty to place them on the dining-table; food is not dirty in itself, but it is dirty to leave pots and pans in the bedroom, or food all over clothing; similarly, bathroom items in the living room; clothing lying on chairs; outdoor things placed indoors; upstairs things downstairs, and so on." Sorting the dirty from the clean — removing the shoes from the table, putting the dirty clothing in the washing machine — involves systematic ordering and classifying. Eliminating dirt is thus a positive process.

① something old and worn-out
② material which is no longer wanted
③ something used temporarily
④ matter out of place

236 난이도 ★★★

해석

어떤 것도 본래부터 쓰레기인 것은 없다. 인류학자 메리 더글라스는 더러운 것은 "제자리에 있지 않은 물건"이라는 흔한 말을 다시 꺼내어 분석한다. 더러움은 상대적인 것이라고, 그녀는 강조한다. "신발은 그 자체로는 더럽지 않지만, 식탁 위에 놓여 있을 때 더러운 것이며; 음식은 그 자체로는 더럽지 않지만, 침실에 냄비와 팬을 놓아둔다면, 혹은 음식이 옷에 여기저기 묻어 있을 때; 유사하게, 거실에 있는 욕실용품; 의자 위에 놓여 있는 옷; 실내에 있는 실외 물품들; 아래층에 있는 위층 물건들, 등등이 더러운 것이다." 깨끗한 것과 더러운 것을 구분하는 것 — 식탁에서 신발을 치우는 것, 세탁기에 더러운 옷을 넣는 것 — 은 체계적인 정리와 분류를 포함하는 것이다. 따라서 더러운 것을 제거하는 것은 긍정적인 과정이다.

① 오래되고 낡은 것
② 더 이상 필요하지 않은 것
③ 일시적으로 사용된 것

해설

빈칸에서 더러운 것에 대한 정의를 내리고 이를 구체적인 예시와 설명으로 뒷받침하여 설명하는 구조의 글이다. 예시와 설명을 통해 빈칸에 들어갈 말을 유추할 수 있다. 더러움은 상대적인 것으로 신발 자체는 더럽지 않지만 식탁 위에 놓였을 때 더러운 것이며 이와 유사한 예시를 들어 제자리에 있지 않은 것이 더러운 것이라고 설명한다. 따라서 밑줄 친 부분에 들어갈 말로 가장 적절한 것은 ④ '제자리에 있지 않은 물건'이다. ①의 낡아서, ②의 필요하지 않아서, ③의 일시적으로 사용해서 더럽다는 내용은 언급되지 않았으므로 답이 될 수 없다.

어휘

□ anthropologist 인류학자   □ bring back 다시 꺼내다
□ analyze 분석하다   □ dirt 더러움
□ relative 상대적인   □ sort 구분하다
□ involve 포함하다   □ systematic 체계적인
□ classify 분류하다   □ eliminate 제거하다
□ worn-out 낡은   □ temporarily 일시적으로
□ out of place 제자리에 있지 않은

정답 ④

주요 구문 분석

Sorting the dirty from the clean / — removing the shoes from the table, / putting the dirty clothing in the washing machine — / involves systematic ordering and classifying.

분석 동명사 주어는 '~하는 것'으로 해석한다. 앞에 나온 동명사 주어의 구체적인 예를 열거하기 위해 대시(—)를 사용하는데, 두 가지 예를 들고 있다. involve는 명사나 동명사를 목적어로 취한다.

237 다음 글의 주제로 가장 적절한 것은?

Imagine that a civil jet aircraft customer wants an aircraft that has a lower fuel usage. This requirement will often be the responsibility of the aircraft engine manufacturer to deliver. The aircraft engine manufacturer will consider how it could achieve this challenge and conclude it needs to make changes within the innards of the engine, particularly, say, the turbine. This could involve the changing of the material of blades in the turbine, which would enable it to handle higher temperatures. This will improve fuel efficiency. However, it will lead to the knock-on effect of parts on the whole equipment. For instance, this change in material might change the weight of the component itself, requiring redesign of the disc that carries the blades. It will require a re-matching of turbine flow capacities. As can be seen, a simple change within the engine itself, like a material change of a component, can have implications that flow through to the critical performance measures of the aircraft.

① the effects of aircraft technology advances on other areas
② the interconnectedness of an aircraft's various components
③ the role of repeated changes in aircraft manufacturing
④ the collaboration among manufacturers for building an aircraft

주요 구문 분석

As can be seen, / a simple change (within the engine itself) (like a material change of a component), / can have implications (that flow through to the critical performance measures of the aircraft).

분석 주어 a simple change within the engine itself와 동사 can have 사이에 주어를 수식하는 전치사구가 삽입되어 있으므로 전치사구를 주어 보다 먼저 해석해야 한다. 또한, 문두에 있는 As can be seen은 As it can be seen에서 막연한 상황을 지칭하는 비인칭 주어 it이 생략된 관용적 표현으로 '보다시피, 보는 바와 같이'라고 해석하면 된다.

238 글의 흐름상 가장 어색한 것은?

Why do people in the Mediterranean live longer and have a lower incidence of disease? Some people say it's because of what they eat. Their diet is full of fresh fruits, fish, vegetables, whole grains, and nuts. Individuals in these cultures drink red wine and use great amounts of olive oil. Why is that food pattern healthy? ① One reason is that they are eating a palette of colors. ② Food coloring, or color additive, is any dye, pigment, or substance that imparts color when it is added to food or drink. More and more research is surfacing that shows us the benefits of the thousands of colorful "phytochemicals" that exist in foods. ③ These healthful, non-nutritive compounds in plants provide color and function to the plant and add to the health of the human body; Each color connects to a particular compound that serves a specific function in the body. ④ For example, if you don't eat purple foods, you are probably missing out on anthocyanins, important brain protection compounds.

주요 구문 분석

Food coloring, (or color additive), / is any dye, pigment, or substance (that imparts color // when it is added to food or drink).

분석 or color additive는 Food coloring의 동격어구이다. 영어에서 동격은 일반적으로 콤마(,), 전치사 of, 접속사 or, that절 등을 통해 표현되며, 해석할 때는 '즉', '곧', '다시 말해' 등의 의미로 자연스럽게 풀 수 있다. 또한, when이 이끄는 부사절은 that이 이끄는 관계대명사절에 포함된 부사절로 해석해야 한다.

237 난이도 ★★☆

해석

민간 제트 항공기 고객이 연료 사용이 적은 항공기를 원한다고 상상해 보아라. 이 요구는 종종 항공기 엔진 제조업체가 이행해야 할 책임일 것이다. 항공기 엔진 제조업체는 어떻게 이 난제를 풀 수 있는가를 고려할 것이고, 엔진 내부 구조 내에서의 변화, 예컨대 특히 터빈에 변화를 줄 필요가 있다고 결론지을 것이다. 이는 터빈의 날개 재질 변경을 포함할 수 있으며, 이는 그것(터빈)이 더 높은 온도를 처리할 수 있도록 할 것이다. 이것은 연료 효율성을 향상시킬 것이다. 하지만 그것은 부분이 장비 전체에 파급 효과를 미치게 할 것이다. 예를 들어, 재질에서의 이러한 변화는 그 구성 요소 자체의 무게를 변화시킬 수도 있고 날개가 붙어 있는 날개바퀴의 재설계를 필요로 할 것이다. 그것은 터빈의 유량 용량을 다시 맞추는 것을 필요로 할 것이다. 보다시피 한 구성 요소의 재질 변화와 같은 엔진 자체 내에서의 단순한 변화는 항공기의 결정적인 성능 척도까지 이어지는 영향을 끼칠 수 있다.

① 항공기 기술의 발전이 다른 분야에 미치는 영향
② 항공기의 다양한 구성 요소 사이의 상호 연결성
③ 항공기 제작에서 반복적인 변화의 역할
④ 항공기 제작을 위한 제조업체 사이의 협업

해설

항공기의 연료 효율성 향상 요구에 대한 언급으로 글이 시작되어 엔진 개선과 관련된 내용이 이어진다. 하지만 중반부 이후에는 한 구성 요소의 변화가 나머지 구성 요소 전체에 파급 효과를 미친다는 점을 몇 가지 예를 들어 설명하였고, 마지막 문장에서는 한 요소의 변화가 항공기 전체에 영향을 준다는 점을 다시 한 번 강조하였다. 따라서 전반부는 핵심 내용을 다루기 위해 사용된 도입부에 해당할 뿐이며, 항공기의 모든 구성 요소가 서로에게 영향을 준다는 것이 필자가 전달하고자 하는 핵심 정보이므로, 글의 주제로는 ② '항공기의 다양한 구성 요소 사이의 상호 연결성'이 가장 적절하다.

어휘

- civil 민간의
- requirement 필요
- innards 내부 구조
- knock-on effect 파급 효과
- disc 날개바퀴
- implication 영향
- collaboration 협업
- aircraft 항공기
- conclude 결론짓다
- blade (프로펠러) 날개
- component 구성 요소
- capacity 용량
- interconnectedness 상호 연결성

정답 ②

238 난이도 ★★☆

해석

왜 지중해 지역의 사람들은 더 오래 살고 질병 발생률이 더 낮을까? 어떤 사람들은 그들이 먹는 것 때문이라고 말한다. 그들의 식단은 신선한 과일, 생선, 채소, 통곡물, 견과류로 가득하다. 이러한 문화권의 사람들은 붉은 와인을 마시고 많은 양의 올리브유를 사용한다. 왜 그러한 음식 패턴이 건강에 좋은가? ① 한 가지 이유는 그들이 다양한 색깔을 먹고 있기 때문이다. ② 식용 색소, 곧 색소 첨가제는 음식이나 음료에 첨가되면 색깔을 전해 주는 어떤 염료, 색소 혹은 물질이다. 식품에 존재하는 수천 가지의 다채로운 '피토케미컬'의 이점을 우리에게 보여주는 점점 더 많은 연구가 나타나고 있다. ③ 식물 속의 건강에 좋고, 영양가 없는 이 화합물들은 식물에 색과 기능을 제공하고 인체의 건강에 보탬이 된다; 각각의 색깔은 몸에서 특정한 기능을 하는 특별한 화합물과 연결된다. ④ 예를 들어, 만약 당신이 보라색 음식을 먹지 않는다면, 당신은 중요한 뇌 보호 화합물인 안토시아닌을 아마도 놓치고 있을 것이다.

해설

지중해 지역 사람들의 장수 및 건강 비결이 글의 중심 소재이다. ①은 한 가지 비결로 그들이 다양한 색깔의 음식을 먹기 때문이라고 주장하고 ③은 각각의 색이 몸에 특별한 기능을 제공한다고 하며 ④는 안토시아닌을 피토케미컬의 예로 든다. 그에 비해 ②는 식품에 첨가하는 색소에 관한 설명이므로 글의 흐름과는 어색하다. 따라서 정답은 ②이다.

어휘

- Mediterranean 지중해의
- grain 곡물
- a palette of colors 다양한 색깔
- additive 첨가제
- pigment 색소
- impart 전하다
- benefit 이점
- phytochemical 피토케미컬: 식물 속 화학 물질
- non-nutritive 영양가 없는
- function 기능
- anthocyanin 안토시아닌: 빨강에서 파랑까지 여러 색을 나타내는 식물 색소
- incidence 발생률
- amount 양
- food coloring 식용 색소
- dye 염료
- substance 물질
- surface 나타나다
- compound 화합물

정답 ②

239 다음 글의 제목으로 가장 적절한 것은?

Although Einstein was the greatest genius of the twentieth century, many of his groundbreaking discoveries were blighted by mistakes, ranging from serious errors in mathematics to bad misconceptions in physics and failures to grasp the subtleties of his own creations. Of the approximately 180 original scientific papers that Einstein published in his lifetime, about 40 are infested with mistakes. For instance, Einstein's first mathematical proof of the famous formula $E = mc^2$ was incomplete and only approximately valid; he struggled with this problem for many years, but he never found a complete proof. Einstein was often lured by irrational and mystical inspirations, but his extraordinary intuition about physics permitted him to discover profound truths despite — and sometimes because of — the mistakes he made along the way. The defining hallmark of Einstein's genius was not any special mathematical ability but an uncanny talent to use his mistakes as stepping stones to formulate his revolutionary theories.

① Incompleteness of the Formula $E = mc^2$
② Enstein's Mistakes: The Human Failings of Genius
③ Scientific Theories Derived from Genuine Mistakes
④ Respected Scientists and Their Respective Errors

240 밑줄 친 부분에 들어갈 말로 가장 적절한 것은?

Throughout history, as science and technology have advanced, they have become increasingly fragmented, and this process naturally excludes a large proportion of the general population. In antiquity, certain things were taught to, and thus known by, only a few. Often, as in ancient Egypt and Babylonia, scientific knowledge was embedded within ritual and myth, revealed only to priests. Later, in the Hellenistic world, a rigorous form of learning based on Aristotle's inductive method, which provides the foundation for what is today called the scientific method, took place in academies to which the majority did not have access. At another level of society, specialized crafts and technologies developed that were learned, then practiced, only by dedicated artisans. Thus, long before anything like true science existed, certain types of technical skills and knowledge _____.

① were replaced by modern wisdom
② were far from minor and fragmented
③ were already reserved to a small group
④ were all based on objective experiences

239 난이도 ★★★

해석

아인슈타인이 20세기의 가장 위대한 천재였기는 하지만, 그의 획기적인 발견 중 상당수는 수학에서의 심각한 오류부터 물리학에서의 심각한 오해와 자신이 만든 (이론의) 중요한 세부 요소들을 파악하지 못한 실패에 이르기까지, 실수들로 손상되었다. 아인슈타인이 생전에 발표한 대략 180개의 독창적인 과학 논문 중, 약 40개 정도가 실수로 가득 차 있다. 예를 들어, 아인슈타인의 유명한 공식인 E=mc2의 최초 수학적 증명은 불완전했고 고작 대략적으로 타당한 정도였다; 그는 수년간 이 문제로 씨름했지만, 완벽한 증명을 결코 찾지 못했다. 아인슈타인은 비논리적이고 신비주의적인 영감의 꾐에 종종 빠졌지만, 그의 물리학에 대한 대단한 직관은 그가 그 과정에서 저지른 실수에도 불구하고, 오히려 때로는 실수 덕분에 심오한 진리를 발견하도록 했다. 아인슈타인의 천재성을 규정하는 특징은 어떤 특별한 수학적 능력이 아니라 자신의 실수를 디딤돌 삼아 획기적인 이론을 공식화하는 뛰어난 재능이었다.

① E=mc2 공식의 불완전성
② 아인슈타인의 실수: 천재성의 인간적 결함
③ 진짜 실수에서 얻어진 과학적 이론들
④ 존경받는 과학자들과 그들 각각의 실수들

해설

글의 중심 소재는 아인슈타인의 실수이고 주제문은 첫 번째 문장이다. 첫 문장에서 아인슈타인이 비록 위대한 천재이기는 하지만 여러 가지 실수를 저질렀다고 주장하고 나서 E=mc2를 예시로 들며 그에 관해 부연 설명한 뒤, 마지막에 그의 천재성은 실수를 디딤돌로 삼아 혁명적 이론을 만들어 낸 것이라고 말한다. 따라서 글의 제목으로는 핵심어인 아인슈타인과 실수가 모두 포함된 ② '아인슈타인의 실수: 천재성의 인간적 결함'이 가장 적절하다. ③은 아인슈타인에 관한 언급이 없어 과학 이론에 대한 보편적 내용이 되므로 답으로 적합하지 않다.

어휘

- genius 천재(성)
- blight 손상하다
- misconception 오해
- grasp 파악하다
- infested with ~로 들끓는
- valid 타당한
- lure 꾀어내다
- mystical 신비주의적인
- extraordinary 대단한
- along the way 그 과정에서
- hallmark 특징
- stepping stone 디딤돌
- derive 얻다
- groundbreaking 획기적인
- mathematics 수학
- physics 물리학
- subtlety 중요한 세부 요소
- formula 공식
- proof 증명
- irrational 비논리적인
- inspiration 영감
- intuition 직관
- define 규정하다
- uncanny 뛰어난
- formulate 공식화하다
- respective 각각의

정답 ②

240 난이도 ★★★

해석

역사를 통틀어 과학과 기술이 발전함에 따라, 그것들은 점점 더 파편화되어 왔으며, 이 과정은 자연스럽게 대부분의 일반 대중을 배제한다. 고대에 어떤 것들은 오로지 소수에게만 가르쳐졌고, 그리하여 소수에게만 알려졌다. 흔히, 고대 이집트와 바빌로니아에서와 마찬가지로, 과학적 지식은 사제들에게만 알려진 채로 의식과 신화 속에 묻혀 있었다. 후에 헬레니즘 시대에 오늘날 과학적 방법이라고 불리는 것에 기초를 제공하는 아리스토텔레스의 귀납적 방법에 근거한 엄격한 학습의 형태는 대다수가 접근할 수 없던 학교에서 이루어졌다. 또 다른 수준의 사회에서 오직 헌신적인 장인들에 의해서만, 학습되고 훈련이 되었던 전문화된 공예와 기술이 발전했다. 그러므로 진정한 과학 같은 것이 존재하기 훨씬 전에 특정한 종류의 기술과 지식은 <u>이미 소규모 집단에게 보유되었다</u>.

① 현대적 지혜에 의해 대체되었다
② 결코 사소하고 파편화되지 않았다
④ 모두 객관적인 경험에 근거했다

해설

주제문은 첫 문장으로 과학과 기술에서 대다수를 차지하는 일반 대중이 배제된다는 것이다. 이후 주제문의 뒷받침으로 기술과 지식이 극소수에게만 가르쳐졌고, 사제들에게만 소유되었고, 대다수가 접근할 수 없던 학교에서 학습이 이루어졌으며, 또한 장인들만이 공예와 기술의 비법을 학습하고 발전시켰다는 내용이 전개된다. 따라서 과학이나 기술이 존재한 근현대 이전에도 이미 기술과 지식은 소수 집단의 전유물이었다는 것이 글의 핵심 내용이므로 빈칸에 들어갈 말로 가장 적절한 것은 ③ '이미 소규모 집단에게 보유되었다'이다.

어휘

- fragmented 파편화된
- proportion 비율
- antiquity 고대
- ritual 의식
- rigorous 엄격한
- access 접근
- craft 공예
- dedicated 헌신적인
- reserve 보유하다
- exclude 배제하다
- general population 일반 대중
- embed 속에 묻다
- priest 사제
- inductive 귀납적인
- specialized 전문화된
- practire 훈련하다
- artisan 장인

정답 ③

241 다음 글의 제목으로 가장 적절한 것은?

The psychology professor Dr. Kelly Lambert's research explains that keeping what she calls the "effort-driven rewards circuit" well engaged helps you deal with challenges in the environment around you or in your emotional life more effectively and efficiently. Doing hands-on activities that produce results you can see and touch — such as knitting a scarf, cooking from scratch, or tending a garden — fuels the reward circuit so that it functions optimally. She argues that the documented increase in depression among Americans may be directly correlated with the decline of purposeful physical activity. When we work with our hands, it increases the release of the neurochemicals, dopamine and serotonin, both responsible for generating positive emotions. She also explains that working with our hands gives us a greater sense of control over our environment and more connection to the world around us. All of them contributes to a reduction in stress and anxiety and builds resilience against the onset of depression.

① Depression Caused by the Decline in Hands-on Activities
② How the Neurochemicals Reduce Our Stress and Anxiety
③ Hands-on Activities That Promote Mental Health
④ The Definition of the Effort-driven Reward Circuit

242 다음 빈칸에 들어갈 말로 가장 적절한 것은?

Needs change as your baby grows, but attachment is key to brain development throughout babyhood, toddlerhood, and into the preschool years. In *Your Child's Growing Brain*, child-development educator Stephen Santos Rico noted, "The brain is use-dependent, so the more it's experiencing something, the stronger it makes the connection. In the absence of some of those experiences, connections are not made." In other words, playing, simple pleasures, and loving grow a baby's brain. Without these experiences, critical neural connections will not be made, and baby's brain will likely fail to thrive and meet milestones. Most parents do not realize just how influential they are to their child's growing brain. Feeling an early, strong attachment to their parents gives children a secure view of the world, fosters positive self-esteem, and provides a model for other intimate relationships. Thus, the need for _____ _____, especially in the difficult first three months, is crucial.

① detachment from the world
② immediate response to needs
③ interactions with other babies
④ a break with emotional attachment

주요 구문 분석

Doing hands-on activities (that produce results (you can see and touch) / — such as knitting a scarf, cooking from scratch, or tending a garden —) / fuels the reward circuit // so that it functions optimally.

분석) 주어는 Doing hands-on activities인데, 이 주어는 관계절 that produce results의 수식을 받고, 관계절의 목적어인 results는 목적격 관계대명사가 생략된 관계절인 you can see and touch의 수식을 받는 구조이다. 문장 맨 뒤의 so that은 결과의 부사절 접속사이므로 '~해서'라고 해석한다.

주요 구문 분석

Feeling an early, strong attachment to their parents / gives children a secure view of the world, // fosters positive self-esteem, // and provides a model for other intimate relationships.

분석) Feeling ~ parents는 문장의 주어로 쓰인 동명사구이며, 이에 대해 세 개의 동사 gives, fosters, provides가 and를 통해 병렬 구조로 연결되어 있다. 직역하면 '~을 느끼는 것은 ~을 제공하고, ~을 증진시키며, ~을 제공한다'가 되지만, 이런 구조의 문장은 주어를 부사절로 해석하여 '~하면, ~할 때'라고 해석하면 글을 이해하기 더 쉽다.

241　난이도 ★★☆

해석

> 심리학 교수인 Kelly Lambert 박사의 연구는 그녀가 '노력 주도 보상 회로'라고 부르는 것을 잘 작동되는 상태로 유지하는 것이, 당신이 당신 주변의 환경에서나 당신 삶의 감정적인 부분에서의 문제들을 더 효과적이고 효율적으로 처리하는 데 도움이 된다고 설명한다. 목도리를 뜨거나 처음부터 직접 요리하거나 정원을 손질하는 것과 같이 — 여러분이 보고 만질 수 있는 결과를 만들어내는 수작업 활동을 하는 것은 보상 회로를 자극해서 최적으로 작동하도록 한다. 그녀는 문서로 기록된 미국인들의 우울증 증가는 목적이 있는 신체 활동의 감소와 직접적으로 관련이 있을 수도 있다고 주장한다. 우리가 손으로 일을 할 때, 그것은 긍정적인 감정을 발생시키는 것을 담당하는 신경 화학 물질인 도파민과 세로토닌의 분비를 증가시킨다. 그녀는 또한 우리의 손으로 작업하는 것은 우리에게 환경에 대한 더 큰 통제감과 우리 주변의 세계와의 더 많은 연결을 준다고 설명한다. 이 모든 것이 스트레스와 불안의 감소에 기여하고 우울증 발생에 대한 회복력을 키워준다.

① 수작업 활동의 감소로 야기된 우울증
② 신경 화학 물질이 어떻게 스트레스와 불안을 줄이는가
③ 정신 건강을 증진시키는 수작업 활동
④ 노력 주도 보상 회로의 정의

해설

중심 소재는 노력 주도 보상 회로와 수작업이고, 첫 번째 문장에서 '노력 주도 보상 회로'라고 부르는 것을 잘 유지하는 것이 삶의 감정적인 부분에서 문제들을 더 효과적이고 효율적으로 처리하는 데 도움이 된다고 한다. 이렇게 노력 주도 보상 회로를 최적으로 작동하도록 활성화시키는 것이 수작업 활동이라고 말하며 수작업 활동의 구체적인 방법과 이것이 어떻게 작용하는지, 그리고 그 효과에 대해 설명한다. 그러므로 제목으로 가장 적절한 것은 ③ '정신 건강을 증진시키는 수작업 활동'이다. 목적이 있는 신체 활동의 감소와 우울증의 증가가 관련이 있다는 내용이 언급되었지만 수작업 활동의 긍정적인 영향을 말하기 위해 언급된 것이므로 지엽적이라 ②는 답이 될 수 없다. ④는 노력 주도 보상 회로를 잘 유지시키는 것이 수작업 활동이라는 내용이지 이를 정의하는 글이 아니기 때문에 답이 될 수 없다.

어휘

- driven 주도의
- circuit 회로
- deal with ~을 처리하다
- effectively 효과적으로
- efficiently 효율적으로
- knit 짜다
- from scratch 맨 처음부터
- tend 손질하다
- fuel 자극하다
- optimally 최적으로
- documented 문서로 기록된
- purposeful 목적이 있는
- release 분비
- resilience 회복력
- onset 발생

정답 ③

242　난이도 ★★☆

해석

> 아기가 자라면서 욕구는 변하지만, 애착은 유아기, 아장아장 걷는 시기, 그리고 취학 전 시기에 이르기까지 뇌의 발달에 핵심적이다. 아동 발달 교육자 Stephen Santos Rico는 〈Your Child's Growing Brain〉에서, "뇌는 사용에 의존하기에, 그것이 무언가를 더 많이 경험하면 할수록, 그것은 연결성을 더 강하게 만든다. 그러한 경험 중 일부가 없는 경우에는 연결이 이루어지지 않는다."라고 적었다. 다른 말로 하면, 놀기, 단순한 쾌락, 그리고 사랑은 아기의 뇌를 성장하게 한다. 이러한 경험들이 없으면, 중요한 신경 연결이 이루어지지 않을 것이고, 아기의 뇌는 발육하여 중요한 단계에 도달하지 못할 것이다. 대부분의 부모는 자녀의 성장하는 뇌에 자신들이 정말 얼마나 영향력이 있는지를 깨닫지 못한다. 부모에게 초기의, 강한 애착을 느끼는 것은 어린이들에게 안정적인 세계관을 제공하고 긍정적인 자존감을 증진시키며 다른 친밀한 관계의 모델을 제공한다. 따라서 특히 어려운 첫 3개월 동안, <u>욕구에 대한 즉각적인 반응</u>의 필요성이 중요하다.

① 세상으로부터의 분리
③ 다른 아기들과의 상호작용
④ 감정적 애착과의 단절

해설

아기는 자라면서 욕구가 변하지만, 애착은 뇌의 발달에 핵심적이므로 아기의 욕구에 즉각적으로 반응해주는 것이 필요하다는 내용의 글이다. 그에 대한 근거로 제시된 아동 발달 교육자 Stephen Santos Rico의 말에 따르면, 뇌는 사용할수록 더 연결성이 강해지기 때문에 자녀의 뇌가 성장하게 하려면 부모는 아기가 경험할 수 있도록 해주어야 하고, 이러한 경험들을 통해서 신경 연결이 이루어진다고 하였다. 그 뒤에 이어지는 내용은 이러한 경험이 이루어지는 데 있어 부모의 영향력에 대한 설명이다. 따라서 빈칸에는 아이들이 직접적으로 세상을 경험할 수 있도록 해주는 부모의 중요한 역할이 와야 함을 유추할 수 있다. 앞에서 설명된 세상에 대한 안전함을 보여주고 부모와 애착을 형성하게 하려면 부모는 ② '욕구에 대한 즉각적인 반응'을 보여주어야만 한다. ① '세상으로부터의 분리'나 ④의 '단절'은 오히려 경험을 차단하는 것이며 ③ '다른 아기들과의 상호작용' 역시 부모의 역할과는 관련이 없다. 따라서 정답은 ②이다.

어휘

- attachment 애착
- toddlerhood 아장아장 걷는 시기
- connection 연결
- in the absence of ~이 없는 경우에
- neural 신경의
- thrive 번성하다
- milestone 중요한 단계
- influential 영향력 있는
- secure 안정적인
- foster 증진시키다
- self-esteem 자존감
- intimate 친밀한

정답 ②

243 주어진 글 다음에 이어질 글의 순서로 가장 적절한 것은?

Wisdom is considered to be about abstract, ethereal matters like "the way" or "the good" or "the truth" or "the path." Aristotle's teacher, Plato, shared this view that wisdom was theoretical and abstract, and the gift of only a few.

(A) The wisdom to answer such questions and to act rightly was distinctly practical, not theoretical. It depended on our ability to *perceive* the situation, to have the appropriate *feelings* or desires about it, to *deliberate* about what was appropriate, and to *act*.

(B) To take the example of anger, the crucial issue for Aristotle was never the abstract one, like whether anger was good or bad. It was the particular and concrete issue of what to do in a particular circumstance: who to be angry at, for how long, in what way, and for what purpose.

(C) But Aristotle disagreed. He thought that our fundamental social practices constantly demanded choices — like when to be loyal to a friend, or how to be fair, or when and how to be angry — and that making the right choices demanded wisdom.

① (A) - (C) - (B) ② (B) - (A) - (C)
③ (B) - (C) - (A) ④ (C) - (B) - (A)

244 다음 빈칸에 들어갈 말로 가장 적절한 것은?

The key reason so many people are not living their ideal life is that many people think they need to figure out what they are passionate about prior to taking action. They are stuck in this phase — I will do something as soon as I figure out what I want to do. Since this is not the way to go about creating an ideal life or a passionate life, many people fail to get started. They never do the one thing that would spark their passion — that is, they do not take action on their thoughts and ideas. They spend most of their life, if not their entire life, _____ _____. They have it backwards. Passion is not something a person locates or resurrects. Passion is a state of mind that a person mobilizes as he or she acts on ideas.

① working on one thing at a time
② transferring their passion to others
③ trying to summon the passion to act
④ waiting for their passion to be resurrected

주요 구문 분석

Aristotle's teacher, (Plato), / shared this view [that wisdom was theoretical and abstract, / and the gift of only a few].

분석 that ~ a few는 동격의 절로 this view를 상세히 설명하는 역할을 하며, 동격절의 보어는 형용사구인 theoretical and abstract와 명사구인 the gift of only a few가 and를 통해 대등하게 연결된 구조이다. 형용사구 안에도 and가 사용되었기 때문에, 뒤에 오는 명사구 앞의 and에는 콤마를 찍어 구조적 혼동을 피하고 있다. 해석할 때도 이 콤마를 기준으로 의미 단위를 구분하면 자연스럽다.

주요 구문 분석

The key reason (so many people are not living their ideal life) is // that many people think // they need to figure out // what they are passionate about prior to taking action.

분석 주어인 The key reason은 관계부사 that이 생략된 관계절인 so many ~ life의 수식을 받고, 동사 is의 보어는 that 명사절이다. think는 that이 생략된 명사절을 목적어로 취하며, 그 목적절 안에서 figure out이 what절을 목적어로 취한다. prior to 전치사구는 think의 목적절 안에 포함되므로 주어 다음에 전치사구를 먼저 해석하고 나머지 동사부를 해석해야 한다.

243 난이도 ★★☆

해석

지혜는 '방식' 또는 '선' 또는 '진리' 또는 '행로'와 같은 추상적, 무형적 문제에 관한 것으로 여겨진다. 아리스토텔레스의 스승 플라톤은 지혜란 이론적이고 추상적이며, 극소수의 재능이라는 견해를 공유했다. (C) 하지만 아리스토텔레스는 의견이 달랐다. 그는 우리의 기본적인 사회적 관행이, 예컨대 언제 친구에게 충실할 것인가, 또는 어떻게 공평할 것인가, 또는 언제 그리고 어떻게 화를 낼 것인가와 같은 선택을 끊임없이 요구하며 올바른 선택을 하는 것은 지혜를 요구한다고 생각했다. (B) 분노를 예로 들면, 아리스토텔레스에게 중대한 문제는 분노가 선한지 아니면 악한지와 같은 추상적인 문제가 절대 아니었다. 그것은 '특정한' 상황에서 무엇을 할 것인가, 즉 누구를 상대로, 얼마나 오래, 어떤 식으로, 어떤 목적으로 화를 내야 하는가에 관한 특정하고 구체적인 문제였다. (A) 그런 질문에 답하고 올바르게 행동하는 지혜는 명백히 실용적이며, 이론적이지 않았다. 그것(지혜)은 상황을 '인식하고', 그것에 대한 적절한 '감'이나 소망을 가지며, 무엇이 적절한가에 대해 '숙고하고', '행동하는' 우리의 능력에 달려 있었다.

해설

지혜라는 핵심 소재를 제시하고 플라톤의 이론적, 추상적 지혜라는 개념과 상반된 아리스토텔레스의 실용적 지혜라는 개념을 논리적으로 설명하는 구조의 글이다. 글의 논리적 흐름을 파악하려면 (A)의 such questions가 가리키는 내용, (B)의 the example의 전제가 되는 내용, (C)의 But으로 대조되는 내용을 파악해야 한다. 주어진 글에서는 지혜는 이론적이고 추상적이며 오직 소수만이 소유한다는 플라톤의 견해가 제시되었다. (C)에서는 But으로 시작하여 주어진 글에 언급된 플라톤의 견해와 상반된 아리스토텔레스의 견해로서 사회 활동에서 올바른 선택을 위한 지혜를 설명한다. (B)에서는 (C)의 끝부분에 있는 making the right choices와 관련하여 언급된 who to be angry at, for how long, in what way, and for what purpose와 연결하여 분노를 예로 들어 설명하고 있다. (A)에서는 (B)의 끝부분에 열거된 질문들을 such questions로 지칭하면서 아리스토텔레스의 실용적 지혜라는 견해에 대한 추가적인 설명을 제시하면서 글을 정리하고 있다. 따라서 정답은 ④ (C)-(B)-(A)이다.

어휘

- abstract 추상적인
- ethereal 무형의
- distinctly 뚜렷하게
- perceive 인식하다
- deliberate 숙고하다
- concrete 구체적인
- fundamental 기본적인
- constantly 끊임없이
- confront 맞서다

정답 ④

244 난이도 ★★☆

해석

그렇게 많은 사람들이 이상적인 삶을 살고 있지 않는 핵심적인 이유는 많은 사람들이 행동을 취하기 전에 그들이 무엇에 대해 열정을 가지고 있는지를 알아내야 한다고 생각하기 때문이다. 그들은 이 단계에 갇혀 있다 — 내가 무엇을 하고 싶은지 알아내자마자 나는 무엇인가를 할 거야. 이것이 이상적인 삶이나 열정적인 삶을 만들기 시작하는 방법이 아니기 때문에, 많은 사람들은 시작에 실패한다. 그들은 결코 자신들의 열정을 불러일으킬 단 한 가지 일을 하지 않는다 — 즉, 그들은 자신들의 생각과 아이디어에 대해 행동을 취하지 않는다. 그들은 평생은 아니더라도, 삶의 대부분을 행동하기 위한 열정을 불러일으키려고 노력하는 데 쓴다. 그들은 그것을 거꾸로 한다. 열정은 사람이 찾거나 되살리는 것이 아니다. 열정은 아이디어에 따라 행동하면서 사람이 동원하는 마음의 상태이다.

① 한 번에 한 가지 일을 하는 데
② 자신들의 열정을 다른 사람에게 전이시키는 데
④ 자신들의 열정이 되살아나기를 기다리는 데

해설

많은 사람들이 이상적인 삶을 살지 못하는 이유에 관한 글이다. 사람들은 무엇을 하고 싶은지를, 즉 자신들이 가진 열정을 알아낸 다음에야 어떤 행동을 취하려고 하기 때문에 어떤 것도 시작하지 못한다는 것이 필자의 생각이다. 빈칸은 이런 필자의 의견이 들어가는 곳으로 빈칸 뒤에서 그들이 그것을 거꾸로 한다고 말하며 열정이 먼저 있고 행동을 하는 게 아니라, 생각이나 아이디어에 따라 행동을 하다보면 열정이 생기는 것이라고 말한다. 따라서 빈칸에는 이와 상반되는 내용이 들어가야 하므로 가장 적절한 것은 ③ '행동하기 위한 열정을 불러일으키려고 노력하는 데'이다.

어휘

- ideal 이상적인
- figure out 알아내다
- passionate 열정적인
- take action 조치를 취하다
- stuck 갇힌
- phase 단계
- go about ~을 시작하다
- get started 시작하다
- spark 촉발하다
- backwards 거꾸로
- locate (위치를) 찾다
- resurrect 되살리다
- mobilize 동원하다
- transfer 전이시키다
- summon 불러일으키다
- recognize 인정하다

정답 ③

245 밑줄 친 부분에 들어갈 말로 가장 적절한 것은?

Research shows that people who work have two calendars: one for work and one for their personal lives. Although it may seem sensible, having two separate calendars for work and personal life can lead to distractions. To check if something is missing, you will find yourself checking your to-do lists multiple times. Instead, _____. It doesn't matter if you use digital or paper media. It's okay to keep your professional and personal tasks in one place. This will give you a good idea of how time is divided between work and home. This will allow you to make informed decisions about which tasks are most important.

① put each plan into each calendar
② set aside time for work and play
③ collect as much useful information as possible
④ organize all of your tasks in one place

주요 구문 분석

This will allow you / to make informed decisions / about which tasks are most important.

분석 「allow+목+to부정사」는 '(목적어가) ~하게 할 것이다'라고 해석된다. 전치사 about의 목적어로 의문사절(간접의문문)이 쓰였다. which가 명사를 수식하는 의문형용사이므로 '어떤' 또는 '어느'로 해석된다.

---

245 난이도 ★★☆

해석

연구는 일하는 사람들이 두 개의 달력을 가지고 있다는 것을 보여준다: 하나는 업무를 위한 달력이고 하나는 개인적인 삶을 위한 달력이다. 비록 그것이 현명해 보일지도 모르지만, 업무와 개인적인 삶을 위한 두 개의 별도의 달력을 갖는 것은 주의를 산만하게 할 수 있다. 무언가가 누락되었는지 확인하기 위해, 당신은 스스로가 자신의 할 일 목록을 여러 번 확인하는 것을 깨닫게 될 것이다. 대신, <u>당신의 모든 일들을 한 곳에 정리하라</u>. 당신이 디지털 매체를 사용하든 종이 매체를 사용하든 중요하지 않다. 당신의 직업상의 일과 개인 용무를 한곳에 두어도 괜찮다. 이것은 일과 가정 사이에 시간이 어떻게 나눠지는지를 당신이 잘 알게 해 줄 것이다. 이것은 어떤 일이 가장 중요한지에 대한 정보에 입각한 결정을 내리게 할 것이다.

① 각각의 계획을 각각의 달력에 기입하라
② 일과 놀이를 위한 시간을 따로 확보하라
③ 가능한 한 많은 유용한 정보를 수집하라

해설

선택지들은 모두 명령문으로 되어 있으며, 연결어 instead 뒤에 놓여있다. 따라서 빈칸 앞에는 빈칸과 상반되는 내용이 전개되었음을 알 수 있고, 빈칸 뒤에는 빈칸 내용을 뒷받침하거나 부연하는 설명이 이어질 것을 알 수 있다. 빈칸 앞에서, 사람들은 업무용 달력과 사적 용도의 달력을 가지고 있는데 이는 주의를 산만하게 한다고 한다. 빈칸 뒤에서는, 직업상의 일과 개인 용무를 한곳에 두는 것이 좋다고 한다. 따라서, ④ '당신의 모든 일들을 한 곳에 정리하라'가 정답이다.

어휘

- sensible 현명한
- separate 별도의
- distraction 주의 산만
- matter 중요하다
- professional 직업상의
- informed decision 정보에 입각한 결정
- set aside 따로 확보하다
- organize 정리하다

정답 ④

246 주어진 문장 다음에 이어질 글의 순서로 가장 적절한 것은?

Creative people aren't all cut from the same cloth.

(A) That's because Vincent will have a very different reaction to the news than Emily. Perhaps that promotion news will land easier if Vincent is given a few extra vacation days for the holidays, while you can promise Emily a bigger promotion a year from now.

(B) For instance, if you're telling people they aren't getting that deserved promotion just yet, you should consider each person's personality traits, their life circumstances, and their mindset. What you say should not be the same from one person to the next.

(C) They have varying levels of maturity and sensitivity. They have different approaches to work. And they're each motivated by different things. Managing people is about understanding their unique personalities and having empathy and adaptability.

① (A) – (B) – (C)
② (A) – (C) – (B)
③ (C) – (A) – (B)
④ (C) – (B) – (A)

주요 구문 분석

What you say / should not be the same / from one person to the next.

(분석) from one person to the next는 '사람마다'라고 자연스럽게 해석할 수 있다. 이처럼 vary, differ 같은 동사나 the same 같은 형용사 뒤에 from one A to the next 또는 from one to another라는 표현이 함께 쓰이면 사람, 경우, 문화 등 동일한 유형의 대상 간의 차이를 강조하는 것이므로 '사람마다 다르다/같지 않다'처럼 해석하면 된다.

246

난이도 ★★☆

(해석)

창의적인 사람들이 모두 같은 부류인 것은 아니다. (C) 그들은 다양한 수준의 성숙도와 민감성을 가진다. 그들은 일에 대한 서로 다른 접근법을 가진다. 그리고 그들은 각자 서로 다른 것에 의해 동기가 부여된다. 사람들을 관리하는 것은 그들의 고유한 개성을 이해하고 공감과 융통성을 가지는 것이다. (B) 예를 들어, 여러분이 사람들에게 그들이 받아 마땅한 그 승진을 지금 당장은 받지 못할 것이라고 말한다면, 각각의 성격적 특징과 그들의 삶의 상황, 그들의 사고방식을 고려해야 한다. 당신이 하는 말은 사람에 따라 달라져야만 한다. (A) 그것은 Vincent가 그 소식에 대해 Emily와 매우 다른 반응을 보일 것이기 때문이다. 아마 Vincent에게 명절에 며칠간의 추가적인 휴일이 주어진다면 그 승진 소식은 더 쉽게 도달할 것이고, 한편 Emily에게는 지금보다 1년 후에 더 큰 승진을 약속할 수도 있을 것이다.

(해설)

주어진 문장에서 창의적인 사람들이 모두 같지는 않다고 했으므로 그들이 어떤 부분에서 서로 다른지 부연 설명하는 (C)가 뒤에 이어지는 것이 자연스럽다. (C)의 뒷부분에서 사람들을 관리할 때 중요한 것은 개성을 이해하고 공감하며 융통성 있게 맞추는 것이라고 주장한 뒤 (B)에서는 이에 대한 예시를 든다. 승진이 늦어진다는 소식을 전달할 때는 대상의 특성을 고려해야 한다는 것이다. (A)는 그 소식을 듣는 두 사람의 경우를 구체적으로 대조해서 보여줌으로써 (B)의 내용을 뒷받침한다. 따라서 글의 순서로 가장 적절한 것은 ④ (C) – (B) – (A)이다.

(어휘)
- creative 창의적인
- cut from the same cloth 같은 부류인
- land 도착하다
- promotion 승진
- deserve 받아 마땅하다
- personality 성격
- trait 특징
- circumstances 상황
- mindset 사고방식
- varying 다양한
- maturity 성숙도
- sensitivity 민감성
- approach 접근법
- unique 고유한
- empathy 공감
- adaptability 융통성

(정답) ④

247 다음 글의 제목으로 가장 적절한 것은?

Physicist John Archibald Wheeler noted, "Even to observe so minuscule an object as an electron, a physicist must shatter the glass. He must reach in. He must install his chosen measuring equipment …. Moreover, the measurement changes the state of the electron. The universe will never afterward be the same." In other words, the act of studying an event can change it. Social scientists often encounter this phenomenon. Anthropologists know that when they study a tribe, the behavior of the members may be altered by the fact that they are being observed by an outsider. Subjects in a psychology experiment may alter their behavior if they know what experimental hypotheses are being tested. This is why psychologists use blind and double-blind controls. Lack of such controls is often found in tests of paranormal powers and is one of the classic ways that thinking goes wrong in the pseudosciences.

① Is Social Science a Real Science?
② Observation Changes the Observed
③ Problems in Pseudoscientific Thinking
④ Why Do Physicians Break the Glass?

248 밑줄 친 부분에 들어갈 말로 가장 적절한 것은?

In science a hypothesis is put forward to explain a physical phenomenon. If observations of the phenomenon compare well with the hypothesis, this becomes evidence in favor of it. Experiments may be performed to test the predictive power of the hypothesis, and if it continues to be successful then this is even more evidence to back the hypothesis. Eventually the amount of evidence may be overwhelming and the hypothesis becomes accepted as a scientific theory. However, the scientific theory can never be proven to the same _____ level of a mathematical theorem: it is merely considered highly likely based on the evidence available. So-called scientific proof relies on observation and perception, both of which are fallible and provide only approximations of the truth. This weakness in scientific proof leads to scientific revolutions in which a theory that was assumed to be correct is replaced with another theory, which may be merely a refinement of the original theory, or which may be a complete contradiction.

① absolute
② supreme
③ foremost
④ unrestricted

주요 구문 분석

This is // why psychologists use blind and double-blind controls.
분석 This는 앞 문장 전체를 지칭하고 why ~ controls는 보어로서 이유를 설명한다. 직역하면 '이것은 ~하는 이유이다'라는 뜻이지만, '그런 이유로 심리학자들은 블라인드 및 이중 블라인드 통제를 사용한다.'처럼 자연스럽게 의역하는 것이 문맥 파악에 더 도움이 된다.

주요 구문 분석

So-called scientific proof relies on observation and perception, / both of which are fallible // and provide only approximations of the truth.
분석 both of which는 앞의 선행사인 두 단어(observation and perception)를 받아 '그 둘 모두는'이라는 의미가 된다. 이처럼 「both/all/some/most 등의 부분사 + of + 관계대명사(which/whom)」는 '그중 둘 다/모두/일부/대부분'으로 해석하면 된다.

247 난이도 ★★☆

해석

물리학자 John Archibald Wheeler는 "전자처럼 정말로 매우 작은 대상을 관찰하기 위해, 물리학자는 유리를 산산조각내야만 한다. 그는 손을 뻗어야만 한다. 그는 자신이 선택한 측정 장비를 설치해야 한다…. 게다가, 측정은 전자의 상태를 변화시킨다. 우주는 이후에 결코 같지 않을 것이다."라고 언급했다. 다른 말로 하면, 어떤 사건을 연구하는 행위가 그 사건을 변화시킬 수 있다. 사회과학자들은 흔히 이런 현상에 맞닥뜨린다. 인류학자는 자신들이 어느 부족을 연구할 때, 그 부족의 구성원들이 외부인에 의해 관찰되고 있다는 사실에 의해 구성원의 행동이 바뀔 수도 있다는 것을 알고 있다. 심리학 실험의 대상자들은 어떤 실험 가설이 시험되고 있는지를 알고 있을 경우에 자신들의 행동을 바꿀 수도 있다. 그런 이유로 심리학자들은 블라인드 및 이중 블라인드 통제를 사용한다. 그러한 통제의 부족은 흔히 초자연적인 힘의 시험에서 발견되며, 의사(사이비) 과학에서 사고가 잘못되는 고전적인 방법 중 하나이다.

① 사회 과학은 진짜 과학인가?
② 관찰이 관찰 대상을 변화시킨다
③ 의사(사이비) 과학적 사고의 문제점
④ 물리학자는 왜 유리를 깨뜨리는가?

해설

인용문 바로 다음 문장인 In other words ~가 주제문이다. 물리학자 John Archibald Wheeler의 주장으로 시작하는 이 글은 어떤 대상을 관찰하는 행위가 관찰 당하는 대상에게 영향을 끼쳐 그들의 행동이 바뀔 수 있다는 내용이다. 사회과학자들은 이런 사실을 자주 맞닥뜨리고 있어 실험 중에 관찰 행위가 관찰 대상자의 행동에 영향을 미칠 수 있기 때문에 블라인드 또는 이중 블라인드 통제를 한다고 말한다. 따라서 글의 제목으로 가장 적절한 것은 ② '관찰이 관찰 대상을 변화시킨다'이다.

어휘

- physicist 물리학자
- electron 전자
- install 설치하다
- afterward 이후에
- phenomenon 현상
- tribe 부족
- observe 관찰하다
- subject 대상(자)
- hypothesis 가설
- pseudoscience 의사[사이비] 과학
- minuscule 매우 작은
- shatter 산산조각내다
- equipment 장비
- encounter 맞닥뜨리다
- anthropologist 인류학자
- alter 바꾸다
- outsider 외부인
- experimental 실험의
- paranormal 초자연적인

정답 ②

248 난이도 ★★★

해석

과학에서는 어떤 물리적 현상을 설명하기 위해 가설이 제시된다. 만일 그 현상의 관찰의 결과가 가설과 부합할 때 그것은 그 가설을 지지하는 증거가 된다. 가설의 예측력을 검증하기 위해 실험이 행해질 수 있으며, 이러한 실험을 통한 검증이 계속 성공적이면 이는 가설을 지원하는 더욱 유효한 증거가 된다. 결국 증거의 양이 압도적이게 될 것이고 그러면 그 가설은 과학 이론으로 받아들여진다. 그러나 과학 이론은 결코 수학 정리와 동일한 절대적인 수준으로 증명될 수 없다. 과학 이론은 단지 얻을 수 있는 증거에 기초해 아주 가능성이 높다고 간주될 뿐이다. 소위 말하는 과학적 증명은 관찰과 인식에 의존하는데 이 둘은 모두 오류가 있을 수 있으며 진실의 근사치만을 제시할 뿐이다. 과학적 증명에서의 이러한 약점은 옳다고 추정되었던 이론이 단순히 원래 이론의 개선이거나 또는 그와는 완전히 반대되는 것일 수도 있는 다른 이론으로 대체되는 과학 혁명을 초래한다.

② 최고의
③ 가장 중요한
④ 제한이 없는

해설

빈칸이 중반부에 나오므로 그 뒤 내용을 근거로 삼아서 답을 추론할 수 있다. 빈칸 뒤에서 과학이란 사실이 아니라 그저 가능성이 높은 증거일 뿐이며, 오류가 있을 수 있고, 진실의 근사치만을 제시한다고 설명한다. 따라서 과학 이론은 결코 수학 원리처럼 ① '절대적인' 수준이 될 수 없다는 것이 적절하다.

어휘

- hypothesis 가설
- phenomenon 현상
- evidence 증거
- perform 행하다
- back 지원하다
- perception 인식
- approximation 근사치
- refinement 개선
- supreme 최고의
- put forward 제시하다
- observation (관찰의) 결과
- in favor of ~을 지지하는
- predictive 예측의
- theorem (수학의) 정리
- fallible 오류가 있는
- unrestricted 제한이 없는
- contradiction 반대
- foremost 가장 중요한

정답 ①

249 주어진 글 다음에 이어질 글의 순서로 가장 적절한 것은?

Even as mundane a behavior as watching TV may be a way for some people to escape painful self-awareness through distraction.

(A) When the video came on, showing nature scenes with a musical soundtrack, the experimenter exclaimed that this was the wrong video and went supposedly to get the correct one, leaving the participant alone as the video played.

(B) To test this idea, Sophia Moskalenko and Steven Heine gave participants false feedback about their test performance, and then seated each one in front of a TV set to watch a video as the next part of the study.

(C) The participants who had received failure feedback watched the video much longer than those who thought they had succeeded. The researchers concluded that distraction through television viewing can effectively relieve the discomfort associated with painful failures or mismatches between the self and self-guides.

① (A) – (B) – (C) ② (A) – (C) – (B)
③ (B) – (A) – (C) ④ (B) – (C) – (A)

250 밑줄 친 부분에 들어갈 말로 가장 적절한 것은?

In his article, *New York Times* journalist Nicholas Kristof featured John Wood, an American Microsoft marketing director, who, while working in Vietnam, saw that some schools had no books for the students. Wood decided to collect books for them and delivered hundreds of books to these schools. And here is the transformative event: The children wept with joy, clutching the books to their hearts as treasures. Wood reported that, upon seeing the children's gratitude, he felt such a powerful exhilaration that he quit Microsoft, started a foundation called Room to Read, and began traveling and raising funds for schools and libraries. By the time the *New York Times* article was published, Wood had established "12,000 of these libraries around the world, along with 1,500 schools." His remarkable story is a good example of psychologist Dacher Keltner's proposal: that _____.

① exhilaration tends to be hard earned but easily lost
② altruism and generosity do indeed make us happy
③ journalism plays a vital role in social movements
④ even altruistic behavior may cause harm to others

주요 구문 분석

Even as mundane a behavior as watching TV / may be a way (for some people to escape painful self-awareness / through distraction).

분석 「as+형용사+a+명사+as」는 원급 비교 구문으로, 여기서는 문장의 주어로 사용되었다. 강조의 의미를 나타내는 even이 앞에 붙어 'TV를 보는 것만큼 일상적인 행동조차도'라는 뜻으로 해석한다.

주요 구문 분석

Wood reported // that, (upon seeing the children's gratitude), he felt such a powerful exhilaration // that he quit Microsoft, // started a foundation called Room to Read, // and began traveling and raising funds for schools and libraries.

분석 동사인 reported는 that절을 목적어로 취하는 전달 동사이며, that절 안에는 upon이 이끄는 전치사구가 삽입되어 있고 결과의 부사절 접속사인 「such ~ that」이 포함되어 있다. 또한 이 결과절 안에는 주어 he에 대해 quit, started, began의 세 동사가 병렬 구조로 나열되어 있다. 따라서 이런 구조를 참고하여 해석하면 된다.

249 난이도 ★★☆

해석

텔레비전을 보는 것만큼 일상적인 행동조차 일부 사람들이 주의 돌리기를 통해 고통스러운 자기 인식을 피하는 방법이 될 수 있다. (B) 이 방법을 시험하기 위해 Sophia Moskalenko와 Steven Heine은 참가자들에게 그들의 시험 성적에 관한 거짓 피드백을 주었고, 그런 뒤에 연구의 다음 부분으로 각각을 텔레비전 앞에 앉아서 영상을 보도록 했다. (A) 영상이 시작되어 음악 녹음이 흐르면서 자연의 장면을 보여주자, 실험자는 이것이 잘못된 영상이라고 큰 소리로 말했고 추정상 올바른 영상을 가지러 나가고 영상이 재생되는 동안 참가자를 혼자 남겨두었다. (C) 실패라는 피드백을 받은 참가자들은 자신들이 성공했다고 생각하는 사람들보다 영상을 훨씬 더 오래 시청했다. 연구자들은 텔레비전 시청을 통한 주의 돌리기가 고통스러운 실패와 관련된 불편함이나 자신과 자기 지침 사이의 부조화를 효과적으로 완화할 수 있다고 결론 내렸다. 대조적으로, 성공한 참가자들은 자신과 관련된 생각에서 주의가 딴 데로 돌려지는 것을 거의 바라지 않았다.

해설

주어진 문장은 텔레비전 시청 같은 일상적인 일도 주의를 딴 데로 돌려 고통에서 벗어나는 방법이 될 수 있다고 주장한다. 이후에는 이 주장을 입증하는 실험 내용이 이어지는데 (B)의 this idea가 주어진 문장의 내용을 받는다. 참가자들에게 시험 성적에 대한 거짓 피드백을 주고 영상을 시청하게 했다는 설명 뒤에 (A)가 이어져서 그 영상이 재생될 때 참가자를 홀로 남겨두었다고 한다. 그런 다음 실험의 결과인 남겨진 참가자들이 영상을 시청하는 시간과 그 의미를 설명하는 (C)로 이어지는 것이 문맥상 자연스럽다. 또한 (C)의 The researchers concluded라는 표현으로 보아 실험의 결론이 제시되는 마지막 부분임을 유추할 수 있다. 따라서 글의 순서로 가장 적절한 것은 ③ (B)-(A)-(C)이다.

어휘

- mundane 일상적인
- painful 고통스러운
- self-awareness 자기 인식
- distraction 주의 돌리기
- come on 시작되다
- experimenter 실험자
- exclaim 큰 소리로 말하다
- supposedly 추정상
- seat 앉히다
- conclude 결론을 내리다
- relieve 완화하다
- discomfort 불편함
- mismatch 부조화
- self-guide 자기 지침: 자기 규제를 위해 사용하는, 자신을 위한 구체적인 이미지나 기준

정답 ③

250 난이도 ★★☆

해석

자신의 기사에서, 〈New York Times〉 기자 Nicholas Kristof는 미국 마이크로소프트사 마케팅부장인 John Wood를 특별히 다루었는데, 그는 베트남에서 근무하는 동안 일부 학교의 학생들이 책이 없는 것을 알게 되었다. Wood는 그들을 위해 책을 모으기로 결심했고 이 학교들에게 수백 권의 책을 가져다주었다. 그리고 여기에서 변화를 가져온 사건이 있다: 그 아이들은 그 책들을 보물처럼 가슴에 꼭 움켜쥐고 기쁨의 눈물을 흘린 것이었다. Wood는 그 아이들이 감사하는 것을 보는 순간 너무나도 강한 환희를 느껴서 마이크로소프트사를 그만두고 Room to Read라 불리는 재단을 시작하고 학교와 도서관 기금 모집 순회 여행을 시작했다고 말했다. 〈New York Times〉 기사가 게재될 즈음에, Wood는 전 세계에 '1천5백 개의 학교와 더불어 이런 도서관 1만2천 곳'을 설립했다. 그의 놀라운 이야기는 심리학자 Dacher Keltner의 <u>이타심과 관대함은 정말 우리를 진정으로 행복하게 만든다</u>는 제안의 훌륭한 사례이다.

① 환희는 얻기는 어렵지만 이내 사라지는 경향이 있다
③ 언론은 사회 운동에서 매우 중요한 역할을 한다
④ 이타적인 행동이 다른 이들에게 해를 입힐 수도 있다

해설

글의 주인공이라고 할 수 있는 한 사람의 일화를 소개하고, 그 일화를 통해 추론할 수 있는 요지를 마지막 문장에 제시한 구조의 글이다. 베트남 주재 미국 마이크로소프트사 마케팅부장인 John Wood가 그곳의 아이들에게 책을 모아 선물했고, 그 아이들이 너무나 기뻐하는 모습을 보고난 후 큰 환희를 느껴 아예 직장을 그만두고 전 세계에 학교와 도서관을 세우는 활동을 하게 되었다는 내용이다. 밑줄 친 부분에는 John Wood가 왜 그런 활동을 하게 되었는지, 즉 그 계기가 무엇인지를 나타낼 수 있는 ② '이타심과 관대함은 정말 우리를 진정으로 행복하게 만든다'가 가장 적절하다. ①과 ④는 글에서 다룬 내용이 아니고, ③은 주인공을 소개하기 위해 전반부에 사용된 New York Times journalist Nicholas Kristof과 관련될 뿐 글의 핵심 내용과 무관하므로 정답으로 적절하지 않다.

어휘

- article 기사
- journalist (신문·잡지) 기자
- feature 특별히[특집으로] 다루다
- transformative 변화를 가져오는
- clutch 움켜쥐다
- gratitude 감사
- exhilaration 환희
- foundation 재단
- establish 설립하다
- remarkable 놀라운
- proposal 제안
- altruism 이타심
- generosity 관대함
- altruistic 이타적인

정답 ②

DAY 51

251 다음 글의 제목으로 가장 적절한 것은?

The demand for freshness can have hidden environmental costs. While freshness is now being used as a term in food marketing as part of a return to nature, the demand for year-round supplies of fresh produce such as soft fruit and exotic vegetables has led to the widespread use of hot houses in cold climates and increasing reliance on total quality control — management by temperature control and use of pesticides. The demand for freshness has also contributed to concerns about food wastage. Use of 'best before' and 'sell by' labels has legally allowed institutional waste. Campaigners argues that, with freshly made sandwiches, overordering is standard practice across the retail sector to avoid the appearance of empty shelf space, leading to high volumes of waste when supply regularly exceeds demand.

① Food Security and Environmental Impacts
② How to Meet the Growing Demand for Freshness
③ Packaging Trends: The Shift Towards Consumer Convenience
④ Environmental Issues in Demand for Freshness

주요 구문 분석

Campaigners argues // that, with freshly made sandwiches, / overordering is standard practice across the retail sector / to avoid the appearance of empty shelf space, / leading to high volumes of waste // when supply regularly exceeds demand.

분석 argue의 목적어로 that 명사절이 쓰였다. with freshly made sandwiches에서 「with+명사」는 '~의 경우에는'이라는 의미의 전치사구이다. to avoid는 부사적 용법의 to부정사로 '~하기 위하여'라는 목적을 표현한다. leading to는 분사구문으로 앞 절에 대한 결과를 '이는 ~을 초래한다'로 해석할 수 있다.

---

252 빈칸에 들어갈 말로 가장 적절한 것은?

A cross-cultural case study suggests that a person from another culture might indeed perceive people and cars to be insects from the vantage point of an airplane. It also _____ in the development of size constancy, the ability to perceive an object as having a constant size even when its distance from the observer changes. Anthropologist Colin Turnbull found that an African Pygmy, Kenge, thought that buffalo perceived across an open field were some form of insect. Turnbull had to drive Kenge down to where the animals were grazing to convince him that they were not insects. During the drive, as the buffalo gradually grew in size, Kenge muttered to himself and moved closer to Turnbull in fear. Even after Kenge saw that these animals were, indeed, familiar buffalo, he still wondered how they could grow large so quickly. Kenge lived in a thick forest and normally did not view large animals from great distances. For this reason, he had not developed size constancy for distant objects.

① emphasizes the role of experience
② casts doubt on cultural differences
③ denies the effect of the environment
④ uncovers significant causes of delay

주요 구문 분석

A cross-cultural case study suggests // that a person (from another culture) / might indeed perceive people and cars / to be insects / from the vantage point of an airplane.

분석 문장의 suggest는 that절을 목적어로 취하는 동사로, 그 해석은 that절 내부 동사의 형태에 따라 달라진다. 만약 that절에서 동사가 「(should)+동사원형」이면 '제안하다' 또는 '권고하다'의 의미가 되지만, 이 문장처럼 일반 시제 동사(might perceive)가 올 경우에는 '시사하다, 보여주다'의 뜻으로 해석해야 한다

251 난이도 ★★☆

해석

신선함에 대한 요구는 숨겨진 환경적인 대가를 지니고 있을 수 있다. 신선함이 자연으로의 회귀의 일부로써 식품 마케팅에서 하나의 용어로 현재 사용되고 있지만, 씨 없는 작은 과일이나 외국산 채소와 같은 신선한 식품의 연중 공급에 대한 요구는 추운 기후에서의 광범위한 온실 사용과 총체적인 품질 관리 — 온도 조절에 의한 관리와 농약 사용 — 에 대한 의존성의 증가로 이어져 왔다. 신선함에 대한 요구는 또한 음식물 쓰레기에 대한 우려의 원인이 되어 왔다. '유통 기한'과 '판매 시한' 라벨 사용은 제도적인 쓰레기를 법적으로 허용해 왔다. 운동가들은 신선하게 만들어진 샌드위치와 함께, 판매대가 비어 보이는 것을 피하기 위해 초과 주문하는 것이 소매업 부문 전반의 일반적인 관행이며, 이것은 공급이 정기적으로 수요를 초과하면 엄청난 양의 쓰레기로 이어진다고 주장한다.

① 식량 안전 보장과 환경적 영향
② 늘어나는 신선함에 대한 요구를 충족하는 방법
③ 포장 트렌드: 소비자 편의로의 전환
④ 신선함에 대한 요구 속 환경 문제

해설

The demand for freshness(신선함에 대한 요구)라는 중심 소재가 제시되고 두 개의 소주제 hidden environmental costs(숨겨진 환경적인 대가)와 concerns about food wastage(음식물 쓰레기에 대한 우려)가 동등하게 다뤄지고 있다. 신선함(신선 식품)에 대한 요구가 환경 문제에 영향을 끼칠 수 있음을 지적하는 내용의 글이다. 첫 번째는 신선한 식품이 마케팅에서는 자연으로 돌아가는 긍정적인 의미로 사용되지만 실제로는 이것의 연중 공급에 대한 요구는 추운 기후에서의 광범위한 온실 사용, 온도 조절에 의한 관리와 살충제 사용에 대한 의존성을 증가시켰다고 말한다. 그리고 두 번째는 '유통 기한', '판매 시한' 라벨 사용은 과잉 생산이나 쓰레기를 유발시킨다고 환경적인 문제점을 지적한다. 따라서 글의 제목으로 가장 적절한 것은 ④ '신선함에 대한 요구 속 환경 문제'이다. 식량 안전 보장에 대한 글이 아니므로 ①은 답이 될 수 없다.

어휘

- demand 요구
- hidden 숨겨진
- cost 대가
- supply 공급
- exotic 외국의
- hot house 온실
- management 관리
- contribute 원인이 되다
- food wastage 음식물 쓰레기
- practice 관행
- sector 부문
- exceed 초과하다
- freshness 신선함
- environmental 환경적인
- year-round 연중 계속되는
- soft fruit 씨 없는 작은 과일
- widespread 광범위한
- reliance 의존성
- pesticide 농약
- concern 우려
- institutional 제도적인
- retail 소매업
- appearance 모습을 보임
- food security 식량 안전 보장

정답 ④

252 난이도 ★★☆

해석

한 비교 문화 사례 연구는 비행기의 시점에서 (공중에서 내려다 볼 때) 다른 문화 출신의 사람이 사람들과 차를 곤충인 것으로 사실상 인지할 지도 모른다는 것을 보여준다. 그것은 또한 한 물체가 관찰자로부터의 거리가 달라지더라도 일정한 크기를 가진 것으로 인식하는 능력인 크기 항상성의 발달에서 경험의 역할을 강조한다. 인류학자 Colin Turnbull은 아프리카 피그미족인 Kenge가 탁 트인 들판을 가로질러 인지된 물소들을 어떤 형태의 곤충이라고 생각했다는 것을 발견했다. Turnbull은 Kenge에게 그 동물들이 곤충이 아니라는 것을 확신시키기 위해 그를 차에 태우고 그 동물들이 풀을 뜯고 있는 곳으로 가야 했다. 차로 이동하는 중에 물소들이 점점 크기가 커지자 Kenge는 중얼중얼 혼잣말을 했고 겁에 질려 Turnbull에게 더 가까이 다가갔다. 이 동물들이 정말 친숙한 들소들이라는 것을 보고 난 후에도 Kenge는 여전히 어떻게 그것들이 그렇게 빨리 커질 수 있는지에 대해 의아해했다. Kenge는 울창한 숲에서 살았고, 일반적으로 덩치 큰 동물을 먼 거리에서 보지 않았다. 이러한 이유로 그는 멀리 있는 물체에 대한 크기 항상성을 발달시키지 못했다.

② 문화적 차이에 대한 의문을 던진다
③ 환경의 영향을 부인한다
④ 지연의 중대한 이유를 드러낸다

해설

빈칸이 있는 두 번째 문장이 주제문으로, 주어 It은 앞 문장 전체를 지칭한다. also가 쓰였다는 점에서 이 문장은 첫 문장의 내용 문화적 배경에 따라 멀리 있는 사람이나 차량을 곤충처럼 인식할 수 있다는 사실 — 에 덧붙여, 크기 항상성의 발달과 관련된 또 다른 시사점을 제시함을 알 수 있다. 이후 이어지는 Kenge의 사례는 환경적 경험의 부족이 먼 거리에서의 크기 인식에 영향을 주었음을 보여주며, 이는 경험이 크기 항상성 발달에 중요한 역할을 한다는 결론을 뒷받침한다. 따라서 빈칸에는 ① '경험의 역할을 강조한다'가 들어가야 한다.

어휘

- cross-cultural 비교 문화의
- constancy 항상성
- buffalo 물소
- convince 확신시키다
- emphasize 강조하다
- deny 부인하다
- delay 지연
- vantage point 시점
- anthropologist 인류학자
- graze 풀을 뜯다
- mutter 중얼거리다
- cast doubt on ~에 의문을 던지다
- uncover 밝히다

정답 ①

253 다음 글의 주제로 가장 적절한 것은?

Each man is at every moment subjected to several sets of law. As a body, he is subjected to gravitation and cannot disobey it. If you leave him unsupported in mid-air, he has no more choice about falling than a stone has. As an organism, he is subjected to various biological laws which he cannot disobey any more than an animal can. That is, he cannot disobey those laws which he shares with other things. But there is one law which he is free to disobey. This is the law which is peculiar to his human nature. He does not share this law with animals or vegetables or inorganic things. This was called the law of human nature because people thought that everyone knew it by nature and did not need to be taught; e.g., one must not run away in battle, one must not be selfish, one must not lie, and so on. This law he can disobey if he chooses to.

① Nobody is subjected to the two kinds of laws at the same time.
② How to clone human into animals or inorganic things
③ Peculiarity of the laws of human nature overrides the physical laws.
④ Two kinds of laws: physical laws and laws of human nature.

254 밑줄 친 (A), (B)에 들어갈 말로 알맞게 짝지어진 것은?

Your expectations are likely to influence your perceptions of people with whom you interact. Most people have a tendency to expect positive behaviors from people they like and respect, and negative behaviors from people they could easily live without.
____(A)____, suppose that, as you are walking down the street, you come across someone you know. That individual, rather than smiling and greeting you, instead looks the other way and passes silently by. If this is a person you admire, you might perceive the individual to be deep in thought and therefore not paying any attention to other pedestrians on the street.
____(B)____, if you dislike the person, you might interpret the behavior as an inappropriate demonstration of arrogance and elitism. It is extremely difficult for you to perceive people objectively, particularly if you have expectations — based on your past experiences — about how those people are likely to be.

	(A)	(B)
①	For example	On the other hand
②	For example	As a result
③	By contrast	As a result
④	By contrast	In other words

주요 구문 분석

If you leave him / unsupported in mid-air, / he has no more choice about falling / than a stone has.
(분석) 「A has no more B than C (has B)」 구문은 관용적 비교 표현으로 'C가 B하지 않는 것처럼, A도 B하지 않는다'라는 의미이다. 즉 직역하면 '그가 떨어지는 것에 대해 선택권이 있는 정도는 돌이 선택권이 있는 정도와 같다.'라는 문장을 '그는 돌과 마찬가지로 떨어지는 것에 대해 선택권이 없다.'라고 자연스럽게 해석할 수 있다.

주요 구문 분석

It is extremely difficult / for you to perceive people objectively, // particularly if you have expectations / — based on your past experiences / — about how those people are likely to be.
(분석) 문장에서 how는 전치사 about의 목적어 역할을 하는 명사절을 이끄는 의문사로, those people의 성격, 상태, 모습 등을 나타내는 보어 역할을 한다. 또한 be likely to be는 '~일 것 같다'라는 의미로, how와 결합되어 '그들이 어떤 모습일 것 같은지'라고 해석된다.

253

난이도 ★★☆

해석

모든 사람은 매 순간마다 몇 가지 법칙의 지배를 받는다. 하나의 물체로서 사람은 중력의 지배를 받으며, 그것을 거역할 수 없다. 당신이 어떤 사람을 공중에 지지하는 것이 없는 상태로 두면 그 사람은 돌과 마찬가지로 떨어지는 것에 대해 선택권이 없다. 하나의 유기체로서 사람은 동물이 거역할 수 없는 것처럼 그도 거역할 수 없는 다양한 생물학적 법칙들의 지배를 받는다. 말하자면, 사람은 자신이 다른 것들과 공유하고 있는 그러한 법칙들을 거역할 수 없다. 그러나 사람이 마음대로 거역할 수 있는 법칙이 하나 있다. 이것은 사람의 인간 본성에 고유한 법칙이다. 사람은 동물이나 식물, 혹은 무기물들과 이 법칙을 공유하지 않는다. 예를 들면 전투에서 도망치면 안 된다, 이기적이면 안 된다, 거짓말 하면 안 된다 등처럼 누구나 선천적으로 알고 있어서, 배워야 할 필요가 없는 것이라고 사람들이 생각했기 때문에 이것은 인간 본성의 법칙이라고 불렀다. 이 법칙은 사람이 거역하기를 선택한다면 거역할 수 있다.

① 어느 누구도 동시에 두 가지 법칙의 지배를 받지 않는다.
② 인간을 동물이나 무기물로 복제하는 방법
③ 인간 본성의 법칙의 고유성은 물리 법칙보다 더 중시된다.
④ 두 가지 법칙: 물리 법칙과 인간 본성의 법칙

해설

글의 전반부는 다른 동물이나 사물과 공유하는 생물학적 법칙에 대해 이야기하고 있다. 이후 But 이하에서는 인간만이 갖게 되는 인간 본성의 법칙에 대해 이야기하고 있다. 따라서 글의 주제로는 ④ '두 가지 법칙: 물리 법칙과 인간 본성의 법칙.'이 가장 적절하다.

어휘

☐ be subjected to ~의 지배를 받다
☐ gravitation 중력
☐ mid-air 공중
☐ organism 유기체
☐ peculiar 고유한
☐ human nature 인간 본성
☐ inorganic 무기물의
☐ by nature 선천적으로
☐ clone 복제하다
☐ peculiarity 고유성
☐ override ~보다 중시되다

정답 ④

254

난이도 ★★☆

해석

당신의 기대치는 당신이 교류하는 사람들에 대한 인식에 영향을 미칠 가능성이 있다. 대부분의 사람들은 자신이 좋아하고 존경하는 사람들에게는 긍정적인 행동들을 기대하고, 그들이 없어도 잘 살 수 있는 사람들에게는 부정적인 행동들을 기대하는 경향이 있다. (A) 예를 들어 당신이 거리를 걷고 있을 때 우연히 아는 사람을 만난다고 가정해 보라. 그 사람이 당신에게 웃으며 인사하기보다는 오히려 못 본 척하며 말없이 지나간다. 만일 이 사람이 당신이 존경하는 사람이라면, 당신은 그 사람이 깊은 생각에 빠져 있어서 길에 있는 다른 보행자들에게 전혀 신경 쓰지 못했다고 생각할지 모른다. (B) 반면에 당신이 그 사람을 싫어한다면, 당신은 그 행동을 오만과 엘리트주의의 부적절한 표출로 해석할지 모른다. 특히 당신의 과거 경험에 근거해 그 사람들이 어떤 모습일 것 같은지에 대해 기대가 있다면, 당신이 사람들을 객관적으로 인식하기란 극히 어렵다.

　　(A)　　　　　　(B)
② 예를 들어　　　그 결과
③ 반면에　　　　그 결과
④ 반면에　　　　다시 말해서

해설

(A) 다음에 suppose that이 있으므로 그 이후에는 어떠한 사례가 나올 것이다. 따라서 (A)에는 For example이 적절하다. 앞 문장에서 설명했던 당신의 기대가 당신이 교류하는 사람들에 대한 인식에 영향을 준다는 사실의 예가 (A) 이후에 제시된다.
(B)의 앞은 If this is a person you admire의 상황에 관한 내용이고, 뒤는 if you dislike the person의 상황에 관한 내용이므로 상반된 것을 연결할 수 있는 On the other hand가 적절하다.
따라서 정답은 ①이다.

어휘

☐ perception 인식
☐ interact 상호작용하다
☐ come across 우연히 만나다
☐ look the other way 못 본 척하다
☐ pass by 지나가다
☐ deep in thought 깊은 생각에 잠긴
☐ pedestrian 보행자
☐ inappropriate 부적절한
☐ demonstration 표출
☐ arrogance 오만
☐ elitism 엘리트주의
☐ objectively 객관적으로
☐ based on ~에 기초하여

정답 ①

255 밑줄 친 부분에 들어갈 말로 가장 적절한 것은?

Contractors that will construct a project may _____. Proper planning forces detailed thinking about the project. It allows the project manager (or team) to "build the project in his or her head." The project manager (or team) can consider different methodologies, thereby deciding what works best or what does not work at all. This detailed thinking may be the only way to discover restrictions or risks that were not addressed in the estimating process. It would be far better to discover in the planning phase that a particular technology or material will not work than in the execution process. The goal of the planning process for the contractor is to produce a workable scheme that uses the resources efficiently within the allowable time and given budget. A well-developed plan does not guarantee that the execution process will proceed flawlessly or that the project will even succeed in meeting its objectives. It does, however, greatly improve its chances.

① find out the allowable time and given budget
② require a consensus of all of the participants
③ place more weight on the planning process
④ compare the plan with the execution process

주요 구문 분석

It would be far better to discover / in the planning phase // that a particular technology or material will not work / than in the execution process.

분석) It이 가주어이고 to discover가 진주어이며 that절이 discover의 목적어이다. 여기서 비교 대상은 in the planning phase와 in the execution process이므로 '실행 과정에서보다 계획 수립 단계에서'라고 해석하면 된다.

255 난이도 ★★☆

해석)
프로젝트를 구성할 계약자들은 계획 수립 과정을 더 중요시할 것이다. 적절한 계획 수립은 프로젝트에 대한 자세한 생각을 하게 만든다. 그것은 프로젝트 매니저가 (또는 팀이) '머릿속에서 프로젝트를 구상하도록' 한다. 프로젝트 매니저는 (또는 팀은) 다양한 방법론을 고려해서, 무엇이 가장 효과적인지 혹은 무엇이 전혀 효과가 없는지 결정할 수 있다. 이 자세한 생각은 평가 과정에서 다뤄지지 않은 제약이나 위험을 발견할 수 있는 유일한 방법일지 모른다. 특정한 기술이나 요소가 효과가 없을 것이라는 사실을 발견하는 것은 실행 과정에서보다 계획 수립 단계에서가 훨씬 더 나을 것이다. 계약자의 입장에서 계획 수립 과정의 목표는 허용 가능한 시간과 주어진 예산 안에서 자원을 효율적으로 활용하는 실현 가능한 계획을 만들어 내는 것이다. 잘 수립된 계획이라고 해서 실행 과정이 흠 없이 진행된다거나 프로젝트가 목표를 달성하는 데 성공할 것을 보장하지는 않는다. 하지만 그것은 그 가능성을 크게 향상시킨다.

① 허용 가능한 시간과 주어진 예산을 알아낼
② 참가자 전원의 의견 일치를 요구할
④ 계획을 실행 과정과 비교할

해설)
글의 중심 소재는 계획 수립이다. 잘 수립된 계획은 일의 효율성을 증대시키고 성공 가능성을 높이기 때문에 계약자의 입장에서는 계획 수립 과정을 실행 과정보다 중요시해야 한다는 내용이다. 빈칸에는 프로젝트를 구성하는 계약자가 할 법한 행동이 들어가야 하는데, 빈칸 이후에 이어지는 계약자들의 행동에 대한 설명을 통해 답을 유추할 수 있다. 따라서 ③ '계획 수립 과정을 더 중요시할'이 들어가는 것이 가장 적절하다. ④는 실행 과정에 대한 언급이 있지만, 이것을 계획과 비교하라는 내용은 없으므로 정답이 될 수 없다.

어휘)
- contractor 계약자
- proper 적절한
- methodology 방법론
- address 다루다
- phase 단계
- execution 실행
- scheme 계획
- budget 예산
- objective 목표
- place weight on ~을 중요시하다
- construct 구성하다
- detailed 자세한
- restriction 제약
- estimate 평가하다
- material 요소
- workable 실현 가능한
- allowable 허용 가능한
- flawlessly 흠 없이
- consensus 의견 일치

정답) ③

256 다음 글에서 전체 흐름과 관계없는 문장은?

Development strategies focus on economic growth without recognizing the role of functioning natural systems for local well-being. This is because services that nature provides are often not visible. ① Wetlands are a good example; conserving wetlands appears to provide few benefits, and few economic costs are associated with their conservation and loss. ② Consequently, wetlands are converted in favor of more profitable options such as dams or irrigation schemes. ③ Since the costs of running these dams do not fall correspondingly, the cost of generating a given amount of electricity rises. ④ But the problem is not that wetlands have no economic value, but that this value — e.g. waste water purification and water regulation — is poorly understood and frequently overlooked in decision making. Local planners are often unaware that many natural solutions are available and are more cost-effective than artificial solutions.

주요 구문 분석

Development strategies focus on economic growth / without recognizing the role (of functioning natural systems / for local well-being).

분석 전치사 without은 명사구를 목적어로 취하면 '~ 없이'라고 해석하지만, 이 문장처럼 동명사(구)를 목적어로 취하면 '~하지 않고'라고 해석해야 자연스럽다.

256

난이도 ★★☆

해석

개발 전략은 지역 복지를 위해 작동 중인 자연 체계의 역할을 인정하지 않고 경제성장에 초점을 맞춘다. 이것은 자연이 제공하는 역할들이 종종 눈에 보이지 않기 때문이다. ① 습지가 좋은 예이다; 습지를 보존하는 것은 혜택이 거의 없는 것처럼 보이고, 경제적 비용은 습지의 보존 그리고 손실과 거의 연관되지 않는다. ② 결과적으로, 습지는 댐이나 관개 계획 같은 더 이득이 되는 선택사항들로 전환된다. ③ 이러한 댐을 운영하는 비용은 상응하여 떨어지지 않기 때문에, 일정한 전력을 만들어 내는 비용이 올라간다. ④ 그러나 문제는 습지가 경제적 가치가 없다는 것이 아니라, 이러한 가치 — 예를 들어, 폐수 정화와 수량 관리 — 가 제대로 이해되지 않고 의사 결정에 있어서 자주 간과된다는 점이다. 지역 개발 계획자들은 많은 자연적인 해결책이 이용 가능하고, 인위적인 해결책보다 비용적으로 더 효율적이라는 것을 종종 알지 못한다.

해설

첫 문장이 이 글의 주제문으로 개발 전략에 있어서 자연 체계의 역할을 인정하지 않고, 경제성장에만 신경을 쓴다는 것이다. 필자는 습지를 자연 체계의 한 역할로써 예시로 들며 설명을 시작한다. ①에서 습지의 역할이 눈에 잘 띄지 않고 혜택이 없는 것처럼 보인다고 말한다. ②에서는 그 결과 습지가 파괴되고 댐으로 만들어진다고 말한다. ④에서는 습지가 경제적 가치가 있는데 제대로 이해되지 않아 의사 결정에서 간과된다고 말한다. 그런데 ③의 내용을 보면 댐을 운영하는 비용에 관한 구체적인 설명이므로 습지의 예와는 관련이 없다. 따라서 정답은 ③이다.

어휘

- well-being 복지
- conserve 보존하다
- convert 전환하다
- irrigation scheme 관개 계획
- electricity 전기
- water regulation 수량 관리
- cost-effective 비용 효율적인
- wetland 습지
- conservation 보존
- in favor of ~을 위하여
- correspondingly 상응하여
- purification 정화
- overlook 간과하다
- artificial 인위적인

정답 ③

257 다음 글의 요지로 가장 적절한 것은?

If people know an attack is coming, they can prepare to defend themselves. High school students in a study were forewarned either 2 or 10 minutes in advance that they would hear a speech on "Why Teenagers Should Not Be Allowed to Drive" (not a very popular message, as you might guess). The remaining students heard the same talk, but received no forewarning. The results showed that students who received no forewarning were persuaded the most, followed by those who received 2 minutes' warning, followed by those who received 10 minutes' warning. When people believe that someone is trying to persuade them (and take away their freedom of choice), they experience an unpleasant emotional response called psychological reactance, which motivates them to resist the persuasive attempt. Often people will do exactly the opposite of what they are being persuaded to do.

① When you are forewarned in advance, you become less likely to be persuaded.
② The problem of teen driving can be solved by enough advance warnings.
③ The more information you get, the better you will understand the problem.
④ Lack of persuasion may evoke a sense of rebellion against the rules.

258 밑줄 친 부분에 들어갈 말로 가장 적절한 것은?

The major philosophical shift in the idea of selling came as industrial societies became more affluent, more competitive, and more geographically spread out during the 1940s and 1950s. This forced business to develop closer relations with buyers and clients, which in turn made business realize that it was not enough to produce a quality product at a reasonable price. In fact, it was essential to deliver products that customers actually wanted. Henry Ford produced his best selling T-model Ford in one color only (black) in 1908, but in modern societies this was no longer possible. The modernization of society led to a marketing revolution that destroyed the view that production would create its own demand. To _____ became the focus of business.

① boost the total amount of revenue
② meet customers' diverse needs
③ enhance production efficiency
④ establish fair pricing

257 난이도 ★★☆

해석

만약 사람들이 공격이 오고 있음을 알면, 그들은 그들 자신을 방어할 준비를 할 수 있다. 한 연구에서 고등학교 학생들은 "십 대에게 운전이 허락되어서는 안 되는 이유"(당신이 추측한 대로 별로 인기 있는 메시지는 아니다)에 대한 연설을 듣게 될 것이라고 2분 혹은 10분 미리 경고되었다. 남아있는 학생들은 같은 이야기를 들었지만, 어떠한 사전 경고도 받지 못했다. 결과는 경고를 받지 않은 학생들이 가장 많이 설득되었다는 것을 보여주었고, 그다음으로는 2분 미리 경고를 받은 학생들이, 그다음으로는 10분 미리 경고를 받은 학생들이 그 뒤를 따랐다. 사람들은 누군가가 그들을 설득하려 (그리고 그들의 선택의 자유를 가져가려) 노력한다고 믿으면, 심리적 반발심이라 불리는 불쾌한 감정적 반응을 경험하는데, 이는 그들이 설득적 시도에 저항하도록 동기를 부여한다. 종종 사람들은 그들이 하도록 설득되고 있는 것과 정확히 반대로 행동할 것이다.

① 미리 경고를 받으면 설득될 가능성이 더 낮아진다.
② 십 대 운전의 문제는 사전 경고를 충분히 하는 것으로 해결될 수 있다.
③ 더 많은 정보를 얻을수록, 그 문제를 더 잘 이해할 것이다.
④ 설득의 부족은 규칙에 대한 저항감을 일으킬 수 있다.

해설

첫 번째 문장에서 사람들은 공격받을 것을 미리 알면 그것에 대비하게 된다는 일반적인 진술을 한 후 연구 사례를 통해 진술을 뒷받침하고 있다. 미리 경고를 받은 학생들이 경고를 받지 않은 학생들보다 설득된 수가 적었다는 결과를 보여주고 이것은 사람들이 설득적 시도에 저항하는 심리적 반발심을 경험하는 것이라고 설명한다. 따라서 글의 요지로 가장 적절한 것은 ① '미리 경고를 받으면 설득될 가능성이 더 낮아진다'이다.

어휘

- defend 방어하다
- forewarn 사전 경고하다
- in advance 미리
- remaining 남아있는
- unpleasant 불쾌한
- psychological reactance 심리적 반발심
- resist 저항하다
- persuasive 설득적인
- persuade 설득하다
- persuasion 설득
- evoke 일으키다
- rebellion 저항

정답 ①

258 난이도 ★★☆

해석

산업 사회가 1940년대와 1950년대 동안 더 부유하고, 더 경쟁적이고, 더 지리적으로 퍼져 나가게 되면서 판매 개념에 주요한 철학적 변화가 일어났다. 이로 인해 기업은 구매자 및 고객과 더 긴밀한 관계를 발전시켜야 했고, 이것은 결과적으로 기업이 합리적인 가격에 양질의 제품을 생산하는 것으로는 충분하지 않다는 것을 깨닫게 했다. 사실, 고객이 실제로 원하는 제품을 내놓는 것은 마찬가지로 매우 중요했다. 1908년에 Henry Ford는 자신의 가장 많이 팔리는 T모델 Ford를 단 하나의 색상(검은색)으로 생산했지만, 현대사회에서는 이것이 더 이상 가능하지 않았다. 사회의 현대화는 생산이 그 자체의 수요를 창출할 것이라는 견해를 파괴하는 마케팅 혁명으로 이어졌다. <u>고객의 다양한 욕구를 충족시키는 것이</u> 기업의 초점이 되었다.

① 전체 수입액을 높이는 것이
③ 생산의 효율성을 강화하는 것이
④ 공정한 가격을 수립하는 것이

해설

1940~50년대에 판매 개념에 어떤 변화가 생겼는지 설명하는 글이다. 기업들은 고객과 더 긴밀한 관계를 맺어야 했고 양질의 제품만으로 승부를 볼 수는 없게 되었고 고객이 실제로 원하는 것을 내놓아야 했다고 말한다. 현대는 포드 자동차처럼 단일 색상의 모델만 출시할 수 없게 되었다고 말하며, 생산이 수요를 창출한다는 견해를 파괴하는 마케팅 혁명이 일어났다고 한다. 즉 고객이 원하는 다양한 제품을 생산해야 한다는 것이다. 따라서 빈칸에 들어갈 말로 가장 적절한 것은 ② '고객의 다양한 욕구를 충족시키는 것이'다.

어휘

- major 주요한
- philosophical 철학적인
- shift 변화
- industrial 산업의
- competitive 경쟁적인
- geographically 지리적으로
- spread out 퍼져 나가다
- relation 관계
- client 고객
- realize 깨닫다
- quality 양질의
- reasonable 합리적인
- essential 매우 중요한
- customer 고객
- modernization 현대화
- revolution 혁명
- demand 수요
- boost 높이다
- revenue 수입
- diverse 다양한
- enhance 강화하다
- efficiency 효율성

정답 ②

259 글의 흐름상 가장 어색한 것은?

Scientists have discovered a strain of bacteria at the bottom of New York's Hudson River that might prove useful as an agent for cleaning up a common pollutant. ① The microbe "breathes" a synthetic chemical known as TCA, transforming it into a cleaner substance. ② A microbe is any living organism that spends its life at a size too tiny to be seen with the naked eye. ③ TCA is used as a solvent in many common products such as glue, paint, industrial degreasers, and aerosol sprays. ④ It can also be created in landfills and hazardous waste sites when substances decompose and their chemical components interact. The newly discovered bacteria remove chlorines from TCA to make chloroethane, a less toxic substance that can be more easily degraded by aerobic microbes in the soil, according to the researchers, who are based at Michigan State University's Center for Microbial Ecology.

주요 구문 분석

A microbe is any living organism (that spends its life at a size (too tiny to be seen with the naked eye)).
분석 관계대명사 that절이 선행사인 any living organism을 수식한다. a size를 too tiny to be seen with the naked eye가 수식하므로 '육안으로 보기에는 너무 작은 크기'라고 해석한다. 참고로, 「too 형/부 to부정사」는 '~하기에는 너무 …한'의 의미이다.

---

260 밑줄 친 부분에 들어갈 말로 가장 적절한 것은?

That most modern textbooks on animal cognition fail to index empathy or sympathy does not mean that these capacities are not an essential part of animal lives; it only means that they are being overlooked by a science traditionally focused on individual rather than inter-individual capacities. For instance, tool use and numerical competence are seen as hallmarks of intelligence, whereas appropriately dealing with others is not. It is obvious, however, that survival often depends on how animals fare within their group, both in a cooperative sense (e.g., concerted action, information transfer) and in a competitive sense (e.g., dominance strategies, deception). It is in the social domain, therefore, that one expects the highest cognitive achievements. Selection must have favored mechanisms to _____.

① account for their intelligent behavior and constantly learn from it
② develop their competitive skills and pass them on to their offspring
③ evaluate the emotional states of others and quickly respond to them
④ strive to establish an organizational system instead of interacting with others

주요 구문 분석

it only means // that they are being overlooked / by a science (traditionally focused on individual / rather than inter-individual capacities).
분석 「A rather than B」는 'B보다는 A'라는 의미로, 이 문장에서는 '개인 간의 역량보다는 개인적 역량에 초점을 맞춘'이라는 뜻이 된다. 즉, 과학이 전통적으로 개인적 역량에 더 집중해왔다는 의미다. 참고로, individual 뒤의 capacities는 반복을 피해 생략된 형태이며, individual capacities rather than inter-individual ones의 형태로 바꿔 쓸 수 있다.

259

난이도 ★★☆

(해석)

과학자들은 뉴욕의 허드슨 강의 바닥에서 일반 오염물질을 청소할 매개체로서 유용하다고 입증될 수 있는 박테리아의 한 종을 발견했다. ① 그 미생물은 TCA라고 알려진 합성 화합물을 '호흡'하여 그것을 더 깨끗한 물질로 바꾼다. ② 미생물은 육안으로 보기에는 너무 작은 크기로 일생을 사는 살아 있는 유기체이다. ③ TCA는 접착제, 페인트, 산업용 기름 제거제, 에어로졸 스프레이와 같은 많은 흔한 제품에서 용매제로 사용된다. ④ 그것은 또한 쓰레기 매립지와 위험한 폐기물 단지에서 성분들이 분해되어 그들의 화학성분들이 상호 작용을 할 때 만들어질 수 있다. 미시간 주립대학교 미생물 생태학 센터에서 일하는 연구자들에 의하면, 이 새로 발견된 박테리아는 TCA에서 염소를 제거하여 토양에 있는 호기성 미생물에 의해 더욱 쉽게 퇴화될 수 있는 덜 유독한 성분인, 클로로에탄을 만든다.

(해설)

이 글은 허드슨 강바닥에서 발견된 오염물질을 제거할 수 있는 미생물에 관하여 설명하고 있는 글이다. ①은 이 미생물이 TCA라고 불리는 화학물질을 어떻게 분해하는지, ③은 TCA의 용도를, ④는 TCA가 생성되는 또 다른 경로를 설명하고 있다. 그러나 ②는 일반적인 미생물에 대한 사실을 언급하고 있다. 따라서 ②는 글의 흐름상 적합하지 않은 문장이다.

(어휘)

- strain 종류
- agent 매개체
- pollutant 오염물질
- microbe 미생물
- synthetic 합성한
- substance 물질
- solvent 용매제
- degreaser 기름 제거제
- landfill (쓰레기) 매립지
- hazardous 위험한
- decompose 분해하다
- component 성분
- toxic 유해한
- degrade 퇴화하다
- aerobic 호기성의
- ecology 생태학

(정답) ②

260

난이도 ★★★

(해석)

동물 인지에 관한 대부분의 현대의 교과서가 공감 또는 동정을 색인에 올리지 못하는 것이 이 능력들이 동물 생활의 필수적인 부분이 아니라는 것을 의미하지는 않는다; 그것은 그것들이 개체 간의 능력보다는 개체의 능력에 전통적으로 초점이 맞춰진 과학에 의해 간과되고 있다는 것을 의미할 뿐이다. 예를 들어, 도구 사용과 연산 능력은 지능의 특징으로 여겨지는 반면, 다른 개체를 적절하게 다루는 것은 그렇지 않다. 그러나 생존이 흔히 협동적 의미(예를 들어, 일치된 행동, 정보 전달)와 경쟁적 의미(예를 들어, 지배 전략, 속임수) 모두에서, 동물들이 집단 내에서 어떻게 해나가느냐에 달려 있다는 것은 분명하다. 그러므로 사람이 가장 높은 인지적 성과를 기대하는 것은 바로 그 사회적 영역 안에 있다. 선택은 <u>다른 개체들의 감정 상태를 평가하고 그것에 빠르게 대응하는</u> 메커니즘을 선호했을 것이다.

① 자신들의 지적인 행동을 설명하고 그것으로부터 끊임없이 배우는
② 자신들의 경쟁적 기술을 계발하여 새끼들에게 그것들을 전수하는
④ 다른 개체와 상호작용하는 대신 조직 시스템 확립에 힘쓰는

(해설)

마지막에 빈칸이 있으므로 주제문을 완성하는 유형의 문제. 전반부에서는 동물 인지에 관한 과학에서 공감이나 동정을 간과하는 경향이 있다고 설명한 뒤, 그 예로 도구 사용과 연산 능력은 지능으로 보면서도 다른 개체를 다루는 사회적 능력은 지능으로 보지 않는다고 말한다. 후반부의 however가 있는 문장부터 이를 반박하고, 생존이 사회적 능력에 달려있다고 주장한다. 따라서 빈칸에는 사회적 능력과 관련된 내용이 들어가야 문맥상 자연스러우므로 ③ '다른 개체들의 감정 상태를 평가하고 그것에 빠르게 대응하는'이 가장 적절하다.

(어휘)

- cognition 인지
- index 색인에 올리다
- empathy 공감
- sympathy 동정
- capacity 능력
- overlook 간과하다
- numerical 연산의
- competence 능력
- hallmark 특징
- fare 해나가다
- cooperative 협동의
- concerted 일치된
- dominance 지배
- strategy 전략
- deception 속임수
- domain 영역
- achievement 성취
- favor 선호하다
- account for ~을 설명하다
- respond to ~에 대응하다

(정답) ③

261 다음 글의 빈칸 (A), (B)에 들어갈 말로 가장 적절한 것은?

Should the public be shown actual courtroom trials on television? It seems as though the system can easily be corrupted by having cameras in the courtroom. Victims are hesitant enough when testifying in front of a small crowd, but their knowledge that every word is being sent to countless homes would increase the likelihood that they would simply refuse to testify. There is little to no assumed innocence for the accused when their trial is put on television. People do not watch court television because they are concerned about our country's ability to effectively carry out the proceedings of the judicial system;   (A) , they are looking for the drama in witness testimony: entertainment.   (B) , leave the cameras out of the courtrooms, and let the public view sitcom drama based on the legal system.

	(A)	(B)
①	but	However
②	instead	Thus
③	likewise	Therefore
④	accordingly	Nevertheless

262 다음 글의 주제로 가장 적절한 것은?

If our interests in art increased, chances are the reason is that our personal experiences with art objects were rewarding. Aesthetic perception involves an imaginative response to an art object. We find enjoyment and gratification in images that interest us: beautiful scenery, exotic animals, fascinating people, and faraway places. Works of art also provide vicarious experiences we would otherwise have been denied: scenes from the past and images of the future, scenes from literature and mythology, and dreams and fantasies. Thanks to art, we are able to see the world through the eyes of others. In allowing us to see how other people, people with intelligence and sensitivity, view the world, works of art provide us opportunities to engage in reflection, to compare our ideas and attitudes with others, to see objects and events in a new light, and, as a consequence, to gain new insights. We develop as the result of interactions with art objects.

① the nature of aesthetic perception of works of art
② understanding the process of making works of art
③ growth through personal experiences with artworks
④ the objectivity in the interpretation of art objects

261   난이도 ★★★

해석

대중들은 실제 법정 재판을 텔레비전으로 보아야 하는가? 법정에 카메라를 둠으로써 (법률) 체계가 쉽게 변질 될 수 있는 것처럼 보인다. 피해자들은 작은 군중 앞에서 증언할 때 충분히 주저하는데, 모든 말들이 셀 수 없을 만큼 많은 가정에 전달된다는 사실을 아는 것은 그들이 단순히 증언하기를 거부할 가능성을 증가시킬 것이다. 그들의 재판이 TV에 나올 때, 피의자에게는 무죄 추정이 거의 없거나 아예 없다. 사람들은 그들이 사법 시스템의 절차를 효과적으로 수행하는 우리 국가의 능력을 염려하기 때문에 법정 TV를 보는 것은 아니다; (A) 대신, 그들은 증인의 증언에서 드라마를 찾고 있다: 오락거리 말이다. (B) 따라서, 카메라는 법정 밖에 두고, 대중들은 법률 제도에 근거한 시트콤 드라마를 보게 하라.

	(A)	(B)
①	그러나	하지만
③	마찬가지로	그러므로
④	그런 이유로	그럼에도 불구하고

해설

재판을 TV로 중계하는 것의 문제점을 제시하고 그에 대한 대안을 제시하는 글이다.
(A) 앞에 위치한 내용은 사람들이 법정 TV를 보는 이유가 국가의 사법 시스템 수행 능력을 보려는 것이 아니라고 말하고 있다. 반면 빈칸 뒤에서는 법정 TV를 보는 이유가 드라마(오락거리)를 찾는 것이라고 설명하므로 '대신'을 의미하는 instead가 가장 적합하다.
(B) 다음의 문장은 이 글의 결론에 해당한다. 따라서 인과관계를 통해 결론을 내리는 접속부사인 Thus와 Therefore가 적합하다.
따라서 정답은 (A)와 (B)를 모두 만족하는 ②이다.

어휘

- courtroom 법정
- corrupt 변질시키다
- hesitant 주저하는
- crowd 군중
- likelihood 가능성
- accused 피의자
- judicial 사법의
- trial 재판
- victim 피해자
- testify 증언하다
- countless 셀 수 없이 많은
- innocence 무죄
- proceeding 절차
- testimony 증언

정답 ②

262   난이도 ★★★

해석

만약 예술에 대한 우리의 관심이 증가했다면 아마 그 이유는 예술 작품에 대한 우리의 개인적인 경험이 가치가 있었기 때문일 것이다. 미적인 인식은 예술 작품에 대한 창의적인 반응을 포함한다. 우리는 우리의 흥미를 끄는 이미지들에서 즐거움과 만족을 발견한다: 아름다운 풍경, 이국적인 동물들, 매혹적인 사람들, 그리고 멀리 떨어진 장소들. 예술 작품은 또한 그렇지 않았다면 우리에게 주어지지 않았을 대리 경험을 제공한다: 과거의 장면과 미래의 이미지, 문학과 신화의 장면, 그리고 꿈과 환상들. 예술 덕분에 우리는 다른 사람들의 눈을 통해 세상을 볼 수 있다. 우리가 다른 사람들, 즉 지성과 감수성을 가진 사람들이 어떻게 세상을 바라보는지를 알 수 있게 함으로써, 예술 작품은 우리에게 감상에 참여하고, 우리의 생각과 태도를 다른 사람들과 비교하고, 새로운 시각으로 사물과 사건을 보고, 결과적으로 새로운 통찰을 얻는 기회들을 제공한다. 우리는 예술 작품과의 상호작용의 결과로 발전한다.

① 예술 작품에 대한 미적인 지각의 본질
② 예술 작품을 만드는 과정의 이해
③ 예술 작품과의 개인적인 경험을 통한 성장
④ 예술 작품 해석의 객관성

해설

첫 문장에서 글의 소재인 예술 작품에 대한 경험이 제시되고 구체적인 예시와 자세한 설명이 이어진 뒤 주제문인 마지막 문장에서 우리가 예술 작품과 상호작용하여 발전한다고 주장한다. 따라서 글의 주제로 가장 적절한 것은 ③ '예술 작품과의 개인적인 경험을 통한 성장'이다.

어휘

- chances are 아마 ~일 것이다
- aesthetic 미적인
- gratification 만족(감)
- exotic 이국적인
- vicarious 대리의
- reflection 감상
- consequence 결과
- interaction 상호 작용
- rewarding 가치가 있는
- involve 포함하다
- scenery 장면
- faraway 멀리 떨어진
- mythology 신화
- engage in ~에 참여하다
- insight 통찰
- objectivity 객관성

정답 ③

263 다음 글의 제목으로 가장 적절한 것은?

Although the individual prey types vary, the technique for hunting schooling prey is remarkably similar across species. The techniques involve three stages: circling or cutting off avenues of escape, concentrating prey into a tighter target, and attack. Groups of dolphins concentrate their prey by herding schooling fish into shallow waters, and the fish are easily caught by the dolphins. Seabirds also cooperate to increase their hunting success. Blue-eyed cormorants form huge rafts of birds over schools of fish. The rafts dive at the same time, maximizing the confusion in the school they are attacking. In the confusion, each cormorant eats its fill. Pelicans encircle a school of fish, drawing the school into a more tightly bunched group as if they are being concentrated in a slowly closing fishing net. Once the school is concentrated, the pelicans simultaneously scoop the tightly packed fish into their beaks.

① Living Fishing Nets in Nature
② Food Competition Among Animals
③ Similarities Between Birds and Fish
④ Different Types of Hunting Methods

264 빈칸에 들어갈 말로 가장 적절한 것은?

In a series of experiments, Harlow removed baby rhesus monkeys from their mothers, and randomly assigned them to one of two possible surrogate mothers, one made of terrycloth, the other of metal wire. In the first group, the terrycloth mother provided no food, while the wire mother did (by means of an attached baby bottle containing milk). In the second group, the terrycloth mother provided food, while the wire mother did not. Harlow observed that the young monkeys clung to the terrycloth mother no matter whether it provided food or not, and that they chose the wire surrogate only when it provided food. Interestingly, whenever a frightening stimulus was brought into the cage, the monkeys ran to the cloth mother for protection and comfort, no matter which mother provided the food. At a later stage of development, the monkeys who had only experienced a wire mother were observed to have trouble digesting milk. On the basis of these results, Harlow concluded that _____ was psychologically stressful to the monkeys.

① not having contact comfort
② having to eat bottled milk
③ not being cared for by biological mothers
④ being under unexpected stimuli

263 난이도 ★★★

해석

비록 개별 먹이 종류가 다를지라도, 떼를 지어 다니는 먹이를 사냥하는 기술은 종들 전반에 걸쳐 대단히 비슷하다. 그 기술은 세 단계가 있다: 도주로를 둘러싸거나 차단하기, 먹이를 더 집약된 목표로 집중시키기, 그리고 공격이다. 돌고래 무리는 떼 지어 다니는 물고기를 얕은 물로 몰고 감으로써 먹이를 모으는데, 그 물고기들은 돌고래에게 쉽게 잡힌다. 바닷새들 또한 사냥의 성공률을 높이기 위해 협력한다. 푸른 눈의 가마우지는 떼 지은 물고기 위에 거대한 새 무리를 형성한다. 그 새 무리는 동시에 잠수하면서, 그들이 공격하는 물고기 떼의 혼란을 최대화한다. 그 혼란 속에서, 각각의 가마우지는 배불리 먹는다. 펠리컨은 물고기 떼를 둘러싸고, 마치 그 물고기 떼가 천천히 닫히는 고기잡이 그물 안으로 집중되는 것처럼 그것들을 더 촘촘하게 모인 집단이 되도록 끌어들인다. 일단 물고기 떼가 한데 모이고 나면 펠리컨은 일제히 촘촘히 들어찬 물고기들을 부리에 떠 담는다.

① 자연의 살아있는 어망
② 동물들 간의 먹이 경쟁
③ 새와 물고기의 유사성
④ 다양한 유형의 사냥 방식

해설

글의 중심 소재는 떼지어 다니는 먹이 사냥 방법이고 주제문은 첫 번째 문장으로 떼지어 다니는 먹이를 사냥하는 방법은 종은 다르지만 유사하다고 말한다. 돌고래, 가마우지, 펠리컨의 먹이 사냥법을 예로 들어, 인간이 그물을 던져 고기를 잡는 것처럼 이 동물들이 자연을 그물처럼 이용해서 먹이를 잡는 모습을 상세히 설명한다. 따라서 글의 제목으로 가장 적절한 것은 ① '자연의 살아있는 어망'이다. ②는 글에 언급되지 않았고 ③은 새와 물고기의 유사성이 아니라 종들의 먹이 사냥법의 유사성을 설명했으며 ④는 비슷한 유형의 사냥법에 대한 글이기 때문에 모두 답이 아니다.

어휘

- prey 먹이
- school 떼를 짓다; 떼
- avenue 대로
- concentrate 모으다
- cormorant 가마우지
- maximize 극대화하다
- eat one's fill 잔뜩 먹다
- bunch 한데 모으다
- packed 들어찬
- fishing net 어망
- vary 다르다
- cut off ~을 차단하다
- escape 탈출
- herd 몰다; 떼
- raft 수면에 떼 지은 동물
- confusion 혼란
- encircle 둘러싸다
- scoop 떠 담다
- beak 부리
- competition 경쟁

정답 ①

264 난이도 ★★★

해석

일련의 실험에서, Harlow는 새끼 붉은털원숭이들을 어미로부터 분리시켜, 무작위로 그것들을 두 가지의 가능한 대리모 중 하나에게 배정했는데, 하나는 테리 천으로 만들어진 대리모였고, 다른 하나는 금속 철사로 만들어진 대리모였다. 첫 번째 집단에서, 테리 천으로 된 어미는 먹이를 주지 않았고, 반면에 철사로 된 어미는 (우유를 담은 부착된 젖병을 이용하여) 제공했다. 두 번째 집단에서, 테리 천으로 된 어미는 먹이를 주었고, 반면에 철사로 된 어미는 주지 않았다. Harlow는 어린 원숭이들이 먹이를 주는지의 여부와 관계없이 테리 천으로 된 어미에게 매달렸고, 먹이를 줄 때에만 그들은 철사로 된 대리모를 선택했다는 것을 관찰했다. 흥미롭게도 무서움을 주는 자극이 우리 안에서 일어날 때마다, 원숭이들은 보호와 위안을 위해 천으로 된 어미에게 달려갔는데, 어느 어미가 먹이를 주었는지는 관계가 없었다. 이후의 발달 단계에서 철사로 된 어미만을 경험했던 원숭이들은 우유를 소화시키는 데 문제를 겪는 것이 관찰되었다. 이러한 결과를 근거로 Harlow는 접촉위안을 갖지 못하는 것이 원숭이들에게 심리적으로 스트레스였다고 결론 내렸다.

② 젖병에 담긴 우유를 먹어야 하는 것
③ 생물학적 어미에 의해 보살핌을 받지 않는 것
④ 뜻밖의 자극 하에 놓이는 것

해설

새끼 원숭이들을 테리 천 그리고 금속 철사로 만든 두 가지 종류의 대리모에게 배정하고, 위안을 얻기 위해 선택하는 대리모가 어떤 종류인지를 관찰한 일련의 실험 과정에 대한 글이다. 먹이를 제공하는 대리모가 어떤 종류이든 상관없이 위안을 얻고자 할 때는 천으로 만든 대리모가 선호되고 철사로 된 어미만을 경험한 경우에 소화 장애를 보였다고 말한다. 따라서, 이는 새끼 원숭이들이 금속보다 테리 천의 촉감을 통해 보호와 위안을 얻을 수 있었다는 결론을 내릴 수 있으므로 ① '접촉위안을 갖지 못하는 것'이 가장 적절하다.

어휘

- rhesus monkey 붉은털원숭이
- assign 배정하다
- made of ~로 만들어진
- by means of ~을 이용하여
- cling to ~에 매달리다
- digest 소화시키다
- unexpected 예기치 못한
- randomly 무작위로
- surrogate 대리의
- terrycloth 테리 천
- attach 부착하다
- stimulus 자극
- biological 생물학적인

정답 ①

265 주어진 글 다음에 이어질 글의 순서로 가장 적절한 것은?

As art and popular culture increasingly interact, the ways in which reproductions are created, shared, and appreciated have undergone complex changes.

(A) These endorsements may be even considered offensive in comparison with their original function and meaning. Most of these reproductions are used without the artists' consent, impossible to obtain because most of them are dead.

(B) New tools have facilitated their circulation outside traditional institutions, venues, and environments. In fact, reproductions of scores of masterpieces have been placed on a variety of objects and products unrelated to the artists' intentions or the art's purpose.

(C) This raises important questions about the "abuse" of art and artists' control over their work. That's why copyright has been specifically developed to protect the intellectual property and rights of artists.

① (A) – (C) – (B) ② (B) – (A) – (C)
③ (B) – (C) – (A) ④ (C) – (B) – (A)

주요 구문 분석

Most of these reproductions are used / without the artists' consent, (impossible to obtain // because most of them are dead).

분석) impossible ~ dead는 the artists' consent를 후치 수식하는 형용사구로, consent와 impossible 사이에 which is가 생략된 형태이다. 해석할 때는 부가 정보를 나타내는 콤마의 의미와 수식받는 명사가 consent라는 점을 분명히 짚어서, '그 동의는 그들 대부분이 죽었기 때문에 얻기 불가능하다'라고 하면 된다.

266 글의 전체 흐름에 부합하지 않는 문장은?

Companies must manage their brands carefully. First, the brand's positioning must be continuously communicated to consumers. ① Major brand marketers often spend huge amounts on advertising to create brand awareness and to build preference and loyalty. ② Such advertising campaigns can help to create name recognition, brand knowledge, and maybe even some brand preference. However, the fact is that brands are not maintained by advertising but by the brand customer experience. ③ Sometimes establishing a strong brand identity can backfire when a company needs to pivot in response to changing market conditions. Today, customers come to know a brand through a wide range of contacts and touch points. ④ These include advertising, but also personal experience with the brand, word of mouth, company Web pages, and many others. The company must put as much care into managing these touch points as it does into producing its ads.

* brand positioning: 소비자의 기억 속에 기업이 원하는 느낌을 남기려고 노력하는 활동

266 난이도 ★★☆

해석

회사들은 브랜드를 신중하게 관리해야 한다. 먼저, 브랜드 포지셔닝이 소비자들에게 지속적으로 전달되어야 한다. ① 주요 브랜드 마케팅 담당자들은 종종 브랜드 인지를 형성하고 선호와 충성심을 구축하기 위해 광고에 거액을 쓴다. ② 그러한 광고 선전은 이름의 인식, 브랜드 정보, 그리고 어쩌면 약간의 브랜드 선호를 형성하는 데 도움이 될 수 있다. 하지만 사실 브랜드는 광고에 의해 유지되는 것이 아니라 브랜드 고객 체험에 의해 유지된다. ③ 때때로 강한 브랜드 정체성을 확립하는 것은 회사가 변화하는 시장 상황에 대응하여 방향을 바꿀 필요가 있을 때 역효과를 낳을 수 있다. 오늘날 소비자들은 폭넓은 접촉과 접점을 통해 브랜드를 알게 된다. ④ 이러한 것들에는 광고도 포함되지만, 브랜드, 구전, 회사의 웹사이트 그리고 기타의 다른 여러 가지와 함께 갖는 개인의 경험도 포함된다. 회사는 광고를 만드는 데 주의를 기울이는 만큼 이러한 접점들을 관리하는 데 많은 주의를 기울여야 한다.

해설

첫 번째 문장이 이 글의 주제문으로 회사가 나아갈 방향으로 브랜드 관리를 신중하게 해야 한다고 전제한 후, 두 번째 문장부터 그 방법으로 광고, 소비자의 경험 등을 설명하고 있다. 하지만 ③은 강한 브랜드 정체성의 역효과에 관한 내용이므로 브랜드 관리를 강조하는 글의 흐름에 어색하다.

어휘

☐ awareness 인지 ☐ loyalty 충성심
☐ identity 정체성 ☐ backfire 역효과를 낳다
☐ pivot 방향을 바꾸다
☐ touch point (상품이나 서비스가 고객과 만나는) 접점
☐ word of mouth 구전(口傳)

정답 ③

주요 구문 분석

However, / the fact is // that brands are not maintained / by advertising / but by the brand customer experience.

분석 「not A but B」의 구문은 'A가 아니라 B'라고 해석한다. 여기서 A와 B는 각각 by advertising과 by the brand customer experience라는 전치사구를 말한다. A와 B가 주어나 동사인 경우에는 not이 대체로 A 바로 앞에 붙지만, 이처럼 전치사구나 다른 성분일 경우에는 떨어져 있을 수도 있으므로 A와 B를 잘 파악하며 해석해야 한다.

267 다음 빈칸에 가장 적합한 것은?

People are reflexively prone to "intergroup bias" in punishment. This finding is consistent with what many scientists believe about humans' evolutionary heritage. Homo sapiens spent thousands of years in close-knit communities competing for scarce resources on the African savanna. Members of the in-group were presumably sources of help, comfort, and cooperation; members of opposing groups, by contrast, were sources of threat and violence. As a result, the tendency to instinctively treat in-group members with care and foreigners with caution may be etched into our DNA. However, we also found that people could overcome these biased instincts if they engaged in rational thinking. When people had the chance to reflect on their decision, they were largely unbiased, handing out equal punishments to in-group and out-group members. Therefore, our research suggests that people have the capacity to override their instincts — if they are able to _____ as opposed to acting on their first impulse.

① fight against their inner urges
② understand the social norm
③ assist and cooperate with other group members
④ deliberate on their decision making

268 주어진 글 다음에 이어질 글의 순서로 가장 적절한 것은?

In 1729, Jean-Jacques d'Ortous de Mairan conducted a groundbreaking experiment with a plant known to open and close its leaves in response to the movement of the sun.

(A) Ultimately this work led to the discovery of biological clocks, the timepieces that keep biological systems in tune with daily and seasonal fluctuations of the environment.

(B) De Marain wondered, though, what would happen if the plant were kept in the dark, so that the influence of the sun was absent? The result of this experiment was that the plant maintained its rhythm of leaf movements even when the stimulus of the sun was removed.

(C) This suggested that the plant had another way of synchronizing its movements with the sun. De Marain's experiment served as a stimulus for other scientists to pick up this thread of investigation.

① (A) – (C) – (B) ② (B) – (A) – (C)
③ (B) – (C) – (A) ④ (C) – (B) – (A)

267 난이도 ★★★

해석

사람들은 처벌에서 '다른 인종 간의 편견'을 반사적으로 갖기 쉽다. 이 발견은 많은 과학자들이 인간의 진화론적 유산에 대해 믿는 것과 일치한다. 호모 사피엔스는 긴밀하게 뭉친 공동체로서 아프리카 사바나의 부족한 자원을 두고 경쟁하면서 수천 년을 보냈다. 집단 내의 구성원들은 아마도 도움, 위로 그리고 협력의 원천이었을 것이다; 반면에 반대 집단의 구성원들은 위협과 폭력의 원천이었다. 그 결과, 본능적으로 집단 내의 구성원들은 소중히 그리고 외지인들은 조심해서 대하는 경향이 우리의 DNA에 각인될 수 있다. 그러나 우리는 사람들이 합리적인 사고를 한다면 이러한 편향된 본능을 극복할 수 있다는 것을 또한 발견했다. 사람들이 자신의 결정에 대해 반성할 기회를 갖게 될 때, 대체로 편견이 없어서 집단 내부와 집단 외부의 구성원들에 대해 동등한 취급을 한다. 그러므로 우리 연구는 — 사람들이 첫 충동에 따라 행동하는 것과는 반대로 자신들의 의사결정에 심사숙고할 수 있다면 — 자신들의 본능을 능가할 수 있는 능력을 가졌음을 보여준다.

① 내적 충동과 싸울
② 사회적 규범을 이해할
③ 다른 집단의 구성원들과 조력하고 협력할

해설

글의 전반부에는 사람들이 갖고 있는 다른 인종들에 대한 반사적인 편견에 대해 다루고 있다. However 이후에서 이에 대한 반박이 등장하는데, 이러한 반사적이고 충동적인 편견에 대해 우리가 합리적인 사고를 한다면 이를 극복할 수 있다고 설명한다. 빈칸이 있는 마지막 문장은 이에 대한 재진술 문장으로, 빈칸이 있을 경우 사람들은 자신의 편향된 본능을 극복할 수 있다고 설명하고 있다. 따라서 빈칸에는 '합리적 사고', 즉 자신의 결정에 대해 반성할 기회를 갖는 것에 해당하는 내용이 들어가야 한다. 따라서 정답은 ④ '자신들의 의사결정에 심사숙고할'이다. ①은 문맥상 내적 충동과 싸운다기보다는 합리적인 사고를 통해 편견이 없어진다고 했고, ② 사회적 규범은 언급되지 않았고, ③은 편견이 없어진 후의 행동으로 볼 수 있으므로 답이 될 수 없다.

어휘

☐ reflexively 반사적으로
☐ intergroup 서로 다른 인종간의
☐ punishment 처벌
☐ evolutionary 진화적인
☐ close-knit 긴밀한
☐ presumably 아마
☐ tendency 경향
☐ etch ~을 새기다
☐ hand out ~을 나누어 주다
☐ impulse 충동
☐ deliberate 심사숙고하다
☐ be prone to ~하기 쉽다
☐ bias 편견
☐ be consistent with ~와 일치하다
☐ heritage 유산
☐ scarce 부족한
☐ threat 위협
☐ instinctively 본능적으로
☐ unbiased 편견 없는
☐ override 능가하다
☐ social norm 사회 규범

정답 ④

268 난이도 ★★☆

해석

1729년, 장–자크 도르투 드 메랑은 태양의 움직임에 반응하여 잎을 여닫는다고 알려진 식물로 획기적인 실험을 수행했다. (B) 하지만 드 메랑은 태양의 영향이 부재하도록 그 식물을 계속 어둠 속에 두면 어떻게 될까?라는 궁금증을 가졌다. 이 실험의 결과는 태양의 자극이 제거된 때조차도 그 식물이 잎 움직임의 리듬을 유지했다는 것이었다. (C) 이것은 그 식물이 그것의 움직임을 태양과 일치시키는 또 다른 방법을 갖고 있다는 것을 보여주었다. 드 메랑의 실험은 다른 과학자들이 이 계통의 연구를 계속하도록 하는 자극제의 역할을 했다. (A) 궁극적으로 이 연구는 생물학적 시스템이 환경의 일일, 그리고 계절 변동과 조화로운 상태를 유지하도록 해주는 시계인 생체 시계의 발견으로 이어졌다.

해설

사건이 발생한 시간적 순서에 따라 글의 순서를 배열하는 유형의 문제이다. 주어진 문장에서 장–자크 도르투 드 메랑이 수행한 태양의 존재를 감지하는 것에 따른 식물의 잎 움직임 실험을 소개한다. (B)에서는 드 메랑의 실험 내용을 구체적으로 설명한다. 태양의 영향이 없는 곳에서도 식물이 리듬을 유지했다고 한다. (C)에서는 'This suggested ~'라는 문장에서 앞서 설명된 실험 결과가 시사하는 바를 즉 움직임을 태양에 맞추는 다른 체계가 있음을 설명하고 다른 과학자들이 드 메랑의 실험과 관련된 추가 연구를 하게 되었다고 말한다. (A)에서는 (C)의 this thread of investigation을 this work로 대신하면서 결국 생체 시계의 발견이 이루어졌다는 점을 설명하고 있다. 따라서 정답은 ③ (B)-(C)-(A)이다.

어휘

☐ conduct 수행하다
☐ ultimately 궁극적으로
☐ fluctuation 변동
☐ synchronize 일치시키다
☐ thread 계통
☐ groundbreaking 획기적인
☐ timepiece 시계
☐ stimulus 자극
☐ pick up ~을 계속하다
☐ investigation 연구

정답 ③

269 다음 글의 요지로 가장 적절한 것은?

From the beginning of time, human beings have existed in harmony and built a close relationship with the sea. Now, over half the world's people live within 140 kilometers of the coast. On land at least, the sea delights the senses and excites the imagination. Though the waves may be rippling or mountainous, the waters angry or calm, the ocean itself is eternal. Appearances deceive, though. In large parts of the sea, conditions may remain unchanged, but in others, such as coastal or surface waters where 90% of marine life is to be found, the impact of man's activities is increasingly plain. This should hardly be a surprise. Man has changed the landscape and the atmosphere. It would be odd if the seas, which he has for centuries used for food, for transport, for dumping rubbish and, more recently, for recreation, had not also been affected.

① The sea has been affected greatly by man's activities.
② People like to live in areas close to the sea.
③ We cannot live without the help of the sea.
④ There have been various works of literature on the sea.

주요 구문 분석

In large parts of the sea, / conditions may remain unchanged, // but in others, (such as coastal or surface waters (where 90% of marine life is to be found)), / the impact (of man's activities) is increasingly plain.

(분석) In large parts of the sea와 in others는 병렬 구조로, '바다의 넓은 지역에서는 ~하지만, 다른 지역에서는 ~하다'라는 대조를 나타낸다. 이때 others는 바다의 다른 부분이라고 해석하면 된다.

270 다음 글의 요지로 알맞은 것은?

It has been thought that men cannot be happy without a theory of life or a religion. Perhaps those who have been made unhappy by a bad theory may need a better theory to help them recover, just as you may need a tonic when you have been ill. But when things are normal, a man should be healthy without a tonic and happy without a philosoply of life. It is the simple things that make people really elated. If a man delights in his wife and children, has success in work, and finds pleasure in the change of day and night, spring and autumn, he will be happy whatever his philosophy may be. If, on the other hand, he finds his wife hateful, his children's noise unbearable, and the office a nightmare, or if in the daytime he longs for night, and at night he sighs for the light of day — then what he needs is not a new philosophy but a different diet, or more exercise, and what not.

① The subject of happiness should be treated more seriously.
② Happiness is closely related to the theory of life or a religion.
③ Happiness lies in taking pleasure in all the details of daily life.
④ Philosophy provides better access to understanding the happiness of life.

주요 구문 분석

But / when things are normal, // a man should be healthy / without a tonic // and happy without a theory.

(분석) when이 이끄는 조건절 뒤에서 주절의 형용사 보어 healthy와 happy가 and로 병렬 구조를 이루고 있으며, 여기서 should는 의무가 아니라 정상적인 상황에서 당연히 예상되는 상태, 즉 일반적인 추측이나 기대를 나타낸다. 따라서 '강장제 없이도 건강할 것이고, 인생관 없이도 행복할 것이다'라고 해석하면 된다.

문장 분석 및 해설

269　　　난이도 ★★☆

해석

태초부터, 인간은 바다와 조화를 이루며 존재해왔고 밀접한 관계를 형성해왔다. 현재, 세계 인구의 절반 이상이 해안에서 140킬로미터 이내에 살고 있다. 적어도 육지에서 볼 때 바다는 (인간의) 감각들을 기쁘게 해 주며, 상상력을 자극한다. 파도가 잔물결을 이루거나 산더미 같을지라도, 바닷물이 성나 있거나 고요할지라도, 대양 그 자체는 영원하다. 하지만 겉모습은 속임수이다. 바다의 상당 부분에서는 환경이 여전히 변치 않은 상태이지만, 다른 부분들, 특히 해양 생물의 90퍼센트가 발견되는 연안이나 표층 수역에서는 인간 활동의 영향이 점점 더 분명해진다. 이는 거의 놀랄 만한 일이 아닐 것이다. 인간은 지표와 대기를 변화시켜 왔다. 인간이 수 세기 동안 식량, 운송, 쓰레기 투기, 그리고 더욱 최근에는 오락을 위해 사용해 온 바다가 또한 영향을 받지 않았다면 그게 이상할 것이다.

① 바다는 인간의 활동들에 의해 지대한 영향을 받아 왔다.
② 사람들은 바다 가까운 지역에 사는 것을 좋아한다.
③ 우리는 바다의 도움이 없으면 살 수 없다.
④ 바다에 관해서는 다양한 문학 작품들이 있어 왔다.

해설

첫 번째 문장에서 인간과 바다의 관계가 밀접하다고 전제한 뒤, 주제문인 여섯 번째 문장에서 인간이 바다에 미치는 영향이 점점 더 분명해진다고 주장한다. 글의 전반부에서는 바다는 영원하다고 하지만 주제문의 but 이후에서 사실 바다는 인간의 영향을 받아 변화된다고 말한다. 인간이 식량을 얻고, 쓰레기 등을 버리며 바다를 변화시켜 왔다는 예시를 들며 결론을 맺고 있다. 따라서 이 글의 요지로는 ① '바다는 인간의 활동들에 의해 지대한 영향을 받아 왔다'가 적합하다.

어휘

- in harmony with ~와 조화하여
- ripple 잔물결을 이루다
- mountainous 산더미 같은
- eternal 영원한
- appearance 겉모습
- deceive 속이다
- coastal 연안의
- marine 바다의
- plain 분명한
- landscape 지표
- dump 버리다
- rubbish 쓰레기
- recreation 오락

정답 ①

270　　　난이도 ★★☆

해석

인간은 인생관이나 종교 없이는 행복할 수 없다고 생각되어 왔다. 아마 그릇된 인생관으로 인해 불행하게 된 사람들은, 마치 당신이 아플 때 강장제를 필요로 하듯, 자신들을 회복하게 도울 수 있는 보다 나은 인생관을 필요로 할지 모른다. 그러나 만사가 정상일 때 사람은 강장제 없이도 건강하고, 인생관 없이도 행복할 것이다. 사람을 진정으로 행복하게 만드는 것은 단순한 것들이다. 만일 한 남자가 자기의 아내와 아이들에게서 기쁨을 얻고, 일에서 성공을 거두며, 밤과 낮이 바뀌고 봄과 가을이 바뀌는 데서 즐거움을 느낀다면, 그는 자신의 철학이 무엇이든 간에 행복할 것이다. 한편, 만일 그가 아내가 밉고, 아이들이 떠드는 소리가 참을 수 없고, 직장이 끔찍하다고 느끼거나, 아니면 낮에는 밤을 갈망하고, 밤이면 낮의 밝은 빛을 갈망한다면 ― 그가 필요로 하는 것은 새로운 철학이 아니라, 식단을 바꾸거나, 운동을 더 하거나 기타 등등이다.

① 행복이라는 주제는 더 심각하게 다뤄져야 한다.
② 행복은 인생관이나 종교와 밀접하게 관련이 있다.
③ 행복은 일상생활의 모든 사소한 것을 즐기는 것에 있다.
④ 철학은 인생의 행복을 이해하는 데 더 나은 접근을 제공한다.

해설

첫 문장에서 행복을 이 글의 중심 소재로 제시하고, 두 번째 문장에서 행복에 대한 통념을 언급하였다. 세 번째 문장의 But을 통해 흐름이 전환되면서 네 번째 문장에서 주제문으로 사람을 행복하게 만드는 것은 단순하다는 핵심 내용이 언급되고 있다. 그 이후로는 모든 일상에서 즐거움을 느끼면 인생 철학이 무의미하고, 일상의 즐거움이 없다면 철학이 아니라, 삶 속의 작은 요소들에 변화를 주라는 부연설명이 예시를 통해 제시되고 있으므로 이 글의 요지로는 ③ '행복은 일상생활의 모든 사소한 것을 즐기는 것에 있다.'가 가장 적합하다.

어휘

- a theory of life 인생관
- recover 회복되다
- tonic 강장제
- elated 행복한
- unbearable 참을 수 없는
- long for ~을 갈망하다
- sigh for ~을 갈망하다
- diet 식단
- and what not 기타 등등
- treat 다루다
- be related to ~와 관련되다
- access 접근

정답 ③

271 다음 글의 흐름상 가장 어색한 문장은?

If agriculture is to be relied on to fuel a growing population, one that is richer and drives more, then a serious consideration of the consequences of widespread biofuel adoption is warranted, because the technology is not without costs. ① Biofuels may mean filling the fuel tank at the cost of emptying the stomach of the poor, and such criticism seems to bear more merit given the global food inflation being experienced. ② Because basically biofuel technology is land intensive, biofuels are also feared for the impact they will have on the natural environment. ③ Biofuels have the potential to provide a new source of agricultural income and economic growth in rural areas, and a source of improvements in local infrastructure and broader development. ④ Biofuel demand will put pressure on existing use of land including food production and natural habitats. By increasing energy supply, biofuels can also undermine efforts aimed at managing demand through energy efficiency and energy conservation.

272 다음 중 빈칸에 들어갈 말로 알맞은 것은?

Sometimes we spend so much time making a decision that our indecision becomes a decision. It works like this: Suppose a friend asks you to help her work on a student government task force that is studying the use of alcohol on campus. You'd like to participate, but, because you'll have to commit to a long-term series of meetings, you're worried about the investment of time involved. However, the first meeting isn't going to occur for a few weeks, and, therefore, you have some time to make up your mind. But you just can't seem to decide, even though you think about the pros and cons every once in a while. Finally, it's the day of the meeting, and you still don't know what to do. The truth is, you've made the decision: You don't really want to be on the committee. Your indecision is telling you that you don't have sufficient interest to make the commitment. In some cases, then, viewing your own behavior _____.

① offers you a change in viewpoint
② lets you prepare for what comes next
③ gives you the response to your question
④ tells you to think about other alternatives

주요 구문 분석

If agriculture is to be relied on / to fuel a growing population, (one that is richer and drives more), // then a serious consideration (of the consequences (of widespread biofuel adoption)) is warranted, // because the technology is not without costs.

분석 if절 동사에는 '의도'를 나타내는 be to 용법이 쓰였고 to부정사가 수동형이다. 따라서 조건절은 직역하면 '농업이 의존 대상이 되려 한다면'이지만, '농업에 의존하려 한다면' 또는 '농업에 의존해야 한다면'처럼 자연스럽게 해석하는 것도 좋다.

주요 구문 분석

Your indecision is telling you // that you don't have sufficient interest (to make the commitment).

분석 문장의 주동사인 be telling you를 직역하면 '당신의 망설임이 ~라고 말하고 있다'가 되지만, 이는 어색하므로 be telling you는 '결국 ~라는 뜻이다' 또는 '~를 의미한다'는 의미로 이해하는 것이 자연스럽다. 따라서 이 문장은 '네가 망설인다는 건 결국 네가 헌신할 만큼 충분한 관심이 없다는 뜻이다'로 해석할 수 있다.

271 난이도 ★★★

해석

증가하는 인구, 더 부유해지고 차를 더 많이 운행하는 인구에 연료를 공급하기 위해 농업에 의존하려고 한다면, 광범위한 생물 연료의 채택이 가져오는 결과에 대한 진지한 고려가 타당한데, 그 기술이 대가가 없는 것이 아니기 때문이다. ① 바이오 연료는 가난한 사람들의 배를 비우는 대가로 연료 탱크를 채우는 것을 의미하는데, 그런 비판은 현재 겪고 있는 세계적인 식량 인플레이션을 고려하면 더욱 타당해 보인다. ② 기본적으로 바이오 연료 기술이 토지 집약적이기 때문에, 바이오 연료는 또한 그것이 자연 환경에 미치는 영향 때문에 우려된다. ③ 바이오 연료는 농업 수입과 농촌지역의 경제 성장의 새로운 원천, 그리고 지역 산업 기반 개선 및 보다 폭넓은 발전의 원천을 제공할 가능성을 가지고 있다. ④ 바이오 연료 수요는 식량 생산과 자연 서식지를 포함하는 기존의 토지 사용에 압박을 가할 것이다. 에너지 공급을 늘림으로써, 바이오 연료는 또한 에너지 효율성과 에너지 절약을 통한 수요 관리에 목적을 둔 노력을 약화시킬 수 있다.

해설

중심 소재는 바이오 연료이고 주제문인 첫 문장을 통해 알 수 있는 이 글의 주제는 농업에서 얻은 원료를 바탕으로 생산하는 바이오 연료의 사용이 초래하는 부정적인 결과이다. 이후로는 식량 공급에 미치는 부정적 영향, 자연 환경에 미치는 부정적 영향, 그리고 토지 사용에 가해지는 압박, 에너지 효율성과 에너지 절약 제고 노력에 대한 부정적 영향에 대해 언급하며 주제를 뒷받침하고 있다. 그러나 ③은 농업 수입의 향상과 지역 경제 성장에 대한 긍정적 기여의 가능성에 대한 내용을 담고 있어 글의 흐름상 어색하다.

어휘

- agriculture 농업
- biofuel 바이오 연료
- intensive 집약적인
- habitat 서식지
- efficiency 효율성
- consideration 고려
- warrant 타당하게 만들다
- infrastructure 산업 기반
- undermine 약화시키다
- conservation 절약

정답 ③

272 난이도 ★★☆

해석

때때로 우리는 결정을 하는 데에 너무 많은 시간을 보내서 우리의 망설임이 결정이 되어 버린다. 그것은 다음과 같이 작용한다: 한 친구가 당신에게 캠퍼스에서의 음주를 연구하는 학생 자치회의 전담반에 관한 그녀의 일을 도와달라고 요청한다고 가정해 보자. 당신은 참여하고 싶지만, 장기간 회의에 전념해야 하기 때문에 그에 수반되는 시간의 투자에 대해 걱정한다. 하지만 첫 번째 회의는 몇 주 동안 열리지 않을 테고, 따라서, 당신은 당신의 마음을 정할 약간의 시간이 있다. 하지만 당신은 장점과 단점에 대해 가끔 생각할지라도, 결정을 내릴 수가 없을 것 같다. 마침내, 회의날이 되고, 당신은 무엇을 해야 할지를 여전히 모른다. 진실은 당신이 결정을 내렸다는 것이다: 당신은 실제로는 위원회에 들어가기를 원하지 않는다. 당신의 망설임은 당신이 전념할 만한 충분한 관심이 없다고 당신에게 말하고 있다. 어떤 경우, 당신 자신의 행동을 보는 것이 <u>당신에게 자신의 질문에 대한 답을 준다</u>.

① 당신에게 관점의 변화를 제공한다
② 당신이 다음에 다가올 것을 준비하게 한다
④ 당신에게 다른 대안을 생각해 보라고 말한다

해설

이 글은 학생회의 전담반 일을 도와줄 것을 요청받은 학생을 예로 들어 질문에 대한 답이 자신의 행동에 있기도 하다는 것을 설명하는 글로 마지막 문장이 주제문이다. 학생은 학생회의 전담반에 참여할 것을 요청받았는데 참여하고는 싶지만 그 일에 전념해야 하는 것으로 인해 결정하지 못하고 망설인다. 저자는 빈칸 앞 문장을 통해 바로 그 망설이는 행위 자체가 그 학생의 결심, 즉 학생회에 참여할 마음이 없다는 것을 보여준다고 말하고 있다. 따라서 빈칸에는 ③ '당신에게 자신의 질문에 대한 답을 준다'가 들어가는 것이 가장 적절하다.

어휘

- make a decision 결정을 하다
- task force 전담반
- commit 전념하다
- make up one's mind 결심하다
- committee 위원회
- alternative 대안
- indecision 망설임
- participate 참여하다
- worry about ~에 대해 걱정하다
- pros and cons 장단점
- viewpoint 관점

정답 ③

DAY 55

273 다음 글의 제목으로 가장 적절한 것은?

Vacations were the prerogative of the privileged few, as late as the 19th century. Now they are considered the right of all, except for such unfortunate masses as the bulk of China's and India's population, for whom life, save for sleep and brief periods of rest, is uninterrupted toil. They are more necessary now than before because the average life is less well-rounded and has become increasingly departmentalized. I suppose the idea of vacations, as we conceive it, must be incomprehensible to primitive people. Rest of some kind has, of course, always, been a part of the rhythm of human life, but early age people did not find it necessary to organize it in the way the modern man has done. Holidays, feast days, were sufficient. With modern man's increasing tensions, with the stultifying quality of so much of his work, this break in the year's routine became steadily more necessary. Vacations became mandatory for the purpose of renewal and repair.

① The Widely Prevalent History of Vacation
② The First and Foremost Purpose of Vacation
③ Necessity of Vacation to Modern Life
④ Comparison Between Vacation of the Upper and Lower Classes

274 밑줄 친 부분에 들어갈 말로 가장 적절한 것은?

It would be a mistake to interpret the evolution of income inequality as _____. For example, nearly half of the increase in US household income inequality between 1970 and 1990 was in fact due to increased correlation of the incomes of members of the same household. In other words, high earners are increasingly likely to marry other high earners, whereas the lowest earners are often single women with children. Furthermore, taxes and transfers have evolved in different ways in different Western countries since the 1970s. Whereas the United States and United Kingdom adopted policies that tended to increase income inequality, other countries adopted policies that sought to limit it. The reasons for this are complex, but different fiscal and social policies explain a great deal.

① reflection of the hightened thresholds to high-income jobs
② something that will be remedied as national welfare is established
③ an inevitable symptom accompanying the fiscal and social policies
④ a simple mechanical consequence of the evolution of wage inequality

주요 구문 분석

Now / they are considered the right of all, / except for such unfortunate masses / as the bulk of China's and India's population, / for whom life, (save for sleep and brief periods of rest), is uninterrupted toil.

분석 관계대명사 whom의 선행사는 such unfortunate masses이다. 일반적으로 「전치사+관계대명사」의 구조는 전치사의 의미를 해석하지 않는 것이 자연스럽다. 즉 관계절은 '그 사람들에게 인생이 중단되지 않는 고생이다'라는 의미지만 '인생이 중단되지 않는 고생인 대부분의 중국인과 인도인처럼 불행한 사람들'로 해석한다.

주요 구문 분석

It would be a mistake / to interpret the evolution of income inequality / as a simple mechanical consequence (of the evolution of wage inequality).

분석 It은 가주어이고, to interpret ~는 진주어로 쓰였다. 또한, 조동사 would는 여기서 가정적·완곡한 주장 또는 약한 추측을 나타내므로 '~을 …으로 이해하는 것은 잘못일 것이다'라고 해석한다.

273   난이도 ★★★

(해석)

바로 19세기만 해도 휴가는 특권이 있는 소수의 특혜였다. 이제 휴가는 잠자는 시간과 짧은 휴식 시간 외에 인생이 중단되지 않는 고생인, 대부분의 중국인과 인도인처럼 불행한 사람들을 제외한, 모든 사람의 권리로 여겨진다. 일반적인 삶이 덜 원만하고 점점 더 세분화되기 때문에, 이제 휴가가 전보다 더 필요하다. 우리가 생각하는 휴가라는 개념이 옛날 사람들에게는 이해되지 않을 것이라고 나는 추측한다. 물론, 어떤 형태의 휴식은 항상 인간 생활 리듬의 한 부분이었지만, 고대 사람들은 휴가를 현대인들이 하는 방식으로 계획하는 것이 필요하다고 생각하지 않았다. 휴일, 축제일로도 충분했다. 쓸모없는 양의 지루한 업무로 인해 현대인의 긴장 상태가 늘어나면서, 해마다 일상적으로 취하는 휴식이 점점 더 필요해졌다. 새로운 시작과 회복을 위해서 휴가는 필수가 되었다.

① 휴가의 널리 퍼진 역사
② 휴가의 다른 무엇보다 주된 목적
③ 현대 생활에 있어서 휴가의 필요성
④ 상류층과 하류층의 휴가 비교

(해설)

지문의 전반부에는 과거의 휴가에 대한 개념을 설명하며 이 글의 소재가 휴가임을 분명히 밝히고 있다. 이러한 과거의 휴가 개념에 대한 설명이 끝나고 현대의 휴가 개념에 대한 설명이 처음 언급되는 세 번째 문장인 They are more necessary now than before because the average life is less well-rounded and has become increasingly departmentalized.를 이 글의 주제문으로 볼 수 있다. 이 주제문을 통해 현대인들의 삶이 더 세분화되어 감에 따라 휴가가 전보다 더욱 필요하게 되었다는 글의 주제를 파악할 수 있다. 따라서 ③ '현대 생활에 있어서 휴가의 필요성'이 제목으로 가장 적절하다.

(어휘)

- prerogative 특혜
- privileged 특권이 있는
- the masses 대중
- bulk 대부분
- save for ~을 제외하고
- uninterrupted 중단되지 않는
- toil 고생
- well-rounded 원만한
- departmentalized 세분화된
- conceive 생각하다
- incomprehensible 이해할 수 없는
- primitive 옛날의
- feast 축제
- sufficient 충분한
- tension 긴장
- stultifying 쓸모없는
- mandatory 필수의
- renewal 재생
- prevalent 널리 퍼진
- first and foremost 다른 무엇보다 주된
- comparison 비교

(정답) ③

274   난이도 ★★★

(해석)

소득 불평등의 발전을 임금 불평등의 발달에 따른 단순하고 기계적인 결과로 이해하는 것은 잘못일 것이다. 예를 들어, 1970년에서 1990년 사이의 미국 가정의 소득 불평등 증가의 거의 절반은 동일한 가정 구성원의 소득의 증가된 상호 연관성에 사실상 기인한다. 다시 말해, 고소득자들은 점차 다른 고소득자와 결혼할 확률이 높은 반면 가장 저소득인 사람들은 보통 자녀가 있는 홀어머니이다. 게다가, 세금과 보조금은 1970년대 이후 서구 국가들에서 서로 다른 방식으로 발달해 왔다. 미국과 영국은 소득 불평등을 증가시키는 경향이 있는 정책을 채택한 반면, 다른 국가들은 그것을 제한하는 것을 추구하는 정책을 채택했다. 이것의 이유는 복잡하지만 서로 다른 재정과 사회 정책이 많은 것을 설명한다.

① 고소득 직업으로의 올라간 문턱의 반영
② 국가적인 복지가 확립되면 치유될 것
③ 재정 정책과 사회 정책에 동반되는 불가피한 증상

(해설)

빈칸 뒤의 예시인 미국 가정의 수입 불평등을 통해 수입 불평등이 발달하는 것은 단지 1인당 임금 수준의 격차 때문이 아니라 재정적이고 사회적인 정책의 영향을 받아 이러한 현상이 나타나는 것이라고 한다. 그러므로 빈칸에 들어갈 말로 ④ '임금 불평등의 발달에 따른 단순하고 기계적인 결과'가 가장 적절하다. 특히 국가적인 복지가 암시되어 있지만, 이것의 치유에 관한 언급은 없으므로 ②를 선택하지 않도록 주의해야 하며 재정적 및 사회적 정책과 수입 불평등은 소득 불평등 발전의 원인이므로 ③을 선택하지 않도록 주의해야 한다.

(어휘)

- interpret 이해하다
- evolution 발전
- household 가정
- correlation 상호 연관성
- earner 소득자
- whereas 반면에
- transfer (정부의) 보조금
- adopt 채택하다
- seek 추구하다
- fiscal 재정의
- reflection 반영
- threshold 문턱
- remedy 치유하다

(정답) ④

275 주어진 문장 다음에 이어질 글의 순서로 가장 알맞은 것은?

> Today, the most effective way to reach a narrow audience is with an on-line classified ad.

(A) When a critical mass is achieved, which might be only a year or two after the service is first offered, the information highway's classified advertising service will be transformed from a curiosity to the primary way buyers and private sellers together get.

(B) But then word-of-mouth from a few satisfied customers will entice more and more users to the service. There will be a positive-feedback loop created as more sellers attract more buyers and vice versa.

(C) At first, benefits of on-line classified ads may not be apparent. On-line classified ads won't be very attractive, because not many people will be using them.

① (A) – (B) – (C) ② (A) – (C) – (B)
③ (C) – (A) – (B) ④ (C) – (B) – (A)

275 난이도 ★★☆

해석

오늘날, 제한된 독자들에게 다가갈 수 있는 가장 효율적인 방법은 온라인 안내 광고이다. (C) 처음에는, 온라인 안내 광고의 장점은 명확하지 않을 것이다. 온라인 안내 광고는 많은 사람들이 이용하지 않을 것이기 때문에 별로 매력적이지 않을 것이다. (B) 하지만, 소수 만족한 고객들의 입으로 전해진 소문은 점점 더 많은 사용자들이 서비스를 이용하도록 유도할 것이다. 보다 많은 판매자들이 더 많은 구매자를 끌어들이고 또 그 반대의 상황이 되어 긍정적인 피드백의 순환이 생겨날 것이다. (A) 서비스가 처음 개시된 후 단지 1~2년 정도 걸리는 임계량이 달성되면, 정보 고속도로의 안내 광고 서비스는 호기심에서 구매자와 개인 판매자 모두가 이용하는 주요한 방법으로 바뀌게 될 것이다.

해설

온라인 안내 광고가 가장 효율적인 광고가 되는 '과정'을 설명하는 글이다. 따라서 At first로 문장을 시작하는 (C)가 주어진 문장의 뒤를 잇고, 입소문이 전파되어 긍정적인 피드백이 지속적으로 연결되는 과정을 설명하는 (B)가 그 다음으로 적합하다. 마지막으로, 일정 수준에 도달한 후 광고에 있어 주요한 방법이 될 것이라는 (A)의 설명이 오는 것이 바람직하다. 따라서 글의 순서로는 ④ (C)-(B)-(A)가 가장 적합하다.

어휘

- classified ad 안내 광고
- critical mass 임계 질량: 바람직한 결과를 얻기 위한 충분한 양
- achieve 달성하다
- information highway 정보 고속도로
- classified 안내 광고의
- transform 바꿔 놓다
- word-of-mouth 입으로 전해진 소문
- entice 유도하다
- loop 순환
- vice versa 반대의 경우도 마찬가지
- apparent 명확한
- attractive 매력적인

정답 ④

주요 구문 분석

There will be a positive-feedback loop (created) // as more sellers attract more buyers and vice versa.

분석 There be는 존재를 나타내는 구문으로, 동사(be) 뒤의 명사 a positive-feedback loop이 실질적인 주어이다. 이러한 구조는 직역하면 '~한 주어가 있다'가 되지만, 그보다는 주어를 수식하는 표현을 서술 어구처럼 풀어서 해석하는 편이 자연스럽다. 따라서 '긍정적인 피드백의 순환이 생겨날 것이다'라고 이해하면 된다.

276 주어진 문장이 들어갈 위치로 가장 적절한 것은?

Instead, it indicates that a very specific question served as a negative stimulus and really bothered the person.

I look for lip compression or disappearing lips during interviews or when someone is making a declarative statement. (①) This is such a reliable cue that it will show up precisely at the moment a difficult question is asked. (②) If you see it, that doesn't necessarily mean the person is lying. (③) For example, if I ask someone, "Are you hiding something from me?" and he compresses his lips as I ask the question, he is hiding something. (④) This is especially accurate if it is the only time he has concealed or compressed his lips during our discussion. It is a signal that I need to push further in questioning this person.

276

난이도 ★★☆

(해석)

나는 면담을 하는 동안 또는 누군가 선언적 진술을 할 때 입술을 다물거나 입술을 안 보이게 하는 행위를 찾는다. (①) 이것은 매우 신뢰할 만한 단서라서 어려운 질문을 받는 바로 그 순간 정확하게 나타날 것이다. (②) 당신이 그것을 본다 해도, 그 사람이 거짓말하고 있다는 것을 반드시 의미하는 것은 아니다. (③) 대신, 그것은 어떤 매우 특정한 질문이 부정적인 자극으로서의 역할을 하고 실제로 그 사람을 괴롭혔다는 것을 가리킨다. 예를 들어, 만일 내가 어떤 사람에게 "당신은 나에게 뭔가 숨기고 있나요?"라고 묻고, 내가 그 질문을 할 때 그가 입술을 꼭 다문다면, 그는 뭔가 숨기고 있는 것이다. (④) 만일 그것이 우리가 논의하던 중 그가 입술을 감추거나 꼭 다문 유일한 경우라면 이것은 특히 정확하다. 그것은 이 사람을 심문하는 데 있어 내가 좀 더 밀어붙일 필요가 있다는 신호인 것이다.

(해설)

주어진 문장에서 '대신(instead), 그것(it)은 가리킨다(indicate)'고 했으니 it에 해당하는 것이 앞에 언급되어야 함을 알 수 있고, instead는 주로 앞에 언급된 내용이 적합지 않아 대신 정확한 정보나 사실을 알려줄 때 사용한다. ②까지의 it은 모두 입술을 꼭 다물거나 입술을 안 보이게 하는 것을 의미한다. 그리고 ③ 앞에서 그것이 거짓말을 한다는 것을 반드시 의미하지 않는다는 부분부정으로 와서 정확한 정보가 아님을 알 수 있다. 따라서 이 뒤에 Instead가 오는 것이 바르다. 그 사람이 거짓말을 한다기보다 그가 괴롭다는 것을 의미한다고 자연스럽게 연결된다. 이후에는 예시를 들고 있으므로 주어진 문장이 ③에 들어가야 ③의 앞에 위치한 문장과 가장 자연스럽게 연결된다.

(어휘)

- indicate 가리키다
- bother 괴롭히다
- declarative 선언의
- cue 단서
- accurate 정확한
- push 밀어붙이다
- stimulus 자극
- compression 압축
- reliable 신뢰할 만한
- precisely 정확하게
- conceal 숨기다

(정답) ③

주요 구문 분석

Instead, / it indicates // that a very specific question served as a negative stimulus // and really bothered the person.

(분석) serve는 단독으로 쓰이면 '제공하다, 일하다'라는 의미이지만 as와 함께 쓰이면 '~로 작용하다, ~의 역할을 하다'라는 의미가 되므로 '부정적인 자극으로 작용했다'라고 해석하면 된다.

277 다음 글의 요지로 가장 적절한 것은?

Thinking of various influences on our health, we easily think of many of them as coming from the outside environment. Rather, our perceptions and interpretations influence the way our bodies respond. When the "mind" is in a certain state, the "body" also necessarily takes its corresponding posture. To achieve a different physiological state, sometimes what we need to do is somehow to change the state of mind. The power of mindfulness to affect the body may be considerable, even to the point of influencing basic needs. In an experiment on hunger, subjects who chose to fast for a prolonged time for personal reasons tended to be less hungry than those who fasted for external reasons — for money, for example. Freely choosing to perform a task means that one has adopted a certain attitude toward it. In this experiment, those who had made a personal psychological commitment not only were less hungry, but they also showed a smaller increase in free fatty acid levels, a physiological indicator of hunger.

① Our basic needs can be suppressed.
② State of mind affects state of body.
③ The mind is more important than the body.
④ Our health depends on our environment.

278 다음 빈칸에 가장 적절한 것은?

The saying that _____ is captured in a study in which researchers wrote up a detailed description of a half inning of baseball and gave it to a group of baseball fanatics and a group of less enthusiastic fans to read. Afterward they tested how well their subjects could recall the half inning. The baseball fanatics structured their recollections around important game-related events, like runners advancing and runs scored. One almost got the impression they were reading off an internal scorecard. The less enthusiastic fans remembered fewer important facts about the game and were more likely to recount superficial details like the weather. Because they lacked a detailed internal representation of the game, they couldn't process the information they were taking in. They didn't know what was important and what was trivial. They couldn't know what mattered. Without a conceptual framework in which to embed what they were learning, they forgot what they learned.

① we need to be knowledgeable to gain knowledge
② intelligence is much more than mere memory
③ imagination pushes the boundaries of knowledge
④ prejudice is an obstacle to processing information

주요 구문 분석

Thinking of various influences on our health, // we easily think of many of them / as coming from the outside environment.
분석 Thinking ~은 분사구문으로, 문맥상 접속사 When이 생략된 시간의 부사절로 보인다. 따라서 '~에 대해 생각하면'으로 해석하는 것이 자연스럽다.

주요 구문 분석

Without a conceptual framework (in which to embed // what they were learning, / they forgot // what they learned).
분석 선행사인 a conceptual framework를 관계사구가 수식하는 구조이다. 원래는 in which they could embed what they were learning이었으나, 주어와 조동사를 생략하고 동사를 to부정사로 만들어 선행사인 framework를 수식하도록 했다. 따라서 '그들이 학습하고 있는 것을 내면화할 개념적 구성 체계'라고 해석하면 된다.

277

난이도 ★★☆

(해석)

우리의 건강에 미치는 다양한 영향에 대해 생각하면, 우리는 그들 중 다수가 외부 환경에서 비롯된다고 쉽게 생각한다. 오히려, 우리의 지각과 해석이 우리의 신체가 반응하는 방식에 영향을 미친다. '정신'이 한 상태에 놓이면, '신체' 또한 필연적으로 그에 상응하는 자세를 취한다. 다른 생리적 상태를 얻기 위해서, 때때로 우리가 해야 할 것은 어떻게든 정신 상태를 변화시키는 것이다. 신체에 미치는 마음 챙김의 힘이 상당히 클 수 있어서, 심지어 기본적인 욕구에 영향을 미칠 정도이다. 굶주림에 관한 실험에서, 개인적인 이유로 장기 단식을 선택한 피험자들은 외부적인 이유로 ─ 예를 들어, 돈 때문에 ─ 단식한 사람들보다 굶주림을 덜 느끼는 경향이 있었다. 어떤 일을 하겠다고 자유롭게 선택하는 것은 사람이 그 일에 대한 특정한 태도를 택했다는 뜻이다. 이 실험에서, 개인적인 심리적 몰입을 한 사람들은 배가 덜 고플 뿐 아니라, 배고픔의 생리학적 지표인 유리 지방산 수치에서도 더 적은 증가량을 보였다.

① 우리의 기본적 욕구는 억제될 수 있다.
② 마음의 상태가 신체의 상태에 영향을 준다.
③ 마음이 신체보다 중요하다.
④ 우리의 건강은 우리의 환경에 달려있다.

(해설)

글의 중심 소재는 마음과 신체이고 주제문은 두 번째 문장으로, 우리의 지각과 해석이 신체의 반응 방식에 영향을 미친다는 것이다. 처음에는 외부의 환경적 요인이 건강에 영향을 미친다고 생각하는 일반적인 통념을 소개하고, 두 번째 문장에서 이를 반박해서 오히려 정신이 신체에 영향을 미친다고 주장한다. 그런 다음, 굶주림에 관한 실험을 사례로 들어 정신 상태가 신체의 상태에 미치는 영향을 부연 설명한다. 따라서 이 글의 요지로 가장 적절한 것은 ② '마음의 상태가 신체의 상태에 영향을 준다'이다. ①은 글의 지엽적인 내용이고 ④는 여기서 반박한 일반 통념에 가까우므로 답이 될 수 없다.

(어휘)

- perception 지각(작용)
- interpretation 해석
- corresponding 상응하는
- posture 자세
- physiological 생리적인
- mindfulness 마음 챙김
- considerable 상당히 큰
- subject 피험자
- fast 단식하다
- prolonged 장기의
- external 외부적인
- adopt 택하다
- psychological 심리적인
- commitment 몰입
- free fatty acid 유리 지방산
- indicator 지표
- suppress 억제하다

(정답) ②

278

난이도 ★★★

(해석)

지식을 얻기 위해서는 지식을 갖출 필요가 있다는 말은 연구자들이 야구경기 하프 이닝의 자세한 묘사를 기록하고 그것을 열성적인 야구팬 집단과 덜 열성적인 야구팬 집단에게 읽도록 주었던 한 연구에서 드러났다. 이후에 그들은 피실험자들이 그 하프 이닝을 얼마나 잘 기억해낼 수 있는지를 실험했다. 열성적인 야구팬들은 주자가 진루하고 플레이가 득점으로 이어지는 것과 같은 경기와 관련된 중요한 사건을 중심으로 그들의 기억을 구조화하였다. 어떤 이는 거의 내부 경기의 세부 기록지를 읽어내는 것 같은 인상을 받았다. 덜 열성적인 팬들은 경기에 대한 덜 중요한 정보들을 기억해냈고 날씨와 같은 피상적인 세부사항을 더 기억하는 경향을 보였다. 그들은 경기에 대한 상세한 내적 개념 작용이 부족했기 때문에 그들이 받아들이는 정보를 처리할 수 없었다. 그들은 무엇이 중요하고 무엇이 사소한지 몰랐다. 그들은 무엇이 핵심적인 것인지 알지 못했다. 그들이 학습하고 있는 것을 내면화할 개념적 구성 체계 없이는 그들은 배운 것을 잊어버렸다.

② 지능은 단순한 기억력 그 이상이다
③ 상상력은 지식의 경계를 허문다
④ 편견은 정보 처리에 있어 장애물이다

(해설)

주어진 정보를 기억하기 위해서는 그것을 내면화하도록 해주는 개념적 구성 체계가 필요하다는 내용을 야구팬들의 예를 들어 설명하고 있다. 야구에 대한 지식이 풍부한 열성팬들이 덜 열성적인 팬들보다 야구 경기 내용을 내적인 구성 체계에 의해 구조화하여 쉽게 기억했다는 내용을 통해 빈칸에 ① '지식을 얻는 데는 지식이 필요하다'가 들어가야 함을 추론할 수 있다.

(어휘)

- description 묘사
- fanatic 팬
- enthusiastic 열광적인
- recall 회상하다
- structure 구조화하다
- recollection 기억
- scorecard 경기 세부 기록지
- recount 이야기하다
- superficial 피상적인
- representation 개념 작용
- take in ~을 받아들이다
- conceptual 개념의
- embed 내면화하다
- mere 단순한
- prejudice 편견
- obstacle 장애물

(정답) ①

279 주어진 글 다음에 이어질 글의 순서로 가장 적절한 것은?

The third major block to creative problem-solving lies in the assumption of a fixed pie: the less for you, the more for me. Rarely if ever is this assumption true. First of all, both sides can always be worse off than they are now.

(A) This may take the form of developing a mutually advantageous relationship, or of satisfying the interests of each side with a creative solution.

(B) Chess looks like a zero-sum game; if one loses, the other wins — until a dog trots by and knocks over the table, spills the beer, and leaves you both worse off than before.

(C) Even apart from a shared interest in averting joint loss, there almost always exists the possibility of joint gain.

① (A) – (B) – (C)
② (A) – (C) – (B)
③ (B) – (A) – (C)
④ (B) – (C) – (A)

280 밑줄 친 부분에 들어갈 말로 가장 적절한 것은?

Nothing is older to humans than their struggle for food. From the time the early hunters stalked the mammoths and the first sedentary 'farmers' scratched the soil to coax scrawny grain to grow, humans have battled hunger. History is replete with their failures. The Bible chronicles one famine after another; food was in such short supply in ancient Athens that visiting ships had to share their stores with the city; Romans prayed at the threshold of Olympus for food. Every generation in medieval Europe suffered famine. In the 20th century, periods of extreme hunger drove Soviet citizens to cannibalism, and as late as 1943, deaths from starvation reached into the millions in Bengal. After World War II, however, it seemed that humans at long last were _____. Bumper harvests in many nations created food surpluses in the West, while the development of 'miracle seeds' brought the hope that the densely populated poor countries would soon attain self-sufficiency.

① approaching the worst
② starting to be exhausted
③ continuing their course
④ winning the battle

주요 구문 분석

The third major block (to creative problem-solving) lies / in the assumption of a fixed pie: // the less for you, // the more for me.

분석 「the 비교급+S′+V′, the 비교급+S+V」는 '~할수록 더 …하다'라는 의미이다. the less for you, the more for me는 축약형으로, 원래 문장은 the less there is for you, the more there is for me이다. 이처럼 이 구조에서 앞뒤 절에 모두 there be 구문이 올 경우 생략되는 경우가 많다. 또한 less와 more 뒤에는 share of the pie와 같은 명사구가 생략되어 있으므로, '당신에게 돌아가는 파이가 더 적을수록, 내게 돌아오는 파이는 더 커진다'로 해석하면 자연스럽다.

주요 구문 분석

Nothing is older to humans / than their struggle for food.

분석 부정어 주어를 사용한 비교급을 통해 최상급의 의미를 전달하는 구문이므로 '인간에게 식량을 얻기 위한 그들의 투쟁보다 더 오래된 것은 없다.' 또는 '식량을 얻기 위한 투쟁이야말로 인간에게 가장 오래된 것이다.'라고 해석하면 된다.

279 난이도 ★★☆

해석

창의적인 문제 해결의 세 번째 주요한 장애는 파이(의 크기)가 고정되어 있다는 가정에 있다. 즉, 당신에게 돌아가는 파이가 더 적을수록 내게 돌아오는 파이는 더 커진다. 비록 있다 하더라도 이런 가정이 사실인 경우는 극히 드물다. 무엇보다 양측이 지금보다 항상 더 안 좋은 상황에 처해질 수 있다. (B) 체스는 제로섬 게임처럼 보인다; 한 쪽이 지면 다른 쪽이 이기는 것인데, 개가 탁자 옆을 걷다가 탁자에 부딪쳐, 맥주를 쏟고, 여러분들 둘 모두를 전보다 더 안 좋은 상황으로 만들기 전까지는 말이다. (C) 공동의 손실을 피하는 데 양쪽 모두 관심이 있다는 것을 별개로 치더라도, 공동의 이익을 얻을 가능성은 거의 언제나 존재한다. (A) 이는 서로에게 유리한 관계를 발전시키거나 창의적인 해결책으로 각자의 이해관계를 충족시키는 형태를 띨 수도 있다.

해설

주어진 문장은 창의적 문제 해결의 장애로 "고정된 파이"라는 가정에 놓여 있다고 말한다. 이로 인한 양측이 모두 안 좋은 상황에 처하는 경우를 설명하고 있다. 이에 대한 부연 설명으로 (B)에서 체스를 예로 들어 둘 다 전보다 안 좋은 상황에 처해질 수 있음을 말하고 있다. 이후 (C)에서 앞선 내용과 반대로 공동의 이익을 얻을 가능성을 소개하고, (A)에서 창의적인 해결책이 서로의 이해관계를 충족시킬 수 있다고 말한다. 따라서 ④ (B)-(C)-(A)의 순서로 이어지는 것이 가장 적합하다.

어휘

- block 장애
- be worse off 더 나빠지다
- advantageous 유리한
- trot 종종걸음을 걷다
- spill 쏟다
- avert 피하다
- assumption 추정
- mutually 서로에게
- relationship 관계
- knock 부딪치다
- apart from ~은 별개로 하더라도
- joint 공동의

정답 ④

280 난이도 ★★★

해석

인간에게 식량을 얻기 위한 그들의 투쟁보다 더 오래된 것은 없다. 초기 사냥꾼들이 매머드에게 몰래 접근하고 최초의 정착 '농민들'이 말라빠진 곡식이 자라도록 다루기 위해 땅을 긁어서 파던 시대부터, 인간은 굶주림과 싸워 왔다. 역사는 그들의 실패로 가득 차 있다. 성경은 잇따른 기근을 연대순으로 기록하고 있다; 고대 아테네에서는 식량은 공급이 너무 부족해서 그곳을 방문하는 배들은 그들의 저장품을 도시와 나누어야 했다; 로마인들은 올림포스 입구에서 식량을 얻게 해 달라고 기도했다. 중세 유럽의 모든 세대는 기근을 겪었다. 20세기에, 극심한 굶주림의 기간은 소련 주민들을 식인 풍습으로 몰아갔고, 그리고 1943년 말에는, 벵갈에서 기아로 인한 죽음이 수백만 명에 이르렀다. 하지만, 제2차 세계 대전 이후, 마침내 인간은 <u>싸움에서 승리하고 있는</u> 것처럼 보였다. 많은 국가의 대풍작은 서구의 식량 과잉을 초래했고, '기적의 씨앗'의 개발은 인구밀도가 높은 가난한 나라들이 곧 자급자족을 이루게 될 것이라는 희망을 가져다주었다.

① 최악의 상황에 접근하고 있는 것
② 지치기 시작한 것
③ 그들의 진로를 계속하는 것

해설

인간이 굶주림과 싸워왔던 것보다 더 오래된 것은 없다고 말하며 그와 관련된 역사적 사건에 대하여 글의 전반부에서 설명하고 있다. 그러고 나서 However를 써서 앞의 설명과는 상반되는 내용을 설명한다. 빈칸 이후에서는 서구는 식량의 과잉공급 상태이고, 기적의 씨앗의 개발로 인구 밀도가 높은 나라는 곧 식량을 자급자족할 수 있을 것이라며 인간이 식량 문제가 해결되고 있다는 내용을 다룬다. 따라서 빈칸에는 ④ '싸움에서 승리하고 있는 것'이 가장 적절하다.

어휘

- struggle 투쟁
- sedentary 정착하는
- coax (사물을) 잘 다루어 뜻대로 하다
- scrawny 말라빠진
- chronicle 연대순으로 기록하다
- threshold 입구
- cannibalism 식인(풍습)
- bumper harvest 대풍작
- densely populated 인구밀도가 높은
- self-sufficiency 자급자족
- stalk 몰래 접근하다
- replete with ~로 가득 찬
- famine 기근
- medieval 중세의
- starvation 기아
- surplus 과잉

정답 ④

281 다음 글의 제목으로 가장 적절한 것은?

Research shows that there are crucial links between what we say to ourselves and what we accomplish. In addition, our self-talk, the inner conversations we have with ourselves, has a powerful impact on our emotional well-being. Whether we know it or not, we all engage in a nearly constant subconscious monologue with ourselves. Sometimes we vocalize the monologue aloud, but often it is silent thinking or an internal whisper we are scarcely aware of. Even though such self-talk may be quiet, its impact can be enormous. Our behavior, feelings, sense of self-esteem, and even level of stress are influenced by our inner speech. Everything we do begins as self-talk. Self-talk shapes our inner attitudes, our attitudes shape our behavior, and of course our behavior shapes the results we get.

① Significance of Self-Talk
② Several Kinds of Self-Talk
③ Importance of Communication
④ Relationship between Mind and Behavior

주요 구문 분석

Self-talk shapes our inner attitudes, // our attitudes shape our behavior, // and of course / our behavior shapes the results we get.

분석) 3개의 절이 and에 의해 병렬되어 있다. 문장 끝의 the results we get은 관계대명사 that이 생략된 구조로, '우리가 얻게 되는 결과'라고 해석된다. 목적어 역할의 that은 종종 생략되므로, 문장 성분을 파악할 때 주의해야 한다.

282 다음 빈칸에 들어갈 말로 가장 적절한 것은?

The discovery that genes have something that determines behavior came as a shock in the second half of the 20th century, when most people still thought that the mind of a newborn was a blank slate. As we increase our knowledge of how the genome works, many beliefs about ourselves will indeed have to be rethought. But _____. It is easy to exaggerate the significance of behavioral genetics for our lives. For one thing, genes cannot pull the strings of behavior directly. Behavior is caused by the activity of the brain, and the most genes can do is to affect its wiring, size and sensitivity to hormones and other molecules. Among the brain circuits laid down by genes are the ones that reflect on memories, current circumstances and the anticipated consequences of various courses of action and that select behavior accordingly — in an intricate and not entirely predictable way. These circuits are what we call "free will," and providing them with information about the likely consequences of behavioral options is what we call "holding people responsible."

① behavioral genetics has considerable effects on our lives
② the worst fear of all about the genetic determinism is misplaced
③ the genetic discovery reinforces the traditional behaviorism
④ more knowledge of genes will promise a brighter future for artists

주요 구문 분석

It is easy to exaggerate the significance (of behavioral genetics / for our lives).

분석) It이 가주어, to exaggerate가 진주어인 구문으로 직역하면 '~을 과장하는 것은 쉽다'이지만, 자연스러운 의역을 위해 목적어(the significance)를 주어처럼 보고, to부정사를 수식어처럼 풀어 '그 중요성은 과장되기 쉽다'라고 옮기면 이해가 더 쉬워진다.

281

난이도 ★★☆

해석

연구는 우리가 스스로에게 말하는 것과 우리가 성취하는 것 사이에 결정적인 관계가 있다는 것을 보여준다. 게다가, 우리가 자신과 나누는 내면의 대화인 혼잣말은 우리의 정서적 행복에 강력한 영향을 끼친다. 우리가 알든 모르든, 우리는 누구나 자기 자신과 거의 지속적인 잠재의식적인 독백을 나눈다. 때때로 우리는 그 독백을 크게 소리 내어 말하지만, 그것은 보통 우리가 거의 의식하지 못하는 소리 없는 생각 혹은 내적 속삭임이다. 비록 그러한 혼잣말이 조용할지라도, 그 영향은 엄청날 수 있다. 우리의 행동, 느낌, 자존감 그리고 심지어 스트레스의 정도까지도 내적 대화의 영향을 받는다. 우리가 하는 모든 것은 혼잣말로 시작된다. 혼잣말은 우리의 내적 태도를 형성하고, 우리의 태도는 우리의 행동을 형성하며, 당연히 우리의 행동은 우리가 얻는 결과를 형성한다.

① 혼잣말의 중요성
② 혼잣말의 여러 가지 종류
③ 대화의 중요성
④ 마음과 행동의 관계

해설

글의 중심 소재는 혼잣말이고 주제문은 첫 번째와 두 번째 문장이다. 글의 앞머리에서 혼잣말은 우리의 성취와 관련이 있으며 정서적 건강에 큰 영향을 미친다고 주장한 뒤, 그에 관해 부연 설명한다. 그리고 마지막 문장에서 다시 주제를 재진술하여, 혼잣말이 우리의 내적 태도를 결정하고 그것이 행동에 영향을 주며 결과적으로 우리의 성취를 만들어낸다는 것이다. 따라서 이 글의 제목으로는 ① '혼잣말의 중요성'이 가장 적절하다. ③은 단순한 대화가 아니라 혼자 하는 내면의 대화가 중요하다는 내용과 맞지 않으므로 적절하지 않다. 글의 중심 소재인 self-talk가 포함되지 않은 ④는 답이 될 수 없다. 마음 자체와 스스로에게 말하는 행동을 나타내는 혼잣말은 다르므로 ④를 답으로 선택하지 않도록 주의해야 한다.

어휘

☐ crucial 결정적인　　☐ accomplish 성취하다
☐ self-talk 혼잣말　　☐ impact 영향
☐ engage in ~에 참여하다　　☐ subconscious 잠재의식적인
☐ monologue 독백　　☐ vocalize 목소리로 내다
☐ whisper 속삭임　　☐ enormous 엄청난
☐ sense of self-esteem 자존감

정답 ①

282

난이도 ★★★

해석

행동을 결정하는 무언가를 유전자가 가지고 있다는 발견은 대부분의 사람들이 여전히 신생아의 정신은 백지 상태라고 여기고 있던 20세기 후반에 충격으로 다가왔다. 우리가 게놈의 작용 원리에 대한 지식을 넓혀감에 따라, 우리 자신에 대해 가지고 있는 많은 믿음들은 정말로 재고될 필요가 있을 것이다. 그러나 <u>유전적인 결정론의 모든 것에 대한 최악의 두려움은 잘못된 것이다</u>. 우리 삶에 있어서 행동을 결정짓는 유전자의 중요성은 과장되기 쉽다. 우선 첫째로, 유전자는 행동에 직접적으로 영향을 주지 못한다. 행동은 뇌의 활동에 의해서 발생하고 유전자가 할 수 있는 최대치는 뇌세포 사이의 연결 상태, 크기, 그리고 호르몬과 다른 분자들에 대한 민감도에 영향을 주는 것뿐이다. 유전자들에 의해 만들어진 두뇌 회로들 중에는 기억, 현재의 상황, 행동의 다양한 경로에 대한 예상된 결과들을 반영하고, 그에 따라 복잡하고 때로는 예측할 수 없는 방법으로 행동을 선택하는 회로들이 있다. 이러한 회로들이 이른바 "자유 의지"이고 회로들에 행동 선택들이 가져올 결과에 대한 정보를 제공하는 것은 소위 "사람들에게 책임감을 가지게 하는 것"이다.

① 행동 유전학은 우리의 생활에 상당한 영향력을 가지고 있다
③ 유전적 발견은 전통적인 행동주의를 강화시킨다
④ 유전자에 대한 보다 많은 지식은 예술가들에게 더 밝은 미래를 약속해 줄 것이다

해설

빈칸 앞부분에서는 '유전자가 행동을 결정짓는 무언가를 가지고 있다'는 놀라운 발견으로 그것이 사회에 커다란 충격을 주었다는 내용이다. 그러나 빈칸 뒷부분에서는 이러한 유전자의 행동결정론은 과장되기 쉬우며, 실제로 유전자가 행동에 직접적인 영향을 주지 못한다는 대조적인 설명을 하고 있다. 빈칸의 But으로 유추해 볼 때 빈칸에는 앞서 나온 내용을 반박하는 ② '유전적인 결정론의 모든 것에 대한 최악의 두려움은 잘못된 것이다'가 오는 것이 가장 적절하다.

어휘

☐ gene 유전자　　☐ newborn 신생아
☐ blank slate 백지 상태　　☐ exaggerate 과장하다
☐ genetics 유전학
☐ pull the strings of ~에 영향력을 미치다
☐ wiring 연결　　☐ molecule 분자
☐ brain circuit 두뇌 회로　　☐ intricate 복잡한
☐ determinism 결정론　　☐ misplaced 잘못된

정답 ②

283 주어진 문장 다음에 이어질 글의 순서로 가장 적절한 것은?

In the course of his research on business strategy and the environment, Michael Porter noticed a peculiar pattern: Businesses seemed to be profiting from regulation.

(A) In 1991, the Dutch government adopted a policy designed to cut pesticide use in half by 2000. Facing increasingly strict regulation, greenhouse growers realized they had to develop new methods if they were going to maintain product quality with fewer pesticides.

(B) Therefore, they shifted to a cultivation method that grows flowers in a rockwool substrate. The new system not only reduced the pollution released into the environment; it also increased profits by giving companies greater control over growing conditions.

(C) He also discovered that the stricter regulations were prompting more innovation than the weaker ones. He took, for example, the Dutch tulip companies, which were contaminating the country's water and soil with fertilizers and pesticides for many years.

* rockwool substrate: 암면 배지; 수경 채소 재배 방식

① (B) – (A) – (C) ② (B) – (C) – (A)
③ (C) – (A) – (B) ④ (C) – (B) – (A)

284 다음 글의 제목으로 가장 적절한 것은?

The first few asteroids were named after figures from Graeco-Roman mythology, but as such names started to run out, others were used — the names of famous people, literary characters, the discoverer's wives, children, and even television characters. The first asteroid to be given a non-mythological name was 20 Massalia, named after the city of Marseilles. For some time only female or feminized names were used; Alexander von Humboldt was the first man to have an asteroid named after him, but his name was feminized to 54 Alexandra. This unspoken tradition lasted until 334 Chicago was named; even then, oddly feminized names showed up in the list for years afterward. As the number of asteroids began to run into the hundreds, and eventually the thousands, discoverers began to give them increasingly frivolous names. The first hints of this were 482 Petrina and 483 Seppina, named after the discoverer's pet dogs. Although the IAU subsequently banned pet names as sources, increasingly eccentric asteroid names have been accepted, including 3494 Purple Mountain, 6042 Cheshirecat, 9007 James Bond and 26858 Misterrogers.

① Pets' Voyage to Asteroids
② Sources of Asteroids' Names
③ The Exploration of Asteroids
④ The Graeco-Roman Mythology

주요 구문 분석

Facing increasingly strict regulation, // greenhouse growers realized // they had to develop new methods // if they were going to maintain product quality / with fewer pesticides.

분석 if절은 조건절이고 were going to는 과거 시점에서의 계획이나 의도를 의미하므로 '만약 그들이 ~하려고 한다면'이라고 해석하면 자연스럽다.

주요 구문 분석

The first few asteroids were named after figures (from Graeco-Roman mythology), // but as such names started to run out, // others were used.

분석 A be named after B는 '~의 이름을 따 명명되다'를 의미한다. as는 시간 부사절 접속사로 '~하면서'라고 해석된다. start는 to부정사와 동명사를 모두 목적어로 취할 수 있다.

283 난이도 ★★☆

해석

비즈니스 전략과 환경에 대한 연구 과정에서, Michael Porter는 독특한 패턴을 알아차렸다: 기업이 규제로부터 이익을 얻는 것처럼 보였다. (C) 그는 또한 더 엄격한 규제가 더 느슨한 규제보다 더 많은 혁신을 유발하고 있다는 것을 발견했다. 그는 네덜란드의 튤립 회사들을 예로 들었는데, 이들은 그 나라의 물과 토양을 비료와 농약으로 오랫동안 오염시키고 있었다. (A) 1991년, 네덜란드 정부는 2000년까지 농약 사용을 절반으로 줄이도록 고안된 정책을 채택했다. 점차 엄격해지는 규제에 직면하면서, 온실 재배자들은 만약 더 적은 양의 농약으로 상품의 품질을 유지하려고 한다면 새로운 방법을 개발해야만 한다는 것을 깨달았다. (B) 그래서, 그들은 암면 배지로 꽃을 기르는 재배 방식으로 옮겨갔다. 이 새로운 시스템은 환경에 배출되는 오염을 감소시켰을 뿐만 아니라; 회사들에게 재배 조건에 대한 더 많은 통제권을 줌으로써 이익을 증가시켰다.

해설

주어진 문장에서 Michael Porter가 기업이 규제에서 이익을 얻는다는 패턴을 알아차렸다(noticed)고 했으므로 엄격한 규제의 장점을 또한 발견했다(also discovered)고 설명하는 (C)가 뒤에 이어지는 것이 적절하다. (C)의 뒷부분에 언급된 네덜란드의 예시는 (A)에서 이어진다. 또한 (A)의 뒷부분에 온실 재배자들이 새로운 방법을 개발해야 한다는 것을 깨달았다고 한 다음, (B)에서 결과적으로(Therefore) 그들이 새로운 방법을 선택하게 되었다고 부연 설명한다. 따라서 글의 순서로 가장 적절한 것은 ③ (C)-(A)-(B)이다.

어휘

- strategy 전략
- notice 알아차리다
- regulation 규제
- policy 정책
- strict 엄격한
- cultivation 재배
- release 방출하다
- innovation 혁신
- fertilizer 화학 비료
- environment 환경
- peculiar 독특한
- adopt 채택하다
- pesticide 농약
- shift 옮겨가다
- pollution 오염
- prompt 유발하다
- contaminate 오염시키다

정답 ③

284 난이도 ★★☆

해석

처음 몇 개의 소행성은 그리스 로마 신화에 등장하는 인물들을 따라 이름 지어졌으나, 그런 이름들이 고갈되기 시작하자, 다른 것들이 사용되었다 — 유명인과 문학작품의 주인공, 소행성을 발견한 사람의 아내, 아이들, 그리고 심지어 텔레비전 주인공의 이름 같은 것들이었다. 신화에 나오지 않은 이름이 붙여진 첫 번째 행성은 마르세유 시의 이름을 딴 20 Massalia였다. 한동안은 여성의 이름이나 여성화된 이름만 사용되었다; 알렉산더 폰 훔볼트는 자신의 이름을 딴 소행성을 가진 최초의 남성이었지만, 그(행성) 이름은 54 Alexandra로 여성화되었다. 이러한 무언의 전통은 334 Chicago라는 이름이 지어질 때까지 지속되었다; 그래도 이상하게 여성화된 이름은 그 이후로도 수년 동안 목록에 나타났다. 소행성의 수가 수백 개로 증가하고, 마침내 수천 개에 이르게 되자, 소행성을 발견한 사람들은 점차 시시한 이름을 붙이기 시작했다. 이것의 첫 번째 전조는 발견자의 애완견 이름을 따서 지은 482 Petrina와 483 Seppina였다. 국제천문연맹(IAU)이 그 후에 애완동물의 이름을 본따는 것을 금지했음에도 불구하고, 3494 Purple Mountain, 6042 Cheshirecat, 9007 James Bond와 26858 Misterrogers를 포함해 점점 더 별난 행성의 이름들이 받아들여졌다.

① 애완동물의 소행성 여행
② 소행성 이름의 출처
③ 소행성 탐험
④ 그리스 로마 신화

해설

첫 문장이 주제문으로 주제가 소행성의 이름 붙이기임을 알 수 있다. 소행성 이름의 유래가 그리스 로마 신화에 등장하는 인물의 이름, 유명인과 문학작품의 주인공, 소행성을 발견한 사람의 아내, 아이들, 그리고 심지어 텔레비전 주인공의 이름, 그리고 도시의 이름, 여성이나 여성화된 이름, 애완견의 이름 등이라고 설명하고 있다. 따라서 이 글의 제목은 ② '소행성 이름의 출처'가 가장 적절하다.

어휘

- asteroid 소행성
- Graeco-Roman 그리스 로마의
- run out 고갈되다
- oddly 이상하게
- frivolous 시시한
- ban 금하다
- voyage 여행
- name after ~을 본따 이름 짓다
- mythology 신화
- feminize 여성화하다
- show up 나타나다
- subsequently 그 후에
- eccentric 별난
- exploration 탐험

정답 ②

285 밑줄 친 부분에 들어갈 말로 가장 적절한 것은?

According to an interesting new study done with cellphone data to track activities and moods, _____. In general, the researchers found, people who move are more content than people who sit. There already is considerable evidence that physical activity is linked to psychological health. According to epidemiological studies, for example, the more people exercise or the more active they are, the less prone they are to depression and anxiety than sedentary people. "People who are generally more active are generally happier and, in the moments when people are more active, they are happier," says Gillian Sandstrom, a study co-author who was a postdoctoral researcher at Cambridge. In other words, moving and happiness were closely linked, both in the short term and longer term.

① when people are more vigorous, they feel happier
② when they feel happier, they are more vigorous
③ when people are more active, they are less susceptible to illness
④ when people are less susceptible to illness, they are more active

286 주어진 문장이 들어갈 위치로 가장 적절한 것은?

> Still, many believe we will eventually reach a point at which conflict with the finite nature of resources is inevitable.

Can we sustain our standard of living in the same ecological space while consuming the resources of that space? This question is particularly relevant since we are living in an era of skyrocketing fuel costs and humans' ever-growing carbon footprints. (①) Some argue that we are already at a breaking point because we have nearly exhausted the Earth's finite carrying capacity. (②) However, it's possible that innovations and cultural changes can expand Earth's capacity. We are already seeing this as the world economies are increasingly looking at "green," renewable industries like solar and hydrogen energy. (③) That means survival could ultimately depend on getting the human population below its carrying capacity. (④) Otherwise, without population control, the demand for resources will eventually exceed an ecosystem's ability to provide it.

286

난이도 ★★☆

해석

우리는 똑같은 생태 공간 속에서 그 공간의 자원을 소비하며 우리의 생활수준을 유지할 수 있을까? 이 질문은 우리가 급등하는 연료비용과 사람의 계속 증가하는 탄소 발자국의 시대에 살고 있기 때문에 특히 중요하다. (①) 어떤 이들은 우리가 지구의 유한한 수용 능력을 거의 다 써 버렸기 때문에 우리가 이미 한계점에 이르러 있다고 주장한다. (②) 그러나, 혁신과 문화적인 변화가 지구의 수용력을 확장할 수 있는 것은 가능하다. 세계 경제가 점점 더 태양 에너지와 수소 에너지 같은 '녹색'의 재생 가능한 산업을 바라보고 있으므로 우리는 이미 이것을 목격하고 있다. (③) <u>그런데도, 많은 이들이 우리가 결국 자원의 유한한 특성과의 갈등이 불가피한 지점에 도달하게 될 것이라 믿는다.</u> 그것은 생존이 궁극적으로 인구를 그것의 수용력 이하로 낮추는 것에 의존할 수도 있다는 것을 의미한다. (④) 그렇지 않고, 인구 통제가 없다면, 자원에 대한 수요가 결국 그것을 제공할 생태계의 능력을 초과할 것이다.

해설

주어진 문장은 역접을 나타내는 Still로 시작하므로 앞에 반대되는 내용이 와야 함을 유추할 수 있다. 유한한 자원과의 갈등이 불가피하다는 내용의 주어진 문장은 재생 가능한 에너지를 통해 지구의 수용력을 늘릴 수 있다는 ③ 앞에 나온 내용과 반대되는 내용이므로 ③이나 ④에 들어가야 한다. 이때, ③의 바로 뒤에 온 that means의 that이 의미하는 것이 ③ 앞의 문장과는 반대되는 내용이므로 자연스럽게 연결되기 위해서는 주어진 문장이 여기에 들어와야 한다는 사실을 충분히 유추할 수 있다. 그러므로 주어진 문장이 들어가기에 가장 적절한 곳은 ③이다.

어휘

- eventually 결국
- conflict 갈등
- finite 유한한
- inevitable 불가피한
- sustain 유지하다
- ecological 생태의
- relevant 적절한
- era 시대
- skyrocket 급등하다
- carrying capacity 수용 능력
- innovation 혁신
- renewable 재생 가능한
- hydrogen 수소
- ultimately 궁극적으로
- demand 수요
- exceed 초과하다

정답 ③

주요 구문 분석

Still, / many believe // we will eventually reach a point (at which conflict (with the finite nature of resources) / is inevitable).

분석 관계사 at which는 원래 문장 conflict with the finite nature of resources is inevitable at some point에서 point를 선행사로 하여, 전치사 at과 관계대명사 which가 결합한 형태이다. 여기서 point는 시간이나 상황의 '지점'이나 '수준'으로 해석하면 자연스럽다.

287 다음 글의 제목으로 가장 적절한 것은?

In a single week, the sun delivers more energy to our planet than that which humanity has used through the burning of coal, oil, and natural gas through *all of human history*. And the sun will keep shining on our planet for billions of years. Our challenge isn't that we're running out of energy. It's that we have been focused on the wrong source — the small, finite one that we're using up. Indeed, all the coal, natural gas, and oil we use today, unlike renewable energy sources such as the sun, can be depleted. Our challenge and our opportunity are one and the same: to learn to efficiently and cheaply use the much more abundant source that is the new energy striking our planet each day from the sun.

① Sun: an Alternative to Finite Resources
② Investment in Renewable Energy Generation
③ The Necessity for Conserving Finite Energy
④ The Various Ways of Using Solar Energy

288 밑줄 친 부분에 들어갈 말로 가장 적절한 것은?

In today's world, many countries face both humanitarian crises and security challenges. What many perceive as a conflict between refugee protection and national security remains a widely held misconception. Some fear that allowing displaced individuals to enter the country might increase risks, especially in times of geopolitical tension. However, experts argue that this view presents a false choice. A well-managed refugee system can include thorough security screening while upholding humanitarian obligations. Moreover, communities that receive protection are more likely to cooperate with the government, report threats, and contribute to social stability. In fact, offering protection to those fleeing violence and persecution can strengthen a nation's moral authority and global partnerships. Ensuring both safety and compassion is not contradictory but rather _____.

① a political compromise
② an unrealistic expectation
③ a mutually reinforcing approach
④ a temporary balancing act

주요 구문 분석

In a single week, / the sun delivers more energy to our planet // than that (which humanity has used / through the burning of coal, oil, and natural gas / through all of human history).

분석 more A than B 구문에서 A는 '태양이 1주일 동안 지구에 전달하는 에너지', B는 '인류가 역사 전체에 걸쳐 화석연료를 태워 사용한 에너지'이다. 두 비교 대상이 모두 energy이므로 문장에서는 뒤의 energy를 반복하지 않고 that으로 대신하며, 이를 수식하는 관계절 which humanity has used ~가 이어진다. 비교 대상이 길어도 수식 관계를 잘 파악하면 명료하게 해석할 수 있다.

주요 구문 분석

What many perceive / as a conflict between refugee protection and national security / remains a widely held misconception.

분석 주어가 이렇게 긴 문장에서는 동사를 먼저 파악하는 것이 중요하며, 이 문장의 동사는 2형식 동사인 remains다. 주어는 what이 이끄는 명사절로, '많은 사람들이 ~라고 인식하는 것'이라는 의미이고, 동사 뒤에는 명사 보어인 a widely held misconception이 와서 '여전히 널리 퍼진 오해이다'라고 해석하는 것이 자연스럽다.

287 난이도 ★★★

해석

단 한 주 만에, 태양은 '모든 인간의 역사'에 걸쳐 인간이 석탄, 석유, 그리고 천연가스의 연소를 통해 사용해 온 것보다 더 많은 에너지를 지구에 전달한다. 그리고 태양은 수십억 년 동안, 계속하여 지구를 비출 것이다. 우리의 문제는 에너지가 고갈되고 있다는 것이 아니다. 그것은 우리가 잘못된 원천 — 우리가 소모하고 있는 적고 유한한 것 — 에 집중하고 있다는 것이다. 사실, 우리가 오늘날 사용하고 있는 모든 석탄, 천연가스, 그리고 석유는 태양과 같은 재생 에너지원과는 달리 고갈될 수 있다. 우리의 과제이자 기회는 다름 아닌 바로 하나이다: 태양으로부터 매일 지구에 도달하는 새로운 에너지인 훨씬 더 풍부한 원천을 효율적으로 그리고 저비용으로 사용하는 것을 배우는 것이다.

① 태양: 유한한 자원의 대안
② 재생 에너지 생산에의 투자
③ 유한한 에너지 보존의 필요성
④ 태양 에너지를 사용하는 다양한 방법

해설

이 글은 우리가 현재 사용하는 유한한 에너지 자원 대신, 효율적이고 낮은 비용으로 에너지를 공급하는 무한한 에너지원인 태양을 사용하자는 내용이다. 처음 두 문장에서 태양이 한 주만에 인간 역사를 통해 사용한 모든 석탄, 석유, 천연가스보다 더 많은 에너지를 전달하며 앞으로도 계속 지구를 비출 것이라고 설명함으로써 태양이 무한한 에너지 공급원임을 주장한다. 그리고 우리가 고갈될 수 있는 유한한 에너지원을 사용하고 있는 것이 문제라고 지적한다. 마지막 문장에서, 이 문제를 해결하는 방법은 매일 지구에 공급되는 태양 에너지를 사용하는 것이라고 결론 짓는다. 따라서, 글의 제목으로 가장 적절한 것은 ① '태양: 유한한 자원의 대안'이다. ②의 재생 에너지는 너무 광범위해서 태양 에너지에 초점을 맞춘 글의 제목으로 적절하지 않다.

어휘

- humanity 인간
- challenge 문제
- finite 유한한
- renewable 재생 가능한
- abundant 풍부한
- investment 투자
- coal 석탄
- run out of ~이 고갈되다
- use up 소모하다
- deplete 고갈시키다
- alternative 대안
- conserve 보존하다

정답 ①

288 난이도 ★★★

해석

오늘날 세계에서, 많은 국가들이 인도주의적 위기와 안보 문제, 두 가지 모두에 직면해 있다. 많은 사람들이 난민 보호와 국가 안보가 충돌한다고 인식하는 것은 여전히 널리 퍼진 오해이다. 일부 사람들은, 특히 지정학적 긴장의 시기에, 난민들을 국내로 들어오게 하는 것이 위험을 증가시킬 수 있다고 우려한다. 그러나 전문가들은 이러한 견해가 잘못된 선택지를 제시한다고 주장한다. 잘 관리된 난민 시스템은 인도적 의무를 지키면서도 철저한 보안 심사를 포함할 수 있다. 더 나아가, 보호를 받는 공동체는 정부에 협조하고, 위협을 신고하며, 사회의 안정에 기여할 가능성이 더 높다. 실제로, 폭력과 박해에서 도망친 사람들에게 보호를 제공하는 것은 국가의 도덕적 권위와 국제적 동반자 관계를 강화할 수 있다. 안전과 연민 두 가지 모두를 보장하는 것은 모순되는 것이 아니라 오히려 <u>상호 강화하는 접근법</u>이다.

① 정치적인 타협
② 비현실적인 기대
④ 임시 조율 조치

해설

글의 중심 소재는 난민 보호이고, 주제문은 빈칸이 있는 마지막 문장이다. 도입부에서 난민 보호가 국가 안보와 상충한다는 일반적인 인식을 제시하고, However에서 내용을 전환하여 이것이 잘못된 견해라고 말한다. 이에 대한 근거로 철저한 보완 심사, 난민 공동체의 정부에 대한 협조, 사회 안정에 대한 기여를 제시하고, 난민 보호가 국가의 도덕적 권위와 국제적 동반자 관계를 강화할 수 있다는 점도 덧붙인다. 빈칸이 있는 문장에서는 안전과 연민을 둘 다 보장하는 것이 모순되지 않는다는 결론을 제시하며, 그 관계를 빈칸이라고 했다. 따라서 빈칸에는 서로 도움을 준다는 내용이 들어가야 하므로 빈칸에 들어갈 말로 가장 적절한 것은 ③ '상호 강화하는 접근법'이다.

어휘

- humanitarian 인도주의적인
- security 안보
- refugee 난민
- displaced 난민의
- tense 긴장
- argue 주장하다
- thorough 철저한
- uphold 지키다
- cooperate 협조하다
- contribute to ~에 기여하다
- offer 제공하다
- persecution 박해
- authority 권위
- compassion 연민
- compromise 타협
- mutually 상호간에
- approach 접근법
- crisis 위기
- perceive 인식하다
- misconception 오해
- geopolitical 지정학적인
- expert 전문가
- view 견해
- screening 심사
- obligation 의무
- threat 위협
- stability 안정성
- flee ~에서 도망치다
- moral 도덕적인
- ensure 보장하다
- contradictory 모순되는
- expectation 기대
- reinforce 강화하다
- temporary 임시의

정답 ③

DAY 58

289 다음 중 빈칸에 들어갈 말로 알맞은 것은?

Our craving for _____ is illustrated by a study of religious Israeli women, carried out by anthropologists Richard Sosis and W. Penn Handwerker. During the 2006 Lebanon War the town of Tzfat and its environs in the Galilee region of northern Israel were hit by dozens of rockets daily. Although siren warnings alerted Tzfat residents to protect their own lives by taking refuge in bomb shelters, they could do nothing to protect their houses. Realistically, that threat from the rockets was unpredictable and uncontrollable. Nevertheless, about two-thirds of the women interviewed by Sosis and Handwerker recited psalms every day to cope with the stress of the rocket attacks. When they were asked why they did so, a common reply was that they felt compelled "to do something" as opposed to doing nothing at all. Although reciting psalms does not actually deflect rockets, it did provide the women with a sense of control as they took action in their own way.

* psalms: 시편

① being accepted by our peers
② knowledge of the future
③ exploring the unknown world
④ relief from feeling helpless

290 밑줄 친 부분에 들어갈 말로 가장 적절한 것은?

The study of cognitive biases and self-deception has matured considerably in recent years. We now realize that our brains aren't just unpredictable but they're deceptive. They intentionally hide information from us, helping us fabricate plausible prosocial motives to act as cover stories for our less savory agendas. As Trivers puts it: "At every single stage of processing information — from its biased arrival, to its biased encoding, to organizing it around false logic, to misremembering and then misrepresenting it to others — the mind continually acts to distort information flow in favor of the usual goal of appearing better than one really is." Emily Pronin calls it the introspection illusion, the fact that we don't know our own minds nearly as well as we pretend to. For the price of a little self-deception, we get to _____: act in our own best interests without having to reveal ourselves as the self-interested schemers we often are.

① teach a fish how to swim
② have our cake and eat it too
③ bite off more than we can chew
④ make a mountain out of a molehill

주요 구문 분석

When they were asked // why they did so, // a common reply was // that they felt compelled "to do something" / as opposed to doing nothing at all.

(분석) as opposed to는 관용적으로 '~와 대조적으로', '~이 아니라'는 의미로 쓰이며, 이 표현 전체가 전치사처럼 작용하므로 뒤에는 명사나 동명사가 온다는 점에 주의해야 한다. 따라서 as opposed to doing nothing at all은 '아무것도 하지 않는 것이 아니라'라고 해석된다.

주요 구문 분석

They intentionally hide information from us, / helping us / fabricate plausible prosocial motives (to act / as cover stories for our less savory agendas).

(분석) helping ~ agendas는 분사구문으로, 문맥상 단순한 동시 동작이라기보다 그 결과로 이어지는 행위를 나타낸다. 따라서 and 또는 so의 의미를 넣어 '정보를 숨기고, (그 결과) 우리가 그럴듯한 동기를 꾸며내도록 만든다'라고 해석하는 것이 자연스럽다.

289

난이도 ★★☆

해석

무력감에서 벗어나기 위한 우리의 갈망은 인류학자인 Richard Sosis와 W. Penn Handwerker가 수행한 신앙심이 깊은 이스라엘 여성에 관한 연구에 의해 설명된다. 2006년 레바논 전쟁 중에 북이스라엘의 Galilee 지역에 있는 Tzfat 마을과 그 인근 지역은 매일 수십 개의 로켓탄 공격을 받았다. 사이렌 경보가 Tzfat 주민들에게 방공호에 대피함으로써 목숨을 지키라고 경고했지만, 그들은 자신들의 집을 지키기 위해 아무것도 할 수 없었다. 현실적으로 말해서, 로켓탄의 위협은 예측 불가능했고 통제할 수 없었다. 그럼에도 불구하고, Sosis와 Handwerker가 인터뷰한 여성들의 3분의 2 정도는 매일 로켓탄 공격이 주는 스트레스에 대처하기 위해 시편을 암송했다. 그들이 왜 그렇게 했는지 질문을 받았을 때, 공통된 답변은 전혀 아무것도 하지 않는 것이 아니라 '뭔가 해야' 한다고 느꼈다는 것이었다. 시편을 암송하는 것이 실제로 로켓탄을 빗나가게 하지는 않지만, 그것은 그 여성들에게 그들이 자기 나름의 방식으로 조치를 취했을 때 (상황을) 통제하고 있다는 느낌을 제공하기는 했다.

① 또래에게 받아들여지기
② 미래의 지식에 (대한)
③ 미지의 세계를 탐사하기

해설

빈칸이 첫 문장에 나오므로 첫 문장이 주제문일 가능성이 높다. 주제문 속의 빈칸에 대한 연구가 이루어졌다고 말하며 예시를 들기 시작한다. 그 예시로 전쟁 중에 자신들의 집을 지키기 위해 이스라엘 여성들이 할 수 있는 것은 아무것도 없다는 것을 보여준다. 그런데 이런 무력한 상황 속에서도 그들은 가만히 있는 것이 아니라, 무언가를 하며 상황을 대처하는 모습을 보여준다. 그 무언가가 이 글에서는 시편 낭송이었다. 즉 이 글은 인간은 어떤 무력한 상황에서도 그것을 극복하려고 행동한다는 것을 보여준다. 따라서 ④ '무력감에서 벗어나기'가 정답이다.

어휘

- craving 갈망
- carry out 수행하다
- environs 인근 지역
- take refuge 대피하다
- unpredictable 예측할 수 없는
- cope with ~에 대처하다
- deflect 빗나가게 하다
- illustrate 설명하다
- anthropologist 인류학자
- alert 경보를 발하다
- bomb shelter 방공호
- recite 암송하다
- as opposed to ~이 아니라
- take action 조치를 취하다

정답 ④

290

난이도 ★★☆

해석

인지적 편견과 자기기만에 대한 연구는 최근 몇 년 동안 상당히 발전해왔다. 우리는 이제, 우리의 뇌가 단지 예측 불가능한 것만 아니라 기만적이라는 것을 깨닫는다. 그것들(우리의 뇌)은 우리로부터 의도적으로 정보를 감춰서, 우리의 구미가 덜 당기는 의무들에 대한 변명거리로 작동할 그럴듯한 친사회적 동기를 우리가 조작하는 것을 돕는다. Trivers가 말하는 것처럼, "정보의 편향된 등장에서부터, 정보의 편향된 암호화, 잘못된 논리로 그것을 조직화하는 것, 정보를 잘못 기억하고 그것을 다른 사람에게 잘못 전하는 것까지, 정보 처리의 모든 각각의 단계에서, 실제보다 더 나아 보이려는 평상시의 목표를 위하여 정보의 흐름을 왜곡하기 위해 마음은 지속적으로 작동한다." Emily Pronin은 그것을 내적 환상이라고 부르는데, 그것은 우리가 아는 척하는 만큼 우리 자신의 마음을 거의 잘 알지 못한다는 사실이다. 약간의 자기기만이라는 대가를 치르면, 우리는 케이크를 가지고 있으면서 그것을 먹을 수도(양립할 수 없는 두 가지 일을 동시에 할 수도) 있게 된다: 즉, 우리가 흔히 그러하듯 자신의 이익을 도모하는 책략가로 우리 자신을 드러내지 않고 우리 자신의 최대의 이익에 따라 행동하게 된다.

① 물고기에게 수영하는 법을 가르칠 수도(번데기 앞에서 주름잡을 수도)
③ 우리가 씹을 수 있는 것보다 더 많이 물 수도(무리하게 욕심을 낼 수도)
④ 흙 두둑으로 산을 만들 수도(침소봉대할 수도)

해설

두 번째 문장이 주제문으로 우리의 뇌는 자기기만적이라고 말한다. 세 번째 문장에서 이의 예로 덜 바람직한 행동을 해놓고도 그에 대해 좀 더 그럴듯한 친사회적 동기를 자기도 의식하지 않은 사이에 만들어낸다고 한다. 이 사례와 마지막 문장을 근거로 하면 우리는 뇌 덕분에 우리가 자기 이익을 추구하는 사람이라는 것을 드러내지 않고도 우리의 최대 이익을 추구하는 것을 알 수 있으므로, 빈칸에 들어갈 말로 가장 적절한 것은 ② '케이크를 가지고 있으면서 그것을 먹을 수도(양립할 수 없는 두 가지 일을 동시에 할 수도)'이다.

어휘

- cognitive 인지의
- self-deception 자기기만
- unpredictable 예측 불가능한
- fabricate 조작하다
- cover story 변명거리
- arrival 등장
- misrepresent 잘못 전하다
- illusion 환상
- schemer 책략가
- bias 편견
- considerably 상당히
- intentionally 의도적으로
- plausible 그럴듯한
- savory 구미가 당기는
- encode 암호화하다
- distort 왜곡하다
- self-interested 자기 이익을 챙기는

정답 ②

291 다음 글의 제목으로 가장 적절한 것은?

A mere fifty years ago, there lived many dogs in the areas where they could safely be off leash. However, now, increased population density necessitates that dogs be walked on a leash. Rather than developing the notion of staying close (an important aspect of any relationship), the dog is kept close by means of a leash. The leash also makes it easy to jerk the dog around, and soon leash jerks become the universal correction, almost to the exclusion of people using their intelligence and creativity in training. Indeed, the easy implementation of punishment is a major reason leash training has gained such a bad reputation over the years. The final result? The dogs that become insensitive to leash jerks or don't respond well to being bullied end up being labeled stupid, stubborn, or aggressive.

① The Leash: A Tool Gone Bad
② Starting Training: Leash-pulling
③ Dogs' Responses to Leash-pulling
④ Pre-aggressive Behaviors of Dogs

292 밑줄 친 부분에 들어갈 말로 가장 적절한 것은?

The beneficial effects of _____ on memory have been observed for many types of expertise, including music. People with musical training can reproduce short sequences of musical notation more accurately than those with no musical training when notes follow typical sequences, but the advantage is much reduced when the notes are ordered randomly. Expertise also improves memory for sequences of movements. Experienced ballet dancers are able to repeat longer sequences of steps than less experienced dancers, and they can repeat a sequence of steps making up a routine better than steps ordered randomly. In each case, memory range is increased by the ability to recognize sequences and patterns to which one is accustomed.

* musical notation: 악보

① diverse expression
② systematic planning
③ artistic forms
④ familiar structure

291 난이도 ★★☆

해석

불과 50년 전에, 많은 개들은 안전하게 목줄을 풀 수 있는 지역에 살았다. 하지만, 지금은, 인구 밀도가 높아져서 개를 목줄로 묶어서 산책시키는 것을 필요로 한다. 가까이에 머무는 것(모든 관계의 중요한 측면)에 대한 생각을 발전시키기보다는, 개는 목줄에 의해 가까이 머물게 된다. 목줄은 또한 개를 갑자기 잡아당기는 것을 용이하게 하며, 훈련에 지능과 창의성을 사용하는 사람들을 제외하고는, 목줄을 잡아당기는 것이 보편적 교정 수단이 된다. 처벌의 쉬운 이행은 사실상 목줄 훈련이 수년간에 걸쳐서 그런 나쁜 명성을 얻게 된 주된 이유이다. 최종 결과는? 목줄로 급격히 잡아당기는 것에 둔감해지거나 괴롭힘을 당하는 것에 제대로 반응을 하지 않는 개들은 결국 멍청하거나, 고집 세거나, 또는 공격적이라는 꼬리표가 붙게 된다.

① 목줄: 나빠진 도구
② 훈련 시작하기: 끈 당기기
③ 개의 끈 당기기에 대한 반응
④ 개의 예비 공격적 행동

해설

이 글의 중심 소재는 개의 목줄이다. 인구 밀도가 높아짐에 따라, 인간과 개의 친밀도보다는, 개와 목줄간의 관계가 깊어졌다고 말한다. 목줄은 잡아당기기 편하고, 이 목줄을 가지고 훈육 및 처벌을 쉽게 할 수 있다. 그런데 이 목줄에 둔감해지거나, 제대로 반응하지 못하는 개는 결국 고집 세거나, 어리석다는 꼬리표가 달리게 된다. 따라서 이 목줄이 점점 나쁜 평을 갖게 만든다는 것으로 이 글의 제목으로 가장 적절한 것은 ① '목줄: 나빠진 도구'이다.

어휘

- mere ~에 불과한
- population density 인구 밀도
- on a leash 줄에 매고
- jerk 갑자기 당기다
- to the exclusion of ~을 제외하고
- bully 괴롭히다
- stubborn 고집 센
- leash 가죽 끈
- necessitate 필요로 하다
- by means of ~에 의해
- correction 교정
- implementation 이행
- label 꼬리표를 붙이다

정답 ①

292 난이도 ★★☆

해석

익숙한 구조가 기억에 미치는 유익한 효과는 음악을 포함하여 많은 유형의 전문 지식에서 관찰되어 왔다. 음표가 전형적인 순서를 따를 때는 음악훈련을 받은 사람이 음악 훈련을 받지 않은 사람보다 짧은 연속된 악보를 더 정확하게 재현할 수 있지만, 음표가 무작위로 배열되면 그 유리함이 훨씬 줄어든다. 전문 지식은 또한 연속 동작에 대한 기억을 향상시킨다. 숙련된 발레 무용수가 경험이 적은 무용수보다 더 긴 연속 스텝을 반복할 수 있고, 무작위로 배열된 스텝보다 정해진 순서를 이루는 연속 스텝을 더 잘 반복할 수 있다. 각각의 경우, 기억의 범위는 사람이 익숙한 순서와 패턴을 인식하는 능력에 의해 늘어난다.

① 다양한 표현
② 체계적인 계획
③ 예술적 형태들

해설

첫 번째 문장에 빈칸이 있으므로, 주제문을 완성하는 유형의 문제이다. 첫 문장에서 일반론을 제시한 후, 음악과 무용이라는 두 가지 예시를 통해 이를 뒷받침하고 있으므로 예시의 공통점을 찾아 빈칸을 채우면 된다. 음악과 무용 모두 전형적인 순서와 패턴을 익숙하게 알고 있을 때 더 잘 해낼 수 있다고 한다. 그러므로 빈칸에는 우리가 이미 잘 알고 있는, 전형적인 순서나 패턴과 비슷한 내용이 들어가야 한다. 따라서 정답은 ④ '익숙한 구조'이다.

어휘

- beneficial 유익한
- structure 구조
- accurately 정확하게
- typical 전형적인
- movement 동작
- make up ~을 이루다
- range 범위
- effect 효과
- observe 관찰하다
- note 음표
- order 배열하다
- experienced 숙련된
- routine 정해진 순서
- recognize 인식하다

정답 ④

293 글의 흐름상 가장 어색한 것은?

Internet cookies are small information files that websites put onto personal computers. ① Online shoppers should know that the cookies have advantages both for them and for merchants. ② The main function of cookies is to give Internet users quick access to webpages. For example, because of cookies, customers on e-commerce sites can keep items in their shopping carts while they look at additional products and then check out with ease whenever they are ready. Cookies also allow a website to remember personal information such as a consumer's name, home address, email address, and phone number, so that these items do not have to be reentered. ③ Some people believe that cookies will damage their computers. For online sellers, cookies provide an important advantage. ④ They allow the sellers to collect information about visitors to a website. Merchants can then use this customer data for advertising and other marketing purposes. Although there are concerns about what sellers might do with private information, it is clear that cookies have their benefits.

주요 구문 분석

For example, / because of cookies, / customers (on e-commerce sites) can keep items / in their shopping carts // while they look at additional products // and then check out with ease // whenever they are ready.

분석 and를 중심으로 양쪽에 부사절을 동반하는 절이 병렬 구조로 연결된 형태이다. 문장의 구조는 「A while B and C whenever D」이므로 'B하는 동안 A하고 D할 때마다 C한다'라고 해석하면 된다.

294 다음 글의 제목으로 가장 적절한 것은?

Around the boss, you will always find people coming across as friends, good subordinates, or even great sympathizers. But some do not truly belong. One day, an incident will blow their cover, and then you will know where they truly belong. When it is all cosy and safe, they will be there, loitering the corridors and fawning at the slightest opportunity. But as soon as difficulties arrive, they are the first to be found missing. And difficult times are the true test of loyalty. Dr. Martin Luther King said, "The ultimate test of a man is not where he stands in moments of comfort and convenience, but where he stands at times of challenge and controversy." And so be careful of friends who are always eager to take from you but reluctant to give back even in their little ways. If they lack the commitment to sail with you through difficult weather, then they are more likely to abandon your ship when it stops.

* loiter: 서성거리다 * fawn: 알랑거리다

① Tough Times: The True Test of Fidelity
② True Leadership in Tough Times
③ The Importance of Customer Loyalty
④ Loyalty: The Hardest Thing to Define

주요 구문 분석

And so be careful of friends (who are always eager to take from you // but reluctant to give back / even in their little ways).

분석 And so는 '그래서, 그러므로'의 의미로 앞 내용의 결과나 결론을 제시할 때 사용된다. friends를 수식하는 관계대명사 who절의 동사 are에 대해 두 개의 보어(eager, reluctant)가 「A but B」의 형태로 연결되어 있다.

293

난이도 ★★☆

해석

인터넷 쿠키는 웹사이트가 개인 컴퓨터에 넣어두는 작은 정보파일이다. ① 온라인 쇼핑객은 쿠키가 그들과 상인 모두에게 이점이 있다는 것을 알아야 한다. ② 쿠키의 주요 기능은 인터넷 사용자들에게 웹페이지에 대한 빠른 접근성을 제공하는 것이다. 예를 들어, 쿠키로 인해, 전자 상거래 사이트를 방문하고 있는 고객은 그들이 추가 상품을 살펴보는 동안 장바구니에 품목들을 보관할 수 있고 준비가 될 때마다 쉽게 계산할 수 있다. 쿠키는 또한 고객의 이름, 자택 주소, 이메일 주소, 전화번호와 같은 개인 정보를 웹사이트가 기억할 수 있게 해 주고, 그로 인해 이런 항목을 다시 써넣을 필요가 없다. ③ <u>어떤 사람들은 쿠키가 그들의 컴퓨터에 손상을 줄 것이라고 믿는다.</u> 온라인 상인들에게 쿠키는 중요한 이점을 제공한다. ④ 쿠키들은 상인들에게 웹사이트 방문객들에 관한 정보를 모을 수 있게 한다. 그런 다음 상인들은 이 고객 데이터를 광고와 다른 마케팅 목적에 이용할 수 있다. 비록 개인정보를 가지고 상인들이 무엇을 할지도 모른다는 염려는 있지만, 쿠키가 이익이 있다는 것은 확실하다.

해설

이 글은 웹사이트가 고객들의 컴퓨터에 저장하는 개인의 정보파일인 쿠키의 이점에 대해 설명하는 글이다. 첫 부분은 쇼핑몰 이용자들의 이점을 설명하고 있고 다음 부분에는 쇼핑몰 상인들의 이점에 대해 언급하고 있다. 그리고 마지막 결론으로는 쿠키가 확실하게 이익이 있다고 말하고 있다. 그런데 ③은 쿠키가 컴퓨터에 손상을 준다는 내용으로 글의 흐름과는 맞지 않다.

어휘

- advantage 이점
- access 접근(성)
- additional 추가의
- with ease 쉽게
- concern 염려
- benefit 이익
- merchant 상인
- e-commerce 전자 상거래
- check out (물건 값을) 계산하다
- reenter 다시 기입하다
- private information 개인정보

정답 ③

294

난이도 ★★☆

해석

우두머리 주변에서, 당신은 항상 친구나 좋은 부하, 심지어는 대단한 동조자라는 인상을 주는 사람들을 발견할 수 있을 것이다. 그러나 일부는 진정으로 속해 있는 것은 아니다. 언젠가, 어떤 사건이 그들의 위장을 날려 버릴 것이고, 당신은 그들이 진정으로 속한 곳이 어딘지 알게 될 것이다. 모든 것이 편안하고 안전할 때, 그들은 복도를 서성거리고 아주 작은 기회에도 알랑거리면서 그곳에 있을 것이다. 하지만 어려움이 닥치자마자, 그들은 가장 먼저 사라지게 될 것이다. 그래서 어려운 시기는 충성심의 진정한 시험대이다. Martin Luther King 박사는 "어떤 사람을 판단하는 궁극적인 시험대는 편안함과 안락함의 순간에 그 사람이 서 있는 곳이 아니라, 도전과 논쟁의 시기에 그 사람이 서 있는 곳이다."라고 말했다. 그러므로 항상 당신에게서 뭔가 얻어가려고 열심이면서 사소하게라도 돌려주기를 꺼리는 친구를 조심하라. 만약 그들에게 당신과 함께 악천후를 뚫고 항해하려는 헌신이 부족하다면, 당신의 배가 멈출 때, 그것을 버릴 가능성이 더 크다.

① 힘든 시기: 충성심의 진정한 시험대
② 힘든 시기의 진정한 리더십
③ 고객 충성심의 중요성
④ 충성심: 정의하기 가장 어려운 것

해설

글의 앞부분에서 우두머리 주변에서 항상 좋은 사람들이 있기 마련이지만, 그들이 정말 그런 사람인지 알 수 없다고 나온다. 상황이 편하고 안전하면 그런 사람들은 우리 주변에 있지만, 어려움이 찾아오면 그들이 가장 먼저 사라지게 된다는 내용이다. 여섯 번째 문장이 주제문으로써 어려운 시기가 곧 사람을 판단하는 궁극적인 시험대라는 것이다. 따라서 글의 제목으로 가장 적절한 것은 ① '힘든 시기: 충성심의 진정한 시험대'이다. ②가 안 되는 이유는 주변에서 신뢰하지 말아야 할 사람에 대해 조언하긴 하지만 진정한 리더십이 무엇인지에 대한 글은 아니며, ③과 ④에서 고객 충성심이나 충성심을 정의하기 어렵다고 하는 내용은 언급되지 않았다.

어휘

- come across as ~라는 인상을 주다
- sympathizer 동조자
- incident 사건
- cosy 편안한
- slightest 아주 작은
- missing 사라진
- ultimate 궁극적인
- lack 부족하다
- abandon 버리다
- subordinate 부하
- belong 속하다
- blow 날려 버리다
- corridor 복도
- opportunity 기회
- loyalty 충성심
- controversy 논쟁
- commitment 헌신
- fidelity 충성심

정답 ①

295 밑줄 친 부분에 들어갈 말로 가장 적절한 것은?

If you want to get over an obstacle so that your idea can become the solution-based policy you've long dreamed of, _____. You have to be willing to alter your idea and let others influence its outcome. You have to be okay with the outcome being a little different, even a little less, than you wanted. Say you're pushing for a clean water act. Even if what emerges isn't as well-funded as you wished, or doesn't match how you originally conceived the bill, you'll have still succeeded in ensuring that kids in troubled areas have access to clean water. That's what counts, that they will be safer because of your idea and your effort. Is it perfect? No. Is there more work to be done? Absolutely. But in almost every case, helping move the needle forward is vastly better than not helping at all.

① perseverance will be the best policy
② it is advisable to secure sufficient funding.
③ you can't have an all-or-nothing mentality
④ determination will enable you to pursue your idea.

주요 구문 분석

But in almost every case, / helping move the needle forward / is vastly better // than not helping at all.

(분석) helping move the needle forward는 문장의 주어 역할을 하는 동명사구로 직역하면 '바늘을 앞으로 이동하도록 돕는 것'이지만 문맥상 '작은 진전을 이루다'라는 의미로 이해하는 것이 좋다.

296 다음 문장이 들어가기에 가장 적합한 곳은?

But restricting women and children from joining clinical trials may be harmful to them in the long run.

Historically women, children and people of color have been underrepresented in clinical trials. (①) The rationale for excluding women of childbearing age, particularly women who are pregnant, is to protect their developing and future children from possible longterm side effects of unproven drugs. (②) Unless they participate in clinical trials, the effectiveness and safety of therapies cannot be rigorously established. (③) For example, the trials of the effect of zidovudine on mother-to-child transmission provided important information that has dramatically reduced perinatal HIV transmission. (④) Without the participation of pregnant women in clinical trials, the effectiveness of antiretroviral therapy in preventing mother-to-child transmission of HIV would not be proven.

* HIV: 에이즈 바이러스

296 난이도 ★★★

해석

역사적으로 여성, 아이들 그리고 유색인종은 임상 실험에서 불충분하게 대표되고 있다. (①) 가임기 여성, 특히 임신 중인 여성 배제의 근본적 이유는, 그들의 자라고 있는 미래의 아이들을 증명되지 않은 약에 있을 수 있는 장기간의 부작용으로부터 보호하기 위해서이다. (②) 하지만 여성과 아이들이 임상 실험에 참여하지 못하게 제한하는 것은 결국에는 그들에게 위험할 수 있다. 그들이 임상 실험에 참여하지 못한다면, 치료법의 효과와 안전성이 엄밀하게 확립되지 못한다. (③) 예를 들어, 엄마에게서 아이로의 감염에 있어서 zidovudine의 효과에 대한 임상 실험은 출산 전후의 에이즈 바이러스 감염을 급격하게 줄이는 데 중요한 정보를 제공했다. (④) 임상 실험에 임신한 여성의 참여가 없다면, 엄마로부터 아이에게로의 에이즈 감염을 막는 데 있어 항리트로바이러스 치료법의 효과는 증명되지 않았을지도 모른다.

해설

주어진 문장에서 But과 함께 여성과 아이들이 임상 실험을 못 받으면 결국에는 위험할 수 있다고 언급한다. But 이전의 나오는 내용은 임상 실험을 받지 못한다는 내용이 나와야 한다. ②번 앞 문장을 보면, 여성과 어린이가 임상 실험으로부터 제외되어야만 하는 이유를 언급하고 있으므로 주어진 문장과 대조를 이루고 있다. 또한 ②번 이후에 나오는 문장은 주어진 문장에 대한 근거를 대고 있으며 왜 여성과 어린이가 임상 실험 대상이 되어야 하는지 설명하고 있다. 따라서 ②번이 주어진 문장에 가장 적합한 위치이다.

어휘

☐ clinical trial 임상 실험 ☐ in the long run 결국에는
☐ underrepresent 실제 수량·정도보다 적게 표시하다
☐ rationale 근본적 이유 ☐ rigorously 엄격히
☐ zidovudine 에이즈 치료용 항균제 ☐ perinatal 출산 전후의
☐ antiretroviral therapy 에이즈 치료법의 일종
☐ transmission 감염

정답 ②

주요 구문 분석

But / restricting women and children from clinical trials / may be harmful to them / in the long run.

분석 「restrict A from -ing」는 'A가 ~하지 못하게 제한하다'라는 의미로, 여기서는 동명사구 전체가 문장의 주어로 쓰였다.

297 다음 글의 요지로 가장 적절한 것은?

Diversity, challenge, and conflict help us maintain our imagination. Most people assume that conflict is bad and that being in one's "comfort zone" is good. That is not exactly true. Of course, we don't want to find ourselves without a job or medical insurance or in a fight with our partner, family, boss, or coworkers. One bad experience can be sufficient to last us a lifetime. But small disagreements with family and friends, trouble with technology or finances, or challenges at work and at home can help us think through our own capabilities. Problems that need solutions force us to use our brains in order to develop creative answers. Navigating landscapes that are varied, that offer trials and conflicts, is more helpful to creativity than hanging out in landscapes that pose no challenge to our senses and our minds. Our two million-year history is packed with challenges and conflicts.

① What challenges us, contradicts us, and conflicts with us can lead to troubles at work.
② Disagreements can be unpleasant, even offensive, but they are vital to human reason.
③ Various conflicts that you are going through can boost your imagination and creativity.
④ We need to get out of our comfort zones and go after what we really want from life.

298 밑줄 친 곳에 들어갈 가장 적절한 것은?

In fact, philosophy is valuable largely in that it is _____. The man who knows nothing of philosophy goes through life trapped in the prejudices coming from common sense, from the habitual beliefs of his age or his nation, and from convictions which have grown up in his mind without the cooperation or consent of his reason. To such a man the world tends to become definite, finite, obvious; common objects rouse no questions, and unfamiliar possibilities are easily rejected. As soon as we begin to philosophize, on the contrary, we find that even the most everyday things lead to problems to which only very incomplete answers can be given. That is, philosophy, though unable to give us an answer with certainty, is able to suggest many possibilities which enlarge our thoughts and free us from old customs.

① uncertain
② coincident
③ susceptible
④ resolute

주요 구문 분석

Problems (that need solutions) force us to use our brains / in order to develop creative answers.
분석 관계대명사 that절이 선행자이자 주어인 Problems를 수식하고 있다. 「force+목+to부정사」는 '목적어가 ~하도록 강요하다'라고 해석한다. in order to는 '~하기 위하여'라는 뜻의 to부정사 부사적 용법으로 목적을 해석한다.

주요 구문 분석

That is, / philosophy, (though unable to give us an answer with certainty), is able to suggest / many possibilities (which enlarge our thoughts and free us / from old customs).
분석 though ~ certainty는 주어와 be동사가 생략된 분사구문으로 원래 문장은 though it is unable ~이다. 양보의 의미를 분명히 하기 위해 접속사를 생략하지 않고 남겨두었으므로 그 의미를 살려 '비록 우리에게 확실하게 해답을 주지는 못하지만'이라고 해석하면 된다.

297

난이도 ★★★

해석

다양성, 어려움, 그리고 갈등은 우리가 우리의 상상력을 유지하는 데 도움이 된다. 대부분의 사람들은 갈등은 나쁜 것이고, '편안한 지역'에 머무는 것이 좋은 것이라고 당연한 듯 생각한다. 그것은 정확히는 사실이 아니다. 물론, 우리는 직업 또는 의료보험이 없거나, 배우자, 가족, 상사, 직장 동료들과 다투는 자신의 모습을 보고 싶어 하지 않는다. 하나의 나쁜 경험이 우리에게 평생 동안 지속되기에 충분할 수 있다. 하지만 가족과 친구들과의 작은 의견 충돌, 기술 또는 재정적 문제, 직장과 가정에서의 어려움이 우리의 능력에 대해 충분히 생각하도록 도와준다. 해결책이 필요한 문제들은 창의적인 답을 개발하기 위해 우리에게 우리의 뇌를 사용하도록 강요한다. 시련과 갈등을 주는, 변화무쌍한 지역을 나아가는 것은, 우리의 감각과 마음에 아무런 어려움을 주지 않는 지역에서 많은 시간을 보내는 것보다 훨씬 더 창의성에 도움이 된다. 우리의 200만년 역사는 어려움과 갈등으로 가득 차 있다.

① 우리에게 도전하고, 부정하며, 충돌하게 하는 것은 직장에서 문제를 일으킬 수 있다.
② 의견 충돌은 불쾌하고, 심지어 모욕적일 수 있지만, 그것은 인간의 이성에 필수적이다.
③ 당신이 겪고 있는 다양한 갈등은 당신의 상상력과 창의력을 높일 수 있다.
④ 우리는 우리의 편안한 지역에서 벗어나 우리가 인생에서 진정으로 원하는 것을 추구할 필요가 있다.

해설

첫 번째 문장이 주제문으로, 다양성, 어려움, 갈등이 우리가 상상력을 유지하는 데 도움이 된다고 설명하는 글이다. 구체적으로는 다양한 어려움이 우리의 능력에 대해 충분히 생각하도록 하고, 문제에 대한 답을 개발하기 위해 뇌를 사용하며, 변화무쌍한 지역을 나아가는 것이 상상력과 창의성에 도움이 된다고 설명하고 있다. 그러므로 이 글의 요지로 가장 적절한 것은 ③ '당신이 겪고 있는 다양한 갈등은 당신의 상상력과 창의력을 높일 수 있다'이다. ① 직장에서 문제를 일으킨다는 내용, ② 인간의 이성은 언급되지 않았으며, ④ 편안한 지역에서 머무는 것보다 갈등이 상상력을 유지하는 데 도움이 된다고 했으나, 진정으로 원하는 것을 추구할 필요가 있다는 내용은 언급되지 않았으므로 답이 될 수 없다.

어휘

- diversity 다양성
- conflict 갈등
- imagination 상상력
- insurance 보험
- disagreement 의견 충돌
- landscape 지역
- hang out 많은 시간을 보내다
- offensive 모욕적인
- challenge 어려움
- maintain 유지하다
- assume 당연한 것으로 여기다
- sufficient 충분한
- solution 해결책
- trial 시련
- contradict 부정하다
- vital 필수적인

정답 ③

298

난이도 ★★★

해석

사실, 철학은 그것이 불확실하다는 점에서 대개 가치가 있다. 철학을 전혀 모르는 사람은 상식, 자신의 나이 또는 국가에 대한 평소의 믿음, 그리고 자기 이성의 협조나 동의 없이 자신의 마음속에 자라난 신념에서 온 편견 안에 갇힌 삶을 산다. 그런 사람에게 세상은 명확하고, 제한적이며, 명백해지는 경향이 있다; 일반 사물들은 의문을 유발하지 않으며, 익숙하지 않은 가능성은 쉽게 무시된다. 반대로 우리가 철학적으로 생각하기 시작하자마자 우리는 가장 일상적인 사물들조차도 아주 불완전한 답변밖에 주지 못하는 문제들로 이어진다는 것을 깨닫는다. 즉, 철학은 비록 우리에게 확실하게 해답을 주지는 못하지만 우리의 사고를 넓히고 우리를 낡은 관습에서 벗어나게 하는 많은 가능성을 제안할 수 있다.

② 일치하다
③ 민감하다
④ 확고하다

해설

글의 첫 문장은 글의 주제문이 될 가능성이 매우 크므로 첫 문장에 있는 빈칸에는 글의 주제와 직결되는 단어나 표현이 들어간다고 예측할 수 있다. 첫 문장 이후에는 먼저 철학을 모르는 사람에게는 모든 것이 확실하고 명백해진다고 설명한다. 그런 다음, 이와 반대로(on the contrary) 철학은 일상적인 사물에서도 불완전한 답변밖에 찾지 못한다고 설명한 뒤, 철학의 특성을 정리하는 마지막 문장에서 철학은 확실한 답을 주지는 못하지만 우리의 사고를 넓히고 우리를 낡은 관습에서 벗어나게 하는 수많은 가능성을 제안한다고 주장한다. 즉, 확실성과 반대되는 것이야말로 철학의 특성이자 가치라고 할 수 있다. 따라서 빈칸에 들어갈 가장 적절한 말은 ① '불확실하다'이다.

어휘

- largely 대부분
- habitual 습관적인
- consent 동의
- finite 제한된
- philosophize 철학적으로 생각하다
- uncertain 불확실한
- susceptible 민감한
- prejudice 편견
- conviction 신념
- definite 명확한
- obvious 명백한
- enlarge 넓히다
- coincident 일치하는
- resolute 확고한

정답 ①

299 글의 흐름상 가장 어색한 문장은?

Every event that causes you to smile makes you feel happy and produces feel-good chemicals in your brain. Force your face to smile even when you are stressed or feel unhappy. ① The facial muscular pattern produced by the smile is linked to all the "happy networks" in your brain and will in turn naturally calm you down and change your brain chemistry by releasing the same feel-good chemicals. ② But while they may look similar, genuine smiles and fake smiles are controlled by different muscles and different areas of the brain. ③ Researchers studied these effects of a genuine and forced smile on individuals during a stressful event. ④ They had participants perform stressful tasks while not smiling, smiling, or holding chopsticks crossways in their mouths to force the face to form a smile. The results of the study showed that smiling, forced or genuine, during stressful events reduced the intensity of the stress response in the body and lowered heart rate levels after recovering from the stress.

300 주어진 문장이 들어갈 위치로 가장 적절한 것은?

Much more commonly, today at least, uncertainty and limitations on predictability arise from human behaviour and interpretation.

At least until the first half of the 20th century, most of the uncertainty faced by engineers was due to natural causes or limitations in our knowledge of engineering science. Today, much of that has changed. Engineering science now allows us to make extraordinarily accurate predictions, most of the time. (①) Obviously, engineered structures can still be overwhelmed by natural disasters, such as storms, floods, volcanic eruptions, earthquakes, tsunamis, and wildfires. (②) However, these events are very rare in statistical terms. (③) The 2011 Japanese tsunami, for example, was predictable to natural scientists. (④) However, people had decided that the risk was so small that it was not worth the expenditure to create sufficiently strong defences.

299 난이도 ★★☆

해석

당신을 웃게 하는 모든 상황은 당신을 행복하게 만들고 당신의 뇌에서 기분을 좋게 만드는 화학물질을 만들어낸다. 심지어 스트레스를 받거나 불행하다고 느낄 때에도 억지로 웃어보자. ① 웃음으로 만들어지는 안면 근육 형태는 뇌의 모든 '행복 네트워크'와 연결되어 있고, 기분을 좋게 만드는 동일한 화학물질을 방출함으로써 결국 당신을 자연히 진정시키고 뇌의 화학 작용을 변화시킬 것이다. ② 그러나 진실한 웃음과 거짓 웃음은 비슷해 보일지는 모르지만, 다른 근육과 다른 뇌 영역의 통제를 받는다. ③ 연구원들은 스트레스가 많은 상황에서 진실한 웃음과 억지웃음이 개인에게 미치는 영향을 연구했다. ④ 연구자들은 참가자들이 웃지 않거나, 웃거나, 또는 얼굴에 웃음을 띠게 하려고 입에 젓가락을 가로로 문 채로 스트레스가 많은 과업을 수행하게 했다. 그 연구 결과는 웃음이, 강요된 것 혹은 진실한 것이든, 스트레스가 많은 상황에서 신체의 스트레스 반응 강도를 낮췄고 스트레스로부터 회복된 후의 심장 박동 수치를 낮췄다는 것을 보여주었다.

해설

웃음은 진실하든 억지든 관계없이 사람을 행복하게 만들고 스트레스를 극복하도록 도와준다는 내용의 글이다. ①은 웃을 때 생기는 안면 근육의 형태가 뇌의 행복 네트워크와 연결되어 기분을 좋게 만든다고 설명한다. ③은 앞에서 언급된 웃음이 개인에게 미치는 영향을 알아보는 연구를 했다고 말하고 ④는 참가자들이 해당 실험에서 구체적으로 어떤 지시를 받고 실행했는지 설명한다. 그런 다음, ④의 뒤에서 진짜든 가짜든 웃음이 스트레스 반응 강도를 낮췄다는 실험 결과를 이야기한다. 즉, 글 전체가 진짜 웃음과 거짓 웃음이 모두 긍정적인 역할을 한다는 내용인 데 비해 ②는 그 두 가지가 겉보기에는 비슷한 것 같더라도 서로 다른 근육과 뇌 영역의 통제를 받는다는 차이점을 설명하고 있다. 따라서 글의 흐름상 가장 어색한 것은 ②이다.

어휘

- chemical 화학물질
- muscular 근육의
- in turn 결국
- calm down ~을 진정시키다
- release 방출하다
- genuine 진실한
- forced 강요된
- intensity 강도
- response 반응

정답 ②

300 난이도 ★★☆

해석

최소한 20세기의 전반까지 공학자들이 직면한 대부분의 불확실성은 자연적인 원인 또는 공학에 대한 우리 지식의 한계에 기인했다. 오늘날에는 그것이 많이 변했다. 공학은 이제 우리가 대부분의 경우에 이례적으로 정확한 예측을 할 수 있도록 해준다. (①) 분명히 공학적으로 설계되어 제작된 구조물들은 폭풍우, 홍수, 화산 폭발, 지진, 쓰나미, 그리고 산불과 같은 자연 재해에 의해 압도될 수 있다. (②) 하지만 이러한 사건들은 통계적인 측면에서 매우 드물다. (③) 최소한 오늘날에는 훨씬 더 일반적으로 불확실성과 예측 가능성의 한계는 인간의 행동과 해석으로부터 생겨난다. 예를 들어, 2011년 일본 쓰나미는 자연 과학자들에게 예측 가능했다. (④) 하지만 사람들은 그 위험이 너무 작아서 충분히 강한 방어막을 만들 경비를 들일 가치가 없다고 결정했다.

해설

이전의 공학자들이 직면한 불확실성은 자연 재해나 지식의 부족에서 기인했지만 오늘날에는 인간의 행동과 해석에서 비롯된다는 것을 비교해서 설명하는 글이다. 주어진 문장의 Much more commonly는 비교급 표현이므로 내용상 비교 대상을 담고 있는 문장 다음에 나와야 하는데, 인간의 행동과 해석으로부터 생겨난 경우와 비교될 수 있는 것은 자연 재해로 인한 경우이다. 따라서 주어진 문장이 ③에 들어가야 두 대상이 비교되면서 ③ 앞의 very rare와 Much more commonly가 대조를 이룬다. 또한 ③ 다음의 문장이 for example을 사용해 사례를 나타내고 있는데, 그 내용이 자연 재해에 대한 인간의 해석과 그에 따른 행동에 관한 것이므로 주어진 문장은 ③에 위치해야 적절하다.

어휘

- limitation 한계
- predictability 예측 가능성
- arise from ~로부터 생겨나다
- interpretation 해석
- uncertainty 불확실성
- due to ~ 때문인
- extraordinarily 이례적으로
- accurate 정확한
- overwhelm 압도하다
- volcanic eruption 화산 폭발
- rare 드문
- statistical 통계적인
- terms 측면
- expenditure 경비
- sufficiently 충분히
- defence 방어

정답 ③